VIKRAM SETH

Um RAPAZ ADEQUADO

Volume 1

Tradução de
Alice Xavier

EDITORA RECORD
RIO DE JANEIRO • SÃO PAULO
2014

CIP-BRASIL. CATALOGAÇÃO NA PUBLICAÇÃO
SINDICATO NACIONAL DOS EDITORES DE LIVROS, RJ

Seth, Vikram, 1952-
S518r   Um rapaz adequado, volume 1 / Vikram Seth; tradução de
v. 1   Alice Xavier de Lima. – 1. ed. – Rio de Janeiro: Record, 2014.

Tradução de: A suitable boy (volume 1)
ISBN 978-85-01-09142-0

1. Romance indiano (Inglês). I. Lima, Alice Xavier de.
II. Título.

13-09224   CDD: 828.99353
                                        CDU: 821.111(540)-3

Título original:
A suitable boy (volume 1)

Copyright © Vikram Seth, 1993

Texto revisado segundo o novo Acordo Ortográfico da Língua Portuguesa.

Todos os direitos reservados. Proibida a reprodução, no todo ou em parte, através de quaisquer meios. Os direitos morais do autor foram assegurados.

Editoração eletrônica: Abreu's System

Direitos exclusivos de publicação em língua portuguesa somente para o Brasil adquiridos pela
EDITORA RECORD LTDA.
Rua Argentina, 171 – Rio de Janeiro, RJ – 20921-380 – Tel.: 2585-2000, que se reserva a propriedade literária desta tradução.

Impresso no Brasil

ISBN 978-85-01-09142-0

Seja um leitor preferencial Record.
Cadastre-se e receba informações sobre nossos lançamentos e nossas promoções.

Atendimento e venda direta ao leitor:
mdireto@record.com.br ou (21) 2585-2002.

Para
papai e mamãe
e
à memória de Amma

PALAVRAS DE GRATIDÃO

Com estes tenho uma dívida das mais inestimáveis:
Minhas diversas musas, benévolas e implacáveis;
Meus parentes, que meus gritos e rancores aturaram
E (no longo prazo) com isso não se importaram;
Falecidos parlamentares, cujos sermões
Surrupiei para mesclar em minhas poções;
De fato, todos cujos cérebros eu espremi,
Sem misericórdia, pois obcecado me vi;
Minha própria e tola alma, que por um vintém
Sobreviveu para urdir o ficcional encantamento,
E, gentil leitor, você também,
A fonte original de todo pagamento.
Compre-me antes que o bom-senso avise, com razão,
Que você forçará o bolso e no pulso sofrerá lesão.

SUMÁRIO

1 Entre livros numa livraria, dois estudantes se conhecem um dia.   17
   Uma mãe se entristece; uma medalha se desvanece.

2 Em pleno calor uma cortesã canta serenamente.   109
   Um amante compra um periquito esperançosamente.

3 Um casal desliza de barco na correnteza do rio.   185
   Uma mãe ouve falar do flutuante desafio.

4 Do couro de Brahmpur dois homens discutem a respeito.   263
   Um par de sapatos cor de vinho é desenhado e feito.

5 O sangue encharca o beco, balas a ricochetear.   313
   Joga a isca para a presa uma raposa parlamentar.

6 Um bebê dá chutes; um irascível rajá fica uivando.   395
   Um jovem se corrompe; um pai fica rosnando.

7 Em Calcutá no fogo brando ferve o falatório.   499
   Um cemitério propicia um passeio satisfatório.

AGRADECIMENTOS

Pela autorização de citar material protegido por direito autoral, o autor e os editores gostariam de agradecer aos seguintes:

Ministério de Desenvolvimento de Recursos Humanos, Governo da Índia, por trechos extraídos de *Letters to Chief Ministers, Vol. 2, 1950-1952* de Jawaharlal Nehru, editor-geral G. Parthasarathi (Jawaharlal Nehru Memorial Fund, distribuído por Oxford University Press, 1986).

HarperCollins Publishers Ltd., por trechos extraídos de *The Koran Interpreted*, de A.J. Arberry (George Allen & Unwin Ltd. e Oxford University Press, 1964).

Oxford University Press, por um trecho extraído de *The Select Nonsense of Sukumar Ray* traduzido por Sukanta Chaudhuri (Oxford University Press, 1987).

Faber & Faber, por um trecho extraído do poema "Law, Say the gardeners" publicado em *W.H.Auden: Collected Poems*, editado por Edward Mendelson (Faber &Faber).

Penguin Books Ltd., por trechos extraídos de *Selected Poems* by Rabindranath Tagore, traduzido por William Radice (Penguin Books, 1985).

Bantam Books Inc. por trechos extraídos de *The Bhagavad-Gita*, traduzido por Barbara Stoler Miller (Bantam Books, 1986).

Sahitya Akademi, por trechos extraídos de *Mir Anis*, de Ali Jawad Zaidi, publicado na série "Makers of Indian Literature" (Sahitya Akademi, 1986).

Gita Press, Gorakhpur, por trechos extraídos de *Sri Ramacharitamanasa*, traduzido para o inglês (Gita Press, 1986).

Apesar de todo o empenho em localizar os detentores de direitos autorais e obter sua permissão, tal não foi possível em todas as instâncias; qualquer omissão que for trazida ao nosso conhecimento será remediada em futuras edições.

MEHRA

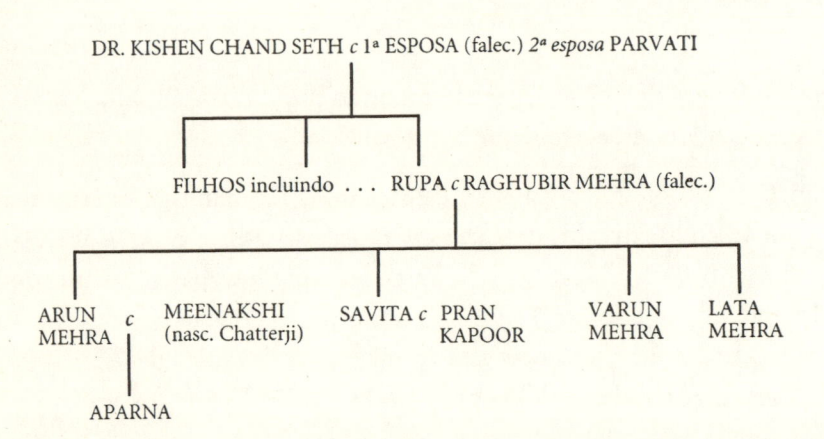

DR. KISHEN CHAND SETH *c* 1ª ESPOSA (falec.) *2ª esposa* PARVATI

FILHOS incluindo ... RUPA *c* RAGHUBIR MEHRA (falec.)

ARUN MEHRA *c* MEENAKSHI (nasc. Chatterji)   SAVITA *c* PRAN KAPOOR   VARUN MEHRA   LATA MEHRA

APARNA

KAPOOR

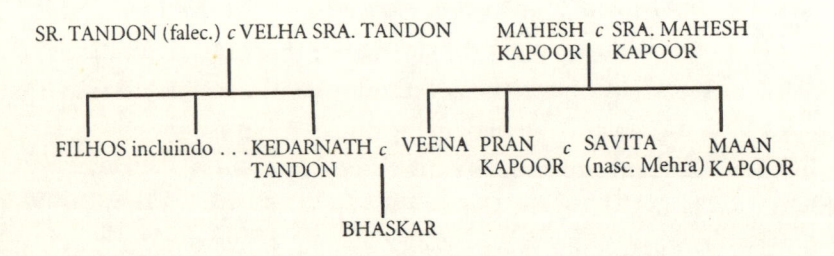

SR. TANDON (falec.) *c* VELHA SRA. TANDON   MAHESH KAPOOR *c* SRA. MAHESH KAPOOR

FILHOS incluindo ... KEDARNATH TANDON *c* VEENA   PRAN KAPOOR *c* SAVITA (nasc. Mehra)   MAAN KAPOOR

BHASKAR

KHAN

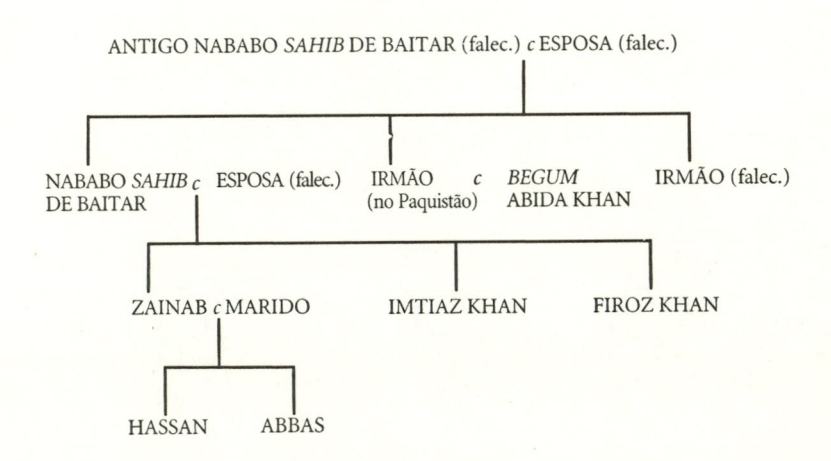

ANTIGO NABABO *SAHIB* DE BAITAR (falec.) *c* ESPOSA (falec.)

NABABO *SAHIB* *c* ESPOSA (falec.) DE BAITAR

IRMÃO (no Paquistão) *c* *BEGUM* ABIDA KHAN

IRMÃO (falec.)

ZAINAB *c* MARIDO

IMTIAZ KHAN

FIROZ KHAN

HASSAN   ABBAS

CHATTERJI

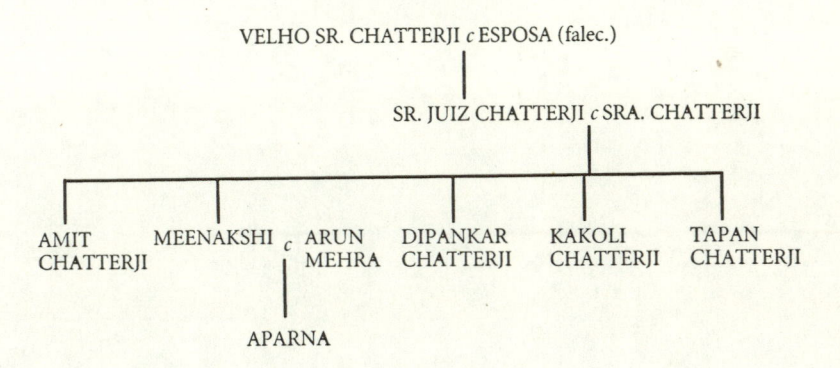

VELHO SR. CHATTERJI *c* ESPOSA (falec.)

SR. JUIZ CHATTERJI *c* SRA. CHATTERJI

AMIT CHATTERJI   MEENAKSHI *c* ARUN MEHRA   DIPANKAR CHATTERJI   KAKOLI CHATTERJI   TAPAN CHATTERJI

APARNA

O supérfluo, aquela coisa muito necessária...
VOLTAIRE

O segredo de ser entediante é dizer tudo.
VOLTAIRE

Parte Um

1.1

— VOCÊ também se casará com um rapaz de minha escolha — disse a Sra. Rupa Mehra com firmeza à filha mais nova.

Para fugir à imposição materna, Lata olhou ao redor para o amplo jardim de Prem Nivas, iluminado por lâmpadas. Os convidados do casamento estavam reunidos no gramado.

— Humm — disse Lata, irritando ainda mais a mãe.

— Eu sei o que significam os seus "humms", mocinha, e digo que não vou aturar nenhum "humm" nessa questão. Eu sei o que é melhor para você. Estou fazendo tudo isso em seu benefício. Acha que é fácil para mim tentar planejar as coisas para meus quatro filhos sem a ajuda Dele?

Ela começou a ficar de nariz vermelho ao pensar no marido, que, segundo acreditava, estaria sem dúvida em algum lugar benevolentemente superior, participando da presente alegria deles. A Sra. Rupa Mehra acreditava em reencarnação, é claro, mas em momentos de excepcional emoção imaginava que o falecido marido Raghubir Mehra ainda habitava a forma na qual ela o conheceu quando vivo: a forma robusta e airosa dos 40 e poucos anos, antes que o excesso de trabalho o levasse ao infarto, no auge da Segunda Guerra Mundial. Havia oito anos, oito anos, pensou aflita.

— Puxa, *ma*, a senhora não pode chorar no dia do casamento da Savita — disse Lata, colocando gentil e despreocupadamente o braço em torno dos ombros da mãe.

— Se ele estivesse aqui, eu poderia ter vindo com o sári de brocado de seda que usei em meu casamento — suspirou a Sra. Rupa Mehra. — Mas é chamativo demais para uma viúva.

— Ora, *ma*! — protestou a filha, um pouco exasperada pelas emoções que a mãe insistia em extrair de cada circunstância possível. — Os outros estão olhando para a senhora. Eles querem vir cumprimentá-la, e vão achar muito esquisito vê-la chorando assim.

De fato, diversos convidados estavam fazendo uma leve reverência à mãe da noiva e sorrindo para ela; a nata da sociedade de Brahmpur, observou ela, deliciada.

— Deixe que me vejam! — disse desafiadora a Sra. Rupa Mehra, enxugando os olhos apressadamente com um lenço perfumado de água-de-colônia 4711. — Vão pensar que é só de felicidade com o casamento de Savita. Tudo que eu faço é por vocês, mas ninguém me valoriza. Eu escolhi um bom rapaz para Savita, e todo mundo só sabe se queixar.

Lata refletiu que, dos quatro irmãos e irmãs, a única pessoa que não tinha se queixado era a dócil, pálida e bela Savita.

— Ele é um pouco magro, *ma* — disse Lata, um tanto imprudente. Era uma maneira atenuada de descrever a situação. Pran Kapoor, que em breve se tornaria seu cunhado, era magro, trigueiro, desengonçado e asmático.

— Magro? O que é magro? Hoje em dia todo mundo está tentando emagrecer. Eu mesma fui obrigada a passar o dia inteiro em jejum, e isso não faz bem ao meu diabetes. E, se Savita não está se queixando, todo mundo deveria se alegrar por ela. Arun e Varun reclamam o tempo todo: então por que não foram escolher um rapaz para a irmã? Pran é um bom rapaz, honrado e culto, da casta dos xátrias.

Não havia como negar que, aos 30 anos, Pran era um rapaz bom, honrado e pertencente à casta certa. E, na verdade, Lata gostava mesmo dele. O mais estranho era que o conhecesse melhor que a irmã — ou, pelo menos, convivera com ele por mais tempo do que ela. Lata estava estudando inglês na Universidade de Brahmpur, e Pran Kapoor era um renomado professor-assistente na instituição. Lata frequentara as aulas dele sobre os elisabetanos, ao passo que Savita, a noiva, só estivera com ele por uma hora, e ainda assim acompanhada da mãe.

— E Savita vai engordá-lo — acrescentou a Sra. Rupa Mehra. — Por que você está tentando me irritar quando estou tão contente? Pran e Savita serão felizes, você verá. Eles vão ser felizes — continuou, enfática.— Muito obrigada, muito obrigada. — Ela agora sorria para os que se acercavam dela para cumprimentá-la. — É maravilhoso: o rapaz de meus sonhos, e uma família tão boa. O ministro *sahib* foi muito amável conosco. E Savita está muito feliz. Queiram, por gentileza, comer alguma coisa; comam, por favor: foram preparados deliciosos *gulab-jamuns*, que eu não posso comer nem depois das cerimônias, por causa do diabetes. Não me deixam comer *gajak*, que é tão difícil de resistir no inverno. Mas comam, comam, por favor. Eu preciso ir lá dentro ver o que está acontecendo: já está quase na hora que os sacerdotes recomendaram, e nem sinal da noiva nem do noivo!

Ela olhou para Lata com a testa franzida. A filha mais nova iria se revelar mais problemática que a mais velha, concluiu.

— Não esqueça o que eu lhe disse — lembrou, em tom de advertência.

— Humm — respondeu Lata. — Mãe, seu lenço está para fora da blusa.

— Ah! — disse a mãe, empurrando o lenço para dentro, preocupada.

— E diga a Arun que, por favor, leve a sério seus deveres. Ele fica em pé ali no canto conversando com aquela Meenakshi e o idiota do amigo dele de Calcutá. Deveria cuidar para que todos comessem e bebessem bem e tivessem uma noite maravilhosa.

"Aquela Meenakshi" era a glamorosa esposa de Arun e a desrespeitosa nora da Sra. Rupa Mehra. Aos olhos da sogra, em quatro anos de casamento, o único ato meritório de Meenakshi tinha sido dar à luz sua adorada netinha, Aparna, que naquele exato instante havia encontrado o sári de seda marrom da avó, o qual puxava para chamar a atenção. A Sra. Rupa Mehra ficou encantada. Deu um beijo na criança e disse:

— Aparna, você precisa ficar com sua mãe ou com a Lata *Bua*, senão vai se perder. E aí onde nós iríamos parar?

— Eu não posso ir com a senhora? — perguntou Aparna que, aos 3 anos, naturalmente já tinha suas próprias opiniões e preferências.

— Queridinha, eu bem que gostaria, mas preciso cuidar de que sua Savita *Bua* se apronte para o casamento. Ela já está muito atrasada...

A Sra. Rupa Mehra olhou novamente para o relógio de ouro, o primeiro presente que seu marido lhe dera. Ele não havia falhado um só segundo em duas décadas e meia.

— Eu quero ver Savita *Bua*! — insistiu Aparna, mantendo sua posição.

A Sra. Rupa Mehra pareceu um pouco estressada e fez um vago aceno de cabeça em direção à criança.

Lata apanhou Aparna.

— Quando Savita *Bua* aparecer, nós ficaremos ali, e eu vou levantar você assim, para nós duas termos uma boa visão. Enquanto isso, que tal tratarmos de conseguir um sorvete? Eu também estou com vontade de tomar sorvete.

Aparna aprovou a sugestão, como aprovava a maior parte das sugestões de Lata. Nunca estava frio demais para se tomar sorvete. Assim, elas caminharam juntas até o bufê, de mãos dadas, uma de 3 anos, outra de 19. De algum lugar caíram suavemente algumas pétalas de rosa.

— O que é bom para sua irmã é bom para você — disse a Sra. Rupa Mehra a Lata, numa cáustica observação final.

— Pran não pode se casar com nós duas ao mesmo tempo — retrucou a filha, dando risada.

1.2

OUTRO anfitrião importante do casamento era o pai do noivo, o Sr. Mahesh Kapoor, ministro da Fazenda do estado de Purva Pradesh. Na verdade, o casamento estava se realizando em Prem Nivas, seu espaçoso palacete de dois andares pintado em tons de bege e cuja planta baixa lembrava o formato de uma lua crescente. Era situado na área residencial mais tranquila e arborizada de Brahmpur, uma cidade antiga e — em sua maior parte — superpovoada.

O evento era tão incomum que a cidade inteira tinha passado muito tempo comentando o assunto. Quinze dias antes do casamento, o pai da Sra. Rupa Mehra, que deveria ser o anfitrião da festa, sentindo-se subitamente ofendido, trancou a casa dele e desapareceu. A Sra. Rupa Mehra ficou fora de si. O ministro *sahib* veio em seu socorro e insistiu em promover pessoalmente o casamento. Quanto às fofocas que surgiram daí, ele não fez caso delas.

Que a Sra. Rupa Mehra pagasse pela festa de casamento estava fora de cogitação; o ministro não quis nem pensar nessa possibilidade. Além disso, em momento algum pediu um dote. Ele era velho amigo e parceiro do pai da Sra. Rupa Mehra no jogo de bridge e gostou do pouco que tinha visto da filha dela, Savita (embora jamais conseguisse lembrar o nome da moça). Era solidário com dificuldades econômicas, pois também as enfrentara. Nos muitos anos que havia passado nas cadeias britânicas durante a luta pela Independência, não houve quem cuidasse de sua fazenda ou de seu comércio de tecidos. Em consequência disso, teve poucos recursos, e a esposa e a filha haviam lutado com grande dificuldade.

No entanto, para o ministro poderoso, capacitado e impaciente, aqueles tempos infelizes eram só uma lembrança. Agora estavam no começo do inverno de 1950 e fazia três anos que a Índia se libertara. Mas a liberdade do país não significava liberdade para o filho mais novo do ministro, Maan, que naquele instante estava sendo interpelado pelo pai:

— O que é bom para seu irmão é bom para você.

— Sim, *baoji* — respondeu Maan, sorrindo.

O Sr. Kapoor franziu a testa. O filho mais novo, embora sucessor do pai no hábito das roupas requintadas, não o havia sucedido em sua obsessão pelo trabalho árduo. Tampouco parecia ter qualquer ambição digna de nota.

— Ser eternamente um jovem perdulário de boa aparência não tem sentido — disse o pai. — E o casamento o forçará a colocar a cabeça no lugar e levar as coisas a sério. Escrevi ao pessoal de Benares, e aguardo uma resposta favorável a qualquer momento.

A última coisa que passava pela mente de Maan era se casar; tendo capturado o olhar de um amigo na multidão, pôs-se a acenar para ele. Centenas de pequenas luzes coloridas se acenderam simultaneamente no meio da sebe, e os sáris de seda e as joias das mulheres cintilaram ainda com mais brilho. O som agudo e estridente do *shehnai* explodiu em um ritmo rápido e esplendoroso. Maan estava em transe. Ficou observando Lata, que vinha em sua direção por entre os convidados. Uma moça muito atraente, a irmã de Savita, pensou. Não muito alta, nem de pele muito clara, mas atraente, de rosto oval, um brilho de timidez nos olhos escuros e um jeito carinhoso de tratar a menina que vinha conduzindo pela mão.

— Sim, *baoji* — disse Maan, obediente.

— O que foi que eu falei? — inquiriu o pai.

— Foi sobre casamento, *baoji* — respondeu Maan.

— O que exatamente sobre casamento?

Maan ficou desconcertado.

— Você não está escutando? — perguntou Mahesh Kapoor, com vontade de puxar a orelha de Maan. — É tão relapso quanto os escriturários do Departamento Fiscal. Não estava prestando atenção, estava acenando para Firoz.

Maan pareceu um pouco envergonhado. Sabia o que o pai pensava a seu respeito. Mas, até poucos minutos antes, ele estava se divertindo, e era bem ao estilo de *baoji* estragar sua diversão.

— Então está tudo arranjado — continuou o pai. — Depois não venha me dizer que não lhe avisei. E não faça aquela mulher fraca, sua mãe, mudar de ideia e vir me dizer que você não está pronto para assumir suas responsabilidades de homem.

— Não, *baoji* — disse Maan, vendo o rumo que as coisas estavam tomando e parecendo um pouco abatido.

— Nós escolhemos bem para Veena, escolhemos bem para Pran, e você não deve se queixar da noiva que escolhermos para você.

Maan não disse nada. Estava pensando em como poderia voltar a se divertir. Em seu quarto, no andar de cima, guardava uma garrafa de uísque escocês, e talvez ele e Firoz conseguissem dar uma escapulida antes da cerimônia, ou mesmo durante, para se reanimar.

O pai fez uma pausa para sorrir bruscamente a alguns convidados, depois se virou novamente para Maan.

— Hoje eu não quero ser forçado a desperdiçar nem mais um minuto com você. Deus sabe que já tenho coisas suficientes para fazer. O que aconteceu com Pran e aquela moça... Qual é mesmo o nome dela? Está ficando tarde. Há cinco minutos os dois deveriam ter saído de lados opostos da casa e vindo se encontrar aqui para o ritual da guirlanda.

— Savita — respondeu Maan.

— Pois é, Savita — disse o pai impaciente. — A supersticiosa da sua mãe vai começar a entrar em pânico se eles perderem a configuração correta dos astros. Vá lá acalmá-la. Anda! Faça alguma coisa útil.

E Mahesh Kapoor voltou a seus deveres de anfitrião. Amarrou a cara para um dos sacerdotes celebrantes, que retribuiu com um leve sorriso. O ministro quase foi atingido no estômago e derrubado por três crianças, os filhos de seus parentes do interior, que estavam trotando alegremente pelo jardim como se este fosse um campo de restolhos. Antes de ter dado dez passos, ele cumprimentou um professor titular de literatura (que podia ser útil à carreira de Pran); dois membros influentes do poder legislativo estadual (que talvez concordassem em apoiá-lo na perene disputa de poder com o ministro do Interior); um juiz de direito, o último inglês a permanecer no Tribunal Superior de Brahmpur depois da Independência; e seu velho amigo, o nababo *sahib* de Baitar, um dos maiores proprietários de terras do estado.

1.3

LATA, que tinha escutado em parte a conversa de Maan com o pai, não pôde deixar de sorrir enquanto passava ao lado deles.

— Vejo que você está se divertindo — observou Maan para ela em inglês.

A conversa dele com o pai tinha sido em híndi, e a dela com a mãe em inglês. Maan falava bem as duas línguas.

Lata sentiu-se subitamente encabulada, como ficava às vezes com estranhos, principalmente os que sorriam com tanta ousadia quanto Maan. Pois então deixe que ele sorria por nós dois, pensou ela.

— Estou, sim — admitiu singelamente, pousando os olhos no rosto dele por um segundo. Aparna puxava a mão dela.

— Agora nós somos quase parentes — disse Maan, talvez por sentir que ela estava pouco à vontade. — Dentro de alguns minutos as cerimônias vão começar.

— Sim — concordou Lata, olhando para ele com mais confiança. Fez uma pausa e franziu a testa. — Minha mãe está preocupada com a possibilidade de eles não começarem na hora certa.

— Meu pai também — disse o rapaz.

Lata começou a sorrir de novo, mas quando Maan lhe perguntou o motivo da graça ela fez um gesto de cabeça.

— Ora, você não está rindo de mim, está? — disse Maan, dando um peteleco numa pétala de rosa para removê-lo de seu belo casaco branco, que era longo e ajustado.

— Não estou rindo de jeito nenhum— defendeu-se Lata.

— Eu quis dizer sorrindo.

— Não, não foi de você, mas de mim mesma.

— Isso é um grande mistério — disse Maan. Seu rosto bem-humorado assumiu uma expressão de perplexidade exagerada.

— E vai ter que permanecer assim — disse Lata, dessa vez quase rindo. — A Aparna aqui está querendo sorvete, e eu preciso conseguir um para ela.

— Experimente o sorvete de pistache — sugeriu Maan. Os olhos dele seguiram por segundos o sári rosa da moça. Uma garota bonita... até certo ponto, pensou ele novamente. Mas rosa é a cor errada para sua pele. Ela deveria estar vestida de verde-escuro ou azul-marinho... como aquela mulher ali. A atenção dele se desviou para o novo objeto de contemplação.

Alguns segundos depois Lata tropeçou em sua melhor amiga, Malati, uma estudante de medicina que dividia um quarto com ela em um albergue estudantil. Malati, muito comunicativa, nunca perdia a oportunidade de falar com estranhos. Estes, contudo, ao olharem seus belíssimos olhos verdes, às vezes ficavam sem saber o que dizer.

— Quem era aquele Cad com que você estava conversando? — perguntou Malati avidamente à amiga.

A expressão não era tão negativa quanto parecia: na gíria das garotas da Universidade de Brahmpur, um rapaz bonito era chamado de Cad, termo derivado do chocolate Cadbury.

— Ah, é só o Maan, o irmão mais novo do Pran.

— Jura? Mas ele é tão bonito, e o Pran é tão... Quer dizer, não que seja feio, mas, sabe como é, moreno, sem nada de especial.

— Talvez Pran seja um chocolate amargo, porém nutritivo — sugeriu Lata.

Malati analisou a proposição.

— E — continuou Lata —, como minhas tias me lembraram cinco vezes nessa última hora, eu também não sou tão bonita assim, e por isso vai ser impossível conseguir um marido adequado.

— Como você consegue suportá-las? — perguntou Malati, que tinha sido criada sem pai e sem irmãos, num círculo de mulheres que sempre a apoiaram.

— Ah, eu gosto da maioria delas — disse Lata —, e se não fosse por esse tipo de especulação, um casamento não teria muita graça para elas. Depois de verem a noiva e o noivo juntos, elas vão se divertir ainda mais. A Bela e a Fera.

— Bem, ele parecia mesmo uma fera todas as vezes que eu o via no campus da universidade. Uma girafa marrom — disse Malati.

— Não seja cruel — retrucou Lata, rindo. — Aliás, Pran é um conferencista muito popular. E você vai ter que me visitar na casa dele depois que eu sair do albergue e for morar lá. Ele vai ser meu cunhado, e você tem que gostar dele também. Prometa que gostará.

— Eu não — disse Malati com firmeza. — Ele está tirando você de mim.

— Ele não está fazendo nada disso, Malati — objetou Lata. — É minha mãe, com seu apurado senso de economia doméstica, quem está me atirando em cima dele.

— E eu não vejo por que você deve obedecer a sua mãe. Diga a ela que você não suporta que a separem de mim.

— Eu sempre obedeço a minha mãe — disse Lata. — Além disso, quem irá pagar minhas despesas no albergue, se ela não o fizer? E para mim vai ser muito bom morar na casa da Savita por uns tempos. Eu me recuso a perder você. Você tem mesmo que ir nos visitar com frequência. Caso contrário, vou saber que valor atribuir à sua amizade.

Malati pareceu contrariada por segundos, mas logo se recuperou.

— Quem é essa? — perguntou. Aparna estava olhando para ela com um jeito severo e intransigente.

— É Aparna, minha sobrinha — respondeu Lata. — Aparna, diga oi para a tia Malati.

— Oi — disse Aparna, cuja paciência tinha chegado ao fim. — Por favor, posso tomar um sorvete de pistache?

— Com certeza, fofinha, me desculpe — disse Lata. — Vamos lá, todas nós, tomar sorvete.

1.4

LATA não demorou a perder Malati para um grupo de amigas da faculdade, mas antes que ela e a sobrinha conseguissem avançar muito foram capturadas pelos pais de Aparna.

— Ah, então você está aí, minha preciosa fujona — disse a resplandecente Meenakshi, dando um beijo na testa da filha. — Ela não é mesmo muito lindinha, Arun? E por onde você andou, minha linda gazeteira?

— Fui procurar *daadi* — começou a menina — e aí eu encontrei ela, mas ela tinha que entrar na casa por causa de Savita *Bua*, mas eu não podia entrar com ela. Então Lata *Bua* me trouxe para tomar sorvete, mas aí a gente não pôde porque...

Mas Meenakshi, tendo perdido o interesse, voltou-se para Lata.

— Esse tom de rosa não favorece você, Luts — disse. — Falta a ele certo... certo...

— ...*Je ne sais quoi?* — arriscou um amigo do marido dela que estava parado ali perto.

— Muito obrigada — retrucou Meenakshi, com tal encanto desdenhoso que o rapaz imediatamente se esgueirou para longe dali e ficou fingindo contemplar as estrelas. — Não, Luts, rosa não é a cor certa para você — reafirmou ela, esticando o longo pescoço moreno como um gato langoroso e avaliando a cunhada.

Ela própria estava usando um sári dourado de seda de Benares, com um corpete verde que expunha mais de sua cintura do que a sociedade de Brahmpur normalmente tinha o privilégio de — ou estava preparada para — ver.

— Puxa... — disse Lata, subitamente intimidada. Ela sabia que não tinha muito senso de estilo, e se perguntou se pareceria muito malvestida ao lado dessa ave-do-paraíso.

— Quem é o rapaz com quem você estava conversando? — indagou Arun, seu irmão, que, ao contrário da esposa, tinha reparado que Lata estava conversando com Maan. Arun tinha 25 anos, e era alto, de pele clara, inteligente, um bonitão arrogante que massacrava os egos dos irmãos para colocá-los nos eixos. Gostava de lembrar-lhes de que, depois da morte do pai, ele, "de certa maneira", substituía a figura paterna.

— Aquele é Maan, o irmão de Pran.

— Ah. — O monossílabo expressava toneladas de desaprovação.

Arun e Meenakshi haviam chegado naquela manhã, depois de terem viajado no trem noturno vindo de Calcutá, cidade onde Arun trabalhava como um dos poucos executivos indianos na prestigiosa firma Bentsen & Price, que empregava majoritariamente brancos. Ele não havia tido tempo nem vontade de travar conhecimento com a família — ou clã, como ele dizia — Kapoor, com a qual a mãe arrumara um casamento para a irmã dele. Arun lançou em torno um olhar agourento. O exagero era típico dessa gente, pensou ele, olhando para as luzes coloridas na cerca viva. A grosseria dos políticos do estado, efusivos em seus barretes brancos, e do contingente dos parentes rústicos de Mahesh Kapoor lhe excitava o refinado desdém. E o fato de que nem o brigadeiro do posto militar de Brahmpur, nem os representantes de empresas como Burmah Shell, Imperial Tobacco e Caltex estivessem representados na multidão de convivas cegava os olhos dele à presença da maioria da elite de profissionais liberais da região.

— Um tanto imoral, eu diria — declarou Arun, que tinha observado os olhos de Maan seguirem casualmente Lata, antes de se desviarem para outro lado.

Lata sorriu, assim como seu humilde irmão Varun, numa espécie de cumplicidade reprimida; ele era uma sombra nervosa de Arun e Meenakshi. Varun estava estudando — ou tentando estudar — matemática na Universidade de Calcutá e morava com Arun e Meenakshi no pequeno apartamento térreo do casal. Magro, inseguro, de natureza dócil e olhar indeciso, ele era o favorito de Lata. Apesar de um ano mais nova que ele, a moça sentia um impulso protetor pelo irmão. Varun ficava aterrorizado, de inúmeras maneiras, diante de Arun e Meenakshi, e de certa forma até da precoce Aparna. Seu apreço pela matemática limitava-se principalmente ao cálculo de probabilidades nas corridas de cavalo. No inverno, à medida que a empolgação de Varun aumentava com a temporada hípica, a raiva do irmão mais velho crescia. Arun também gostava de chamá-lo de imoral.

E você, Arun *Bhai*, o que sabe sobre moral?, pensou Lata consigo. E disse em voz alta:

— Ele parecia muito amável.

— Uma tia que a gente encontrou o chamou de Cad — contribuiu Aparna.

— Foi mesmo, queridinha? — disse Meenakshi, interessada. — Mostre-o para mim, Arun.

Mas Maan não estava em nenhum lugar à vista.

— Eu me culpo até certo ponto — confessou Arun, numa voz que não implicava nada do que dissera: Arun não era capaz de se culpar por coisa alguma. — Eu realmente deveria ter feito alguma coisa. Se não estivesse tão atolado de trabalho, talvez tivesse evitado esse fiasco todo. Mas depois que *ma* cismou que esse Kapoor era adequado foi impossível dissuadi-la. Não se pode chamá-la à razão, pois ela se debulha em lágrimas.

O que tinha ajudado a afastar os receios de Arun era o fato de que o Dr. Pran Kapoor lecionava inglês. No entanto, para a tristeza de Arun, quase não havia rostos ingleses nessa multidão provinciana.

— Que festa horrivelmente deselegante! — disse consigo Meenakshi, desanimada, resumindo os pensamentos do marido. — E que enorme diferença de Calcutá! Queridinha, você está com o nariz sujo — acrescentou para Aparna, olhando em torno para ordenar a uma babá imaginária que o limpasse com um lenço.

— Eu estou me divertindo aqui — arriscou Varun, vendo que Lata pareceu magoada. Sabia que ela gostava de Brahmpur, embora a cidade não fosse, evidentemente, uma metrópole.

— Ah, cale a boca! — retrucou Arun com brutalidade. Seu julgamento estava sendo desafiado pelo subalterno, e isso ele não aceitaria de jeito nenhum.

Varun se revoltou em seu íntimo; dirigiu ao irmão um olhar furioso e depois baixou os olhos.

— Não fale do que não entende — acrescentou Arun, tripudiando.

De cara amarrada, Varun ficou calado.

— Não me ouviu, não?

— Ouvi, sim — disse Varun.

— Sim o quê?

— Sim, Arun *Bhai* — completou Varun baixinho.

Essa aniquilação era rotineira para Varun, e Lata não se surpreendeu com o diálogo, mas se sentiu mal pelo irmão, e indignada com Arun. Não conseguia entender nem o prazer, nem o sentido daquilo. Tomou a decisão de conversar com Varun depois do casamento, tão logo fosse possível, para tentar ajudá-lo a resistir, pelo menos internamente, a semelhantes agressões a seu espírito. Ainda que eu mesma não seja perita em resistência, pensou Lata.

— Pois é, Arun *Bhai* — disse ela inocentemente —, imagino que já seja tarde demais. Agora todos nós somos uma grande família feliz, e teremos que nos aturar da melhor forma possível.

A expressão, porém, não era inocente. "Uma grande família feliz" era usado ironicamente pelos Chatterji. Meenakshi Mehra tinha sido outrora uma Chatterji, antes que ela e Arun tivessem se conhecido num coquetel, vivido uma paixão tórrida, arrebatadora e elegante, e se casado em um mês, para espanto das famílias de ambos. Não se sabia se o senhor juiz Chatterji, do Tribunal Superior de Calcutá, e sua esposa haviam gostado ou não de receber o não bengalês Arun como o primeiro apêndice de seu círculo de cinco filhos (além do cachorro Cuddles) ou se a Sra. Rupa Mehra havia se encantado ou não com a ideia de seu primogênito, o menino de seus olhos, se casar fora da casta dos xátrias (e ainda por cima com uma mulher mimada e supersofisticada como Meenakshi). O certo era que Arun sem dúvida valorizava imensamente a conexão com os Chatterji. Aquela família tinha fortuna, posição e uma casa imponente em Calcutá, na qual promoviam recepções grandiosas (porém de bom gosto). E ainda que a grande família feliz, principalmente os irmãos e irmãs de Meenakshi, às vezes o irritasse com sua incessante e irreprimível espirituosidade e seus dísticos rimados, ele a aceitava exatamente por lhe parecer inegavelmente urbano. Distanciava-se muito dessa capital provinciana, dessa gente dos Kapoor e das celebrações espalhafatosas, com pequenas luzes nas sebes e suco de romã no lugar de bebida alcoólica.

— O que você quer dizer com isso exatamente? — indagou Arun a Lata.
— Você acha que se papai estivesse vivo nós teríamos feito um casamento com esse tipo de família?

Arun não parecia se importar com que alguém pudesse ouvi-los. Lata ficou ruborizada. Mas o comentário grosseiro tinha fundamento. Se Raghubir Mehra não tivesse morrido aos 40 e tantos anos, e sim continuado sua ascensão meteórica no serviço ferroviário, ele certamente teria integrado o conselho diretor da ferrovia em 1947, quando os ingleses, em manadas, abandonaram o serviço público indiano. Por sua excelente qualidade e experiência, talvez tivesse chegado à presidência da empresa. A família não teria sido obrigada a lutar pela sobrevivência, como fizera durante anos e ainda era forçada a fazê-lo, para viver da combalida poupança da Sra. Rupa Mehra, da bondade dos amigos e, posteriormente, do salário do filho mais velho. Ela não teria sido obrigada a vender a maior parte das joias e até a casinha da família em Darjeeling para dar aos filhos a educação que achava que, acima de tudo, eles deveriam ter. Por trás de seu sentimentalismo generalizado e de seu apego aos objetos que lhe recordavam o amado marido, havia um senso de sacrifício e de valores que deliberadamente fizera os filhos aderirem aos benefícios incertos e intangíveis de uma excelente educação em um colégio interno com instrução em língua inglesa. E, assim, Arun e Varun haviam permanecido na St. George's College, e Savita e Lata não foram tiradas de St. Sophia.

Para a sociedade de Brahmpur, os Kapoor talvez fossem uma escolha muito boa, pensou Arun, mas se papai estivesse vivo, uma constelação de excelentes partidos teria se ajoelhado aos pés dos Mehra. Pelo menos ele, por exemplo, havia superado as circunstâncias em que a família se encontrava, saindo-se bem em termos de parentesco matrimonial. Que possível comparação poderia existir entre o irmão de Pran, aquele sujeito de olhar libidinoso com quem Lata havia acabado de falar — o qual, por incrível que pareça, gerenciava uma loja de tecidos em Benares, pelo que Arun soubera —, e, digamos, o irmão mais velho de Meenakshi, que tinha frequentado Oxford, estava estudando direito em Lincoln's Inn e, além disso, era um poeta publicado?

As especulações de Arun foram interrompidas pela filha dele, que ameaçava gritar se não ganhasse um sorvete. Aparna sabia por experiência própria que os gritos (ou até a ameaça de gritar) faziam milagres com os pais. Afinal, eles às vezes gritavam um com o outro, e frequentemente com os empregados.

Lata fez cara de remorso.

— A culpa é minha, querida — disse ela a Aparna. — Vamos logo de uma vez, antes que a gente acabe se enrolando com mais alguma coisa. Mas você não deve chorar nem gritar. Comigo isso não adianta.

Aparna, que sabia que isso realmente não adiantaria, ficou calada.

Mas exatamente naquele momento o noivo emergiu de um lado da casa, todo vestido de branco, seu rosto moreno, muito nervoso, velado pelos fios pendentes de florzinhas brancas. Os convidados se aglomeraram perto da porta por onde a noiva iria surgir, e Aparna, erguida do chão pelos braços de Lata *Bua*, foi obrigada mais uma vez a adiar a ameaça e a guloseima.

1.5

LATA não pôde deixar de pensar que o fato de Pran não ter vindo até o portão montado num cavalo branco, com um pequeno sobrinho sentado à sua frente e os amigos em cortejo atrás para receber a noiva, contrariava um pouco a tradição; mas, por outro lado, Prem Nivas era, afinal, a casa do noivo. Se ele tivesse obedecido à convenção, Arun teria sem dúvida encontrado ainda mais motivos para zombaria. De certo modo, Lata achava difícil distinguir o professor-assistente da cátedra de teatro elisabetano sob aquele véu de angélicas. Agora ele estava colocando uma guirlanda de rosas vermelhas-escuras fortemente perfumadas ao redor do pescoço de Savita — e Savita fazia o mesmo com ele. A noiva estava linda em seu sári nupcial vermelho e dourado, e muito contida. Lata achou que talvez ela tivesse chorado. Com a cabeça coberta, Savita olhava para o chão, como certamente fora instruída a fazer pela mãe. Não era de bom-tom, nem mesmo quando estivesse pendurando um colar de flores no pescoço do noivo, olhar direto para o rosto do homem com quem deveria passar a vida.

Completada a cerimônia de boas-vindas, o noivo e a noiva se dirigiram juntos ao centro do jardim, onde fora erguida uma pequena plataforma decorada com mais flores brancas sob as estrelas auspiciosas. Ali os sacerdotes, um da parte de cada família, a Sra. Rupa Mehra e os pais do noivo estavam sentados em torno de uma pequena fogueira que seria a testemunha dos votos.

Mais cedo naquele mesmo dia, o irmão da Sra. Rupa Mehra, que a família raramente via, tinha se encarregado da cerimônia das pulseiras. Arun estava irritado porque não lhe haviam permitido se encarregar de coisa alguma. Depois da crise causada pela inexplicável reação do avô, ele havia sugerido à mãe que transferisse o casamento para Calcutá. Mas era tarde demais para isso, e ela não quis saber da proposta.

Agora que havia terminado a troca de guirlandas, a multidão não prestou muita atenção aos rituais matrimoniais propriamente ditos. Estes prosseguiriam por mais de meia hora, enquanto os convidados se movimentavam e conversavam pelos gramados de Prem Nivas. Eles riam, trocavam apertos de mão ou cumprimentavam uns aos outros levando as mãos ao coração e, em seguida, à testa; aglutinavam-se em pequenos nós, os homens aqui, as mulheres ali; aqueciam-se junto às estufas de barro cheias de brasa dispostas estrategicamente pelo jardim, enquanto seus hálitos vaporosos, carregados de fofocas, se elevavam ao ar; admiravam as luzes multicoloridas; sorriam para o fotógrafo quando este murmurava em inglês "fiquem parados, por favor!"; sorviam pesadamente a fragrância das flores, dos perfumes e das especiarias cozidas; comentavam nascimentos e mortes e política e escândalos sob o toldo de tecido muito colorido no fundo no jardim, sob o qual tinham sido postas longas mesas cobertas de comidas; exaustos, sentavam-se nas cadeiras com seus pratos cheios e comiam com apetite inexaurível. Os criados, alguns vestidos com librés de cor branca, outros de cor cáqui, circulavam e serviam aos convivas de pé no jardim suco de frutas, chá, café e guloseimas: *samosas, kachauris, laddus, gulab-jamuns, barfis* e *gajak* e sorvetes eram consumidos e repostos, juntamente com puris e seis tipos de legumes. Amigos que não se viam havia meses se saudavam com sonoros gritos, parentes que só se encontravam nos casamentos e funerais se abraçavam lacrimosos e trocavam as últimas novidades sobre primos em quinto grau. A tia de Lata que vivia em Kanpur, horrorizada com a cor da pele do noivo, estava falando com outra tia de Lucknow sobre "os netos negros de Rupa", como se estes já existissem. Elas elogiaram muito Aparna, que obviamente seria a última neta de pele clara de Rupa, e cobriram-na de elogios, mesmo quando a criança sujou todo o suéter amarelo-claro de lã da caxemira com sorvete de pistache. As crianças bárbaras da rude Rudhia corriam pelo terreno gritando como se estivessem brincando de *pitthu* na fazenda. E mesmo tendo cessado agora a música plangente e festiva do *shehnai*, a alegre tagarelice das vozes se elevava ao céu e submergia em grande parte a ladainha irrelevante da cerimônia.

Lata, no entanto, permaneceu bem perto dos noivos e observava tudo com uma mistura atenta de fascinação e desânimo. Os dois oficiantes de peito nu, um muito gordo e outro muito magro, ambos aparentemente imunes ao frio, haviam travado entre si uma competição levemente insistente para decidir qual dos dois conhecia uma forma mais elaborada do serviço religioso. Portanto, enquanto as estrelas firmavam seu curso para manter em suspenso o horário auspicioso, o sânscrito prosseguia, interminável. Até mesmo os pais do noivo foram solicitados pelo sacerdote gordo a repetir algumas palavras ditadas por ele. As sobrancelhas de Mahesh Kapoor tremiam; com seu pavio muito curto, ele estava a ponto de explodir.

Lata tentou imaginar o que Savita estaria pensando. Como a irmã pudera concordar em se casar com esse homem sem conhecê-lo? Por mais gentil e complacente que ela fosse, teria decerto suas próprias opiniões. Lata gostava muito da irmã, cujo temperamento generoso e estável admirava; a estabilidade dela certamente contrastava com suas próprias imprevisíveis alterações de humor. Savita não tinha qualquer vaidade em relação a sua aparência viçosa e adorável, mas será que ela não se rebelava contra o fato de que Pran não seria aprovado no teste mais leniente de encanto pessoal? Savita realmente achava os critérios da mãe mais sensatos? Era difícil conversar com a irmã, e por vezes até adivinhar o que estava pensando. Desde o ingresso de Lata à universidade, era Malati, e não Savita, quem havia se tornado sua confidente. E Malati, ela sabia, jamais teria concordado com um casamento tão sumário quanto esse, nem que fosse por todas as mães do mundo juntas.

Em alguns minutos Savita iria entregar até mesmo seu nome a Pran. Ela deixaria de ser uma Mehra, como o restante deles, para se tornar uma Kapoor. Arun, graças a Deus, jamais seria obrigado a tanto. Lata experimentou dizer "Savita Kapoor", e não gostou nem um pouco.

A fumaça da fogueira — ou possivelmente o pólen das flores — estava começando a incomodar Pran, que tossiu um pouco, cobrindo a boca com a mão. A mãe dele lhe disse alguma coisa em voz baixa. Savita também ergueu o olhar para ele muito depressa, com uma expressão, pensou Lata, de amável preocupação. Savita, é bem verdade, teria ficado preocupada com qualquer um que estivesse sofrendo de qualquer coisa, mas havia ali uma ternura especial que deixou Lata irritada e confusa. Uma hora atrás, Savita nem conhecia esse homem! E agora ele estava retribuindo o olhar afetuoso dela. Era demais.

Lata esqueceu que pouco antes ela estivera defendendo Pran diante de Malati, e começou a descobrir motivos de irritação.

Para começar, Prem Nivas: "a morada do amor". Que nome idiota para uma casa de casamentos arranjados, pensou ela. E um nome desnecessariamente pomposo: como se o lugar fosse o centro do universo e se sentisse na obrigação de fazer uma declaração filosófica a tal respeito. Vista objetivamente, a cena era absurda: sete pessoas vivas, nenhuma delas idiota, sentadas ao redor de uma fogueira, entoando uma língua morta que somente três delas entendiam. No entanto, pensou Lata com a mente vagando, talvez essa pequena fogueira fosse de fato o centro do universo. Pois aqui estava ela acesa no meio desse jardim perfumado, ele próprio no coração de Pasand Bagh, a região mais agradável de Brahmpur, que era a capital do estado de Purva Pradesh, situado no centro da planície Indo-Gangética, que era em si mesma o coração da Índia... e assim por diante, através das galáxias até os limites externos da percepção e do conhecimento. O pensamento não lhe pareceu nem um pouco ultrapassado; ele a ajudou a controlar a irritação e, de fato, o ressentimento em relação a Pran.

— Fale mais alto! Fale mais alto! Se sua mãe tivesse resmungado como você, nós nunca teríamos nos casado.

Mahesh Kapoor havia se voltado com impaciência em direção a sua rechonchuda esposa, que, consequentemente, sentiu-se ainda mais intimidada.

Pran voltou-se e sorriu animadoramente para a mãe, voltando a subir depressa na avaliação de Lata.

Mahesh Kapoor franziu a testa, mas se conteve por alguns minutos, após os quais explodiu, dessa vez com o sacerdote da família:

— Essa lenga-lenga vai continuar para sempre?

O celebrante disse alguma coisa apaziguadora em sânscrito, como se abençoando Mahesh Kapoor, que se sentiu forçado a cair num silêncio de exasperação. Ele estava irritado por diversos motivos, um dos quais era a visão distinta e desagradável de seu arquirrival político, o ministro do Interior, mergulhado num diálogo com o imenso e venerável chanceler S. S. Sharma. O que eles poderiam estar tramando?, pensou ele. A estúpida da minha mulher insistiu em convidar Agarwal porque nossas filhas são amigas, embora ela soubesse que isso estragaria as coisas para mim. E agora o chanceler está conversando com ele como se não existisse mais ninguém na festa. E no meu jardim!

Outro alvo de sua irritação era a Sra. Rupa Mehra. Como havia se encarregado dos preparativos, Mahesh Kapoor resolvera convidar uma bela e famosa cantora de gazal para se apresentar em Prem Nivas, conforme a tradição nos casamentos da família dele. Mas a Sra. Rupa Mehra, mesmo sem arcar com as despesas do casamento, permanecera irredutível: não podia consentir que "esse tipo de gente" cantasse canções de amor no casamento de sua filha. "Esse tipo de gente" significava tanto muçulmanos quanto cortesãs.

Mahesh Kapoor errou suas réplicas e o sacerdote as repetiu, solícito.

— Está certo, está certo, prossiga, prossiga — disse Mahesh Kapoor. Olhava com raiva para o fogo.

Mas agora Savita estava sendo entregue ao noivo pela mãe com um punhado de pétalas de rosa, e as três mulheres estavam em lágrimas.

Era só o que faltava!, pensou Mahesh Kapoor. Assim elas vão acabar apagando o fogo. Olhou exasperado para a principal suspeita, cujos soluços eram os mais turbulentos.

Mas a Sra. Rupa Mehra não se importava nem mesmo com o lenço, que precisava esconder de novo por baixo da blusa. De olhos vermelhos, tinha o nariz e as faces inundados de pranto. Lembrava-se de seu próprio casamento. O aroma da água-de-colônia 4711 trouxe de volta lembranças insuportavelmente felizes do falecido marido. Então ela pensou na geração posterior, em sua querida Savita, que logo estaria andando ao redor dessa fogueira com Pran para começar sua própria vida de casada. Espero que seja mais duradoura do que a minha, rezou a Sra. Rupa Mehra. Que ela possa usar esse mesmo sári no casamento da filha dela.

A viúva também pensou na geração anterior, a de seu pai, e isso lhe trouxe uma nova onda de lágrimas. Ninguém sabia o que teria ofendido o septuagenário Dr. Kishen Chand Seth: provavelmente alguma coisa dita ou feita por seu amigo Mahesh Kapoor, mas também provavelmente por ela própria; ninguém podia saber com certeza. Além de repudiar suas obrigações de anfitrião, ele tinha optado por se ausentar das bodas da neta e, furioso, partira rumo a Nova Delhi "para um congresso de cardiologistas", conforme alegou. Levara consigo a insuportável Parvati, sua segunda esposa, de 35 anos, que era dez anos mais nova que a própria Sra. Rupa Mehra.

Ainda que a ideia não tivesse ocorrido à filha dele, também era possível que o Dr. Kishen Chand Seth enlouquecesse caso comparecesse ao casamento e, por isso, tivesse na verdade fugido dessa eventualidade específica. Apesar da baixa estatura e da boa forma física, ele gostava imensamente de comer, mas, em razão de um distúrbio digestivo combinado com diabetes, agora estava confinado a uma dieta de ovos cozidos, chá fraco, limonada e biscoitos de araruta.

Não importa que fiquem olhando para mim, tenho dúzias de razões para chorar, disse consigo mesma a Sra. Rupa Mehra, desafiadora. Hoje estou tão feliz e tão inconsolável. Mas seu desconsolo só durou mais alguns minutos. O noivo e a noiva deram a volta ao redor da fogueira sete vezes, Savita mantendo a cabeça humildemente abaixada, os cílios molhados de lágrimas. Agora os dois eram marido e mulher.

Depois de algumas palavras de encerramento proferidas pelos sacerdotes, todos se levantaram. Os recém-casados foram escoltados até um banco adornado de flores próximo a um rescendente jasmim-coral de folhas ásperas e flores brancas e alaranjadas, e sobre eles, seus pais e todos os Mehra e Kapoor presentes recaíram congratulações, tão copiosamente quanto aquelas delicadas flores caem no chão ao raiar da aurora.

A alegria da Sra. Rupa Mehra não tinha limites. Engolia os cumprimentos como se fossem as *gulab-jamuns* proibidas. Olhava um tanto especulativa para a filha mais nova, que parecia estar rindo dela a distância. Ou estaria rindo da irmã? Bom, em breve ela descobriria o significado das lágrimas felizes do matrimônio!

A mãe de Pran, alvo de tantos gritos, contida porém feliz depois de abençoar o filho e a nora, foi procurar a filha, Veena, após olhar ao redor e não conseguir encontrar o filho mais novo, Maan, em parte alguma. Esta a abraçou. A Sra. Mahesh Kapoor, temporariamente comovida, não disse nada, mas soluçava e sorria ao mesmo tempo. O pavoroso ministro do Interior e sua filha Priya se uniram a eles por alguns minutos, e a Sra. Mahesh Kapoor disse algumas palavras amáveis a cada um deles, em retribuição aos cumprimentos recebidos. Priya, que era casada e virtualmente aprisionada pelos sogros em uma casa em um bairro antigo e apertado de Brahmpur, comentou, melancólica, a beleza do jardim. E era verdade, pensou a Sra. Mahesh Kapoor em orgulhoso silêncio: o jardim estava realmente lindo. A grama estava luxuriante, as gardênias, aveludadas e perfumadas, e alguns crisântemos e rosas já haviam desabrochado. E, ainda que ela não pudesse receber o crédito pela florada súbita e prolífica do jasmim-coral, esta fora certamente a graça concedida pelos deuses, que em tempos míticos consideravam aquela flor uma posse valorizada e disputada.

1.6

ENQUANTO isso, sua excelência, o ministro da Fazenda, estava recebendo os cumprimentos do chanceler de Purva Pradesh, *Shri* S. S. Sharma. Homem corpulento, Sharmaji mancava perceptivelmente e tinha um leve e inconsciente tique na cabeça, que se exacerbava quando seu dia havia sido longo, como agora. Ele governava o estado com uma mescla de astúcia, carisma e benevolência. Nova Delhi ficava muito distante e raramente se interessava por esse feudo legislativo e administrativo. Não divulgara o conteúdo da conversa com o ministro do Interior, mas ainda assim encontrava-se bem-humorado.

Reparando nos filhos turbulentos de Rudhia, o chanceler disse a Mahesh Kapoor em sua voz levemente anasalada:

— Então o senhor está cultivando um eleitorado rural para as próximas eleições?

Mahesh Kapoor sorriu. Desde 1937 vinha sendo apoiado pelo mesmo eleitorado urbano no coração da velha Brahmpur — um eleitorado que incluía grande parte de Misri Mandi, a sede do comércio de calçados da cidade. Apesar de possuir uma fazenda e ter conhecimento de assuntos rurais — fora o idealizador de uma lei para propriedades grandes e improdutivas no estado —, seria inimaginável abandonar seu domicílio eleitoral e concorrer com um eleitorado rural. À guisa de resposta, ele indicou os próprios trajes — o belo casaco preto, justo e longo que envergava, a calça justa cor de algodão cru e os sapatos brancos de biqueira revirada e bordados brilhantes, que atribuíam a ele uma imagem pouco condizente com uma plantação de arroz.

— Ora, na política nada é impossível. Depois que seu decreto de abolição do *zamindari* for aprovado, você se tornará um herói em toda a zona rural. Se preferir, poderá se tornar chanceler. Por que não? — sugeriu Sharmaji em tom generoso e prudente. Seu olhar caiu sobre o nababo *sahib*, que cofiava a barba e olhava perplexo os arredores. — Naturalmente o senhor talvez perca um ou dois amigos no processo — acrescentou.

Mahesh Kapoor, que seguira o olhar de seu interlocutor sem sequer virar a cabeça, disse baixinho:

— Há latifundiários de vários tipos. Nem todos associam a amizade às suas terras. O nababo *sahib* sabe que estou agindo por princípio. — Fez uma pausa e continuou: — Alguns de meus parentes em Rudhia estão prestes a perder suas propriedades.

O chanceler aquiesceu com um gesto de cabeça, depois esfregou as mãos, que estavam frias.

— Ora, o nababo *sahib* é um homem bom — disse com indulgência. — Assim como era seu pai.

Mahesh Kapoor ficou calado. Se havia uma característica que Sharmaji não tinha era a imprudência; contudo, aquela era mesmo uma declaração imprudente. Era fato notório que o pai do nababo *sahib*, o falecido nababo *sahib* de Baitar, tinha sido ativista da Liga Muçulmana. Embora não tivesse vivido para ver o nascimento do Paquistão, aquela fora a causa principal a que dedicara a vida.

Ao notar dois pares de olhos voltados para si, o alto nababo *sahib*, com sua barba grisalha, levou severamente a mão em concha à testa, numa saudação educada, e, em seguida, inclinou a cabeça com um sorriso sereno, como se estivesse parabenizando seu velho amigo.

— O senhor não viu por aí o Firoz e o Imtiaz, viu? — perguntou ele a Mahesh Kapoor depois de ter se aproximado do amigo.

— Não, não vi; mas como também não vi meu filho, eu acho que...

O nababo *sahib* ergueu ligeiramente as mãos com as palmas para cima, num gesto de impotência. Passado um momento, disse:

— Então Pran está casado, e Maan é o próximo. Imagino que vá achá-lo um pouco menos maleável.

— Maleável ou não, há algumas pessoas em Benares com que eu estive conversando — retrucou Mahesh Kapoor em tom decidido. — Maan já foi apresentado ao pai de uma moça. Também está no ramo têxtil. Estamos fazendo consultas. Veremos. E quanto aos seus gêmeos? Um casamento conjunto com duas irmãs?

— Veremos, veremos — respondeu o nababo *sahib*, pensando com muita tristeza na esposa, enterrada havia tantos anos. — Queira Deus que em breve todos eles se assentem.

1.7

— UM brinde à lei — disse Maan, erguendo a Firoz seu terceiro copo de uísque escocês. Sentado na cama, o amigo também empunhava um copo. Imtiaz estava refestelado numa poltrona e examinava a garrafa.

— Muito obrigado — disse Firoz —, mas não à nova legislação, espero.

— Ah, não se preocupe, o projeto de lei do meu pai nunca será aprovado — disse Maan. — E, mesmo que seja, você vai ser muito mais rico do que eu. Olhe para mim —acrescentou, sombrio. — Sou obrigado a trabalhar para viver.

Como Firoz era advogado e seu irmão era médico, eles não se enquadravam no estereótipo dos filhos ociosos da aristocracia.

— E em breve, se meu pai conseguir o que deseja, terei que trabalhar para sustentar duas pessoas — prosseguiu Maan. — E depois, ainda mais gente. Meu Deus!

— O quê? Seu pai não está pensando em casar você, está? — perguntou Firoz, oscilando entre um sorriso e um franzir de sobrancelhas.

— A única coisa que impedia isso deixou de existir hoje à noite — disse Maan, desconsolado. — Tome outra dose.

— Não, obrigado, eu ainda tenho bastante — disse Firoz. Saboreava a bebida, mas com leve sentimento de culpa; seu pai reprovaria essa atitude ainda mais que o pai de Maan. — E aí, quando será o momento feliz? — acrescentou, hesitante.

— Só Deus sabe. Está em fase de averiguação — disse Maan.

— Em primeira apelação — acrescentou Imtiaz.

Por algum motivo, Maan ficou encantado com a observação.

— Em primeira apelação! — repetiu. — Vamos torcer para que nunca chegue à terceira. E, mesmo que chegue, que o presidente negue sua aprovação!

Ele riu e tomou dois grandes goles.

— E quanto ao seu casamento? — perguntou a Firoz.

O outro olhou em torno, ligeiramente evasivo. O quarto era vazio e funcional, e, como a maioria dos cômodos da casa, dava a impressão de que os donos esperavam a chegada iminente de multidões de pessoas.

— Meu casamento! — disse Firoz com uma risada. Maan acenou com a cabeça vigorosamente. — Vamos mudar de assunto — desconversou.

— Ora, se você fosse até o jardim, em vez de ficar aqui bebendo escondido...

— Dificilmente é escondido.

— Não me interrompa — cortou Maan, lançando um braço em torno do amigo. — Se você fosse até o jardim, um sujeito bonitão e elegante assim, em questão de segundos estaria cercado por jovens beldades elegíveis. E inelegíveis também. Elas iriam se pendurar em você como abelhas numa flor de lótus. Com quem será, com quem será?

Firoz ficou ruborizado.

— Essa comparação está ligeiramente equivocada; os homens são as abelhas e as mulheres são as flores de lótus — retificou.

Maan citou dois versinhos de um gazal urdu, que dizia que o caçador podia se transformar em caça, e Imtiaz achou engraçado.

— Calem-se, vocês dois — disse Firoz, tentando parecer mais zangado do que estava; esse tipo de bobagem o estava cansando. — Eu vou descer.

Abba deve estar se perguntando por onde nós nos perdemos. E seu pai também. Além disso, precisamos descobrir se seu irmão já está casado formalmente e se você tem agora uma linda cunhada para recriminá-lo e controlar seus excessos.

— Tudo bem, vamos todos descer — disse Maan, animado. — Talvez algumas das abelhas se pendurem em nós também. E, se levarmos uma ferroada no coração, o doutor aqui poderá nos curar. Você pode fazer isso, não é, Imtiaz? Só precisa aplicar ao ferimento uma pétala de rosa, verdade?

— Desde que não haja contraindicação — respondeu Imtiaz com ar sério.

— Sem contraindicações — disse Maan, rindo enquanto descia as escadas à frente dos demais.

— Você pode achar graça, mas tem gente que é alérgica até a pétalas de rosa. Por falar nisso, você está com uma pétala presa no gorro.

— Sério? — perguntou Maan. — Essas coisas vêm voando sabe-se lá de onde.

— É verdade — disse Firoz, que vinha andando bem atrás dele e varreu a pétala delicadamente com a mão.

1.8

SEM os filhos por perto, o nababo *sahib* parecia um tanto perdido, e Veena, a filha de Mahesh Kapoor, tratou de atraí-lo para seu círculo familiar. Veena perguntou a ele sobre a filha mais velha, Zainab, que fora sua amiga de infância, mas que depois do casamento havia desaparecido no mundo do *purdah*, o isolamento doméstico das mulheres. O idoso falou da filha com reserva, mas dos dois netos com evidente prazer. Eles eram, neste mundo, os dois únicos seres que tinham direito a interrompê-lo quando estava estudando em sua biblioteca. Mas agora Baitar House, a grande mansão ancestral amarela situada a curta caminhada dali, estava um pouco decadente, e a biblioteca também tinha sofrido com o tempo.

— São as traças, sabe? — explicou o nababo *sahib*. — E eu preciso de ajuda para a catalogação. É uma tarefa gigantesca e, de certa forma, não muito animadora. Algumas das edições antigas de Ghalib agora já não podem mais ser identificadas, além de alguns manuscritos valiosos de nosso poeta Mast. Meu irmão nunca fez uma lista do que levou consigo para o Paquistão...

Ante a menção da palavra "Paquistão", a velha e enrugada Sra. Tandon, sogra de Veena, se encolheu. Três anos antes, toda a família dela tinha sido obrigada a fugir do sangue, das chamas e do terror inesquecível de Lahore. Eles tinham sido gente abastada, dona de propriedades, mas quase tudo o que possuíam se perdeu, e tiveram sorte de escapar com vida. Kedarnath, filho dela e marido de Veena, ainda tinha cicatrizes nas mãos porque seu comboio de refugiados foi atacado por rebeldes. Diversos amigos da família haviam sido assassinados.

Os jovens são muito resilientes, pensou a Sra. Tandon, ressentida; é claro que na época o neto, Bhaskar, só tinha 6 anos, mas Veena e Kedarnath não haviam deixado os acontecimentos amargurarem suas vidas. Voltaram a Bhrampur, a cidade natal de Veena, e o marido tinha se estabelecido modestamente no negócio de calçados, dentre todas as atividades poluidoras e contaminadas de cadáveres. Para a velha Sra. Tandon, a queda de um estado de respeitável prosperidade não podia ter sido mais dolorosa. Embora disposta a tolerar o diálogo com o nababo *sahib*, mesmo ele sendo muçulmano, a menção dele às idas e vindas ao Paquistão foi demais para a imaginação dela. Sentiu-se mal. A agradável conversa nos jardins de Brahmpur se amplificou e se converteu nos gritos das turbas sanguinárias nas ruas de Lahore, as luzes se transformaram em chamas. Todo dia, às vezes a cada hora, sua imaginação voltava ao lugar que ainda considerava sua terra e seu lar. A cidade tinha sido bonita antes de se tornar tenebrosa tão subitamente; parecera segura antes de ficar perdida para sempre.

O nababo *sahib* não notou o que estava acontecendo, mas Veena percebeu e mudou rápido de assunto, mesmo que isso a fizesse parecer indelicada.

— Onde está Bhaskar? — perguntou ela ao marido.

— Não sei, acho que perto da comida, aquele sapinho — respondeu Kedarnath.

— Gostaria que você não o chamasse assim — disse Veena. — Ele é seu filho. Não é auspicioso...

— Não sou eu que o chamo assim, é o Maan — disse o marido com um sorriso. Ele gostava de ser levemente controlado pela mulher. — Mas eu o chamarei do que você quiser.

Veena levou a sogra para longe dali. E, para distrair a velha senhora, ela se envolveu de fato na busca pelo filho. Finalmente elas o encontraram. Ele não estava comendo nada, mas simplesmente parado debaixo do grande toldo de tecido multicolorido que cobria as mesas de comida, olhando para cima com um assombro abstrato e encantado diante dos elaborados padrões geométricos em que fora costurado o dossel — losangos vermelhos, trapézios verdes, quadrados amarelos e triângulos azuis.

1.9

A MULTIDÃO havia diminuído; os convidados, alguns mascando *paan*, estavam saindo pelo portão; uma pilha de presentes havia crescido ao lado do banco onde Pran e Savita se sentavam. Finalmente restaram apenas eles e alguns parentes, além dos empregados bocejantes que naquela noite colocavam os móveis mais valiosos de volta no lugar ou guardavam os pacotes de presentes numa arca, sob o olhar vigilante da Sra. Rupa Mehra.

A noiva e o noivo estavam perdidos nos próprios pensamentos. Agora eles evitavam se olhar. Passariam a noite num cômodo cuidadosamente preparado em Prem Nivas, e no dia seguinte partiriam para uma semana de lua de mel em Simla.

Lata tentou imaginar a câmara nupcial. Presumivelmente estaria perfumada de angélicas; isso pelo menos era a opinião confiante de Malati. Sempre vou associar as angélicas a Pran, pensou. Não era nada agradável continuar imaginando — não conseguia pensar que naquela noite Savita iria dormir com Pran, o que não lhe parecia absolutamente romântico. Talvez eles estivessem cansados demais, pensou, otimista.

— Em que você está pensando, Lata? — perguntou a mãe.

— Ah, em nada, *ma* — respondeu automaticamente.

— Você torceu o nariz que eu vi.

Lata ficou vermelha.

— Acho que nunca vou querer me casar — declarou, enfática.

A Sra. Rupa Mehra estava demasiado cansada do casamento, exaurida demais pela emoção, amolecida demais pelo sânscrito, sobrecarregada demais pelos cumprimentos, ou seja, esgotada a ponto de não fazer nada senão encarar a filha por dez segundos. Que diabos tinha acontecido a essa menina? O que era suficientemente bom para sua mãe, para a mãe de sua mãe e para a mãe da mãe de sua mãe deveria ser suficientemente bom para ela. Lata, no entanto, sempre tinha sido uma pessoa difícil, com uma estranha vontade própria; calada, mas imprevisível — como naquela vez em St. Sophia, quando cismou que queria ser freira! Mas a Sra. Rupa Mehra também tinha vontade própria, e estava decidida a conseguir o que queria, muito embora não se iludisse quanto à flexibilidade da filha.

No entanto, Lata foi batizada assim em homenagem à coisa mais flexível do mundo, uma videira. De fato, quando Lata era um bebê, seus dedinhos tinham muita capacidade de se enredar e se agarrar, característica que ainda hoje voltava à lembrança da mãe com terna vivacidade. De repente a Sra. Rupa Mehra exclamou, num rompante inspirado:

— Lata, você é uma videira, deve se firmar em seu marido, se prender a ele!

O comentário não foi bem-recebido.

— Prender? — estranhou Lata. — Prender?

A palavra foi pronunciada com tão sereno desdém que a mãe não conseguiu evitar cair no choro. Que coisa terrível era ter uma filha tão ingrata! Como um bebê pode ser imprevisível!

Com as lágrimas escorrendo pelas faces, a Sra. Rupa Mehra as transferiu fluidamente de uma filha para outra. Agora ela apertava Savita contra o peito e chorava ruidosamente.

— Você tem que escrever para mim, Savita querida. Você tem que escrever para mim todo dia quando estiver em Simla. Pran, agora você é como se fosse meu próprio filho, precisa ser responsável e se assegurar que isso aconteça. Em breve eu estarei totalmente sozinha em Calcutá. Totalmente sozinha.

Isso naturalmente não era verdade. Arun e Varun e Meenakshi e Aparna estariam todos apinhados com ela no pequeno apartamento de Arun em Sunny Park. Mas a Sra. Rupa Mehra era uma dessas pessoas que acreditavam com uma convicção não formulada, porém absoluta, na supremacia da verdade subjetiva sobre a verdade objetiva.

1.10

NA cadência do trote do cavalo, a charrete avançava pela estrada, e o cocheiro ia cantando:

— Um coração foi despedaçado, e um pedaço caiu aqui, e outro pedaço caiu ali...

Varun, que começou a cantarolar em voz baixa a canção, foi alteando a voz e depois parou de repente.

— Ah, não pare — pediu Malati, cutucando Lata de leve. — Você tem uma bela voz. Faz lembrar um bem-te-vi.

— Que mais parece um "mal-te-vi" — emendou baixinho para a amiga.

— Ha! Ha! Ha! — O riso de Varun era nervoso. Ao perceber que a risada soara fraca, ele tentou torná-la um pouco mais sinistra. Mas não funcionou. Sentiu-se infeliz. E Malati, com seus olhos verdes e jeito irônico, pois sim, aquilo tinha que ser ironia, não ajudava muito.

A charrete estava muito cheia: Varun sentava-se na frente, ao lado do condutor, com o jovem Bhaskar. De costas para os dois estavam Lata e Malati, ambas vestidas de *salwaar-kameez*, e Aparna, que usava vestido e tinha o cardigã manchado de sorvete. Era uma ensolarada manhã de inverno.

O velho cocheiro, com seu turbante branco, gostava de dirigir furiosamente por essa parte da cidade, com suas ruas largas e relativamente vazias, ao contrário da apinhada loucura da velha Brahmpur. Ele começou a falar com o cavalo, incitando-o a correr.

Agora Malati iniciou, ela mesma, a letra da canção de um filme popular. Não tinha intenção de desestimular Varun, mas era agradável pensar em corações despedaçados numa manhã sem nuvens.

Varun não lhe fez coro. Mas depois de momentos, num rasgo de atrevimento, ele se virou e disse:

— Você tem uma... uma voz maravilhosa.

Era verdade. Malati adorava música e estudava canto clássico com *ustad* Majeed Khan, um dos melhores cantores do norte da Índia. Ela conseguira até despertar o interesse de Lata pela música clássica indiana durante o tempo em que moraram juntas no mesmo albergue estudantil. Em consequência disso, muitas vezes Lata se surpreendia cantarolando alguns de seus ragas favoritos.

Malati não recusou o elogio de Varun.

— Você acha mesmo? — disse, voltando-se para olhar no fundo dos olhos dele. — É muito amável de sua parte dizer isso.

Varun ficou vermelho até as profundezas da alma e por minutos não lhe foi possível dizer coisa alguma. Mas quando estavam passando diante do hipódromo de Brahmpur, agarrou o braço do cocheiro e gritou:

— Pare aqui!

— O que houve? — perguntou Lata.

— Ah, nada não; se estivermos com pressa, vamos embora. Sim, vamos embora.

— É claro que não estamos com pressa, Varun *Bhai* — disse ela —, estamos só indo ao zoológico. Vamos parar, se você quiser.

Depois que desceram, Varun, quase incontrolavelmente agitado, caminhou até a cerca branca de estacas, através da qual ficou espiando.

— Além de Lucknow, esta é a única pista de corridas em sentido anti-horário da Índia. — Ele suspirou assombrado, quase para si mesmo. — Dizem que é inspirada no Derby — acrescentou para o jovem Bhaskar, que por acaso se encontrava de pé a seu lado.

— Mas qual é a diferença? — perguntou o garoto. — A distância não é a mesma, num sentido ou no outro?

Varun não prestou atenção à pergunta de Bhaskar. Havia começado a caminhar ao longo da cerca, sozinho e sem pressa, com ar sonhador, no sentido anti-horário. Estava quase escarvando a terra.

Lata o alcançou.

— Varun *Bhai*?

— Ahn... sim?

— Sobre ontem à noite.

— Ontem à noite? — Varun se arrastou de volta ao mundo dos bípedes. — O que aconteceu?

— Nossa irmã se casou.

— Ah... sim, sim, eu sei. Savita — acrescentou ele, esperando, dessa forma, dar a entender que estava atento.

— Bom, não se deixe agredir por Arun *Bhai*. De jeito nenhum. — Ela parou de sorri e olhou para ele enquanto uma sombra passava por seu rosto.— Eu realmente odeio isso, Varun *Bhai*, odeio vê-lo humilhar você. Não quero dizer que deva afrontá-lo ou dar uma resposta malcriada ou coisa assim; é só que você não deve se deixar ferir por ele do jeito que... ora, que eu vejo que ele faz.

— Não, não... — disse Varun hesitante.

— O simples fato de Arun ser alguns anos mais velho não o transforma em seu pai, professor e sargento, tudo ao mesmo tempo.

Varun assentia, desconsolado. Estava demasiado consciente da própria sujeição à vontade do irmão enquanto vivesse na casa dele.

— Aliás, eu acho que você deveria ser mais confiante — continuou Lata. — Arun *Bhai* tenta esmagar todo mundo a seu redor, como um rolo compressor, e nós é que temos de tirar nosso ego da frente dele. Eu já passo por um mau pedaço e sequer estou em Calcutá. Achei melhor falar isso agora, porque em casa quase não temos chance de conversarmos a sós. E amanhã você já terá ido embora.

Lata falava por experiência própria, como Varun sabia perfeitamente. Arun, quando zangado, mal se preocupava com o que dizia. Quando Lata cismou de ser freira — ideia tola de adolescente, mas que ninguém tivera por ela —, Arun, exasperado com o fracasso de suas tentativas truculentas de dissuasão, dissera:

— Tá certo, vá fundo, vire freira, estrague sua vida. Aliás, ninguém teria se casado com você mesmo. Parece uma Bíblia: achatada na frente e atrás.

Lata dava graças a Deus por não estar estudando na Universidade de Calcutá, pois assim passava a maior parte do ano fora do alcance da estupidez agressiva do irmão mais velho. Embora aquelas palavras dele já não correspondessem à verdade, a lembrança delas ainda machucava.

— Quem me dera você estivesse em Calcutá — disse Varun.

— Com certeza você deve ter alguns amigos — disse Lata.

— Acontece que Arun *Bhai* e Meenakshi *Bhabi* saem muito à noite, e eu preciso ficar cuidando de Aparna — disse Varun, com um sorriso fraco. — Não que eu me importe — acrescentou.

— Varun, assim não dá — disse Lata. Colocou a mão firmemente no ombro caído do irmão. — Quero que pelo menos duas noites por semana você saia com seus amigos, com gente de que realmente goste e que realmente goste de você. Faça de conta que precisa ir a aulas de reforço ou coisa assim.

Lata não se importava de mentir, e não sabia se o irmão seria bom naquele jogo, porém não queria que as coisas continuassem como estavam. Ela se preocupava com Varun. No casamento ele havia parecido ainda mais nervoso que na última vez em que o encontrara, meses antes.

De repente um trem apitou a uma distância alarmantemente curta, e o cavalo preso à charrete se assustou.

— Que extraordinário! — disse Varun para si, obliterando todos os demais pensamentos. De volta à charrete, afagou o cavalo e perguntou ao condutor: — A que distância daqui fica a estação?

— Fica bem ali — respondeu o condutor, indicando vagamente uma área construída que ficava além dos jardins bem-cuidados do hipódromo. — Não é muito longe do zoológico.

Eu me pergunto se isso dará uma vantagem aos cavalos locais, pensou o rapaz, intrigado. Será que os outros cavalos teriam uma tendência a disparar? Que diferença isso acarretaria para as probabilidades?

1.11

QUANDO o grupo chegou ao zoológico, Bhaskar e Aparna uniram forças e pediram para passear no trenzinho infantil, cujo circuito, como notou o garoto, também obedecia ao sentido anti-horário. Depois da viagem de charrete, Lata e Malati queriam dar uma caminhada, mas foram vencidas. Os cinco se sentaram amontoados, desta vez cara a cara, num minúsculo vagão vermelho berrante, enquanto a pequena locomotiva verde a vapor resfolegava pelos trilhos de bitola estreita. Varun ia sentado de frente para Malati, e os joelhos deles quase se tocavam. Malati se divertia com a graça daquilo, mas Varun, de tão constrangido, olhava em torno, desesperado, para as girafas, e até observava com atenção as multidões de estudantes, alguns dos quais lambiam imensos novelos de algodão-doce cor-de-rosa. Os olhos de Aparna começaram a brilhar de expectativa.

Como Bhaskar tinha 9 anos e Aparna, um terço da idade dele, não tinham muito a dizer um ao outro. Cada um se apegou a seu adulto favorito. Aparna, criada por pais de vida social intensa que alternavam indulgência e irritação, considerava Lata reconfortantemente estável em suas demonstrações de afeto. Na presença da tia ela se tornava uma criança mais bem-comportada. Bhaskar e Varun passaram a se relacionar muito bem depois que o garoto conseguiu se concentrar. Discutiram matemática, com referência especial ao cálculo de probabilidades nas corridas.

Eles viram o elefante, o camelo, a ema, o morcego, o pelicano-marrom, a raposa-vermelha e todos os grandes felinos. Viram até um felino menor, um leopardo de pintas pretas, enquanto este caminhava freneticamente de um lado para outro da jaula.

Mas a melhor de todas as pausas foi a que fizeram na seção de répteis. As duas crianças estavam loucas para ver o fosso das cobras, cheio de jiboias preguiçosas, o viveiro de vidro com víboras mortais, cobras rajadas e najas. E, naturalmente, os crocodilos frios e corrugados, em cujas costas alguns estudantes e visitantes vindos das aldeias jogavam moedas, enquanto outros se inclinavam sobre o parapeito, apontavam, davam gritinhos e estremeciam quando os animais abriam as bocarras brancas e serrilhadas. Felizmente Varun tinha uma inclinação para o assustador e levou as crianças lá para dentro. Lata e Malati se recusaram a entrar.

— Como estudante de medicina eu já vejo coisas horrorosas o suficiente — disse Malati.

— Eu gostaria que você não ficasse provocando Varun — disse Lata, depois de um momento.

— Ora, eu não o estava provocando. Só estava ouvindo com atenção o que ele dizia. É bom para ele.

Deu uma risada.

— Humm... Você está deixando ele nervoso.

— Você é muito protetora com seu irmão mais velho.

— Ele não é... Ah, entendi... Sim, ele é o mais novo dos irmãos mais velhos. Como não tenho um irmão mais novo, acho que dei a ele esse papel. Mas francamente, Malati, estou preocupada com ele. E minha mãe também. Não sabemos o que ele vai fazer depois de se formar, daqui a uns meses. Não mostrou grande aptidão para coisa alguma. E Arun o humilha horrivelmente. Eu gostaria que alguma garota legal se encarregasse dele.

— E eu não sou a eleita? Devo confessar que ele tem certo encanto lânguido. Ha! Ha! — Malati imitou o riso de Varun.

— Não seja frívola. O que Varun acharia, eu não sei, mas minha mãe teria um ataque — disse Lata.

Isso com certeza era verdade. Embora se tratasse de uma proposta impossível até em termos geográficos, a simples ideia teria dado pesadelos a Sra. Rupa Mehra. Além do fato de pertencer ao reduzido grupo feminino entre os quase quinhentos rapazes da Prince of Wales Medical College, Malati Trivedi era notória pelas opiniões diretas, pela participação nas atividades do Partido Socialista e pelos namoros — embora estes não envolvessem nenhum dos quase quinhentos colegas, os quais, de modo geral, ela tratava com desprezo.

— Sua mãe gosta de mim, eu posso ver — declarou Malati.

— Isso não vem ao caso — disse Lata. — E o fato de que ela goste de você me surpreende muito, pois em geral ela julga as coisas pelas influências que exercem. Eu teria pensado que você exerce má influência sobre mim.

Isso não era inteiramente verdadeiro, nem mesmo do ponto de vista da Sra. Rupa Mehra. Certamente Malati tinha infundido mais autoconfiança em Lata do que esta possuía quando saiu, inexperiente, de St. Sophia. E Malati havia conseguido fazer a amiga apreciar a música clássica indiana, aprovada pela mãe (ao contrário dos gazais). Elas só haviam se tornado colegas de quarto porque a escola de medicina do governo (normalmente referida por seu título principesco) não provia alojamento ao reduzido contingente de alunas e havia convencido a universidade a acomodá-las nos albergues estudantis.

Malati era cativante, vestia-se de forma conservadora, porém atraente, e conseguia conversar com a Sra. Rupa Mehra sobre qualquer assunto, de jejuns religiosos até árvores genealógicas, passando por gastronomia, temas pelos quais os próprios filhos dela, ocidentalizados, mostravam pouco interesse. Malati também tinha a pele clara, uma imensa vantagem nos cálculos subconscientes da Sra. Rupa Mehra. Esta se convencera de que Malati Trivedi, com seus olhos esverdeados perigosamente atraentes, devia ter sangue caxemiri ou sindhi. Até agora, no entanto, ela não havia descoberto nenhum.

Embora não falassem disso com frequência, o vínculo da perda do pai também ligava as duas amigas. Aos 8 anos, Malati havia perdido seu adorado pai, um cirurgião de Agra. Ele tinha sido um homem bonito e bem-sucedido, com um vasto círculo de conhecidos e uma currículo variado: durante algum tempo, ligou-se ao exército e esteve no Afeganistão, lecionou na faculdade de medicina em Lucknow, teve um consultório particular. Por ocasião de sua morte, mesmo sem ter sido muito hábil em poupar dinheiro, possuía boa quantidade de propriedades — principalmente casas. A cada cinco anos mais ou menos ele se mudava para outra cidade em Uttar Pradesh — Meerut, Bareilly, Lucknow, Agra. Onde quer que fosse morar ele construía uma nova casa, mas sem se desfazer das anteriores. Quando o pai morreu, a viúva entrou em uma depressão que parecia irreversível, e assim permaneceu por dois anos.

Depois reagiu. Tinha uma família grande para cuidar e era essencial que pensasse nas coisas de forma prática. Mulher muito simples, idealista, honesta, ela se importava mais com o correto do que com o conveniente, ou o aprovado, ou o financeiramente benéfico. E essa foi a perspectiva pela qual se decidiu a educar a família.

E que família — quase só composta de mulheres! A filha mais velha era uma verdadeira moleca. Aos 16 anos, quando o pai morreu, ela já estava casada com o filho de um proprietário rural, morava a trinta e poucos quilômetros de distância de Agra, numa casa enorme com vinte empregados, plantações de lichia, e campos sem fim, e ainda assim ia se reunir às irmãs em Agra, às vezes por meses a fio. A essa filha tinham seguido dois filhos, mas ambos morreram na infância — um aos 5 anos, e o outro aos 3 anos. Depois dos garotos veio a própria Malati, 8 anos mais nova que a irmã. Ela também, embora não fosse a moleca travessa que a irmã era, foi criada como um menino, por uma série de razões ligadas à sua infância: o olhar direto de seus olhos incomuns, seu ar de garoto, o fato de as roupas dos meninos estarem disponíveis, a tristeza sentida pelos pais com a morte dos dois filhos. Depois de Malati vieram três meninas, em sucessão; depois, mais um garoto; e depois disso o pai morreu.

Malati, portanto, tinha sido criada quase inteiramente entre mulheres; até o irmãozinho fora como uma irmã; ele era novo demais para ser tratado de forma diferente (depois de um tempo, talvez com alguma pura perplexidade, ele seguiu o caminho dos outros irmãos). As garotas foram criadas numa atmosfera em que os homens passaram a ser vistos como exploradores e ameaçadores; muitos daqueles com os quais Malati tivera contato eram exatamente isso. Ninguém podia tocar na lembrança de seu pai. Ela havia se decidido pela profissão médica, tal qual o pai, e nunca permitiu que os instrumentos dele enferrujassem. Era sua intenção usá-los algum dia.

E quem foram aqueles homens? Um foi o primo que as despojou de muitos bens que o pai havia reunido e dos quais usufruíra, mas que foram guardados após sua morte. A mãe de Malati havia separado o que considerava elementos não essenciais da vida deles: agora não era preciso ter duas cozinhas, uma europeia e uma indiana. A louça e os talheres refinados para a comida ocidental foram guardados, juntamente com muitos móveis, numa garagem. O primo chegou, obteve as chaves com a viúva enlutada, disse a ela que organizaria as coisas e levou para vender tudo o que estava armazenado. A mãe de Malati nunca viu uma rupia do dinheiro apurado com a venda. "Bom", disse filosoficamente, "pelo menos meus pecados ficaram mais leves".

Outro foi o empregado que agiu como intermediário na venda das casas. Ele entrou em contato com agentes imobiliários e outros compradores potenciais nas cidades onde as casas estavam localizadas, e fez acordos com eles. Tinha certa reputação de trapaceiro.

Outro foi o irmão mais novo do pai dela, que ainda morava na casa de Lucknow, com a esposa no andar térreo e uma dançarina no andar de cima. Se houvesse tido a oportunidade, ele as teria enganado alegremente sobre a venda daquela casa. Precisava do dinheiro para gastar com a dançarina.

Depois houve o jovem — bom, ele tinha 26 anos —, mas bastante desleixado professor universitário que tinha morado num quarto alugado no andar térreo quando Malati estava com 15 anos. A mãe da garota queria que ela aprendesse inglês, e, apesar do que diziam os vizinhos (e diziam muita coisa, grande parte impiedosa), não hesitava em enviá-la a ter aulas com ele, embora se tratasse de um solteiro. Talvez em tal caso os vizinhos estivessem certos. O rapaz logo se apaixonou loucamente por Malati e pediu à mãe dela permissão para desposá-la. Sondada pela mãe, a menina ficou surpresa e chocada, recusando efusivamente.

Na faculdade de medicina em Brahmpur, e antes disso, quando estudava ciências no ensino médio em Agra, Malati foi obrigada a aturar muita coisa: provocações, fofocas, puxões na echarpe delicada que usava em torno do pescoço e comentários do tipo "ela quer ser um menino". Isso estava muito distante da verdade. Os comentários eram insuportáveis e só diminuíram quando, provocada por um garoto mais do que era capaz de tolerar, ela o esbofeteou na frente dos amigos dele.

Os homens se apaixonavam imediatamente por ela, que os via, entretanto, como indignos de sua atenção. Não que verdadeiramente os odiasse, o que não ocorria na maior parte do tempo, mas seu padrão de exigência era alto demais. Ninguém sequer se aproximava da imagem que ela e as irmãs tinham do pai, e os homens, na maioria, lhe pareciam imaturos. Além disso, para Malati, que visava uma carreira médica, o casamento era uma distração, e ela não estava muito preocupada se algum dia se casaria ou não.

Malati aproveitava ao máximo cada minuto. Aos 12 ou 13 anos tinha sido uma garota solitária, mesmo em sua numerosa família. Adorava ler e, quando estava com um livro nas mãos, as outras pessoas tinham o bom-senso de não lhe dirigir a palavra. Quando ela estava lendo, a mãe não insistia em ter sua ajuda na cozinha ou no trabalho doméstico. "Malati está lendo" era suficiente para os outros evitarem o cômodo em que ela estava, já que reagia com irritação a quem se atrevesse a perturbá-la. Às vezes chegava a se esconder das pessoas, procurando um cantinho onde ninguém fosse encontrá-la. Não tardou que entendessem a mensagem. Com o passar dos anos, começou a auxiliar na educação das irmãs mais novas. Em outros assuntos a irmã mais velha, a moleca, orientava todas — ou melhor, ela lhes dava ordens.

A mãe de Malati se notabilizava pelo fato de desejar que as filhas fossem independentes. Quis que, além de alfabetizadas em híndi, as filhas aprendessem música, dança e idiomas (principalmente que fossem exímias em inglês), e, se para aprender fosse preciso ir à casa de alguém, elas iriam, independentemente dos comentários alheios. Se fosse necessário chamar um professor particular à casa de seis mulheres, ele seria chamado. Os rapazes olhavam fascinados para o primeiro andar da casa quando ouviam cinco moças cantarem desordenadamente em coro. Se as garotas quisessem tomar sorvete, tinham permissão de ir sozinhas à sorveteria e tomá-lo. Quando vizinhos se opuseram à ousadia da mãe de deixar as moças andarem sozinhas em Agra, as irmãs foram autorizadas ocasionalmente a sair depois de escurecer — o que, presumivelmente, era pior, embora menos detectável. A mãe de Malati deixou óbvio para as filhas que lhes daria a melhor formação possível, mas elas teriam que procurar seus próprios maridos.

Pouco depois de chegar a Brahmpur, Malati se apaixonou por um músico casado, que era socialista. Mesmo com o fim do romance ela continuou envolvida com o Partido Socialista. Depois teve outro caso de amor infeliz. No momento, não tinha compromisso.

Embora cheia de energia na maior parte do tempo, de vez em quando ela ficava doente, e a mãe vinha de Agra a Brahmpur para curá-la de mau-olhado, doença que ficava fora da província da medicina ocidental. Por ser dona de olhos tão extraordinários, Malati constituía um alvo especial para essa enfermidade.

Uma garça suja, cinzenta e de pernas rosadas observou Malati e Lata com seus olhos vermelhos, pequenos e intensos; então uma película cinza piscou lateralmente sobre cada globo ocular, e a pernalta, cautelosa, saiu andando para longe dali.

— Vamos fazer uma surpresa para as crianças: vamos comprar algodão-doce — propôs Lata quando o vendedor passou por elas. — Por que ainda não apareceram? Qual é o problema, Malati? Em que você está pensando?

— No amor — disse Malati.

— Ah, amor, que assunto chato — retrucou Lata. — Nunca vou me apaixonar. Sei que você de vez em quando se apaixona. Mas...

Ela ficou calada, pensando de novo, com certo desagrado, em Savita e Pran, que tinham ido para Simla. Supostamente voltariam das colinas profundamente apaixonados. Era intolerável.

— Em sexo, então.

— Ai, por favor, Malati — disse Lata, olhando depressa ao redor —, também não estou interessada nisso — acrescentou, ruborizada.

— Em casamento, então. Eu me pergunto com quem você vai se casar. Sua mãe vai casar você dentro de um ano, disso eu tenho certeza. E, qual um ratinho obediente, você vai fazer o que ela quer.

— Tem toda razão — disse Lata.

Aquilo irritou Malati, que se inclinou e arrancou três narcisos plantados exatamente diante de um aviso que dizia "Não arranque as flores". Guardou para si um deles e entregou dois a Lata, que ficou muito constrangida segurando aqueles objetos obtidos ilegalmente. Então Malati, depois de comprar cinco novelos de sedoso algodão-doce, entregou quatro à amiga para segurá-los com os dois narcisos e começou a comer o quinto.

Lata começou a rir.

— E aí o que acontecerá com seu plano de ensinar numa escolinha de crianças carentes?

— Olha, aí vem eles — avisou Lata.

Aparna, com ar petrificado, segurava com força a mão de Varun. Durante alguns minutos ficaram todos comendo algodão-doce enquanto se encaminhavam à saída. Na roleta, um maltrapilho menino de rua os olhou, ansioso, e Lata lhe deu depressa uma moedinha. Ele estivera a ponto de pedir, mas não chegou a fazê-lo e pareceu surpreso.

Um dos narcisos de Lata ficou na crina do cavalo. O cocheiro recomeçou a cantar sobre seu coração despedaçado. Dessa vez, todos se juntaram à cantoria. Os transeuntes viravam a cabeça em direção a eles na medida em que a charrete passava trotando.

Os crocodilos tinham causado em Varun um efeito libertador, mas no retorno ao campus universitário, à casa de Pran, onde se hospedavam Arun, Meenakshi e a Sra. Rupa Mehra, ele foi obrigado a encarar as consequências de ter chegado com uma hora de atraso. A mãe e a avó de Aparna pareciam ansiosas.

— Seu tolo maldito e irresponsável! — disse Arun, gritando com o irmão diante de todos. — Como homem, você está no comando, e se você disser 12h30 é melhor que seja 12h30, principalmente se estiver com minha filha. E minha irmã. Não quero ouvir nenhuma desculpa. Seu idiota! — Ele estava furioso. — E você deveria ter mais juízo — acrescentou, dirigindo-se a Lata — e não deixá-lo perder a noção do tempo. Já sabe como ele é.

Varun abaixou a cabeça e olhou inquieto para os próprios pés. Pensava na satisfação que seria lançar ao maior dos crocodilos o irmão mais velho, de cabeça, para lhes servir de alimento.

1.12

UMA das razões de Lata estar estudando em Brahmpur era por esta ser a cidade onde vivia seu avô, Dr. Kishen Chand Seth. Ele havia prometido à filha Rupa, ao receber a neta para estudar ali, que cuidaria dela muito bem. Mas isso não ocorreu. O Dr. Kishen Chand Seth estava preocupado demais com o bridge no Subzipore Club ou com as desavenças envolvendo gente como o ministro da Fazenda, ou com a paixão pela jovem esposa Parvati para conseguir cumprir qualquer papel de guardião em relação à neta. Uma vez que fora desse avô que Arun herdara o gênio detestável, talvez isso afinal não tivesse sido tão negativo assim. De qualquer jeito, Lata não se importava em viver no albergue estudantil. Muito melhor para os estudos dela, pensava, do que sob a asa da irascível vovó.

Pouco depois da morte de Raghubir Mehra, a viúva e a família tinham ido viver com o pai dela, que àquela altura ainda não havia se casado novamente. Em razão das finanças precárias, isso parecia a única opção; a Sra. Rupa Mehra também achou que o pai talvez se sentisse solitário e tinha esperança de ajudá-lo nas questões domésticas. A experiência durou alguns meses, e foi um desastre. O Dr. Kishen Chand Seth era um homem de convívio impossível. Embora franzino, ele era uma força a ser levada em consideração, não só na faculdade de medicina, da qual se aposentara no cargo de diretor, mas na cidade em geral: todos o temiam e obedeciam a ele, trêmulos. Quanto à vida doméstica, sua expectativa era de que funcionasse em moldes semelhantes. Ele suplantava a autoridade da Sra. Rupa Mehra em relação aos próprios filhos dela. Por semanas a fio ele saía de casa sem deixar dinheiro nem instruções para os empregados. Finalmente, acusou a filha, cuja boa aparência sobrevivera à viuvez, de lançar olhares aos colegas dele quando os convidava a irem até sua casa — uma acusação que chocou a desconsolada, porém sociável, Rupa.

Certo dia, o adolescente Arun ameaçou bater no avô. Houve choros e gritos, e o Dr. Kishen Chand Seth bateu no chão com a bengala. Então, chorosa e decidida, a Sra. Rupa Mehra foi embora levando os quatro filhos e buscou refúgio com amigos solidários em Darjeeling.

A reconciliação se efetuou um ano depois, num renovado acesso de choro. Desde então as coisas haviam transcorrido calmas. O casamento com Parvati (que havia chocado não só a família dele, mas também a cidade em geral, por causa da disparidade entre as idades dos dois), a matrícula de Lata na Universidade de Brahmpur, o noivado de Savita (que o Dr. Kishen Chand Seth tinha ajudado a arranjar), o casamento de Savita (que ele quase tinha arruinado e do qual deliberadamente se ausentou): todos esses eram marcos ao longo de uma estrada extremamente acidentada. Mas família era família e, como repetia consigo o tempo todo a Sra. Rupa Mehra, era preciso aceitar o bom junto com o ruim.

Vários meses já haviam se passado desde o casamento de Savita. O inverno terminara e as serpentes do zoológico tinham emergido da hibernação.

As rosas substituíram os narcisos, e foram, por sua vez, substituídas pela trepadeira-viuvinha, cujas flores de cinco pétalas desciam rodopiando até tocarem o solo ao vento quente. O vasto Ganges, de um marrom barrento, que corria diretamente para o leste e passava ao largo das feias chaminés dos curtumes e do edifício de mármore do Barsaat Mahal, da velha Brahmpur com seus apinhados bazares e becos, templos e mesquitas, das escadarias que descem ao rio, dos *ghats* de abluções e de cremação de corpos, do Brahmpur Fort, das colunas caiadas do Subzipore Club e do espaçoso edifício da universidade, havia diminuído de volume no verão, mas canoas e barcos a vapor ainda transitavam ativamente para cima e para baixo ao longo de seu curso, a exemplo dos trens que serviam à ferrovia paralela que ligava Brahmpur ao sul.

Lata deixou o albergue e foi morar com Savita e Pran, que ao voltarem de Simla estavam muito apaixonados. Malati visitava Lata com frequência, e tinha acabado por gostar do ossudo Pran, de quem havia formado tão desfavorável primeira impressão. Lata também gostava do jeito honesto e carinhoso dele e não ficou muito perturbada quando soube que Savita estava grávida. Hospedada no apartamento de Arun em Calcutá, a Sra. Rupa Mehra escrevia longas cartas para as filhas, e sua constante queixa era de que ninguém lhe respondia as cartas com a necessária presteza ou assiduidade.

Embora sem mencionar em nenhuma carta, por medo de enfurecer a filha, a viúva tinha tentado, em vão, encontrar um partido para Lata em Calcutá. Talvez ela não tivesse feito todo o esforço necessário, disse a si mesma: afinal, ainda estava se recuperando da agitação e do trabalho que tivera com o casamento de Savita. Mas agora pelo menos iria voltar a Brahmpur para uma temporada de três meses no lugar que havia começado a chamar de sua segunda casa: a casa da filha, e não a do pai. Enquanto o trem bufava a caminho de Brahmpur, essa cidade propícia que já lhe havia rendido um genro, a Sra. Rupa Mehra prometeu a si mesma que faria mais uma tentativa. No prazo de um ou dois dias depois da chegada ela iria procurar o pai para pedir conselhos.

1.13

AO final, não foi necessário buscar o conselho paterno: no dia seguinte, o Dr. Kishen Chand Seth foi de carro à universidade, furioso, e chegou à casa de Pran Kapoor.

Eram três da tarde e fazia muito calor. Pran estava trabalhando. Lata assistia a uma aula sobre os poetas metafísicos. Savita tinha saído para fazer compras. Mansoor, o jovem empregado, tentou acalmar o Dr. Kishen Chand Seth oferecendo-lhe chá, café ou limonada feita na hora. Tudo foi igualmente recusado.

— Alguém está em casa? Onde estão todos? — perguntou furioso o Dr. Kishen Chand Seth. Baixo, compacto e com uma papada embaixo do queixo, ele lembrava um feroz e enrugado cão de guarda tibetano (a beleza da Sra. Rupa Mehra tinha sido uma dádiva da mãe). Portava uma bengala entalhada da Caxemira que usava mais para enfatizar o que dizia do que para sustentação. Mansoor foi correndo lá dentro.

— *Burri memsahib?* — chamou ele, batendo à porta do quarto da Sra. Rupa Mehra.

— O que foi? Quem é?

— *Burri memsahib*, seu pai está aqui.

— Ah... — A Sra. Rupa Mehra, que estivera desfrutando uma soneca vespertina, acordou para um pesadelo. — Diga a ele que irei logo, e lhe ofereça um chá.

— Pois não, *memsahib*.

Mansoor entrou na sala de estar. O Dr. Kishen Chand Seth olhava distraído para um cinzeiro.

— E então? Além de imbecil você é surdo?

— Ela já está vindo, *sahib*.

— Quem é que está vindo, seu tonto?

— *Burri memsahib, sahib*. Ela estava descansando.

O fato de que Rupa, aquela sua filha insolente, pudesse de alguma forma ter sido elevada não só à categoria de *memsahib*, mas à de *burri memsahib* intrigava e aborrecia o Dr. Seth.

Mansoor ofereceu:

— O senhor aceita um chá, *sahib*? Ou um café?

— Ainda há pouco você me ofereceu *nimbu pani*.

— É verdade, *sahib*.

— Um copo de *nimbu pani*.

— Pois não, *sahib*. É para já — disse Mansoor, fazendo menção de sair.

— E, sabe...

— Pois não, *sahib*?

— Nesta casa tem biscoito de araruta?

— Acho que sim, *sahib*.

Mansoor foi ao quintal colher os limões e depois voltou à cozinha para fazer com eles uma limonada.

O Dr. Kishen Chand Seth escolheu um exemplar do dia anterior do jornal *Statesman*, em vez do *Brahmpur Chronicle* daquele dia, e se sentou para ler numa poltrona. Nesta casa eram todos retardados.

A Sra. Rupa Mehra se vestiu às pressas num sári de algodão preto e branco e emergiu do quarto dela. Entrou na sala de estar e começou a se desculpar.

— Deixe disso, chega de tolice — disse impaciente, em híndi, o Dr. Kishen Chand Seth.

— Sim, *baoji*.

— Depois de esperar uma semana resolvi vir visitá-la. Que filha você é?

— Uma semana? — disse debilmente a Sra. Rupa Mehra.

— Sim, sim, uma semana. Você me ouviu, *burri memsahib*.

A Sra. Rupa Mehra não sabia o que era pior, se a raiva ou o sarcasmo do pai.

— Mas só ontem eu cheguei de Calcutá.

O pai parecia a ponto de explodir diante dessa flagrante ficção quando Mansoor entrou com a limonada e a bandeja de biscoitos. Ao notar a expressão no rosto do Dr. Seth, parou hesitante na porta.

— Sim, pode colocar aqui, o que está esperando?

Mansoor pousou a bandeja na mesinha de tampo de vidro e se voltou para sair. O Dr. Seth tomou um golinho e bradou indignado:

— Patife!

Mansoor se voltou, tremendo. Tinha só 16 anos e estava substituindo o pai, que havia tirado uma licença curta. Nos cinco anos em que estudara numa escola de aldeia, nenhum dos professores lhe havia inspirado tanto terror quanto o pai de *burri memsahib*.

— Seu canalha! Quer me envenenar?

— Não, *sahib*.

— O que foi isso que você me deu?

— *Nimbu pani, sahib*.

O Dr. Seth, com as papadas tremendo, olhou firme para Mansoor. Será que estava tentando afrontá-lo?

— Pois é claro que é *nimbu pani*. Acha que eu pensei que fosse uísque?

— *Sahib*... — Mansoor estava perplexo.

— O que você botou nele?

— Açúcar, *sahib*.

— Seu palhaço! Mandei fazer meu *nimbu pani* com sal, e não com açúcar — rugiu o Dr. Kishen Chand Seth. — Açúcar é um veneno para mim. Sofro de diabetes, como sua *burri memsahib*. Quantas vezes já lhe disse isso?

Mansoor ficou tentado a responder "nunca", mas mudou de ideia. Normalmente o médico tomava chá, e ele trazia o leite e o açúcar separados.

O Dr. Seth raspou a bengala no chão.

— Vá embora; porque está me olhando como uma coruja?

— Sim, *sahib*, vou fazer outro copo.

— Deixa pra lá. Não. Sim, vá fazer outro copo.

— Com sal, *sahib*.

Mansoor se atreveu a sorrir. Tinha um sorriso bem bonito.

— De que você está rindo que nem um jumento? — perguntou o Dr. Seth. — É claro que é com sal.

— Pois bem, *sahib*.

— E ouça, seu idiota...

— Pois não, *sahib*.

— Com pimenta, também.

— Sim, *sahib*.

O Dr. Seth se voltou em direção à filha, que se encolheu diante dele.

— Que tipo de filha eu tenho? — perguntou retoricamente. A Sra. Rupa Mehra esperou pela resposta, que não tardou. — Uma filha ingrata! — O pai mordeu um biscoito de araruta para enfatizar. — Está mole! — acrescentou com repugnância.

A Sra. Rupa Mehra não se atreveu a protestar. O Dr. Seth prosseguiu:

— Você já voltou de Calcutá há uma semana e não foi me visitar nem uma vez. É a mim que odeia tanto ou à sua madrasta?

Como a madrasta, Parvati, era bem mais jovem do que ela, a Sra. Rupa Mehra não conseguia pensar nela de outra forma que não como enfermeira do pai, e, posteriormente, a amante dele. Apesar de sensível, a filha não estava de todo ressentida com Parvati. Quando a esposa morreu, o pai tinha ficado sozinho por três décadas. Parvati era boa *com* ele e (a filha supunha) boa *para* ele. Aliás, pensava, é assim que as coisas acontecem no mundo. É melhor estar em bons termos com todos.

— Mas eu só cheguei aqui ontem — defendeu-se. Dissera isso um minuto antes, mas evidentemente ele não acreditava nela.

— Huhn! — Fez ele, desdenhoso.

— Pelo trem de Brahmpur.

— Você escreveu em sua carta que chegaria semana passada.

— Mas não consegui reservar passagem, *baoji*, e daí resolvi ficar mais uma semana em Calcutá.

Era verdade, mas o prazer de passar uns momentos com Aparna, a neta de 3 anos, também tinha sido um fator no atraso.

— Já ouviu falar de telegrama?

— Pensei em lhe mandar um, *baoji*, mas achei que não era tão importante. Além disso, a despesa...

— Desde que se tornou uma Mehra, você ficou totalmente evasiva.

Esse foi um golpe cruel, e não pôde deixar de ferir. A Sra. Rupa Mehra baixou a cabeça.

— Tome aqui, coma um biscoito — disse o pai, conciliador.

A filha fez que não com a cabeça.

— Coma, sua tola! — disse o pai com carinhosa aspereza. — Ou ainda está num daqueles jejuns malucos que tanto fazem mal à sua saúde?

— Hoje é Ekadashi.

A viúva jejuava no 11º dia de cada quinzena lunar, em memória do marido.

— Não me importa que sejam dez Ekadashis — retrucou o pai um tanto irritado. — Desde que você ficou sob a influência dos Mehra se tornou tão religiosa quanto sua malfadada mãe. Tem havido muitos casamentos inadequados nesta família.

A combinação dessas duas frases, frouxamente vinculadas em diversas e possíveis interpretações ferinas, foi demais para a Sra. Rupa Mehra. Ela começou a ficar de nariz vermelho. A família do marido não era religiosa nem evasiva. Os irmãos e as irmãs de Raghubir haviam-na recebido de modo carinhoso e apoiador para uma noiva de 16 anos; e ainda hoje, oito anos após a morte do marido, ela os visitava sempre que possível no que os filhos chamavam de sua Peregrinação Ferroviária Anual pela Índia. Se estivesse ficando "tão religiosa quanto a mãe" (o que não era verdade, pelo menos por enquanto), isso obviamente se devia à influência da própria mãe, que tinha morrido na epidemia de gripe pós-Primeira Guerra Mundial, quando Rupa era muito pequena. Agora uma imagem desbotada surgiu diante dos olhos dela: o espírito suave da primeira esposa do Dr. Kishen Chand Seth não podia ter sido mais distante da alma dele próprio, racionalista e alopática. O comentário que ele fizera sobre casamentos feria a memória de duas almas amadas e tinha possivelmente a intenção de ofender o asmático Pran.

— Ora, não seja tão sensível! — disse o Dr. Kishen Chand Seth com crueldade. A maioria das mulheres, a seu ver, passava dois terços do tempo chorando e se lamentando. Que proveito elas achavam que aquilo trazia? Como uma reflexão posterior, acrescentou: — Você devia casar logo sua filha Lata.

A cabeça da Sra. Rupa Mehra se ergueu subitamente.

— Ah, o senhor acha?

O pai parecia mais surpreendente que nunca.

— Sim, ela deve estar quase com 20 anos. É tarde demais. Parvati se casou quando estava na casa dos 30, e veja só o que conseguiu. É preciso encontrar um rapaz adequado para Lata.

— Pois é, eu estava pensando a mesma coisa — disse a Sra. Rupa Mehra. — Mas não sei o que Lata vai dizer.

O Dr. Kishen Chand Seth franziu a testa diante dessa irrelevância.

— E onde vou encontrar um rapaz adequado? — continuou ela. — Com Savita nós demos sorte.

— Sorte coisa nenhuma! Eu os apresentei. Ela está grávida? Ninguém me conta nada — reclamou o Dr. Kishen Chand Seth.

— Sim, *baoji*.

O Dr. Seth fez uma pausa para refletir sobre o sim. Depois disse:

— Já estava na hora. Dessa vez espero ter um bisneto. — E depois de uma pausa: — Como ela está?

— Com um pouco de enjoo matinal... — começou a Sra. Rupa Mehra.

— Não, sua idiota, quero dizer minha bisneta, a filha de Arun — retrucou impaciente o Dr. Seth.

— Ah, Aparna? Ela é muito meiga. Ficou muito apegada a mim — respondeu feliz a Sra. Rupa Mehra. — Arun e Meenakshi mandam lembranças carinhosas.

Isso pareceu satisfazer momentaneamente o Dr. Seth, que mordeu cauteloso o biscoito de araruta.

— Está mole — queixou-se.

A filha sabia que, para o pai, as coisas tinham que ser perfeitas. Quando criança, ela não podia beber água durante as refeições. Cada bocado tinha que ser mastigado 24 vezes para facilitar a digestão. Para um homem tão meticuloso com a comida, ou melhor, que tinha tanto gosto em comer, era triste vê-lo reduzido a biscoitos e ovos cozidos.

— Verei o que posso fazer por Lata — prosseguiu o pai. — Há um jovem radiologista do Prince of Wales... Não consigo me lembrar do nome dele. Se tivéssemos pensado antes na questão, podíamos ter pensado no irmão mais novo de Pran e feito um casamento duplo. Mas agora dizem que está noivo de uma moça em Benares. Talvez tenha sido melhor assim — acrescentou, lembrando-se de que, teoricamente, tinha uma rixa com o ministro.

— Mas o senhor não pode ir embora agora, *baoji*. Daqui a pouco todos estarão de volta — protestou a Sra. Rupa Mehra.

— Não posso? Não posso? Onde estão todos quando quero vê-los? — lamentou-se o Dr. Kishen Chand Seth. Estalou a língua, impaciente. — E não se esqueça do aniversário de sua madrasta na semana que vem — acrescentou, enquanto se dirigia à porta.

Do corredor, a Sra. Rupa Mehra olhou melancólica e preocupada para as costas do pai. A caminho do carro, ele parou ao lado de um canteiro de cana-da-índia vermelha e amarela, no jardim de Pran, e a filha notou que ele foi ficando cada vez mais agitado. Flores burocráticas (entre as quais ele classificava também os cravos, as buganvílias e as petúnias) o deixavam furioso. Ele as havia banido do Prince of Wales Medical College pelo período em que exerceu ali seu poder supremo; agora elas estavam retornando. Com um golpe de sua bengala da Caxemira ele decapitou uma cana-da-índia amarela. Enquanto a filha o observava, trêmula, ele entrou em seu antigo Buick cinza. Essa nobre máquina, um rajá em meio à ralé de automóveis Austin e Morris que transitavam pelas estradas indianas, ainda estava ligeiramente amassada. Dez anos antes, Arun (em visita durante as férias da St. George's College) o levara sem permissão para dar um catastrófico passeio. Arun era o único da família que podia desafiar o avô sem sofrer sanções, e até ser ainda mais amado por causa disso. Enquanto o Dr. Seth se afastava no carro, dizia consigo que aquela tinha sido uma visita satisfatória, pois lhe fornecera algo em que pensar e algo para planejar.

A Sra. Rupa Mehra reservou uns minutos para se recuperar da presença sufocante do pai. Percebendo subitamente o quando estava faminta, começou a pensar na refeição ao pôr do sol. Não podia quebrar o jejum com cereais; portanto, despachou o jovem Mansoor ao mercado para comprar bananas, a fim de fazer croquetes. Quando ele atravessou a cozinha para apanhar a chave da bicicleta e a sacola de compras, passou pela bancada e viu o copo de limonada rejeitado: gelado, ácido, convidativo.

Rapidamente engoliu o conteúdo.

1.14

TODOS os que conheciam a Sra. Rupa Mehra sabiam o quanto ela gostava de rosas e, principalmente, de estampas de rosas; portanto, os cartões de aniversário que recebia eram ilustrados, na maioria, com rosas de várias cores e tamanhos, e vários graus de abundância e extravagância. Nessa tarde, sentada com seus óculos de grau diante da escrivaninha do quarto que dividia com a filha Lata, ela revia cartões antigos com um objetivo prático, embora esse projeto ameaçasse subjugá-la com suas ressonâncias de sentimentos antigos. Rosas vermelhas, rosas amarelas e até mesmo uma rosa azul aqui e acolá combinavam-se com fitas, imagens de gatinhos e uma de um filhote de cachorro com cara de culpa. Maçãs e uvas e rosas num cesto; carneiros num campo com rosas em primeiro plano; rosas numa caneca de estanho orvalhada, com uma tigela de morangos ao lado; rosas entremeadas de violetas, adornadas de folhas atípicas de roseiras, sem as bordas serrilhadas, e espinhos verdes e suaves, até convidativos: cartões de aniversário enviados por parentes, amigos e conhecidos de todo o território indiano, e alguns até do exterior — tudo lhe recordava tudo, como o filho mais velho costumava observar.

A Sra. Rupa Mehra olhou casualmente as pilhas de antigos cartões de Ano Novo antes de voltar às rosas aniversariantes. Retirou dos compartimentos de sua enorme bolsa de mão preta uma tesoura pequena e tentou decidir que cartão teria que sacrificar. Era muito rara a ocasião em que ela comprava um cartão para alguém, não importava o grau de parentesco ou de afeto que a ligasse àquela pessoa. O necessário hábito da economia havia se inculcado em sua mente, mas oito anos de privação de pequenos luxos não conseguiram minimizar para ela a santidade das felicitações ao aniversariante. Como não podia comprar cartões, ela os fabricava. Pedaços de cartolina, retalhos de fitas, papéis coloridos, estrelinhas prateadas e adesivos com números dourados jaziam numa mistura variada no fundo da maior de suas três malas de viagem, e eram agora solicitados a prestar serviço. A tesoura pairou no ar, desceu. Três estrelas prateadas foram separadas de suas companheiras e coladas (com a ajuda de cola emprestada, pois esse era o único componente que a Sra. Rupa Mehra não levava consigo, com medo de vazamento) em três cantos da parte dianteira de um pedaço de cartolina branca dobrado em duas partes. O quarto canto, o de noroeste, poderia conter dois números dourados indicando a idade do destinatário.

Mas agora a Sra. Rupa Mehra fez uma pausa — porque, certamente no caso atual, a idade do destinatário seria um detalhe ambivalente. A madrasta, de quem se lembrava sem cessar, era dez anos mais nova que ela, e o acusador número "35", mesmo em dourado — ou talvez especialmente —, poderia ser visto — seria visto — como a implicação de uma inaceitável disparidade, possivelmente até uma inaceitável motivação. Os números dourados foram deixados de lado, e uma quarta estrela prateada se reuniu a suas companheiras num padrão de simetria inócua.

Adiada a decisão da ilustração, a Sra. Rupa Mehra agora buscou ajuda para construir um texto com rimas para o cartão. O cartão com uma rosa e um utensílio de estanho continha os seguintes versos:

> Que a alegria que você propagou
> Ao longo do caminho da vida

> E os pequenos atos de gentileza
>   Que você espalhou dia após dia
> E a alegria que prodigalizou
>   Sobre outros pela vida afora
> Retornem para aumentar a beleza
>   De seu aniversário nesta hora.

Isso não serviria para Parvati, decidiu a Sra. Rupa Mehra. Ela voltou aos cartões ilustrados com uvas e maçãs.

> É um dia de beijos e abraços,
>   De bolo com velas também,
> Um dia para quem a ama
>   Renovar o amor que lhe tem,
> Um dia para doce reflexão,
>   Pelo brilhante caminho da vida,
> E um dia para almejar
>   Felicidades nesta data querida.

Aquilo se mostrava promissor, mas na quarta linha havia um problema, ela sentia instintivamente. Também, precisaria alterar "beijos e abraços" para "saudações especiais"; Parvati poderia perfeitamente merecer abraços e beijos, mas Sra. Rupa Mehra era incapaz de dá-los a ela.

Quem havia mandado esse cartão? Queenie e Pussy Kapadia, duas irmãs solteiras e quarentonas, que ela não encontrava há anos. Solteiras! A palavra era como um dobre fúnebre.

A Sra. Rupa Mehra se deteve por instantes nesses pensamentos, e depois avançou, resoluta.

Em um cartão, um cachorrinho latia um texto sem rima e, portanto, impossível de usar — um simples "Feliz aniversário e muitos anos de vida" —, porém um cordeirinho balia em rimas idênticas, mas com um sentimento ligeiramente distinto dos outros:

> Não é o cumprimento usual
>   Reservado a uma data querida

> Mas votos que querem abranger
> O luminoso caminho da vida
> Tudo de especial eu lhe desejo,
> O máximo a que possa aspirar,
> Que neste ano e em todos os outros
> Veja o grande sonho se realizar.

Sim! O luminoso caminho da vida, conceito caro à Sra. Rupa Mehra, aqui aparecia educado a ponto de atingir um brilho ainda maior. Os versos tampouco a deixavam atada a alguma afirmação cabal de afeto pela segunda esposa do pai. Ao mesmo tempo, não se podia alegar que os cumprimentos fossem reticentes. Apanhando sua caneta-tinteiro Mont Blanc preta e dourada com que Raghubir a presenteara quando Arun nasceu — há 25 anos e ainda funcionando bem —, ela começou a escrever.

A letra da Sra. Rupa Mehra era muito pequena e bem-desenhada, mas isso lhe acarretava um problema naquele momento. Havia escolhido um formato de cartão muito grande, desproporcional ao afeto que sentia, mas já colara as estrelas prateadas e era tarde demais para mudar esse parâmetro. Ela agora desejava preencher todo o espaço possível com uma mensagem rimada, e não ser obrigada a escrever mais que algumas poucas palavras de autoria própria para complementar os versos. Portanto, os três primeiros dísticos foram escritos no lado esquerdo, com um grande espaço em branco entre eles, mas sem parecer demasiado óbvio. Uma elipse de sete pontinhos deixava um rastro de um lado a outro da página, para simular suspense, e a derradeira estrofe se esborrachou no lado direito, com estrondosa insipidez.

"À querida Parvati, um aniversário muito feliz. Com muito amor, Rupa", escreveu a Sra. Rupa Mehra com a expressão de quem está cumprindo seu dever. Então, arrependendo-se, acrescentou "íssima" à palavra "querida". Agora o espaço parecia um pouco apertado, mas somente um olho cuidadoso poderia perceber o acréscimo como um pensamento tardio.

Agora vinha a parte dolorosa: não a simples transcrição de uma estrofe, mas o sacrifício concreto de um cartão antigo. Qual das rosas teria que ser transplantada? Depois de pensar um pouco, a Sra. Rupa Mehra concluiu que não conseguiria se separar de nenhuma delas. O cachorro, então? Ele parecia pesaroso e até mesmo culpado — além disso, a figura de um cachorro, por mais atraente que seja sua aparência, estava aberta a interpretações equivocadas. Os cordeirinhos, talvez — ah, sim, eles serviriam. Eram fofinhos e impassíveis. Ela não se importava de se separar deles. A Sra. Rupa Mehra era vegetariana, ao passo que o pai e Parvati eram carnívoros vorazes. As rosas no primeiro plano do cartão antigo foram preservadas para uso futuro, e os três carneiros tosados foram conduzidos cuidadosamente em direção a novas pastagens.

Antes de lacrar o envelope, a Sra. Rupa Mehra pegou um pequeno bloco e redigiu algumas linhas ao pai:

Queridíssimo *baoji*,
As palavras não conseguem expressar a felicidade que senti por tê-lo encontrado ontem. Pran, Savita e Lata ficaram muito decepcionados. Eles não tiveram a chance de estar presentes, mas assim é a vida. Sobre o radiologista ou qualquer outro candidato a Lata, por favor, prossiga em suas pesquisas. Naturalmente o melhor seria um jovem xátria, mas depois do casamento de Arun eu sou capaz de cogitar outras castas. Pele clara ou escura, pois, como o senhor sabe, não se pode escolher demais. Já me recuperei da viagem e continuo a ser, com muito carinho,

Sua filha amorosa,
Rupa

A casa estava em silêncio. Ela pediu a Mansoor uma xícara de chá e resolveu escrever uma carta a Arun. Desdobrando um aerograma, escreveu cuidadosamente a data em sua letra pequenina e compreensível, e começou:

Meu querido Arun,
Espero que você esteja se sentindo melhor e que a dor nas costas e no dente tenham diminuído. Fiquei muito triste e contrariada em Calcutá por não termos tido muito tempo para nos despedirmos na estação, por causa do trânsito na Strand e na ponte Howrah, e por você ter sido obrigado a ir embora antes da partida do trem porque Meenakshi queria que você chegasse cedo em casa. Você não sabe o quanto está em meus pensamentos — muito mais do que as palavras podem dizer. Achei que talvez os preparativos para a festa pudessem ter sido adiados por dez mi-

nutos, mas não foi bem assim. Meenakshi sabe o que é melhor. De todo modo, qualquer que fosse a razão, o resultado concreto foi que nós não tivemos muito tempo na estação, e as lágrimas rolavam em minhas faces, tamanha minha decepção. E meu querido Varun também teve que voltar para casa porque ele foi de carro com você para se despedir de mim. Mas a vida é assim, nem sempre a gente consegue o que deseja. Agora eu só rezo para você melhorar logo e se manter com saúde onde quer que esteja e não tenha mais problemas na coluna para voltar a jogar golfe, como você gosta tanto. Se for a vontade de Deus nós nos encontraremos de novo em breve. Tenho muito amor por você e lhe desejo toda a felicidade e o sucesso que merece. Seu pai ficaria muito orgulhoso de vê-lo na Bentsen & Pryce, e agora com mulher e filha. Muito amor e beijos para a querida Aparna.

A viagem transcorreu pacificamente conforme planejado, mas devo admitir que eu não consegui resistir à tentação de comer um pouco de *mihidana* em Burdwan. Se você estivesse lá teria brigado comigo, mas não pude resistir à vontade de comer o doce. As senhoras de meu vagão exclusivamente feminino foram muito amáveis e nós jogamos rummy e três-dois-cinco, e tivemos uma boa conversa. Uma das senhoras conhecia a Srta. Pal, que nós costumamos visitar em Darjeeling, aquela que estava noiva do capitão do exército, mas ele morreu na guerra. Eu tinha na bolsa o baralho que ganhei de Varun em meu último aniversário e isso me ajudou a passar o tempo durante o trajeto. Sempre que viajo eu me lembro de nossos dias na cabine do trem com o pai de vocês. Dê meu amor a seu irmão e diga a ele que estude muito, seguindo a boa tradição do pai dele.

Savita está muito bem-disposta, e Pran é um marido de primeira classe, exceto pela asma e as preocupações. Acho que ele está tendo alguns problemas na universidade, mas não gosta de falar do assunto. Seu avô nos visitou ontem e poderia ter dado a ele algum conselho médico, mas infelizmente só eu estava em casa. Aliás, na semana que vem é o aniversário da segunda mulher de seu avô, e talvez você devesse mandar a ela um cartão. Antes tarde do que nunca.

Meus pés estão doendo muito, mas isso já era de esperar. A época das monções vai chegar dentro de dois ou três meses, e então minhas juntas me causarão transtornos. Infelizmente Pran, com seu salário de professor-assistente, não pode comprar um carro, e a situação do transporte não está boa. Eu tomo um ônibus ou uma charrete para ir aos lugares e por vezes vou a pé. Como você sabe, o Ganges fica perto da casa, e Lata também caminha bastante, ela parece gostar. É muito seguro até o *dhobi-ghat* próximo da universidade, embora haja um pouco de ameaça dos macacos.

Meenakshi já mandou ajustar as medalhas de ouro de seu pai? Eu gosto da ideia de fazer um pingente com uma delas e uma tampa para potinho de cardamomo com a outra. Dessa forma é possível ler o que está escrito nos dois lados da medalha.

Agora, meu Arun, não fique irritado comigo pelo que vou dizer, mas tenho pensado muito em Lata ultimamente, e acho que você deveria reforçar a autoconfiança que falta a ela, apesar do desempenho brilhante nos estudos. Ela tem muito medo dos comentários que você faz — às vezes, até eu tenho medo deles. Sei que não tem intenção de ser cruel, mas ela é uma garota sensível e agora que está em idade de se casar ficou mais sensível ainda. Vou escrever à filha do Sr. Gaùr, Kalpana, em Delhi. Ela conhece todo mundo e talvez nos ajude a encontrar um marido adequado para Lata. Também acho que é hora de você ajudar nessa questão. Vi que estava ocupado com o trabalho e por isso, durante minha estada em Calcutá, pouco falei da questão, mas ela sempre esteve em minha mente. Outro rapaz de boa família já seria um sonho realizado — ele não precisa ter origem xátria. Agora que o ano letivo está quase terminando, ela terá tempo. Eu posso ter muitos defeitos, mas acho que sou uma mãe amorosa e anseio por ver todos os meus filhos bem-estabelecidos na vida.

Em breve será abril e acho que outra vez vou ficar muito deprimida e sozinha porque o mês trará de volta as lembranças da doença e da morte de seu pai como se tivessem acontecido outro dia, e, no entanto, já se passaram oito longos anos e nesse período muita coisa aconteceu. Sei que milhares tiveram e estão tendo muito mais do que sofrer, mas para cada ser humano seu próprio sofrimento parece o maior. Eu ainda sou muito humana e não estou muito acima dos sentimentos habituais de tristeza e desilusões. No entanto, acredite, estou me empenhando em superar tudo isso, e vou conseguir.

Aqui o aerograma terminou e a Sra. Rupa Mehra começou a preencher na transversal o espaço em branco perto do cabeçalho da carta:

De qualquer jeito, o espaço é curto; portanto, meu querido Arun, eu vou terminar agora. Não se preocupe comigo de forma alguma, meu nível de glicose no sangue está ótimo, tenho certeza. Pran vai me levar para fazer um exame na clínica da universidade amanhã de manhã, e eu tenho sido cuidadosa com minha dieta, a não ser por um copo de limonada muito doce que tomei quando cheguei cansada depois da viagem.

Aqui ela prosseguiu, escrevendo na aba não adesiva:

Depois de escrever para Kalpana, vou jogar paciência com o baralho de Varun. Nesta carta, envio muito amor para você e para Varun, e um grande abraço e muitos beijos para minha queridinha Aparna e, naturalmente, também para Meenakshi.

Sua sempre amorosa,
Ma

Temendo que no decorrer da carta seguinte a tinta da caneta acabasse, a Sra. Rupa Mehra abriu a bolsa e retirou dali um frasco já aberto de tinta — Parker's Quink azul-real lavável — eficazmente separada dos outros conteúdos da bolsa por diversas camadas de trapos e celofane. Certa vez vazou cola de um frasco que ela sempre tinha consigo, o que teve consequências desastrosas, e desde então a cola foi banida da bolsa; mas até agora a tinta só havia causado problemas menores.

Depois de pegar outro formulário de aerograma, a Sra. Rupa Mehra chegou à conclusão de que usá-lo seria uma falsa economia e começou a escrever num bloco bem-conservado de papel de linho creme:

Caríssima Kalpana,

Você sempre foi como uma filha para mim; logo, eu vou falar de coração. Você sabe como estive preocupada com Lata neste último ano. Conforme sabe, desde que seu tio Raghubir morreu, venho passando tempos difíceis em vários aspectos, e seu pai — que em vida era tão próximo de seu tio — tem sido muito bom para mim depois de sua triste perda. Sempre que vou a Nova Delhi, o que ultimamente por azar não acontece com frequência, fico feliz quando estou com você, apesar dos chacais que passam a noite latindo atrás da casa, e desde que sua querida mãe faleceu tenho me sentido uma mãe para você.

Agora chegou o momento de Lata se casar, e eu preciso buscar em toda parte um rapaz adequado. Arun deveria assumir alguma responsabilidade nessa questão, mas você sabe como são as coisas, ele está muito ocupado com o trabalho e a família. Varun é jovem demais para ajudar e também é muito instável. Você, minha querida Kalpana, é alguns anos mais velha que Lata, e espero que possa indicar alguns nomes adequados entre seus velhos amigos de faculdade e outros em Nova Delhi. Talvez em outubro, nos feriados de Divali, ou em dezembro, nos feriados de Natal e Ano Novo, Lata e eu possamos ir à cidade cuidar dessas coisas. Só estou mencionando isso por mencionar. Por favor, diga-me o que acha.

Como está seu querido pai? Estou escrevendo de Brahmpur, onde me hospedo com Savita e Pran. Tudo está bem, mas o calor já é muito devassador, e eu estou apreensiva com abril-maio-junho. Gostaria que você tivesse podido vir ao casamento deles, mas, com a operação de apendicite da Pimmy, eu posso entender sua ausência. Fiquei preocupada ao saber que ela não estava bem. Espero que agora tudo esteja resolvido. Estou com boa saúde e minha taxa de açúcar no sangue está boa. Aceitei o seu conselho e mandei fazer óculos novos, e posso ler e escrever sem esforço.

Por favor, escreva urgentemente para este endereço. Estarei aqui por todo o mês de março e abril, talvez até maio, até serem divulgados os resultados do ano letivo da Lata.

Com carinhoso amor,
Sua eterna,
Ma (Sra. Rupa Mehra)

P.S: Às vezes Lata me aparece com a ideia de não querer se casar. Espero que você vá curá-la dessas teorias. Sei o que você pensa sobre se casar cedo, depois do que aconteceu com seu noivado, mas sinto que é melhor ter amado e perdido... etc. Não que o amor seja sempre uma bênção perfeita.

P.S.: Divali seria melhor que o Ano Novo para nossa ida a Nova Delhi, porque se encaixa melhor em meus planos de viagens anuais, mas a ocasião que você escolher está perfeita.

Amorosamente,
Ma

A Sra. Rupa Mehra examinou a carta (e sua assinatura — ela insistia em que todos os jovens a chamassem de *ma*), dobrou-a meticulosamente em quatro e encerrou-a num envelope de linho. Pescou de dentro da bolsa um selo que lambeu, pensativa, e colou no envelope. Escreveu (de memória) o endereço de Kalpana e anotou no verso o endereço de Pran. Depois fechou os olhos e ficou sentada perfeitamente imóvel por alguns segundos. A tarde estava quente. Depois de uns momentos, retirou o baralho da bolsa. Quando Mansoor entrou para levar dali os apetrechos do chá e prestar contas das compras no mercado, descobriu que ela estava cochilando diante de um jogo de paciência.

1.15

THE IMPERIAL BOOK DEPOT, uma das duas melhores livrarias da cidade, estava localizada em Nabiganj, a rua elegante que era o último baluarte da modernidade antes do labirinto de becos e bairros antigos e apinhados da velha Brahmpur. Embora situada a uns 3 quilômetros da universidade, contava, entre alunos e professores, com uma clientela mais numerosa que a da University and Allied Bookshop, que ficava a alguns minutos do campus universitário. A Imperial Book Depot era gerenciada por dois irmãos, ambos quase analfabetos em inglês, mas tão dinâmicos e empreendedores (apesar da próspera corpulência) que obviamente isso não fazia diferença. Além de terem o melhor estoque da cidade, eram extremamente solícitos com os compradores. Se um livro não estivesse disponível na loja, pediam ao próprio cliente que anotasse o título no respectivo formulário de pedido.

Duas vezes por semana, um universitário empobrecido era pago para selecionar e colocar as novas aquisições nas prateleiras designadas. E como a livraria se orgulhava do estoque de títulos acadêmicos tanto quanto do de assuntos gerais, os proprietários descaradamente pegavam pelo colarinho os professores universitários que entravam ali para dar uma olhada nos livros e os colocavam sentados diante de uma xícara de chá e de algumas listas enviadas pelas editoras, pedindo que marcassem os títulos que, a seu ver, a livraria deveria encomendar. Os professores se alegravam de poder garantir aos alunos a pronta disponibilidade dos livros necessários a seus cursos. A atitude obstinada, letárgica, indiferente e arrogante da University and Allied Bookshop deixava muitos deles ressentidos.

 Lata e Malati, ambas vestidas informalmente no costumeiro *salwaar-kameez*, foram a Nabiganj depois da aula para dar uma volta e tomar um café na cafeteria Blue Danube. Elas só podiam se permitir essa atividade, conhecida dos universitários como "ganjing", uma vez por semana. Quando passaram pela Imperial Book Depot, foram magneticamente atraídas para o interior. Cada uma delas se dirigiu a suas prateleiras de assuntos prediletos. Malati foi direto para a de romances, Lata para a de poesia. No caminho, porém, ela se deteve na seção de ciências, não porque entendesse muito do assunto, mas justamente porque não entendia. Sempre que abria um livro científico e via parágrafos inteiros de palavras e símbolos incompreensíveis, tinha uma sensação de deslumbramento diante dos grandes territórios do saber que estavam além de seu alcance — a soma de tantas tentativas nobres e deliberadas de extrair um sentido objetivo do mundo. Gostava dessa sensação, que combinava com seu temperamento sério; e nessa tarde ela estava se sentindo séria. Apanhou um livro ao acaso e escolheu um parágrafo:

> É derivado da fórmula de De Moivre que $z^n = r^n (\cos n + i \operatorname{sen} n)$. Portanto, se permitimos que o número complexo z descreva um círculo de raio R em torno do ponto de origem, z^n descreverá n vezes completas um círculo de raio r^n enquanto z descreve seu círculo uma vez. Também lembramos que r, o módulo de z, escrito $|z|$, fornece a distância de z a partir de O, e que se $z' = x' + iy'$, então $|z - z'|$ é a distância entre z e z'. Com essas preliminares, podemos prosseguir para a comprovação do teorema.

O que exatamente lhe agradava nessas sentenças ela não sabia, mas elas comunicavam peso, conforto, inevitabilidade. A mente dela desviou-se para Varun e seus estudos matemáticos. Lata tinha esperança de que as breves palavras ditas ao irmão no dia do casamento lhe tivessem feito bem.

Ela deveria escrever para ele com mais frequência e insuflar sua coragem, mas com a proximidade dos exames restava-lhe pouco tempo para qualquer coisa. Fora por insistência de Malati — que estava ainda mais ocupada que ela — que as duas haviam saído para o "ganjing".

Ela tornou a ler o parágrafo, com ar sério. As expressões "também lembramos" e "com essas preliminares" levavam-na a um pacto com o autor dessas verdades e mistérios. As palavras eram confiantes e, portanto, infundiam confiança: as coisas eram o que eram mesmo neste mundo de incertezas, e Lata poderia tomar isso como ponto de partida.

Ela sorriu consigo, alheia ao entorno. Ainda com o livro na mão, ergueu os olhos. E foi assim que um rapaz que estava parado a curta distância foi incluído, sem querer, no sorriso dela. Agradavelmente surpreendido, ele retribuiu o sorriso. Lata franziu o cenho e baixou os olhos para a página do livro. Mas, sem conseguir se concentrar nele, devolveu-o à prateleira depois de alguns minutos, antes de seguir para a estante de poesia.

Independentemente do que pensasse do amor, Lata gostava de poemas românticos. "Maud" era um de seus favoritos. Ela começou a folhear um livro de Tennyson.

O jovem alto, que (Lata reparou) tinha cabelos negros levemente ondulados e feições muito bonitas, bastante aquilinas, parecia estar tão interessado em poesia quanto em matemática, pois, alguns minutos depois, a moça percebeu que ele havia transferido sua atenção para as estantes de poesia e folheava antologias. Ela sentiu os olhos dele pousarem sobre ela de vez em quando. Irritada com o fato, não ergueu os olhos. Quando, malgrado seu, ela o fazia, via que ele estava inocentemente imerso na leitura. Não conseguiu resistir a dar uma olhada na capa do livro que ele segurava. Era uma edição da Penguin: *Contemporary Verse*. Ele agora ergueu o olhar, e a situação se inverteu. Antes que ela pudesse olhar novamente para baixo o rapaz disse:

— Não é comum alguém se interessar ao mesmo tempo por poesia e matemática.

— É mesmo? — disse Lata com severidade.

— Courant e Robbins. É uma excelente obra.

— O quê? — perguntou ela. Depois, notando que o rapaz estava se referindo ao livro de matemática que ela apanhara aleatoriamente na prateleira, disse, para encerrar a conversa: — É mesmo?

Mas o rapaz estava ansioso para continuar.

— Meu pai diz que sim — prosseguiu. — Não como texto, mas como introdução geral a várias... facetas do assunto. Ele leciona matemática na universidade.

Lata olhou em torno para ver se a amiga estava ouvindo. Mas Malati, na parte da frente da loja, concentrava-se em folhear livros. Tampouco havia outras pessoas bisbilhotando; a livraria não estava movimentada nessa época do ano ou nessa hora do dia.

— De fato, não estou interessada em matemática — disse Lata com ar taxativo. O rapaz pareceu um pouco abatido antes de se refazer e confessar, afável:

— Quer saber, eu também não. Sou estudante de história.

Espantada com a firmeza dele, ela o encarou e disse:

— Agora preciso ir. Minha amiga está me esperando.

No entanto, não pôde deixar de reparar que o jovem de cabelos ondulados parecia muito sensível e até vulnerável, em aparente contradição com seu comportamento decidido e ousado ao falar com uma desconhecida numa livraria sem ter sido apresentado a ela.

— Desculpe, eu a perturbei? — desculpou-se ele, como se lesse os pensamentos dela.

— Não — disse Lata. Estava a ponto de ir para a parte da frente da loja quando ele acrescentou depressa com um sorriso nervoso:

— Neste caso, posso perguntar seu nome?

— Lata — respondeu a moça sumariamente, embora não visse lógica no uso da expressão "neste caso".

— Você não vai perguntar o meu? — perguntou o rapaz, abrindo um sorriso amistoso.

— Não — retrucou ela, muito gentil, e se juntou a Malati, que trazia nas mãos alguns romances em brochura.

— Quem é ele? — cochichou Malati, conspiratória.

— É só alguém — respondeu Lata, olhando para trás um pouco nervosa. — Eu não sei. Chegou perto de mim e começou a conversar. Ande logo, vamos embora. Estou com fome. E com sede. Aqui está fazendo calor.

O homem atrás do balcão olhava para as duas moças com a cordialidade enérgica que dedicava aos clientes regulares. O dedo mínimo de sua mão esquerda procurava cera nas dobras da orelha. Balançou a cabeça com benevolência reprovadora e disse a Malati em híndi:

— Quase na época das provas, Malatiji, e ainda está comprando romances? Doze *annas*, mais 1 rupia e 4 *annas* são 2 rupias*. Eu não deveria permitir isso: para mim vocês são como filhas.

— Balwantji, se nós não lêssemos seus romances o senhor fecharia a livraria. No altar de sua prosperidade estamos sacrificando os resultados de nossas provas — retrucou Malati.

— Eu não — disse Lata. O rapaz devia ter desaparecido por trás da estante, porque ela não conseguia vê-lo em parte alguma.

— Boa menina — disse o livreiro, possivelmente se referindo às duas.

— Na verdade, nós íamos tomar café e entramos em sua loja sem ter planejado — explicou Malati —; portanto, eu não trouxe...

Deixando a frase inacabada lançou a Balwant um sorriso irresistível.

— Não, isso não é necessário, pode pagar mais tarde — disse Balwant. Ele e o irmão disponibilizavam crédito fácil a muitos estudantes. Indagados se isso era ruim para os negócios, respondiam que nunca haviam perdido dinheiro por confiar em quem comprava livros. E certamente estavam prosperando, e muito. Para Lata, eles lembravam os sacerdotes de um templo bem provido. A reverência com que os irmãos tratavam seus livros justificava a analogia.

— Já que você ficou faminta de repente, vamos direto para o Blue Danube — propôs Malati com firmeza, quando se viram fora da loja. — E aí vai me contar exatamente o que aconteceu entre você e aquele Cad.

— Não aconteceu nada — disse Lata.

— Não? — disse Malati, fingindo desdém. — Então, de que estavam falando?

— De nada. Francamente, Malati, ele só apareceu e começou a dizer tolices, e eu não disse nada em resposta. Ou respondi com monossílabos. Não coloque pimenta em purê de batata.

Elas continuaram a percorrer Nabiganj.

— Ele era bem alto — lembrou Malati, minutos depois.

Lata não disse nada.

— Não muito escuro... — acrescentou Malati.

---

* Uma rupia equivale a 16 annas. (*N. da T.*)

Lata também não achou o comentário digno de resposta. "Escuro", nos romances, se referia à cor dos cabelos e não à da pele, em seu entender.

— Mas muito bonito — insistiu Malati.

Lata dirigiu à amiga um ar zombeteiro, mas para sua própria surpresa ela estava se divertindo muito com a descrição.

— Qual é o nome dele? — continuou a amiga.

— Não sei — disse Lata, contemplando a própria imagem refletida na vitrine de uma sapataria.

Malati ficou atônita com a inépcia da amiga.

— Você passou 15 minutos conversando com ele e não sabe o nome?

— Nós não conversamos 15 minutos. E eu quase não disse nada. Se você gostou tanto dele, por que não volta à livraria e pergunta o nome? Como você, ele não tem reservas em falar com estranhos.

— Então você não gostou dele?

Lata ficou em silêncio. Depois disse:

— Não, não gostei. Não tenho motivo para gostar dele.

— Para os homens não é muito fácil falar conosco. Não deveríamos ser tão severas com eles.

— Malati defendendo o sexo frágil! — estranhou Lata — Nunca pensei que veria esse dia.

— Não mude de assunto. Ele não parece do tipo atrevido. Eu sei. Confie em minha experiência com quinhentos exemplares dessa espécie.

Lata ficou vermelha.

— Pareceu muito fácil para ele falar comigo — discordou. — Como se eu fosse o tipo de moça com que...

— Que o quê?

— Com quem se pode ir falando — disse Lata, indecisa. Visões da desaprovação materna cruzavam sua mente. Fez um esforço para afastá-las.

— Ele é mesmo bem bonito — disse Malati, em voz um pouco mais baixa que a habitual, enquanto entravam na cafeteria.

As duas se sentaram.

— Tem cabelos bonitos — continuou ela, examinando o cardápio.

— Vamos pedir logo — disse Lata; a amiga parecia enamorada da palavra "bonito".

Elas pediram café e doces.

— Olhos bonitos — prosseguiu Malati, cinco minutos depois, rindo agora diante da estudada indiferença da outra.

Lata recordou o nervosismo temporário do rapaz quando ela olhara diretamente para ele.

— Sim — concordou —, mas e daí? Eu também tenho olhos bonitos, e um par deles para mim já é suficiente.

1.16

ENQUANTO a sogra estava jogando paciência e a cunhada se esquivava das principais perguntas de Malati, o Dr. Pran Kapoor, marido e genro de primeira classe, entrava em conflito com os problemas universitários com os quais não desejava sobrecarregar a família.

Embora fosse geralmente um homem calmo e amável, Pran observava o professor Mishra, chefe do departamento de língua inglesa, com uma aversão que beirava a náusea. O professor O. P. Mishra era um brutamonte pálido e de rosto oleoso, político e manipulador até as profundezas do ser. Naquela tarde, os quatro membros do comitê curricular do departamento encontravam-se sentados ao redor de uma mesa oval na sala dos professores. O dia estava anormalmente quente. A única janela estava aberta (e por ela se avistava um empoeirado pé de acácia-amarela), mas não havia nem vestígio de aragem; todos pareciam desconfortáveis, mas o professor Mishra suava em profusas gotas que se juntavam na testa, molhavam as sobrancelhas finas e escorriam pelas laterais do nariz avantajado. Com os lábios delicadamente franzidos, ele dizia em sua voz aguda e afável:

— Dr. Kapoor, seu argumento é relevante, mas acho que precisaremos de algo mais convincente.

O motivo do debate era a inclusão de James Joyce como leitura obrigatória para o trabalho final no curso de literatura britânica moderna. Desde que fora indicado para integrar o comitê curricular, dois semestres antes, Pran Kapoor o pressionara a examinar a questão. Por fim, o comitê havia concordado em cogitar o assunto.

Pran se perguntava por que o professor Mishra lhe causava tão intenso desagrado. Pran havia sido nomeado assistente cinco anos antes, sob a chefia anterior, e o professor Mishra, na qualidade de alto funcionário do departamento, provavelmente tivera influência em sua contratação. Quando Pran chegou ao departamento, ele se empenhou em tratá-lo com amabilidade, chegando a convidá-lo a tomar chá em sua casa. A Sra. Mishra era uma mulher pequena, atarefada e preocupada, e Pran tinha gostado dela. Mas, apesar da atitude paternal e amistosa do professor Mishra, com seu corpanzil e encanto falstaffianos, Pran detectou algo perigoso: a mulher dele e os dois filhos pequenos, a seu ver, tinham medo do pai.

Pran nunca havia conseguido entender por que as pessoas gostavam do poder, mas aceitava isso como fato da vida. Seu próprio pai, por exemplo, era fortemente atraído pelo poder: sua satisfação em exercê-lo transcendia o prazer da capacidade de tornar realidade seus princípios ideológicos. Mahesh Kapoor gostava de ser ministro da Fazenda, e provavelmente se alegraria em se tornar chanceler de Purva Pradesh ou membro do gabinete do primeiro-ministro Nehru, em Nova Delhi. As dores de cabeça, o excesso de trabalho, a responsabilidade, a perda de controle sobre o próprio tempo, a completa ausência de oportunidade de contemplar o mundo de uma perspectiva tranquila: tudo isso pouco lhe importava. Talvez fosse verdadeiro dizer que Mahesh Kapoor havia contemplado suficientemente o mundo da perspectiva tranquila de sua cela numa prisão da Índia britânica e que exigiu o que de fato adquiriu: um papel intensamente ativo na condução dos acontecimentos. Pai e filho pareciam ter trocado entre si o segundo e o terceiro estágios da vida hindu: o pai estava mais ligado ao mundo e o filho desejava se afastar para uma vida de desapego filosófico.

No entanto, gostasse ou não, Pran era o que as escrituras chamariam de chefe de família. Gostava da companhia de Savita, regozijava-se no calor, no cuidado e na beleza dela, aguardava ansioso o nascimento do filho deles. Estava decidido a não depender do amparo financeiro do pai, embora o pequeno salário de um assistente de departamento — 200 rupias mensais — mal bastasse para sobreviver ou para "subviver", como dizia em momentos de pessimismo. Mas ele havia se candidatado a uma vaga aberta recentemente no departamento, a de professor titular; o salário correspondente ao posto era menos lastimável e representaria um nível acima na hierarquia acadêmica. Pouco lhe importava o prestígio da titularidade, mas entendia que as designações ajudam os objetivos profissionais. Ele queria ver certas coisas realizadas, e ser professor titular o ajudaria a realizá-las. Ele acreditava que merecia o posto, mas também aprendera que o mérito era só um critério entre muitos.

A asma recorrente que o afligia desde a infância fizera dele uma pessoa calma. A agitação perturbava sua respiração e lhe causava dor, incapacitando-o; portanto, ele praticamente havia se livrado da instabilidade. Essa era a simples lógica dos fatos, mas o caminho fora complicado. Ele tinha estudado a paciência, e através da prática constante havia se tornado paciente. Mas o professor Mishra lhe irritava os nervos de uma forma que Pran não fora capaz de prever.

— Professor Mishra — disse —, estou feliz que o comitê tenha decidido considerar a proposta, e estou encantado com o fato de ela ter finalmente chegado à discussão, sendo inserida como o segundo tópico a ser discutido em nossa reunião hoje. Meu principal argumento é muito simples. Os senhores leram minhas notas sobre o assunto. — Ele acenou com a cabeça para o Dr. Gupta e o Dr. Narayana, sentados em torno da mesa. — Com certeza irão observar que não há nada de radical em minha sugestão. — Baixou o olhar para as letras azuis-claras das páginas mimeografadas que tinha à sua frente. — Como os senhores podem ver, temos 21 escritores cujas obras consideramos leitura essencial para nossos estudantes da graduação obterem uma compreensão adequada da moderna literatura britânica. Mas da lista não consta Joyce. E, eu poderia acrescentar, também não consta Lawrence. E esses dois escritores...

— Não seria melhor... — interrompeu o professor Mishra, removendo um cílio do canto do olho. — Não seria melhor nos concentrarmos em Joyce por enquanto? Incluiremos Lawrence em nossa sessão do mês que vem, antes de entrarmos em recesso para as férias de verão.

— Os dois assuntos estão interligados, com certeza — disse Pran, olhando a seu redor em busca de apoio. O Dr. Narayana estava a ponto de dizer alguma coisa quando o professor Mishra assinalou:

— Mas não nessa pauta, Dr. Kapoor, não nessa pauta. — Ele sorriu a Pran com ternura, e seus olhos cintilaram. Depois apoiou na mesa as imensas mãos brancas com as palmas para baixo. — Mas o que o senhor estava dizendo quando eu o interrompi de forma tão indelicada?

Pran olhou para as grandes mãos brancas que emanavam do grande polvo que era o corpo rotundo do professor Mishra. Eu posso parecer esguio e atlético, mas não sou, e esse homem, apesar da palidez e do volume de lesma, tem muito vigor, pensou. Se eu quiser obter consenso sobre essa medida preciso permanecer calmo e sereno.

Ele sorriu aos circunstantes e disse:

— Joyce é um grande escritor. Isso é agora reconhecido universalmente. Por exemplo, ele constitui, cada vez mais, o tema de estudos acadêmicos nos Estados Unidos. Eu realmente acho que ele deveria entrar em nossa ementa.

— Dr. Kapoor — respondeu a voz aguda —, cada ponto do universo deve decidir por iniciativa própria a questão do conhecimento, antes que este possa ser considerado universal. Nós, na Índia, nos orgulhamos de nossa Independência, conquistada por alto preço pelos melhores homens de diversas gerações, fato que não preciso enfatizar para o ilustre filho de um pai ainda mais ilustre. Nós deveríamos hesitar antes de permitir cegamente que a indústria de dissertações americanas organize nossas prioridades. O que acha, Dr. Narayana?

O Dr. Narayana, que era um renascentista romântico, pareceu consultar por segundos o fundo de sua alma.

— Esse é um bom argumento — disse ele criterioso, balançando a cabeça de um lado para outro, para efeito de ênfase.

— Se não mantemos o passo com nossos companheiros — prosseguiu o professor Mishra — talvez seja porque ouvimos outro toque de tambor*. Aqui na Índia, vamos acompanhar a música que ouvimos. Para citar um autor americano — acrescentou.

Pran baixou os olhos para a mesa e disse baixinho:

— Afirmo que Joyce é um grande escritor porque acredito que ele é um grande escritor, não porque os americanos estejam dizendo isso.

Lembrou-se de quando foi apresentado à obra de Joyce: um mês antes do exame oral do doutorado na Universidade de Allahabad, um amigo lhe emprestou um exemplar de *Ulisses*. Em consequência disso, Pran havia ignorado seu próprio tema a ponto de quase comprometer a carreira acadêmica.

O Dr. Narayana olhou para ele e inopinadamente veio em seu apoio.

— *Os mortos* é uma excelente história — disse o Dr. Narayana. — Eu a li duas vezes.

Pran voltou-se para ele, agradecido.

---

* Referência a *Walden*, de Henry David Thoreau. (*N. da T.*)

O professor Mishra dirigiu um olhar de quase aprovação à cabeça pequena e careca do Dr. Narayana.

— Muito bem, muito bem — exclamou, como se estivesse aplaudindo uma criança pequena. Mas — sua voz assumiu um tom cortante — Joyce não é apenas *Os mortos*. Também há o ilegível *Ulisses*. Também há o pior que ilegível *Finnegan's Wake*. Esse tipo de texto é insalubre para nossos estudantes, pois constitui para eles um estímulo à escrita desleixada e agramatical. E que dizer do final do *Ulisses*? Dr. Kapoor, em nossos cursos há mulheres jovens e impressionáveis às quais temos a responsabilidade de apresentar as coisas elevadas da vida. Por exemplo, sua encantadora cunhada: o senhor colocaria nas mãos dela um livro como *Ulisses*?

O professor Mishra sorriu benigno.

— Sim — disse Pran com simplicidade.

O Dr. Narayana parecia interessado. O Dr. Gupta, interessado principalmente em anglo-saxão e inglês medieval, examinou as próprias unhas.

— É animador encontrar um moço, um jovem assistente — o professor Mishra olhou para o Dr. Gupta, o professor titular atento à hierarquia —, que seja tão, devo dizer, tão... ora, direto em suas opiniões e tão disposto a compartilhá-las com seus colegas, por mais graduados que estes sejam. É mesmo animador. Podemos discordar, naturalmente; mas a Índia é uma democracia e aqui é possível falar com franqueza...— Interrompeu-se por segundos e olhou pela janela a acácia empoeirada. — Uma democracia. Sim. Mas até as democracias se defrontam com escolhas difíceis. Por exemplo, só pode haver um chefe de departamento. E, quando alguma posição fica vaga, de todos os candidatos merecedores só um pode ser selecionado. Nós já estamos em apuros para ensinar 21 escritores no prazo alocado a esse exame; se Joyce entrar, o que vai sair?

— Flecker — disse Pran sem hesitar um momento.

O professor Mishra riu indulgente.

— Ah, Dr. Kapoor, Dr. Kapoor... — E recitou: — "Não passa, ó caravana, ou passa sem cantar. Quem já ouviu um dia/ um silêncio onde os pássaros estão mortos, mas, qual pássaro, alguma coisa pia?"* James Elroy Flecker, James Elroy Flecker... — Aquilo parecia fixá-lo em sua mente.

---

* Tradução livre de "Gate of Damascus", de James Elroy Fletcher: "Pass not beneath, O Caravan, or pass not singing. Have you heard/ that silence where the birds are dead yet something pipeth like a bird?" (*N. do E.*)

O rosto de Pran ficou totalmente impassível. Ele acredita mesmo nisso?, pensou. Será que ele realmente acredita no que está dando a entender? Em voz alta, disse:

— Se Fletcher... Flecker... é indispensável, sugiro incluirmos Joyce como nosso 22º escritor. Gostaria de submeter à votação do comitê.

Com certeza, pensou Pran, a ignomínia de ficar conhecido por ter rejeitado Joyce (em oposição a ter adiado indefinidamente a decisão) seria algo que o comitê não estaria inclinado a enfrentar.

— Dr. Kapoor, o senhor está zangado. Não fique zangado. O senhor quer nos deixar sem saída — disse o professor Mishra, brincalhão. Colocou as mãos sobre a mesa com as palmas para cima, como se demonstrasse sua própria impotência. — Mas nós não concordamos em decidir a questão nesta reunião: só em decidir se iríamos decidi-la ou não.

No presente estado de ânimo isso foi demais para Pran, embora ele soubesse que o que o professor dizia era verdade.

— Por favor, professor Mishra, não me entenda mal — disse —, mas para os que não são muito versados nas formas mais refinadas do jogo retórico, essa linha de argumentação pode ser tomada como uma espécie de argumento capcioso.

— Uma espécie de argumento capcioso... Uma espécie de argumento capcioso...

O professor Mishra parecia deliciado com a expressão, enquanto seus dois colegas estavam aparentemente horrorizados com a insubordinação de Pran (é como jogar bridge com dois manequins, ele pensou). O professor Mishra continuou:

— Agora vou mandar servir café e nós vamos nos recompor e avaliar as questões com toda a calma, por assim dizer.

O Dr. Narayana se animou com a perspectiva do café. O professor Mishra bateu palmas, e um criado magro vestido num surrado uniforme verde entrou na sala.

— O café está pronto? — perguntou em híndi o professor Mishra.

— Está sim, *sahib*.

— Ótimo.

O professor Mishra fez um gesto para que o café fosse servido.

O empregado trouxe uma bandeja com um bule, uma jarrinha com leite quente, uma tigela de açúcar e quatro xícaras. O chefe do departamento indicou que os demais deveriam ser servidos primeiro. O criado obedeceu da maneira habitual. Depois ofereceu café ao professor. Enquanto este vertia o líquido na xícara, o criado moveu respeitosamente a bandeja para trás. O professor Mishra fez menção de pousar o bule, e o criado moveu a bandeja para frente. O professor Mishra apanhou a jarra de leite e começou a colocar leite no café, e o criado moveu a bandeja para trás. E assim foi para cada uma das três colheres de açúcar posteriores. Lembrava um balé cômico. Caso se tratasse de outro setor em alguma outra universidade, tal demonstração de poder e servilismo entre o chefe do departamento e o serviçal teria sido apenas ridícula, pensou Pran. Mas era o departamento de língua inglesa da Universidade de Brahmpur. Era por intermédio daquele homem que Pran seria obrigado a pleitear ao comitê de seleção o posto de professor-adjunto que tanto queria e do qual tanto necessitava.

Por que, em minha mente, transformei esse mesmo homem que em meu primeiro semestre considerei jovial, informal, expansivo e encantador em um vilão?, pensou Pran olhando para dentro da xícara. Será que ele tem aversão a mim? Não, eis aí sua força: ele não me detesta. Só quer as coisas à sua maneira. Na política, o ódio não é proveitoso. Para ele tudo isso é como um jogo de xadrez — num tabuleiro ligeiramente oscilante. Ele tem 58 anos — ainda faltam dois anos para se aposentar. Como vou conseguir aturá-lo durante tanto tempo? Um súbito impulso assassino se apoderou de Pran, a quem os impulsos assassinos nunca dominavam, e ele percebeu que suas mãos tremiam levemente. E tudo isso por Joyce, disse consigo. Pelo menos não tive um ataque de asma. Olhou para baixo, para o bloco de anotações, no qual, na qualidade de membro menos graduado do comitê, ele estava registrando a ata da reunião. Ali constava simplesmente:

Presentes: professor Mishra (chefe); Dr. R. B. Gupta; Dr. T. R. Narayana; Dr. P. Kapoor.

1. Foi lida e aprovada a ata da última reunião.

Não chegamos a lugar nenhum, e nunca chegaremos, pensou ele.
Alguns versos famosos de Tagore lhe vieram à mente:

Onde o fluxo claro da razão não perdeu seu caminho no triste deserto do hábito morto;
Onde a mente é por ti guiada a pensamentos e ações cada vez mais amplos...
Naquele céu de liberdade, ó meu pai, permita que o meu país desperte.*

Pelo menos seu próprio pai mortal tinha lhe dado princípios, pensou Pran, embora o pai tivesse dedicado pouco tempo ao filho quando este era mais novo. Vagando, a mente dele voltou ao lar, à casinha pintada de branco, a Savita, à irmã e à mãe dela — à família que ele recebeu no coração e que o recebera no seu; e, depois, ao Ganges que passava nas imediações da casa. (Quando Pran pensava em inglês, o rio para ele era o Ganges, e não o Ganga.) Primeiro ele o seguiu correnteza abaixo até Patna e Calcutá, depois correnteza acima até se dividir em Allahabad; ali escolheu o rio Yamuna e o seguiu até Nova Delhi. Será que as coisas na capital são igualmente tacanhas?, perguntava-se Pran. Tão loucas, tão mesquinhas, tão tolas, tão rígidas? Como vou conseguir viver a vida inteira em Brahmpur? E o professor Mishra sem dúvida me dará uma excelente avaliação para o novo cargo, só para me ver pelas costas.

1.17

MAS agora o Dr. Gupta estava rindo de uma observação do Dr. Narayana, e o professor Mishra dizia:

— Consenso... Consenso é o objetivo, a meta civilizada... Mas como vamos votar se podemos ficar divididos em dois votos a dois? Os Pandavas eram cinco, poderiam ter votado se tivessem preferido, mas até eles faziam tudo por consenso. Chegaram a escolher uma esposa por consenso, ha, ha, ha. E o Dr. Varma está indisposto como sempre; portanto, somos apenas quatro.

Pran olhou com relutante admiração para os olhos cintilantes, o nariz avultado, os lábios docemente franzidos. Os estatutos da universidade exi-

---

* Tradução livre. (*N. do E.*)

giam que o comitê curricular, como os comitês departamentais de qualquer tipo, tivesse um número ímpar de integrantes. Mas, na qualidade de chefe de departamento, o professor Mishra indicava os membros de cada comitê de sua esfera de ação de forma a sempre incluir alguém que, por causa da saúde ou do trabalho de pesquisa, provavelmente estaria indisposto ou ausente. Com um número par de integrantes presentes, os comitês ficavam mais relutantes em levar os temas ao clímax de uma votação. E o chefe, dono do controle sobre a pauta e o ritmo de uma reunião, podia, naquelas circunstâncias, reunir em suas mãos um poder ainda mais eficaz.

— Acho que nós já despendemos, por assim dizer, bastante tempo no item dois — disse o professor Mishra. — Vamos passar aos quiasmos e anacolutos? — Ele se referia a uma proposta, que ele mesmo apresentara, de que o estudo demasiado detalhado das figuras tradicionais de linguagem fosse eliminado do programa do exame de teoria e crítica literária. — E, depois, temos a questão dos auxiliares simétricos, proposta pelo integrante mais novo do comitê. Embora isso vá depender, naturalmente, da concordância dos outros departamentos com nossas propostas. E, finalmente, como as sombras da noite estão caindo, acho que deveríamos encerrar essa reunião sem prejuízo dos itens 5, 6 e 7. Podemos voltar a eles no mês que vem.

Mas Pran não estava disposto a deixar que o dissuadissem de seguir pressionando a questão não resolvida de Joyce.

— Acho que agora que nós já nos recompomos podemos abordar a questão em discussão com muita calma. Se eu estiver disposto a aceitar que o *Ulisses* pode ser um pouco... bem, difícil para os alunos da graduação, o comitê concordaria em incluir *Dublinenses* na ementa como primeiro passo? Dr. Gupta, o que o senhor acha?

O Dr. Gupta ficou olhando o ventilador, que girava devagar. Sua capacidade de conseguir que os palestrantes de inglês antigo e medieval fossem convidados para o seminário do departamento dependia da boa vontade do professor Mishra, assim como a aprovação da verba para o evento. Palestrantes de fora sempre acarretavam despesas incidentais. O Dr. Gupta sabia tão bem quanto qualquer um o que implicava a expressão "como primeiro passo". Olhou para Pran e disse:

— Eu estaria disposto...

Mas a frase, qualquer que pudesse ter sido, foi logo interrompida.

— Nós estamos esquecendo — cortou o chefe — um detalhe que devo admitir que nem eu lembrei antes, nesta discussão. Por tradição, o exame de Literatura Britânica Moderna não inclui escritores que estivessem vivos na época da Segunda Guerra Mundial.

Isso era novidade para Pran, que deve ter parecido atônito, pois o professor Mishra se sentiu obrigado a explicar:

— No todo, a questão não causa surpresa. Para avaliar a estatura dos escritores modernos, para incluí-los em nossos cânones, digamos assim, precisamos objetivamente da distância temporal. Por favor, Dr. Kapoor, me recorde... Quando foi que Joyce morreu?

— Em 1941 — respondeu Pran, cortante. Era evidente que a grande baleia branca sabia disso o tempo todo.

— Pois aí está — disse o professor Mishra impotente. Seu dedo se moveu para baixo sobre a pauta da reunião.

— Eliot, naturalmente, ainda está vivo — disse Pran baixinho, olhando para a lista de autores recomendados.

O chefe do departamento parecia ter levado um tapa na cara. Abriu a boca ligeiramente, depois franziu os lábios. O brilho travesso apareceu novamente em seus olhos.

— Mas Eliot, Eliot, com certeza... Temos critérios suficientemente objetivos no caso dele... Porque até o Dr. Leavis...

O professor Mishra reagia claramente a um toque de tambor diferente do dos americanos, refletiu Pran. Em voz alta ele disse:

— O Dr. Leavis, como sabemos, também aprova Lawrence imensamente...

— Nós concordamos em discutir Lawrence da próxima vez — advertiu o professor Mishra.

Pran olhou pela janela. Estava escurecendo e as folhas da acácia agora pareciam frias, em vez de empoeiradas. Ele prosseguiu, sem olhar para o professor Mishra:

— E, além disso, acho que Joyce tem mais direito a um lugar na moderna literatura britânica do que Eliot. Portanto, se nós...

— Isso, meu jovem amigo, poderia ser considerado uma espécie de argumento capcioso — cortou o professor Mishra —, se é que posso me expressar assim.

Ele estava se recuperando depressa do choque. Em mais um minuto estaria citando Prufrock.

O que haverá em Eliot, pensou Pran inutilmente, desviando-se do tema em questão, que o transforma para nós, os intelectuais indianos, em semelhante vaca sagrada? Em voz alta ele disse:

— Esperemos que T. S. Eliot tenha ainda muitos anos de vida, e de vida produtiva. Alegro-me de que ele, ao contrário de Joyce, não tenha morrido em 1941. Mas agora estamos vivendo em 1951, o que implica que a regra do período pré-guerra mencionada pelo senhor, mesmo sendo uma tradição, não pode ser muito antiga. Se não podemos nos livrar dela, por que não atualizá-la? Com certeza ela tem por meta nos fazer reverenciar os mortos mais que os vivos — ou, para ser menos cético, reverenciar os mortos antes dos vivos. Eliot, que está vivo, recebeu uma isenção. Minha proposta é concedermos isenção a Joyce. Uma conciliação amistosa.

Pran fez uma pausa e depois acrescentou:

— Se é que posso me expressar assim.

E com um sorriso:

— Dr. Narayana, o senhor é a favor de *Os mortos*?

— Sim, bom, acho que sou — disse o Dr. Narayana com o mais pálido sorriso de reação, antes que o professor Mishra pudesse interromper.

— Dr. Gupta? — perguntou Pran.

O Dr. Gupta não conseguia encarar o professor Mishra.

— Concordo com o Dr. Narayana — respondeu ele.

Durante alguns segundos reinou silêncio. Não acredito, pensou Pran. Eu venci. Eu venci. Não consigo acreditar.

De fato, parecia que ele tinha vencido. Todos sabiam que a aprovação do Conselho Acadêmico da universidade era normalmente uma formalidade, depois que o comitê curricular de um departamento já havia decidido alguma questão.

Como se nada de extraordinário tivesse ocorrido, o chefe do departamento retomou as rédeas da reunião. As grandes mãos macias se moviam céleres pelas folhas mimeografadas.

— O próximo item... — disse o professor Mishra com um sorriso, depois parou e começou de novo. — Mas antes de passar ao tópico seguinte eu gostaria de dizer que pessoalmente sempre tive grande admiração por James Joyce como escritor. Estou encantado, nem preciso dizer...

Dois versos vieram de forma terrivelmente espontânea à mente de Pran:

Pálidas mãos que amei, ao lado de Shalimar,
Onde estais agora, a quem ireis encantar?

Ele explodiu num ataque de riso repentino, incompreensível até mesmo para si, e que prosseguiu por vinte segundos, terminando num espasmo de tosse. Pran inclinou a cabeça, e as lágrimas lhe correram pelas faces. O professor Mishra o recompensou com um olhar de indisfarçável fúria e ódio.

— Desculpem, desculpem — murmurava Pran enquanto se recuperava. O Dr. Narayana batia vigorosamente nas costas dele, o que não ajudava. — Por favor, prossiga... Eu não consegui controlar... Às vezes acontece...

Mas era impossível oferecer maiores explicações.

Retomada a reunião, os dois pontos seguintes foram discutidos rapidamente. De fato não havia real desacordo. A noite já havia caído e a reunião foi encerrada. Quando Pran saía da sala, o professor Mishra lhe pousou no ombro a mão amistosa.

— Meu caro jovem, este foi um notável desempenho. — Pran estremeceu ao se lembrar. — Evidentemente o senhor é um homem de grande integridade, e não somente intelectual.

O que ele está tramando agora?, pensou Pran. O professor Mishra continuou:

— Desde terça-feira passada o reitor vem me atormentando para eu apresentar um membro de meu departamento para integrar a comissão de bem-estar estudantil da universidade. É nossa vez de indicar alguém, como sabe...

Ai, não, pensou Pran, lá se vai mais um dia da minha semana.

— ... e eu decidi voluntariá-lo.

E eu que não sabia que esse verbo era transitivo, pensou Pran. Na escuridão (agora eles estavam atravessando o campus) era difícil o professor Mishra disfarçar a antipatia em sua voz aguda. Pran quase conseguia ver o franzir de lábios, o malicioso cintilar dos olhos. Como permaneceu calado, seu silêncio, para o chefe do departamento de língua inglesa, implicava aceitação.

— Entendo que o senhor está muito ocupado, meu caro Dr. Kapoor, com sua monitoria extra, o círculo de debates, o colóquio, a montagem de peças, e assim por diante — continuou o professor Mishra. — O tipo de coisa que torna alguém merecidamente popular com os alunos. Mas o senhor é relativamente novo aqui, meu caro companheiro; afinal, cinco anos não é um período longo na perspectiva de um velho conservador como eu, e deve me permitir aconselhá-lo. Reduza suas atividades não acadêmicas. Não se canse sem necessidade. Não leve as coisas tão a sério. Como eram aqueles versos maravilhosos de Yeats? "Ela me pediu que eu vivesse qual folha a crescer na rama/ Mas por ser jovem e tolo com ela não concordei."* Tenho certeza de que sua jovem esposa vai endossar minhas palavras. Não ponha tanta cobrança sobre si, sua saúde depende disso. E seu futuro, ouso dizer... Em alguns aspectos, o senhor é agora seu pior inimigo.

Mas sou apenas o meu pior inimigo em termos metafóricos, pensou Pran. A obstinação de minha parte me garantiu a inimizade concreta do formidável professor Mishra. Mas seu nível de periculosidade seria grande ou pequeno na questão do novo cargo de docência, por exemplo, agora que Pran havia ganhado seu desafeto?

Pran se perguntava o que o professor Mishra estaria pensando. Ele imaginava os pensamentos do outro mais ou menos assim: eu nunca deveria ter posto no comitê curricular esse jovem assistente presunçoso. No entanto, agora é tarde demais para me arrepender. Mas pelo menos a presença dele aqui o impediu de criar problemas, digamos, no comitê de admissão; ali ele poderia ter feito todo tipo de objeção aos estudantes que eu quisesse matricular, mesmo que não tivessem sido selecionados inteiramente na base do mérito. Quanto ao comitê de seleção da universidade para a vaga de adjunto de língua inglesa, preciso dar um jeito nisso, antes de permitir que o comitê se reúna...

Mas Pran não teve mais nenhuma pista do funcionamento interno daquela inteligência misteriosa, pois nesse ponto os caminhos dos dois divergiram e, com expressões de grande respeito mútuo, cada um foi para o seu lado.

---

* Tradução livre. (*N. do E.*)

1.18

MEENAKSHI, a esposa de Arun, estava se sentindo extremamente entediada e por isso decidiu mandar buscar a filha Aparna para junto de si. A menina estava ainda mais bonita que de costume: rechonchuda, de pele clara e cabelos negros, tinha olhos maravilhosos, tão incisivos quanto os da mãe. Meenakshi apertou duas vezes a campainha elétrica (o sinal para a babá da criança) e olhou o livro que tinha no colo. Tratava-se de *Os Buddenbrooks*, de Thomas Mann, insuportavelmente chato. Ela não sabia como iria ler mais cinco páginas do livro. Arun, por mais satisfeito que estivesse com ela, tinha o hábito maçante de lhe atirar de vez em quando um livro para aperfeiçoamento, e Meenakshi sentia que as sugestões dele mais pareciam ordens. "Um livro maravilhoso..." disse Arun certa noite, rindo, na companhia do grupo estranhamente frívolo que eles frequentavam, gente que para Meenakshi não estaria talvez mais interessada que ela naquele título ou em qualquer outra concepção alemã. "Li esse livro espetacular do Thomas Mann e agora estou convencendo Meenakshi a lê-lo também." Alguns dos demais, especialmente o lânguido Billy Irani, olhava de Arun para Meenakshi momentaneamente espantado, e o tópico da conversa passava para assuntos do escritório ou do mundo social ou do turfe ou das danças ou do golfe ou do Calcutta Club ou das queixas contra "esses malditos políticos" ou "esses burocratas idiotas", e Thomas Mann acabava esquecido. Mas Meenakshi agora se sentia obrigada a ler o livro o suficiente para dar impressão de conhecer o conteúdo, e vê-la fazer isso parecia contentar o marido.

Como Arun era maravilhoso, pensou Meenakshi, e como era bom morar nesse belo apartamento em Sunny Park, não muito distante da casa do pai dela em Ballygunge Circular Road. Por que eles precisavam ter todas essas discussões enfurecidas? Arun era incrivelmente esquentado e ciumento, e ela só precisava dirigir um olhar lânguido para o lânguido Billy, e o marido começava a arder em fogo lento, em algum lugar de seu íntimo. Talvez mais tarde, na cama, fosse maravilhoso ter um marido quente, refletiu ela, mas essas vantagens não vinham sem prejuízos. Por vezes Arun entrava num mau humor latente e ficava sem condições de fazer amor. Billy Irani tinha uma namorada, Shireen, mas isso não fazia diferença para Arun, que desconfiava (com muita razão) de que a esposa sentia um casual desejo erótico pelo amigo dele. Shireen, por sua vez, suspirava de vez em quando entre alguns coquetéis e anunciava que Billy era incorrigível.

Quando a babá chegou atendendo ao chamado, Meenakshi disse, numa espécie de dialeto do híndi:

— *Baby lao!*

A idosa babá, de reações quase sempre lentas, virou-se, suas juntas estalando, para cumprir a ordem da patroa. Aparna foi trazida. Estivera fazendo a sesta e bocejou quando foi colocada diante da mãe. Esfregava os olhos com as mãozinhas.

— Mamãe! — disse Aparna em inglês. — Estou com sono, e a Miriam me acordou.

Miriam, a babá, mesmo sem entender inglês, ao ouvir o próprio nome sorriu à criança com uma boa vontade desdentada.

— Eu sei, minha bonequinha preciosa — disse Meenakshi —, mas a mamãe precisava ver você, ela estava tão entediada... venha cá e me dê... sim, e agora do outro lado.

Aparna usava um vestido lilás de tecido vaporoso e, na opinião da mãe, parecia encantadora. Meenakshi dirigiu um olhar ao espelho de sua penteadeira e notou, num assomo de alegria, que elas compunham um maravilhoso par de mãe e filha.

— Você está tão adorável que eu acho que vou ter uma fila de garotinhas... Aparna, Bibeka, Charulata...

Nesse ponto foi interrompida pelo olhar furioso de Aparna.

— Se nesta casa chegar outro bebê, eu vou jogar ele direto na lata de lixo — anunciou Aparna.

— Puxa! — exclamou a mãe, não sem surpresa. Por viver em meio a tantas personalidades obstinadas, Aparna havia adquirido desde muito cedo um vocabulário enérgico. Mas não se esperava que crianças de 3 anos se expressassem com tanta lucidez, e ainda por cima em frases no condicional. Meenakshi olhou para a filha e suspirou.

— Você é *tão* linda! — disse a mãe à filha. — Está na hora do seu leite. — Para a babá ela disse: — *Dudh lao. Ek dum!* — A mulher saiu estalando as juntas e foi buscar um copo de leite para a garotinha.

Por algum motivo a lentidão da babá irritou Meenakshi, que pensou: nós realmente deveríamos substituir a B.D., ela está imprestável de tão senil.

B.D. era a abreviatura secreta que o casal usava para a babá, e Meenakshi riu gostosamente quando se lembrou da ocasião em que, na mesa do café da manhã, Arun deixara de lado as palavras cruzadas do *Statesman* para dizer:

— Ah, por favor, tire daqui esta bruxa desdentada, ela está me deixando com nojo da omelete.

Desde então Miriam se tornara a BD. Viver com Arun era uma experiência que passava por súbitos momentos deliciosos como aquele, pensou Meenakshi; tomara que todos fossem sempre assim.

Mas o problema era ela ser obrigada a administrar a casa, coisa que odiava. A filha mais velha do juiz Chatterji sempre tinha sido uma pessoa para quem tudo era providenciado — e agora estava descobrindo como podia ser cansativo cuidar das coisas. Instruir os empregados (babá, cozinheira-copeira, jardineiro-varredor; Arun supervisionava o motorista, que estava na folha de pagamento da empresa), fazer a contabilidade; comprar os artigos cuja aquisição não se podia confiar à servente ou à babá e tratar de fazer tudo caber no orçamento. Essa última parte ela achava especialmente difícil. Fora criada com algum luxo e, embora tivesse insistido (contra o conselho dos pais) na aventura romântica de, uma vez casados, se sustentarem sozinhos, ela havia descoberto que era impossível refrear a preferência por certos artigos intrínsecos a uma vida civilizada: sabonete importado, manteiga importada, etc. Meenakshi tinha muita consciência de que o marido ajudava a sustentar todos os membros da própria família e com frequência comentava isso com ele.

— Bom, agora que a Savita se casou, é uma de menos, querida, convenhamos — dissera Arun recentemente.

Meenakshi havia suspirado, respondendo em versos:

— Casei-me com um Mehra... Qual é meu fardo?/ Ter todos eles sob meu cuidado.

Arun amarrou a cara. Mais uma vez foi lembrado do fato de que o irmão mais velho da mulher era poeta. Em razão da longa familiaridade com as rimas — quase uma obsessão — a maioria dos Chatterji mais jovens tinha aprendido a improvisar estrofes de dois versos, ou dísticos, por vezes de incomparável puerilidade.

A babá trouxe o leite e se retirou. Meenakshi voltou os olhos maravilhosos para *Os Buddenbrooks*, enquanto Aparna se sentou na cama tomando leite. Com um resmungo impaciente, Meenakshi jogou Thomas Mann sobre a cama, deitou-se ao lado dele, fechou os olhos e dormiu. Vinte minutos depois foi acordada por Aparna, que lhe estava beliscando o seio.

— Não seja malvada, Aparna querida. Mamãe está tentando dormir — disse Meenakshi.

— Não dorme não, eu quero brincar — disse a menina.

Ao contrário de outras crianças de sua idade, Aparna jamais se referia a si mesma na terceira pessoa, embora a mãe o fizesse.

— Meu docinho, a mamãe está cansada, está lendo um livro e não quer brincar. Não agora, pelo menos. Mais tarde, quando papai estiver em casa, você pode brincar com ele. Ou pode brincar com o tio Varun quando ele voltar da faculdade. Onde você deixou o copo?

— Quando é que papai vem para casa?

— Eu diria que em uma hora — replicou Meenakshi.

— Eu diria que em uma hora — repetiu Aparna especulativamente, como se gostasse da frase. — Eu também quero um colar — acrescentou, e deu um puxão no cordão de ouro da mãe.

Meenakshi deu um abraço na filha.

— E você vai ganhar um — disse ela, e deixou de lado o assunto. — Agora vá ficar com Miriam.

— Não.

— Então pode ficar aqui se quiser, mas fique caladinha, meu bem.

Aparna ficou calada por um momento. Olhou para *Os Buddenbrooks*, para o copo vazio, para a mãe adormecida, para o edredom, para o espelho, para o teto. Depois disse hesitante: "Mamãe?" Não houve resposta. Ela tentou em voz um pouco mais alta:

— Mamãe?

— Hmmm?

— MAMÃE! — berrou Aparna, com toda a força dos pulmões.

Meenakshi se sentou de um salto e sacudiu a filha.

— Você quer levar uma surra? — perguntou.

— Não — retrucou Aparna definitivamente.

— Então o que é isso? Por que está gritando? O que você queria dizer?

— Você teve um dia difícil, querida? — perguntou Aparna, na esperança de despertar uma reação com seu encanto imitativo.

— Tive, sim — disse Meenakshi, sucinta. — Agora, meu bem, pega o copo e vai logo procurar Miriam.

— Posso pentear seu cabelo?

— Não.

Aparna desceu da cama com relutância e se dirigiu à porta. Brincou com a ideia de dizer "Vou contar ao papai!", embora tivesse deixado sem formular o motivo da queixa. Enquanto isso, a mãe adormeceu de novo, com os lábios ligeiramente separados, a longa cabeleira negra espalhada sobre o travesseiro. Fazia muito calor naquela tarde, e tudo era propenso a um prolongado e langoroso sono. Os seios de Meenakshi subiam e desciam com suavidade, e ela sonhou com o marido, que era bonito, elegante e tinha um bom emprego, e que chegaria em casa dentro de uma hora. Passado um momento, começou a sonhar com Billy Irani, com quem eles tinham um encontro mais tarde naquela noite.

Quando Arun chegou, deixou a maleta na sala de estar, entrou no quarto e fechou a porta. Vendo a esposa adormecida, ficou por um tempo andando para cima e para baixo; em seguida tirou o casaco e a gravata e se deitou ao lado dela sem lhe perturbar o sono. Mas, pouco depois, a mão dele se moveu pela testa dela, percorreu as faces e foi até os seios. Meenakshi abriu os olhos.

— Ah. — Ela ficou aturdida por um momento. Depois perguntou: — Que horas são?

— São cinco e meia. Vim para casa cedo, conforme prometi, e peguei você dormindo.

— Não consegui dormir mais cedo, querido. A Aparna ficou me acordando o tempo todo.

— Qual é o programa para hoje à noite?

— Jantar e sair para dançar com Billy e Shireen.

— Ah, sim, é claro. — Depois de uma pausa, Arun continuou: — Para dizer a verdade, querida, estou muito cansado. Eu me pergunto se nós não deveríamos cancelar o compromisso de hoje à noite...

— Ora, depois de tomar um drinque você se sentirá revigorado bem depressa — disse Meenakshi com animação. — E depois de umas olhadas da Shireen também.

— Acho que você tem razão, meu bem.

Arun estendeu o braço para envolvê-la. No mês passado ele tivera um probleminha de coluna, mas já estava recuperado.

— Menino travesso — disse ela, empurrando a mão dele. Depois acrescentou: — B. D. está nos enganando sobre o leite em pó.

— É mesmo? — perguntou Arun, indiferente, mudando o rumo da conversa para um assunto que lhe interessava. — Hoje descobri que um de nossos comerciantes locais estava nos cobrando 60 mil a mais no novo projeto de papel. Pedimos a ele que reavaliasse a estimativa, naturalmente, mas ficamos chocados... Que falta de ética profissional ou mesmo pessoal! Outro dia ele esteve no escritório e me garantiu que estava nos fazendo uma oferta especial por causa daquilo que chamou de "nosso longo relacionamento". Agora, depois de conversar com o Jock Mackay, descubro que o sujeito adotou a mesma estratégia com eles, mas cobrando 60 mil a menos que a nós.

— O que você vai fazer? — perguntou Meenakshi por cortesia; ela havia saído do ar algumas frases antes.

Arun continuou falando por mais cinco minutos, enquanto a mente da esposa vagava. Quando ele parou e a olhou, interrogativo, ela disse, bocejando um pouco, ainda sonolenta:

— Como seu chefe reagiu a tudo isso?

— Difícil dizer. É difícil dizer qualquer coisa com relação a Basil Cox, mesmo quando ele está satisfeito. Nesse caso acho que ele ficou tão aborrecido com o possível atraso quanto ficou feliz com o que, sem dúvida, poupamos.

Arun continuou a desabafar por mais cinco minutos, enquanto Meenakshi lixava as unhas.

A porta do quarto tinha sido trancada para evitar interrupções, mas quando Aparna viu a maleta do pai soube que ele tinha chegado e insistiu em ser admitida. Arun abriu a porta e abraçou a filha, e durante a hora seguinte ou um pouco mais eles montaram um quebra-cabeça com a figura de uma girafa que Aparna tinha visto em uma loja de brinquedos uma semana depois da visita ao zoológico de Bhrampur. Tinham montado o jogo várias vezes anteriormente, mas Aparna ainda não se cansara dele. E Arun tampouco. Ele adorava a filha e em algumas ocasiões achava uma pena o casal sair quase toda noite. Mas só porque se tem um filho não se pode interromper de todo a vida pessoal. Afinal, para que serviam as babás? Aliás, para que serviam os irmãos mais novos?

— Mamãe me prometeu um colar — disse Aparna.

— É mesmo, querida? — indagou o pai. — Como ela vai comprá-lo? Não temos dinheiro para isso neste momento.

Aparna pareceu tão decepcionada ao saber dessa informação que os pais se entreolharam com adoração transferida.

— Mas ela vai comprar — insistiu Aparna, em voz baixa e decidida. — Agora eu quero montar um quebra-cabeça.

— Mas nós acabamos de montar um — protestou o pai.

— Mas eu quero montar outro.

— Você cuida dela, Meenakshi — disse Arun.

— Cuide você, querido — retrucou Meenakshi. — Eu tenho que me aprontar. E por favor não deixem nada no chão do quarto.

E foi assim que, por algum tempo, Arun e Aparna, banidos desta vez para a sala de estar, ficaram deitados no tapete montando um quebra-cabeça do Victoria Memorial enquanto Meenakshi se banhava e se vestia e se perfumava e se enfeitava.

Varun voltou da faculdade, esgueirou-se para dentro da caixinha que era seu quarto e se sentou com alguns livros. Mas parecia nervoso e não conseguiu serenidade suficiente para estudar. Quando Arun foi se arrumar, deixou a filha aos cuidados dele, e o restante da noite de Varun foi passada em casa, tentando manter a sobrinha entretida.

Com seu pescoço longo, Meenakshi fez muitas cabeças se virarem quando o quarteto entrou no Firpo's para jantar. Arun afirmou que Shireen estava deslumbrante; Billy olhou, apaixonado, para Meenakshi, dizendo que ela estava divina. Tudo transcorreu maravilhosamente bem, e o jantar foi seguido por música e dança agradavelmente animadas no 300 Club. Meenakshi e Arun de fato não podiam se dar o luxo de tudo aquilo — Billy Irani dispunha de recursos independentes —, mas parecia intolerável que eles, pessoas às quais esse tipo de vida tão obviamente se destinava, tivessem que se privar dela por mera falta de verba. Meenakshi não pôde deixar de reparar, durante o jantar e depois dele, nos maravilhosos brinquinhos de ouro que a amiga estava usando e que lhe assentavam tão bem pendurados nas delicadas orelhas aveludadas.

Era uma noite quente. No carro, de volta para casa, Arun disse à esposa:

— Me dê sua mão, querida.

Meenakshi pousou no dorso da mão dele a ponta de um dedo com a unha pintada de vermelho:

— Aqui está! — disse. Arun achou aquilo deliciosamente elegante e sedutor. Mas ela estava com o pensamento em outra coisa.

Mais tarde, quando o marido tinha ido se deitar, Meenakshi destrancou sua caixa de joias (os Chatterji não deram muitas joias à filha, mas ela havia recebido o suficiente para suas prováveis necessidades) e retirou dali as duas medalhas de ouro tão preciosas ao coração da Sra. Rupa Mehra, dadas por ela à nora na ocasião do casamento como um presente para a noiva do filho mais velho. Isso lhe havia parecido adequado; a sogra não tinha nada mais para dar e sentia que o marido teria aprovado sua atitude. No verso das medalhas estava gravado respectivamente: "Thomasson Engineering College Roorkee. Raghubir Mehra. Engenharia Civil. Primeiro Lugar. 1916" e "Física. Primeiro Lugar. 1916". Em cada uma delas, dois leões se agachavam sisudos sobre pedestais. Meenakshi olhou as medalhas, sopesou-as nas mãos e, em seguida, segurou os frios e preciosos discos contra as faces. Tentava estimar quanto pesariam. Pensou no cordão de ouro que tinha prometido a Aparna e nos brincos de ouro que tinha virtualmente prometido a si mesma. Ela os havia examinado criteriosamente, pendendo das orelhas de Shireen. Eles tinham a forma de uma pera minúscula.

Quando Arun a chamou, impaciente, para a cama, ela murmurou:

— Já estou indo. — Mas tardou ainda uns minutos antes de se reunir a ele.

— Em que está pensando, querida? Você parece perigosamente preocupada.

Mas Meenakshi instintivamente entendeu que não seria uma boa ideia mencionar o que havia passado pela sua cabeça — o que planejava fazer com aquelas medalhas antiquadas — e evitou o assunto mordiscando de leve o lóbulo da orelha esquerda do marido.

1.19

NA manhã seguinte, às dez horas, Meenakshi telefonou para a irmã mais nova, Kakoli.

— Kuku, uma amiga minha do Shady Ladies, você sabe, o meu grupinho, quer descobrir um lugar onde possa mandar discretamente desmanchar artigos de ouro. Você conhece um bom joalheiro?

— Bom, tem o Satram Das ou o Lilaram, eu acho — bocejou Kuku, mal desperta.

— Não, não estou falando de joalherias da Park Street ou de algum joalheiro desse tipo — disse Meenakshi com um suspiro. — Quero ir a um lugar onde não me conheçam.

— *Você* quer ir a um lugar?

Fez-se um breve silêncio no outro lado da linha.

— Bom, acho que você pode ficar sabendo — disse Meenakshi. — Eu me apaixonei por uns brincos... são adoráveis, parecem peras bem miudinhas... e quero mandar derreter aquelas medalhas gordas e feias que a mãe do Arun me deu de presente de casamento.

— Ai, não faça isso — disse Kakoli com uma voz alarmada.

— Kuku, eu quero seu conselho sobre o lugar, não sobre a decisão.

— Você pode ir ao Sarkar's. Não, experimente o Jauhri's na Rashbehari Avenue. Arun está sabendo?

— As medalhas foram dadas a mim — disse Meenakshi. — Se Arun quiser mandar derreter seus tacos de golfe para fazer um suporte para a coluna eu não me oponho.

Quando chegou à joalheria, ficou surpresa ao encontrar oposição ali também.

— Minha senhora — disse o Sr. Jauhri, observando as medalhas que o sogro dela recebera —, essas medalhas são lindas.

Os dedos dele, grosseiros e encardidos, ligeiramente incongruentes para alguém que supervisionava trabalhos de tamanha delicadeza e formosura, tocaram amorosamente os leões em relevo e circundaram as bordas lisas, sem chanfrado.

Meenakshi acariciou a lateral do pescoço com a longa unha pintada de vermelho do dedo médio da mão direita.

— Sim — concordou com indiferença.

— Se eu puder aconselhá-la, por que a senhora não encomenda os brincos e o cordão e paga por eles em separado? Realmente não é necessário fundir essas medalhas. Uma senhora tão bem-vestida e obviamente rica talvez não visse qualquer problema em aceitar a sugestão.

Meenakshi olhou para joalheiro com um frio ar de surpresa.

— Agora que sei o peso aproximado das medalhas, proponho fundir uma só, e não as duas — disse ela. E acrescentou, levemente irritada pela impertinência dele, pois às vezes esses lojistas passavam das medidas: — Vim aqui contratar um trabalho; normalmente eu teria ido aos meus joalheiros habituais. Quanto tempo o senhor acha que vai levar?

O Sr. Jauhri não discutiu mais a questão.

— Vai levar duas semanas.

— É muito tempo.

— A senhora sabe como são essas coisas: poucos artesãos têm a devida habilidade, e nós temos muitas encomendas.

— Mas estamos em março; a temporada dos casamentos praticamente já acabou.

— Mesmo assim, minha senhora.

— Bom, então acho que vai ser o jeito — disse Meenakshi. Apanhou uma medalha, que por acaso foi a de Física, e colocou-a de volta na bolsa. O joalheiro olhou um tanto pesaroso para a medalha de Engenharia colocada num pequeno quadrado de seda sobre a mesa. Não se atreveu a perguntar a quem pertencia, mas quando Meenakshi pegou o recibo referente à medalha, depois que esta foi rigorosamente pesada na balança, o homem deduziu pelo sobrenome que o sogro da cliente devia ter sido o agraciado. Não sabia que a moça jamais tinha conhecido o sogro, por quem não sentia nenhuma proximidade especial.

Quando Meenakshi deu as costas para sair, ele disse:

— Se a senhora por acaso mudar de ideia...

Voltando-se para ele, a moça retrucou:

— Sr. Jauhri, se eu desejar seu conselho, eu pedirei. Vim aqui especificamente porque o senhor me foi recomendado.

— Muito bem, minha senhora, muito bem. Naturalmente, isso fica a seu inteiro critério. Em duas semanas, então.

De cenho franzido, o Sr. Jauhri contemplou desolado a medalha antes de convocar seu mestre-artesão.

Duas semanas depois, graças a um lapso casual na conversa, Arun descobriu o que a esposa tinha feito. Ficou lívido.

Meenakshi suspirou.

— Nem adianta falar com você quando está contrariado desse jeito — disse ela. — Você age com crueldade. Venha, querida Aparna, o papai está zangado conosco, vamos para outro quarto.

Dias depois, Arun escreveu — ou melhor, rabiscou — uma carta para a mãe:

Querida *Ma*,
    Desculpe-me não ter escrito antes em resposta a sua carta ref. a Lata. Sim, decididamente vou procurar alguém. Não seja otimista, os homens com empregos fixos são quase como brâmanes e recebem ofertas de dotes de dezenas e até centenas de milhares. Mesmo assim, situação não totalmente desesperadora. Vou tentar, mas sugiro Lata venha a Calcutá no verão. Farei apresentações, etc. Mas ela deve cooperar. Varun disperso, só estuda firme com minha intervenção. Não se interessa por garotas, só por animais de quatro patas e canções horrorosas. Aparna em ótima saúde, pergunta constantemente por sua *daadi*, logo tenha certeza que ela sente sua falta. M. derreteu medalha de eng. do papai para brincos com pingente e cordão, mas coloquei a de física sob minha proteção, não se preocupe. Tudo mais está bem, coluna OK, Chatterji são os mesmos de sempre, escreverei mais quando tiver tempo.

Amor e bjs de todos,
Arun

Escrita no ilegível idioma telegráfico de Arun (as linhas ascendentes das letras inclinavam-se em ângulo de trinta graus, aleatoriamente para a direita ou esquerda), essa nota breve aterrissou como uma granada em Brahmpur numa tarde, no segundo carteiro do dia. Quando a Sra. Rupa Mehra leu a carta, caiu no choro sem sequer a costumeira preliminar do nariz avermelhado (como Arun talvez tivesse a tentação de comentar, caso estivesse presente). De fato, tratemos a questão com a devida seriedade: a viúva profundamente abalada, e por motivos óbvios.

O horror ante a medalha derretida, a falta de sensibilidade da nora e a desconsideração por sentimentos ternos manifestada no ato frívolo de vaidade perturbaram a Sra. Rupa Mehra mais que qualquer outra coisa em anos — mais até que o casamento de Arun com Meenakshi, para começo de conversa.

Ela viu diante dos próprios olhos o nome dourado do marido sendo fisicamente dissolvido num cadinho. A Sra. Rupa Mehra havia amado e admirado o marido quase com exagero, e o pensamento de que um dos poucos objetos que o vinculavam a este mundo estava agora perdido de forma perversa — pois uma indiferença tão ferina seria o que senão uma espécie de perversidade? — e irrecuperável a fez chorar lágrimas de amargura, raiva e frustração. Ele tinha sido um aluno brilhante do Roorkee College e guardava lembranças felizes de seus dias de estudante. Não que estudasse muito, mas seu desempenho era realmente bom. Contara com a estima dos colegas e dos professores. A única matéria em que tinha sido fraco foi desenho, em que passou raspando. A Sra. Rupa Mehra se lembrava dos pequenos croquis nos livros das crianças e achava que os examinadores tinham sido ignorantes e injustos.

Recompondo-se depois de alguns momentos e friccionando a testa com um pouco de água-de-colônia, ela saiu para o jardim. O dia estava quente, mas soprava uma brisa do rio. Savita estava dormindo, e todos os demais tinham saído. Ela ficou olhando para a vereda ao lado do canteiro de cana-da-índia, a qual estava sem varrer. A jovem que geralmente o varria conversava com um jardineiro à sombra de uma amoreira. Preciso falar com ela sobre isso, pensou absorta a Sra. Rupa Mehra.

O pai de Mansoor, Mateen, muito mais inteligente que o filho, veio para a varanda com o livro-caixa. A Sra. Rupa Mehra, mesmo sem disposição para fazer contas, sabia que aquele era seu dever. Cansada, voltou para a varanda, tirou os óculos da bolsa preta e olhou para o livro.

A mulher pegou novamente a vassoura e começou a varrer a poeira, as folhas secas, os gravetos e as flores caídas da vereda. A Sra. Rupa Mehra olhava sem ver a página aberta do livro-caixa.

— Devo voltar mais tarde? — perguntou Mateen.

— Não, vou fazer isso agora. Espere um minuto.

Ela pegou um lápis azul e olhou para as listas de compras. Fazer as contas, desde que Mateen voltara de sua aldeia, tinha se tornado algo ainda mais difícil. Mateen, além de usar uma estranha variante da escrita híndi, tinha mais experiência que o filho em maquiar a contabilidade.

— O que é isso aqui? — perguntou a Sra. Rupa Mehra. — Mais uma lata de 4 *seers* de *ghee*? Você está achando que nós somos milionários? Quando foi que encomendamos nossa última lata?

— Deve ter sido há dois meses, *burri memsahib*.

— Quando você estava vagabundeando na aldeia, Mansoor não comprou uma lata?

— Ele pode ter comprado, *burri memsahib*, não sei; eu não vi.

A Sra. Rupa Mehra começou a buscar nas páginas anteriores do livro-caixa, até encontrar o registro na caligrafia mais legível de Mansoor.

— Faz um mês que ele comprou uma lata. Quase 20 rúpias. O que aconteceu com ela? Nós não somos uma família de 12 pessoas para consumir uma lata nessa velocidade toda.

— Eu acabei de voltar — arriscou Mateen, dirigindo o olhar à mulher que varria a vereda.

— Se você tivesse a oportunidade, compraria uma lata de 16 quilos de *ghee* por semana para nós. Descubra o que aconteceu com o restante da manteiga.

— Ela entra na confecção de *puris* e *parathas*, e no guisado de lentilha, e *memsahib* quer que *sahib* ponha todo o dia um pouco de *ghee* em seu pão ázimo e no arroz... — começou Mateen.

— Tudo bem — interrompeu a Sra. Rupa Mehra. — Posso imaginar quanta manteiga deveria ser usada nisso tudo. O que quero descobrir é o que aconteceu com o restante dela. A casa não está aberta ao público, nem se transformou em confeitaria.

— Sim, *burri memsahib*.

— Embora o jovem Mansoor pareça tratá-la como tal. — Mateen ficou calado, mas franziu a testa, como em reprovação. — Ele come os doces e bebe *nimbu pani* reservada para as visitas — continuou a Sra. Rupa Mehra.

— Vou falar com ele, *burri memsahib*.

— Quanto aos doces, não tenho certeza — disse escrupulosamente a Sra. Rupa Mehra. — Ele é um rapaz desobediente. E você, você nunca me traz o chá com assiduidade. Por que aqui nesta casa ninguém cuida de mim? Quando estou na casa de Arun *Sahib* em Calcutá, a empregada dele me traz chá o tempo todo. Aqui ninguém nem me pergunta se eu quero. Se eu tivesse minha própria casa, teria sido diferente.

Mateen, entendendo que a sessão de contabilidade havia terminado, foi buscar chá para a Sra. Rupa Mehra. Uns 15 minutos depois, Savita, que tinha emergido languidamente de uma sesta vespertina, entrou na varanda e encontrou a mãe relendo em prantos a carta de Arun e dizendo:

— Brincos com pingente! Ele até os chama de brincos com pingente!

Quando Savita descobriu do que se tratava, sentiu uma onda de simpatia pela mãe e de indignação contra Meenakshi.

— Como ela pôde fazer isso? — perguntou.

A atitude ferozmente defensiva de Savita em relação aos que amava era mascarada por sua natureza gentil. Tinha espírito independente, mas com tanta sutileza que só quem a conhecia muito bem entendia que a vida e os desejos dela não eram inteiramente determinados pelo fluir sereno das circunstâncias. Ela abraçou a mãe e disse:

— Estou chocada com Meenakshi. Vou cuidar de que nada aconteça com a outra medalha. A memória de papai vale muito mais do que os caprichos mesquinhos dela. Não chore, *ma*. Vou mandar uma carta imediatamente. Se a senhora quiser, podemos escrevê-la juntas.

— Não, não.

A Sra. Rupa Mehra baixou o olhar tristonho para a xícara vazia.

Quando Lata voltou e ouviu a notícia, também ficou chocada. Lata tinha sido a filha predileta do pai, cujas medalhas acadêmicas ela gostava de ficar admirando. Não ficara nada feliz quando as medalhas foram presenteadas a Meenakshi. O que aqueles objetos poderiam significar para a cunhada, perguntava Lata, em comparação com o que significavam para as filhas? Agora estava desagradavelmente provado que Lata tinha razão. Ela também se zangou com o irmão, que lhe parecia ter permitido, com sua indulgência, esse episódio deplorável e agora fazia pouco do acontecimento em sua carta ridiculamente casual. Suas grosseiras e pequenas tentativas de chocar ou provocar a mãe enfureceram Lata. Quanto à sugestão dele de que ela fosse a Calcutá e cooperasse nas apresentações, Lata resolveu que aquilo seria a última coisa que faria neste mundo.

Pran voltou tarde da primeira reunião do comitê de bem-estar estudantil e encontrou a família obviamente transtornada, mas estava exausto demais para sondar imediatamente o problema. Sentou-se em sua cadeira favorita — uma cadeira de balanço requisitada de Prem Nivas — e leu durante alguns minutos. Passado um tempo, perguntou a Savita se ela queria sair para dar uma volta, e durante o passeio ele foi informado da crise. Perguntou à esposa se poderia dar uma olhada na carta que ela havia escrito a Meenakshi. Não que duvidasse de seu bom-senso — muito pelo contrário. Mas, por não ser um Mehra, ele esperava estar menos influenciado pelo sentimento de afronta e poderia ajudar a impedir que palavras irreversíveis exacerbassem atos irreversíveis. Brigas de família, motivadas por propriedades ou por sentimentos, eram ferozes; evitar que acontecessem era quase um dever público.

Savita se alegrou em mostrar a carta. Pran foi lendo o texto, assentindo de vez em quando com um gesto de cabeça.

— Está ótima — disse com gravidade, como se aprovasse a dissertação de um aluno. — Diplomática, porém mortal! Lâmina delicada — acrescentou em outro tom. Olhou a esposa com uma expressão de bem-humorada curiosidade. — Amanhã cuidarei do envio.

Malati apareceu mais tarde. Lata lhe contou sobre a medalha. Malati descreveu alguns experimentos que deveria realizar na escola de medicina, e a Sra. Rupa Mehra ficou suficientemente enojada para se distrair — pelo menos por alguns momentos.

Savita notou pela primeira vez durante o jantar que Malati se sentia atraída pelo marido dela. Era evidente no jeito de a moça olhar para ele na hora da sopa e evitar olhar para ele durante o prato principal. Savita não ficou nem um pouco chateada. Presumia que conhecer Pran era amá-lo; o sentimento de Malati era natural e inofensivo. Pran, evidentemente, não estava ciente daquilo; falavam sobre a peça que ele havia montado para o Annual Day* do ano anterior: *Julius Caesar* — uma escolha típica da universidade (dizia Pran), já que poucos pais queriam ver as filhas representando no palco. Por outro lado, os temas de violência, patriotismo e mudança de regime haviam dado à peça, no atual contexto histórico, um frescor que de outra forma ela não teria.

Metade do encanto dos homens inteligentes é sua falta de percepção, pensou Savita, sorrindo. Fechou os olhos por um segundo e fez uma prece pela saúde dele, e pela dela, e pela do filho deles ainda por nascer.

---

* Dia em que instituições educacionais de todos os níveis realizam celebrações variadas para exibir os talentos dos alunos (*N. da T.*)

Parte Dois

2.1

NA manhã do Holi, o festival das cores, Maan acordou sorrindo. Bebeu não só um, mas diversos copos de *thandai*, leite batido com amêndoas e especiarias, misturado com *bhang*, maconha, e logo ficou muito alucinado. Sentiu o teto vir flutuando em sua direção — ou seria ele que estava flutuando em direção ao teto? Como se envoltos por uma neblina, viu os amigos Firoz e Imtiaz, juntamente com o nababo *sahib*, chegarem a Prem Nivas para cumprimentar a família. Ele se adiantou para desejar aos outros um feliz Holi, mas só conseguiu emitir um fluxo contínuo de risadas. Os amigos lhe esfregaram no rosto os pós coloridos, e ele continuou a rir. Sentaram-no em um canto, e ele continuou rindo até rolarem lágrimas de seus olhos. Agora o teto havia desaparecido, e as paredes recuavam e avançavam, pulsantes, deixando-o imensamente surpreso. De repente Maan se levantou e, passando os braços em torno de Firoz e Imtiaz, dirigiu-se à porta, arrastando-os consigo.

— Para onde estamos indo? — perguntou Firoz.

— Para a casa de Pran — respondeu Maan. — Eu preciso festejar o Holi com minha cunhada.

Apanhou alguns pacotes de pigmentos em pó, que colocou no bolso da túnica.

— No estado em que você se encontra, é melhor não dirigir o carro de seu pai — aconselhou Firoz.

— Então vamos pegar uma charrete — disse Maan, balançando os braços e depois abraçando o amigo. — Mas primeiro tome um pouco de *thandai*. Está dando um barato incrível.

Eles tiveram sorte. Naquela manhã não havia muitas charretes em circulação, mas quando eles chegaram a Cornwallis Road, uma delas passou trotando. A caminho da universidade, enquanto eles passavam pelas multidões de foliões coloridos e ruidosos, o cavalo ficou nervoso. Pagaram ao condutor o dobro da tarifa normal e lhe pintaram a testa de cor-de-rosa, e a do cavalo de verde, para completar. Quando Pran os viu apear, foi recebê-los no jardim. Junto à porta da varanda da casa havia uma tina imensa cheia de tinta cor-de-rosa e diversas seringas de cobre de mais de 30 centímetros de comprimento. A túnica e as calças largas de Pran estavam encharcadas, e ele tinha o rosto e os cabelos besuntados de pó amarelo e cor-de-rosa.

— Onde está minha *bhabhi?* — gritou Maan.

— Eu não vou sair — respondeu Savita lá de dentro.

— Tudo bem, nós vamos entrar — gritou Maan.

— Ah, mas não vão mesmo — disse a moça. — A não ser que você tenha me trazido um sári.

— Você vai receber seu sári; agora quero o que é meu — disse Maan.

— Muito engraçado — retrucou Savita. — Com meu marido você pode brincar o Holi o quanto quiser, mas prometa que não vai passar tinta em mim.

— Pois eu prometo, sim! Só uma pitadinha de pó colorido, não mais que isso, e depois mais um pouquinho no rosto de sua linda irmãzinha. Aí vou ficar satisfeito até o ano que vem.

Savita abriu a porta com cautela. Vestida num velho e desbotado conjunto de camisão e calça larga, ela estava muito bonita: risonha e cautelosa, quase pronta para fugir.

Maan segurou na mão esquerda um pacote de pó rosa-choque e esfregou um pouco na testa da moça, que tentou pegar o pacote para fazer o mesmo com o cunhado.

— ... E um pouquinho em cada face... — continuou Maan enquanto besuntava o rosto dela com mais pó.

— Tá bom, já chega — disse Savita. — Muito bem, feliz Holi para você!

— ... E mais um pouquinho aqui — disse Maan, esfregando mais pó no pescoço, nos ombros e nas costas da cunhada, segurando-a firme e afagando-a enquanto ela lutava para se libertar.

— Você é um selvagem, nunca mais vou confiar em você — protestou Savita. — Por favor, me larga! Para com isso, Maan, por favor... Não no meu estado...

— Então eu sou um selvagem, não é? — disse Maan, apanhando uma caneca que mergulhou na tina.

— Não, não, eu não quis dizer isso. Pran, por favor, me ajuda — pediu Savita, meio rindo e meio chorando. A Sra. Rupa Mehra olhava pela janela, alarmada. — Maan, por favor, nada de tinta com água — implorou Savita, sua voz se transformando em um grito.

Mas, apesar das súplicas, Maan despejou três ou quatro canecas de água rosada e fria sobre a cabeça dela e esfregou o pó colorido e úmido sobre os seios da moça, rindo o tempo todo.

Lata estava olhando pela janela também, espantada com o ataque atrevido e licencioso de Maan — a liberdade irrestrita provavelmente era oferecida pela data. Ela quase sentia as mãos de Maan sobre si mesma e depois o choque da água fria. Para sua surpresa e a da mãe, que estava de pé ao lado dela, Lata se engasgou e estremeceu. Mas nada a induziria a ir lá fora, onde Maan dava continuidade a seus prazeres policromados.

— Pare com isso — gritou Savita indignada. — Que covardes são vocês, que não me ajudam? Ele usou *bhang*, posso ver isso; basta olhar os olhos dele...

Esguichando várias seringas de água em cima dele, Firoz e Pran conseguiram distrair Maan, que fugiu correndo para o jardim. Ele não conseguia se equilibrar muito bem nos próprios pés, e acabou tropeçando e caindo dentro do canteiro de cana-da-índia amarela. Maan levantou a cabeça por entre as flores tempo suficiente para entoar uma só frase:

— Ó foliões, é dia de Holi na terra de Braj*! — Em seguida, desapareceu de vista.

Um minuto depois, à semelhança de um cuco de relógio, ele ergueu a cabeça novamente para repetir o mesmo verso. Savita, decidida a se vingar, encheu uma pequena panela de bronze com água colorida e desceu os degraus do jardim. Caminhou sorrateiramente até o canteiro de canas. Naquele exato momento Maan se levantou outra vez para cantar. Ao erguer a cabeça acima das plantas, ele avistou Savita com a panela de água, mas já era tarde. Furiosa e decidida, a moça jogou o conteúdo todo no rosto e no peito do cunhado. Vendo a expressão atônita de Maan, ela começou a rir. Mas ele havia se sentado no canteiro, agora chorando:

— *Bhabhi* não me ama, minha *bhabhi* não me ama.

— É claro que não amo — disse Savita. — Por que deveria amar?

As lágrimas rolavam pelas faces de Maan, que estava inconsolável. Quando Firoz tentou colocá-lo de pé, ele se agarrou ao amigo.

— Você é meu único amigo verdadeiro. — Ele chorava. — Onde estão os doces?

---

* Região do norte da Índia, cenário do épico *Mahabharata* e local da infância e adolescência de Krishna, que, segundo a lenda, começou o Holi brincando de pintar a consorte Radha e as pastorinhas Gopis (*N. da T.*)

Agora que Maan havia se neutralizado, Lata se aventurou a sair para brincar, de forma moderada, de pintar Pran, Firoz e Savita. A Sra. Rupa Mehra também foi untada com um pouco de pó colorido.

Mas o tempo todo Lata ficava se perguntando qual teria sido a sensação de ser esfregada e untada, de forma tão pública e íntima, pelo alegre Maan. E este era um homem que estava noivo! Ela nunca tinha visto ninguém se comportar sequer remotamente daquele jeito — e Pran estava muito longe de ficar furioso. Que estranha família, os Kapoor, pensou ela.

Enquanto isso, como Maan, Imtiaz tinha ficado muito alterado com o *bhang* no *thandai* e estava sentado nos degraus, sorrindo para o mundo e murmurando repetidamente para si uma palavra, que parecia ser "miocardial". Às vezes ele murmurava a palavra, às vezes ele a cantava, e em outras ocasiões ela parecia uma pergunta transcendental e sem resposta. Vez ou outra Imtiaz, pensativo, levava uma das mãos a um sinalzinho que tinha na bochecha.

Um grupo de vinte estudantes — multicolorido e quase irreconhecível — se aproximou pela rua. Havia até algumas moças no grupo, e uma delas era Malati, agora de pele roxa (mas de olhos ainda verdes). Os jovens induziram o professor Mishra, que morava a algumas casas de distância, a se juntar a eles. O corpanzil de baleia do professor, que, aliás, não estava pintado com muitas cores, era inconfundível.

— Quanta honra, quanta honra — disse Pran —, mas eu deveria ter ido à sua casa, não o senhor ter vindo à minha.

— Ora, eu não gosto de cerimônia nesses casos — disse o professor Mishra, franzindo os lábios com um brilho nos olhos. — Agora me digam onde está a encantadora Sra. Kapoor?

— Olá, professor Mishra, quanta gentileza sua vir brincar o Holi conosco — disse Savita, avançando com um pouco de pó colorido na mão. — Sejam bem-vindos, todos vocês. Olá, Malati, nós estávamos imaginando o que teria acontecido com você. Já é quase meio-dia. Entrem, entrem...

Curvando-se, o professor recebeu um pouco de cor na testa ampla.

Mas Maan, que, abatido, se recostara no ombro de Firoz, jogou fora a cana-da-índia com que brincava e avançou para o professor Mishra com um sorriso franco e gentil.

— Então o senhor é o notório professor Mishra — disse ele numa recepção esfuziante. — Que maravilha conhecer um homem tão infame. — E abraçou-o calorosamente: — Diga-me, o senhor é realmente um Inimigo do Povo? — perguntou em tom animador. — Que feições extraordinárias, que mobilidade de expressão! — murmurou em assombrada apreciação, enquanto o professor Mishra ficava de queixo caído.

— Maan — exclamou Pran, assustado.

— Tão execrável! — disse Maan, em aprovação incondicional.

O professor Mishra o encarou.

— Meu irmão chama o senhor de Moby Dick, a grande baleia — continuou Maan em tom amistoso. — Agora vejo o porquê. Venha dar um mergulho — convidou ele generosamente, indicando a banheira cheia de água cor-de-rosa.

— Não, eu acho que não... — começou timidamente o professor Mishra.

— Imtiaz, me ajude aqui — disse Maan.

— Miocardial — disse o outro para demonstrar sua boa vontade.

Levantando o professor pelos ombros, eles o conduziram energicamente para a banheira.

— Não, não, eu vou pegar uma pneumonia! — gritou o professor, zangado e atônito.

— Maan, para já com isso! — disse Pran, cortante.

— O que acha, *sahib* doutor? — perguntou Maan a Imtiaz.

— Nenhuma contraindicação — decretou Imtiaz, e os dois empurraram o desprevenido professor para dentro da banheira. O homem ficou se debatendo, molhado até os ossos, submerso no líquido rosado, enlouquecido de raiva, confuso. Maan ficou olhando, fraco de tanto rir, enquanto Imtiaz sorria, bonachão. Pran se sentou num degrau com as mãos na cabeça. Todos os demais pareciam horrorizados.

Quando o professor Mishra saiu da banheira, ficou de pé na varanda por um segundo, tremendo de frio e de agitação. Olhou para os circunstantes como um touro encurralado, depois desceu os degraus com a água a escorrer do corpo e saiu do jardim. Pran estava demasiado chocado até mesmo para pedir desculpas. Com a dignidade da indignação, a grande figura rosada saiu pelo portão e desapareceu na rua.

Maan olhou em torno, buscando a aprovação do grupo. Savita evitou olhá-lo, e todos os demais estavam calados e contidos; e ele sentiu que, por algum motivo, havia novamente caído em desgraça.

2.2

VESTIDO num limpo *kurta pyjama*, depois de um demorado banho, e feliz sob a influência do *bhang* e da tarde morna, Maan tinha ido dormir em Prem Nivas. Teve um sonho inusitado: estava a ponto de pegar o trem para Benares, para conhecer a noiva. Percebeu que se não pegasse aquele trem seria preso, mas não sabia sob qual acusação. Um grupo de policiais da Inspetoria-Geral de Purva Pradesh e uma dúzia de guardas haviam formado um cordão em torno dele, que era conduzido a um vagão, juntamente com alguns aldeões cobertos de barro e umas vinte estudantes vestidas em trajes de festa. Mas ele havia esquecido alguma coisa em outro lugar e implorava permissão para ir buscá-la. Como ninguém lhe deu ouvidos, ele foi ficando cada vez mais veemente e agitado. Caiu aos pés dos policiais e do cobrador, implorando que lhe permitissem ir: ele tinha esquecido alguma coisa em outro lugar, talvez em casa, talvez em outra plataforma, mas era imperativo que lhe permitissem ir buscá-la. Mas agora o apito soava, e ele havia sido forçado a entrar no trem. Algumas das mulheres riam dele à medida que ia ficando mais desesperado. "Por favor, deixem-me sair", insistia, mas o trem tinha deixado a estação, e sua velocidade estava aumentando. Ele olhou para cima e viu um aviso escrito em branco e vermelho: *Para fazer parar o trem puxe a corrente. Multa pelo uso indevido: 50 rupias*. Ele saltou para cima de um beliche. Ao verem o que ele estava a ponto de fazer, os aldeões tentaram impedir, mas ele resistiu e, agarrando a corrente, puxou-a para baixo com toda força. Aquilo não fez efeito. A velocidade do trem continuou a aumentar, e agora as mulheres estavam rindo dele ainda mais abertamente. "Eu esqueci alguma coisa lá", continuava ele a repetir, apontando na direção da qual tinha vindo, como se de alguma forma o trem fosse ouvir sua explicação e consentir em parar. Ele puxou a carteira de dinheiro e pediu ao cobrador: "Aqui estão 50 rupias. Faça o trem parar. Eu lhe imploro, faça-o voltar. Eu não me importo de ir para a cadeia." Mas o homem continuava a examinar os bilhetes de todos os demais sem fazer caso de Maan, como se ele fosse um louco inofensivo.

Maan acordou suando e ficou aliviado por retornar aos objetos familiares de seu quarto em Prem Nivas — a cadeira estofada e o ventilador de teto e o tapete vermelho e os cinco ou seis romances de suspense.

Livrando depressa a mente o sonho que tivera, ele foi lavar o rosto. Mas quando, no espelho, olhou sua expressão assustada, a imagem das mulheres do sonho retornou vivamente. Por que elas estavam rindo de mim?, perguntou-se. As risadas seriam indelicadas...? Foi só um sonho, pensou, de modo tranquilizador. Mas embora continuasse a jogar água no rosto não conseguia se livrar da ideia de que havia uma explicação que estava fora de seu alcance. Fechou os olhos para recapturar mais uma vez alguma coisa do sonho, mas agora tudo estava extremamente vago, e só restava o desconforto, a sensação de ter deixado alguma coisa para trás. Os rostos das mulheres, dos aldeões, do cobrador, dos policiais: todos tinham sido levados pela água. O que eu poderia ter deixado para trás?, perguntava-se. Por que elas estavam rindo de mim?

De algum lugar na casa ele ouviu o pai chamar com aspereza:

— Maan, Maan... Você está acordado? Em meia hora os convidados começarão a chegar para o concerto.

Ele não respondeu e ficou se olhando para o espelho. Não era um rosto feio, pensou: animado, jovem, de traços fortes, os cabelos raleando nas têmporas — o que lhe pareceu um tanto injusto, pois ele tinha apenas 25 anos. Alguns minutos depois, um serviçal foi enviado para informá-lo de que o pai desejava vê-lo no pátio. Maan perguntou ao empregado se Veena, a irmã dele, já havia chegado, e ouviu que ela e sua família tinham vindo, mas já tinham ido embora. De fato, Veena viera ao quarto dele, mas ao encontrá-lo adormecido não deixara que seu filho Bhaskar o perturbasse.

Maan franziu a testa, bocejou e se dirigiu ao guarda-roupa. Convidados e concertos não lhe interessavam, e ele desejava voltar a dormir novamente, dessa vez sem sonhos. Quando estava em Benares, era assim que ele normalmente passava a noite do Holi — dormindo para curar os efeitos do *bhang*.

No térreo, os convidados tinham começado a chegar. A maioria deles estava usando roupas novas e, afora um pouco de tinta vermelha sob as unhas e nos cabelos, eles não estavam coloridos pela folia matinal. Todos, no entanto, encontravam-se muito bem-humorados e sorridentes, não só por causa dos efeitos do *bhang*. Os concertos de Holi oferecidos por Mahesh Kapoor eram um ritual anual e se realizavam em Prem Nivas desde tempos imemoriais. O pai e o avô do anfitrião também haviam realizado concertos, e estes só tinham sido suspensos nos anos em que o anfitrião estivera preso.

Nessa noite a cantora era Saeeda Bai Firozabadi, a mesma atração dos dois últimos anos. Ela morava a curta distância de Prem Nivas, vinha de uma família de cantoras e cortesãs e tinha uma voz linda, melodiosa e poderosamente comovente. Era uma mulher de uns 35 anos, mas sua fama de cantora já havia se espalhado para além das fronteiras de Brahmpur, e hoje em dia ela era chamada para recitais em cidades tão longínquas quanto Bombaim e Calcutá. Muitos dos convidados de Mahesh Kapoor naquela noite haviam comparecido não só para desfrutar a excelente hospitalidade do anfitrião — ou, mais exatamente, da discreta anfitriã — mas sim para ouvir Saeeda Bai. Maan, que nos dois anos anteriores tinha passado o Holi em Benares, conhecia a fama dela, mas nunca a ouvira cantar.

Cobertores e lençóis brancos tinham sido espalhados no piso do pátio semicircular, limitado pelos cômodos pintados igualmente de branco e pelas arcadas ao longo da curva, que se abria para o jardim. Não havia palco, nem microfone, nem separação visível entre a área da cantora e a do público. Não havia cadeiras, somente almofadas e coxins em que se apoiar, e alguns vasos de plantas em torno da área dos assentos. Os primeiros convivas a chegar estavam de pé tomando suco de fruta ou *thandai* ou mordiscando *kebabs* ou nozes ou doces tradicionais do festival. Mahesh Kapoor aguardava os convidados e os recebia quando entravam no pátio, mas esperava que Maan viesse substituí-lo para poder passar algum tempo conversando com alguns dos presentes, em vez de ficar só trocando gentilezas superficiais com todos eles. Se o filho não descesse em cinco minutos, disse consigo o pai, vou subir e sacudi-lo eu mesmo até ele acordar. Para ser útil daquele jeito era melhor ele ter ficado em Benares. Onde está o rapaz? O carro já foi despachado para buscar Saeeda Bai.

2.3

NA verdade, já fazia mais de meia hora que o carro fora enviado para buscar a cantora e seus músicos, e Mahesh Kapoor estava começando a ficar preocupado. A essa altura a maioria dos presentes já havia se sentado, mas alguns ainda estavam de pé, conversando. Sabia-se que Saeeda Bai era conhecida por se comprometer a cantar em um lugar e ir impulsivamente para outro —

talvez para visitar um antigo ou novo namorado, um parente ou até mesmo cantar para um pequeno círculo de amigos. Seu comportamento era muito guiado por suas próprias inclinações. Se não fossem as maneiras cativantes da cantora, tal política, ou melhor, tendência, poderia tê-la prejudicado muito em termos profissionais. Havia até certo mistério em sua irresponsabilidade, se vista sob certa perspectiva. Essa luz, porém, já estava começando a perder o brilho para Mahesh Kapoor no momento em que ele ouviu um zumbido de exclamações abafadas vindo da porta: Saeeda Bai e seus três acompanhantes finalmente haviam chegado.

Ela estava deslumbrante. Para a maioria dos homens presentes, se ela passasse a noite inteira sem cantar uma nota e se limitasse a ficar sorrindo para os conhecidos e olhando ao redor com expressão apreciativa, detendo-se cada vez que avistasse um homem bonito ou uma mulher atraente (ainda que "moderna"), aquilo teria bastado. Mas em seguida ela se encaminhou para o lado aberto do pátio — aquele que margeava o jardim — e se sentou ao lado do harmônio que um criado da casa tinha trazido do carro. Ela puxou a ponta solta do sári de seda e cobriu a cabeça: o tecido tendia a escorregar e um dos gestos mais encantadores da cantora — que o repetiu durante toda a noite — era ajustar o sári para não deixar a cabeça descoberta. Os músicos — um tocador de tabla, um tocador de sarangi e um homem que tangia a tambura — se sentaram e começaram a afinar seus instrumentos, enquanto ela pressionava uma tecla negra com a mão direita adornada de muitos anéis e forçava delicadamente o ar a passar pelos foles com a mão esquerda também coberta de joias. O tocador de tabla usou um martelete de prata para retesar as correias de couro do tambor da direita; o tocador de sarangi ajustava suas paletas de afinação e, com o arco, tocou algumas frases melódicas nas cordas. A plateia se ajustou, abrindo espaço para os recém-chegados. Diversos meninos, alguns de tão pouca idade, se sentaram perto dos pais ou dos tios. Havia um clima de agradável expectativa. Tigelas rasas cheias de pétalas de rosas e jasmins foram passadas entre os convivas: aqueles que, como Imtiaz, estavam um pouco alterados pelo *bhang* debruçaram-se deliciados sobre a fragrância realçada das flores.

Na varanda do andar superior, duas das mulheres (menos modernas) olhavam para baixo através das fendas de uma grade de junco e discutiam o vestido, os ornamentos, o rosto, as maneiras, os antecedentes e a voz da cantora.

— Bonito sári, mas nada de especial. Ela sempre usa seda de Benares. Hoje à noite é vermelho, ano passado foi verde. Pare e siga.

— Olha só o bordado do sári!

— Muito espalhafatoso, mas imagino que tudo isso seja necessário na profissão dela, coitadinha.

— Eu não diria "coitadinha". Dá uma olhada nas joias: aquele colar de ouro tão pesado, trabalhado em esmalte...

— Parece um pouco vulgar demais para meu gosto...

—... De qualquer forma, dizem que foi dado a ela pelo povo de Sitagarh.

— Puxa vida!

— E eu tenho a impressão de que muitos daqueles anéis também foram. Ela é uma favorita do nababo de Sitagarh. Dizem que ele é um grande amante da música.

— E das intérpretes da música?

— Naturalmente sim. Agora ela está cumprimentando Maheshji e o filho dele, Maan. Ele parece muito satisfeito consigo mesmo. Aquele é o governador que ele está...

— Sim, sim, todos esses congressistas são iguais. Vivem falando de simplicidade e vida frugal e depois convidam à casa deles esse tipo de gente para divertir os amigos.

— Ora, ela não é dançarina nem nada no gênero.

— Não, mas você não pode negar o que ela é!

— Mas seu marido também veio.

— Meu marido!

As duas mulheres — uma a esposa de um otorrinolaringologista, a outra a esposa de um importante intermediário do setor de calçados — se entreolharam em exasperada resignação diante da conduta dos homens.

— Agora ela está cumprimentando o governador. Veja como ele sorri. Que homenzinho gordo! Mas dizem que é muito competente.

— O que faz um governador, além de cortar fitas aqui e ali e de desfrutar o luxo do palácio do governo? Você consegue ouvir o que ela está dizendo?

— Não.

— Cada vez que ela balança a cabeça, o brilhante preso ao nariz dela cintila. É como o farol de um carro.

— Um carro que, em sua época, transportou muitos passageiros.

— Mas que época? Ela só tem 35 anos: tem garantia para muitos quilômetros ainda. E todos aqueles anéis! Não admira que ela adore cumprimentar todo mundo que encontra.

— Diamantes e safiras na maioria, embora eu não consiga ver muito bem daqui. Que brilhante enorme ela tem na mão direita...

— Não, é uma pedra branca... Eu ia dizer que era uma safira branca, mas não é. Disseram-me que era ainda mais caro que um diamante, mas não consigo lembrar como se chama.

— Por que ela precisa usar todas aquelas pulseiras de acrílico brilhante junto com as de ouro? Fica parecendo quinquilharia!

— Bom, não é à toa que ela é chamada de Firozabadi. Mesmo que seus antepassados, ou suas antepassadas, não venham de Firozabad, pelo menos as pulseiras vieram de lá. E os olhares sedutores que ela está lançando aos rapazes?!

— Sem vergonha.

— Aquele pobre rapaz não sabe para onde olhar.

— Quem é ele?

— É o filho mais novo do Dr. Durrani, Hashim. Tem só 18 anos.

— Hummm...

— Uma gracinha. Olha só como ficou ruborizado.

— Ruborizado? Todos esses garotos muçulmanos podem parecer inocentes, mas no fundo são lascivos, posso lhe dizer. Quando nós morávamos em Karachi...

Mas naquele ponto Saeeda Bai Firozabadi, depois de trocar saudações com várias pessoas da plateia, de falar com seus músicos em voz baixa, de colocar um *paan* no canto da bochecha direita e de tossir duas vezes para limpar a garganta, começou a cantar.

2.4

APENAS algumas palavras tinham saído daquela adorável garganta quando os ahs e ohs e outros comentários apreciativos do público provocaram na cantora um sorriso de agradecimento. Adorável ela certamente era; no entanto, em que residia seu encanto? A maioria dos homens teria tido dificuldade em explicá-lo; as mulheres sentadas na varanda acima deles talvez fossem mais perceptivas. A cantora tinha uma aparência apenas agradável, mas era dotada de todo o ar da cortesã discriminada — as pequenas marcas da delicadeza, a inclinação de cabeça, o cintilar do brilhante no nariz, uma deliciosa mistura de franqueza e obliquidade nas atenções dispensadas àquilo que a atrai e o conhecimento da poesia urdu, especialmente do gazal, que mesmo numa plateia de conhecedores era considerado bem profundo. Mas, acima de tudo isso, das roupas e das joias e até mesmo de seu excepcional talento natural e técnica musical, havia o toque de decepção amorosa em sua voz. De onde teria vindo ninguém sabia com certeza, embora os boatos sobre seu passado fossem bastante comuns em Brahmpur. Nem mesmo as mulheres poderiam dizer que essa tristeza era um artifício. De certa forma ela parecia ser ao mesmo tempo atrevida e vulnerável, e tal combinação era irresistível.

Por se tratar do Holi, ela começou o recital com algumas canções do festival. Saeeda Bai Firozabadi era muçulmana, mas cantava com tanto encanto e energia essas alegres descrições do jovem Krishna brincando de cores com as pastorinhas de sua aldeia natal que o ouvinte ficaria convencido de que ela via a cena diante dos próprios olhos. Os garotinhos da plateia olhavam para ela encantados. Até Savita, para quem este era o primeiro festival na casa do sogro e que tinha comparecido mais pelo dever do que pela expectativa de prazer, começou a se divertir.

Dividida entre a necessidade de proteger a filha mais nova e a inconveniência do fato de uma pessoa de sua geração, especialmente uma viúva, fazer parte da plateia no térreo, a Sra. Rupa Mehra desapareceu escada acima (com uma severa recomendação a Pran que ficasse de olho em Lata). Ela observava tudo através de uma fenda na grade de juncos e dizia à Sra. Mahesh Kapoor:

— Na minha época, nenhuma mulher teria sido autorizada a ficar no pátio para uma noite como essa.

Era um pouco injusto da parte da Sra. Rupa Mehra fazer semelhante objeção diante da pacata e vitimizada anfitriã: esta, na verdade, expusera a mesma questão ao marido, que invalidou, impaciente, a opinião dela, alegando que os tempos estavam mudando.

Durante o recital, os convivas entravam e saíam do pátio e, quando o olhar da cantora surpreendia o movimento de alguém na plateia, ela reconhecia o recém-chegado com um aceno que interrompia seu acompanhamento ao harmônio. Mas as cordas lamentosas do sarangi eram sombras mais do que suficientes para a voz dela, e com frequência Saeeda Bai se voltava para o instrumentista com um olhar de apreço por alguma imitação ou improvisação especialmente bonita. A maior parte da atenção dela, no entanto, estava dedicada ao jovem Hashim Durrani, sentado na fila da frente, vermelho como beterraba cada vez que ela interrompia o canto para fazer algum comentário direto ou dirigir a ele algumas estrofes casuais. Saeeda Bai era famosa por escolher na plateia, no início da noite, alguém para quem dirigir todas as suas canções — para a intérprete, essa pessoa se tornava o cruel, o assassino, o caçador, o carrasco e assim por diante —, a âncora, na verdade, dos gazais que ela cantava.

Saeeda Bai gostava principalmente de cantar os gazais de Mir e Ghalib, mas também lhe agradavam Vali Dakkani e Mast, cuja poesia não era particularmente prestigiosa, mas gozava de notável preferência local, já que o autor tinha passado naquela cidade a maior parte de sua infeliz vida, recitando muitos gazais pela primeira vez no Barsaat Mahal para o nababo de Brahmpur, soberano incompetente, falido e sem herdeiros, antes que seu reino fosse anexado pelos britânicos. Portanto, o primeiro gazal que ela cantou foi de autoria de Mast, e bastou a primeira frase para o público arrebatado explodir num clamor de reconhecimento.

— Eu não me dobro, porém, tenho roto o colarinho... — começou ela, semicerrando os olhos.

"Eu não me dobro, porém, tenho roto o colarinho;
Aqui sob meus pés, não mais além, estava o espinho."

— Ah — disse, inerme, o senhor juiz Maheshwari, a cabeça vibrando de êxtase acima do pescoço gordo.

Saeeda Bai continuou:

— Serei inocente, se nenhuma voz condenar
o caçador que no laço logrou me aprisionar?

Nesse momento ela dirigiu um olhar meio tórrido, meio acusador ao coitado do rapaz de 18 anos; imediatamente ele baixou a vista e foi cutucado por um dos amigos, que para seu grande constrangimento repetia deliciado: "Você será inocente?", deixando-o ainda mais constrangido.

Lata olhou compadecida para o rapaz e fascinada para Saeeda Bai. Como a cantora conseguia fazer aquilo?, pensou a moça, admirada e ligeiramente horrorizada. Ela está apenas moldando os sentimentos deles como se fossem argila, e esses homens só conseguem sorrir e suspirar! E Maan é o pior de todos! Em geral, Lata gostava de música clássica mais séria; mas agora, tal qual sua irmã, ela também desfrutava o gazal e — embora lhe fosse estranho — o clima romântico e alterado de Prem Nivas. Alegrou-se de que a mãe estivesse lá em cima.

Enquanto isso, Saeeda Bai, estendendo um braço em direção aos convidados, continuou cantando:

— Os religiosos evitam passar na porta da taverna,
mas é preciso coragem para lhes enfrentar o olhar.

— Uhu! Uhu! — gritava Imtiaz lá do fundo. Saeeda Bai o agraciou com um sorriso deslumbrante, depois fez uma expressão séria, como se surpreendida. No entanto, recompondo-se, continuou:

— Após uma noite insone junto àquela via,
A brisa matinal faz dançar o perfumado ar.

O Portão da Interpretação está fechado e trancado
Mas eu o transponho sem saber nem me importar.

O trecho "sem saber nem me importar" foi cantado por vinte vozes em uníssono.

A cantora premiou com uma inclinação de cabeça o entusiasmo dos ouvintes. Mas o caráter pouco ortodoxo do dístico foi superado pelo teor do seguinte:

— Eu me ajoelho dentro da Caaba de meu coração
E ao meu ídolo ergo meu rosto em oração.

O público suspirava; a voz dela quase falhou na palavra "oração"; para ter reprovado aquilo, o ouvinte precisaria ser, ele próprio, um ídolo insensível.

— E eu vejo, ó Mast, mesmo com o sol a me cegar,
As nuvens de cabelos, o rosto de luar.

Maan estava tão tocado pela recitação que Saeeda Bai fizera do dístico final que ergueu os braços para ela, indefeso. A cantora tossiu para limpar a garganta e olhou para ele, enigmática. Maan sentiu calor e arrepios pelo corpo inteiro, e por um momento ficou mudo, mas logo fingiu tocar tabla dando uma batidinha na cabeça de um de seus sobrinhos camponeses, um menino de 7 anos.

— O que o senhor deseja ouvir agora, Maheshji? — perguntou Saeeda Bai ao anfitrião. — Que magnífica plateia o senhor sempre proporciona em sua casa! E tão versada que às vezes eu me sinto redundante. Só preciso cantar duas palavras e os cavalheiros completam o resto do gazal.

Ouviram-se gritos de "Não, não!" e "O que está dizendo?" e "Somos apenas suas sombras, Saeeda *Begum*!".

— Sei que estou aqui esta noite não por causa de minha voz, mas sim por sua benevolência e pela do Altíssimo. Vejo que seu filho é tão apreciador de meus precários esforços quanto o senhor tem sido durante muitos anos. Deve ser uma característica de família. O senhor seu pai, que ele descanse em paz, era muito bondoso com minha mãe. E agora sou eu quem está sendo honrada por sua generosidade.

— Quem está honrando quem? — respondeu Mahesh Kapoor, galante.

Lata olhou para ele levemente surpresa. Maan apanhou seu olhar e lhe deu uma piscadela, a qual a moça não pôde deixar de retribuir com um sorriso. Agora que ele era seu parente, ela se sentia muito mais à vontade em sua presença. Sua mente voltou um átimo ao comportamento dele naquela manhã, e de novo um sorriso encurvou os cantos de sua boca. Nunca mais ela poderia ouvir de novo as conferências do professor Mishra sem vê-lo emergir da banheira tão rosado, molhado e indefeso quanto um bebê.

— Mas alguns dos rapazes, de tão calados que estão — continuou Saeeda Bai —, poderiam ser eles próprios ídolos em templos. Talvez suas veias tenham sido abertas com tanta frequência que já não lhe resta nenhum sangue, não é? — A cantora riu, em deleite. Citou:

— Por que meu coração não ficaria amarrado a ele?
Hoje ele está vestido em trajes coloridos.

O jovem Hashim olhou com ar culpado para sua própria túnica azul cheia de bordados. Mas, impiedosa, a cantora continuou:

— Como eu poderia louvar seu apurado gosto no vestir?
Sua aparência faz lembrar a de um príncipe.

Grande parte da poesia urdu, assim como grande parte da poesia persa e árabe que a antecedeu, havia sido dirigida pelos poetas aos homens jovens; assim, a intérprete encontrava, com travessa facilidade, referências ao vestuário e aos gestos masculinos que explicitavam a quem ela estava dirigindo suas flechadas. Hashim podia se ruborizar e morder o lábio inferior, mas na aljava dela provavelmente os dísticos não se esgotariam. A cantora olhou para o jovem e recitou:

— Seus lábios vermelhos estão cheios de néctar.
Com justa razão o chamaram Amrit Lal!

A essa altura os amigos de Hashim estavam rindo convulsivamente. Mas talvez a cantora percebesse que naquele momento ele não conseguiria suportar uma dose maior de provocação amorosa e graciosamente lhe permitiu uma pequena pausa. Agora o público já se sentia bastante ousado para fazer suas próprias sugestões, e depois de Saeeda Bai ter sucumbido à própria predileção e cantado um dos mais impenetráveis e metafóricos gazais de Ghalib — uma opção extremamente intelectual para uma cantora tão sensual — um convidado sugeriu um de seus favoritos: "Que fim levaram todos aqueles encontros e despedidas?"

Saeeda Bai assentiu, voltando-se para os tocadores de sarangi e de tabla e murmurando algumas palavras. O sarangi começou a tocar uma introdução para o gazal lento, melancólico e nostálgico, escrito por Ghalib quando era só um pouco mais velho do que a própria cantora, não na idade avançada. Mas Saeeda Bai investiu de tanto amargor e doçura cada uma das estrofes indagadoras que comoveu até os corações dos espectadores mais idosos. Quando eles se juntaram ao coro, ao fim de um conhecido refrão sentimental, foi como se fizessem a si próprios a pergunta, e não como se exibissem aos vizinhos seu conhecimento daquele verso. E semelhante envolvimento despertou na cantora uma resposta ainda mais visceral, de forma que até o complicado dístico final levou a um clímax, em vez de decrescer gradualmente em relação ao poema como um todo.

Após essa maravilhosa interpretação, o público comeu na mão de Saeeda Bai. Os que tinham planejado ir embora no máximo às onze não conseguiram partir, e em breve soou a meia-noite.

O sobrinho de Maan havia adormecido no colo dele, e muitos outros garotinhos caíram no sono e foram levados pelos criados para os quartos. O próprio Maan, que no passado se apaixonara bastante e, portanto, sentia-se propenso a uma espécie de nostalgia alegre, impressionado pelo último gazal de Saeeda Bai, colocou uma castanha de caju na boca, pensativo. O que podia fazer? Sentia que estava se apaixonando por ela de maneira irresistível. Saeeda Bai agora tinha retomado suas brincadeiras com Hashim, o que levou Maan a sentir uma pontinha de ciúme quando ela tentou provocar uma reação no rapaz. Quando o dístico

Como comparar você com a rosa e a tulipa?
Elas não passam de metáforas incompletas

só teve por resultado que o moço se mexesse inquieto no lugar, ela tentou estrofes mais ousadas:

— Sua beleza era aquela que ao mundo outrora enfeitiçou...
Uma maravilha, a tenra penugem que chega as suas faces.

Aquilo acertou o alvo. Havia ali dois trocadilhos, um discreto e outro nem tanto: "mundo" e "maravilha" eram a mesma palavra — *aalam* — e "a tenra penugem" poderia ser interpretada como "um recado". O rapaz, que tinha no rosto uma penugem muito leve, esforçou-se ao máximo para agir como se a palavra *khat* significasse "recado", mas aquilo lhe custou muito constrangimento. Ele olhou em torno, buscando o pai para apoiá-lo em seu sofrimento — seus próprios amigos não eram de muita ajuda, pois haviam decidido há tempos aliarem-se à provocação —, mas o distraído Dr. Durrani estava distraído em algum lugar no fundo da plateia. Um dos amigos de Hashim passou gentilmente a mão na face do rapaz e suspirou, como se estivesse apaixonado. Corando, Hashim se levantou para sair do pátio e dar uma volta pelo jardim. Estava no meio do movimento quando Saeeda Bai disparou uma carga de Ghalib em sua direção:

— À menção a meu nome ela se levantou para sair...

Quase em lágrimas, Hashim fez uma saudação a Saeeda Bai e saiu do pátio. Lata, os olhos brilhantes de silenciosa empolgação, teve pena dele; mas logo ela também teve que ir embora com a mãe, Savita e Pran.

2.5

MAAN, por outro lado, não sentiu nenhuma pena de seu rival covarde. Deu alguns passos à frente, fez uma leve reverência à esquerda e à direita, e com uma respeitosa saudação à cantora sentou-se no lugar de Hashim. Saeeda Bai, feliz por ter conseguido como fonte de inspiração para o resto da noite um voluntário atraente, ainda que menos jovem, sorriu para ele e disse:

— Jamais esqueça a constância, ó coração,
Pois o amor sem ela tem fraca fundação.

Ao que Maan replicou instantânea e vigorosamente:

— Onde quer que dagh tenha se sentado, lá ficará.
Outros podem abandonar sua reunião, mas ele não!

Os versos foram recebidos com risadas da plateia, mas Saeeda Bai resolveu ficar com a última palavra, respondendo ao moço com o poeta que ele próprio havia citado:

— *Dagh* está de novo lançando olhares sedutores.
Vai acabar tropeçando e caindo numa armadilha.

Diante dessa merecida resposta, o público prorrompeu em aplauso espontâneo. Maan estava tão encantado quanto os demais pelo fato de Saeeda Bai

Firozabadi tê-lo superado. Ela estava rindo tanto quanto o público, e também riram os músicos que a acompanhavam, o gordo tocador de tabla e seu magro parceiro do sarangi. Passado o momento, Saeeda Bai levantou a mão pedindo silêncio e disse:

— Espero que metade dos aplausos tenham sido dirigidos a esse meu jovem amigo espirituoso.

Maan respondeu com um ar jocosamente contrito:

— Ah, Saeeda *Begum*, eu tive a temeridade de desafiá-la... mas todos os meus planos foram em vão.

A plateia riu de novo, e Saeeda Bai Firozabadi premiou essa citação do poeta Mir com uma belíssima interpretação do respectivo gazal:

— Todos os meus planos foram vãos, nenhum remédio curou meu mal.
Foi uma doença do coração o que deu cabo de mim.

Vivi chorando a mocidade; a velhice fechou meus olhos.
Deitei-me insone na longa noite até a aurora, e o sono veio por fim.

Maan olhou para ela, enfeitiçado, extasiado e arrebatado. Qual seria a sensação de deitar-se insone nas longas noites até a aurora, com a voz dela junto ao ouvido?

— A nós, os indefesos, nos imputaram pensamentos e atos.
Fizeram o que quiseram e nos cobriram de calúnia por fim.

Neste mundo de trevas, passar em dor do dia para a noite,
e da noite para o dia, eis o único papel que toca a mim.

Por que vocês perguntam onde está a fé de Mir, o seu islã?
Ele assombra os templos da idolatria com o sinal dos brâmanes, enfim

A noite continuou com alternância de desafios e de música. Já estava muito tarde; de uma centena, o público se reduzira a uma dúzia. Mas Saeeda Bai agora encontrava-se tão mergulhada no fluxo das canções que os convidados restantes ficaram enfeitiçados. Mudando-se para a frente, eles tinham formado um grupo mais íntimo. Maan não sabia que sentido o retinha mais ali, se a audição ou a visão. De vez em quando Saeeda Bai fazia uma pausa nas canções e conversava com os fiéis sobreviventes. Ela dispensou os tocadores de sarangi e tambura. Finalmente acabou por dispensar o tocador de tabla, que mal conseguia manter os olhos abertos. A voz dela e o harmônio foram só o que restou, e forneciam suficiente encantamento. Era quase alvorecer quando ela própria bocejou e se ergueu.

Maan olhou para ela com olhos meio desejosos, meio risonhos.

— Vou mandar vir o carro — anunciou.

— Darei uma volta no jardim enquanto isso — disse a cantora. — Este é o mais belo momento da noite. Por favor, mande levar isso — ela indicou o harmônio — e as outras coisas para minha casa amanhã de manhã. Bom, então... — Ela dirigiu-se aos cinco ou seis ouvintes que restavam no pátio:

— Agora Mir se despede do templo de ídolos...
Nós nos veremos outra vez...

Maan completou o dístico:
— ... Se for a vontade divina.

Ele a olhou, esperando um gesto de reconhecimento, mas a cantora já havia se voltado em direção ao jardim.

Saeeda Bai Firozabadi, subitamente cansada de "tudo isso" (mas o que era "tudo isso"?), caminhou por alguns minutos pelo jardim de Prem Nivas. Ela tocou as folhas lustrosas de um pé de pomelo. O jasmim-coral já não floria, mas na escuridão uma flor de jacarandá se precipitou lá do alto. Saeeda Bai olhou para cima e sorriu consigo, um pouco tristonha. Tudo estava em silêncio: não se ouvia um vigia, nem mesmo um latido. Os versos favoritos de um poeta menor, Minai, lhe vieram à memória e, em vez de cantá-los, ela os recitou em voz alta:

— A reunião se dispersou; as mariposas
Despediram-se da luz das velas.
A hora da partida está no céu.
Marcando a noite, estrelas belas...

Tossiu um pouco — pois a noite havia esfriado de repente —, ajeitou o leve xale para mais perto e esperou que viessem escoltá-la até sua casa, também em Pasand Bagh, a poucos minutos de distância dali.

2.6

O DIA seguinte à apresentação de Saeeda Bai em Prem Nivas era domingo. O espírito alegre do Holi ainda estava no ar. Maan não conseguia tirá-la da mente.

Ele vagava por aí, deslumbrado. No início da tarde providenciou o envio do harmônio à casa dela e sentiu a tentação de entrar pessoalmente no carro. Mas aquele não era bem o momento de visitar Saeeda Bai — que, aliás, não lhe dera a menor indicação de que gostaria de revê-lo.

Maan não tinha nada para fazer — e esse era, em parte, seu problema. Em Benares havia algum trabalho para mantê-lo ocupado; em Brahmpur ele sempre se sentia desocupado, sem nenhuma tarefa específica. Entretanto, não se importava. Não gostava muito de ler, mas sim de andar por aí com os amigos. Talvez devesse visitar Firoz.

Mas então, lembrando-se dos gazais de Mast, tomou uma charrete e ordenou ao condutor que o levasse ao Barsaat Mahal. Havia muitos anos que não passeava ali, e naquele dia o monumento o atraía.

Passando pelos residenciais verdejantes da parte oriental de Brahmpur, a charrete chegou a Nabiganj, a rua comercial que marcava o fim da grandeza e o começo da aglomeração e da confusão. Para além daquele ponto se erguia a Cidade Velha de Brahmpur, e quase no extremo oeste, às margens do próprio Ganges, situava-se a lindíssima estrutura de mármore do Baarsat Mahal com seu belo entorno.

Nabiganj era uma rua comercial elegante, onde à noite a classe abastada de Brahmpur podia ser vista passeando de um lado para outro. Naquele momento, no calor da tarde, não havia muitos passantes, apenas alguns carros, charretes e bicicletas. As placas da rua eram pintadas em inglês, assim como as placas com os preços. Livrarias como a Imperial Book Depot, lojas de departamentos como a Dowling & Snapp (agora sob a direção de indianos), excelentes alfaiatarias como a Magourian's, na qual Firoz mandava fazer todas as suas roupas (de ternos até *achkans*), a sapataria Praha, uma joalheria elegante, restaurantes e cafés como o Red Fox, Chez Yasmeen e o Blue Danube, e dois cinemas — Manorma Talkies (que exibia filmes em híndi) e o Rialto (mais propenso a Hollywood e Ealing Studios): cada um desses lugares tinha desempenhado um papel de pequena ou de grande importância em algum dos romances de Maan. Mas hoje, enquanto a charrete trotava pela rua espaçosa, Maan não prestava atenção neles. Eles entraram numa rua mais estreita, e quase em seguida numa ainda mais estreita, e agora eles estavam num mundo diferente.

O espaço disponível era o estritamente necessário à passagem da charrete entre os carros de boi, os riquixás, as bicicletas e os pedestres amontoados na rua e nas calçadas, as quais eram partilhadas com barbeiros ocupados em seu ofício ao ar livre, cartomantes, frágeis tendinhas de venda de chá, barraquinhas de legumes, adestradores de macacos, limpadores de ouvidos, larápios, vacas à deriva, um policial sonolento perambulando num desbotado uniforme cáqui, homens encharcados de suor carregando nas costas fardos monumentais de cobre, hastes de aço, vidro ou aparas de papel enquanto passavam gritando "cuidado! cuidado!" em vozes que de alguma forma conseguiam furar a balbúrdia, lojas de artigos de latão e tecidos (os proprietários tentando com gritos e gestos convencer os compradores indecisos a entrarem), o pequeno pórtico de pedra lavrada da Tinny Tots School (com aulas ministradas em inglês) que se abria para o pátio do palacete remodelado de um aristocrata falido, e mendigos — jovens e velhos, agressivos e humildes, leprosos, aleijados ou cegos — que silenciosamente invadiam Nabiganj ao cair da noite, tentando evitar a polícia enquanto mendigavam nas filas formadas diante dos cinemas. Corvos crocitavam; garotinhos andrajosos corriam para todo lado realizando pequenas tarefas (um deles equilibrando seis copos de chá pequenos e sujos numa bandeja barata, enquanto se esgueirava por entre a multidão); macacos tagarelavam e saltitavam nos ramos de uma enorme figueira-sagrada de folhas tremulantes, tentando roubar clientes distraídos quando estes saíam do protegido quiosque de frutas; mulheres passavam em burcas anônimas ou sáris vistosos, acompanhadas ou não dos homens da família; universitários matavam o tempo ao lado de uma barraca de guloseimas e falavam alto a curtíssima distância, por puro hábito ou para serem ouvidos; cães sarnentos latiam agressivos e eram chutados; gatos esqueléticos miavam e eram apedrejados e moscas pousavam em toda parte: nas pilhas de lixo fétido em decomposição, nos doces descobertos do vendedor de doces, em cujas frigideiras côncavas cheias de manteiga chiavam na fritura deliciosos *jalebis*, no rosto das mulheres vestidas de sári, mas não no das vestidas de burca, e nas narinas do cavalo, enquanto este balançava a cabeça coberta pela viseira e tentava abrir caminho através da velha Brahmpur em direção ao Barsaat Mahal.

Os pensamentos de Maan foram subitamente interrompidos pela visão de Firoz parado numa barraca na calçada. Fazendo parar a charrete no mesmo instante, ele desceu do veículo.

— Firoz, você não morre tão cedo! Eu estava mesmo pensando em você.

Firoz explicou que estava andando por ali e tinha resolvido comprar uma bengala.

— Para você ou para seu pai?

— Para mim.

— Um homem que tem que comprar uma bengala aos 20 e poucos anos talvez não tenha uma vida tão longa assim — observou Maan.

Depois de se apoiar em vários ângulos em várias bengalas, Firoz escolheu uma, a qual comprou sem barganhar.

— E você, o que faz aqui? Está de visita a Tarbuz ka Bazaar?

— Não seja asqueroso — disse Maan jovialmente. Tarbuz ka Bazaar era a rua das cantoras e das prostitutas.

— Ah, mas eu me esqueci: por que você deveria se associar a simples melões, quando pode saborear os pêssegos de Samarcanda?

Maan franziu as sobrancelhas.

— Que outras notícias você tem de Saeeda Bai? — continuou Firoz, que havia desfrutado a noite anterior no fundo da plateia. Mesmo tendo ido embora à meia-noite, sentiu que, apesar do noivado, um romance estava novamente se iniciando na vida de Mann. Ele conhecia e entendia o amigo mais do que qualquer outra pessoa.

— O que você espera? — perguntou Maan, um pouco acabrunhado. — As coisas vão acontecer do jeito que tiver que ser. Ela não me permitiu sequer acompanhá-la de volta a casa.

Firoz, que raramente tinha visto o amigo deprimido, estranhou o jeito dele.

— Então, para onde você está indo? — perguntou a ele.

— Ao Baarsat Mahal.

— Para acabar de vez com tudo? — perguntou Firoz carinhosamente. O parapeito do Barsaat Mahal dava para o Ganges e todo ano era palco de alguns suicídios românticos.

— Sim, para terminar de vez com tudo — respondeu Maan impaciente. — Agora me diga, que conselho você me dá?

O outro riu.

— Repita isso, eu não posso acreditar! Maan Kapoor, o galã de Brahmpur, a cujos pés mulheres jovens de boas famílias, sem fazer caso da própria reputação, correm a se atirar como abelhas sobre a flor de lótus, procura o conselho do inflexível e virtuoso Firoz sobre como agir num assunto do coração. Você não está me pedindo orientação jurídica, está?

— Se você vai agir assim... — começou Maan, irritado. De repente um pensamento lhe ocorreu. — Firoz, por que Saeeda Bai é chamada de Firozabadi? Pensei que ela fosse dessa região.

— De fato o povo dela vem de Firozabad — retrucou Firoz. — Mas isso é coisa do passado. Na verdade, Mohsina Bai, a mãe dela, estabeleceu-se em Tarbuz ka Bazaar, e Saeeda Bai foi criada nessa parte da cidade. — Ele apontou com a bengala a rua de péssima reputação. — Mas naturalmente a própria Saeeda Bai, agora que fez sucesso e está morando em Pasand Bagh, respirando o mesmo ar que nós dois respiramos, não gosta de ouvir falar de suas origens.

Maan considerou a questão por momentos.

— Como você sabe tanto sobre ela? — perguntou, intrigado.

— Ah, sei lá — respondeu Firoz, espantando uma mosca com a mão. — Esse tipo de informação circula por aí no ar. — Ignorando o olhar espantado de Maan, ele prosseguiu: — Mas eu preciso ir embora. Meu pai quer que eu conheça um sujeito chato que está vindo tomar chá conosco. — Firoz subiu de um salto à charrete de Maan.— Está muito movimentado para andar de charrete na Cidade Velha; você estará melhor se for a pé — disse ele ao amigo e foi embora.

Maan perambulou por ali, ruminando, mas não por muito tempo, o que Firoz havia contado. Cantarolou um trecho do gazal que lhe ficara incrustado na mente, parou para comprar um *paan* (ele o preferia com especiarias, com as folhas verdes escuras do *desi paan* em vez do tipo mais pálido de Benares), abriu caminho a muito custo para atravessar a rua em meio a uma multidão de bicicletas, riquixás, carrinhos de mão, homens e vacas, e acabou parando em Misri Mandi, ao lado de uma pequena barraca de legumes, perto do lugar onde morava sua irmã Veena.

Sentindo-se culpado por estar dormindo quando ela viera a Prem Nivas na tarde anterior, Maan resolveu impulsivamente ir visitá-la — e a seu cunhado Kedarnath e o sobrinho Bhaskar. Maan gostava muito do menino e costumava dar a ele problemas de aritmética para solucionar, da mesma forma que um adestrador lança uma bola a uma foca.

Quando entrou na área residencial de Misri Mandi, as vielas foram ficando mais estreitas e mais frescas, e até mais silenciosas, embora ainda houvesse bastante gente circulando de um lugar para outro enquanto alguns rapazes jogavam xadrez, sentados na mureta ao lado do Templo de Radhakrishna. Nas paredes, ainda era possível ver as manchas coloridas do Holi. A faixa de sol que brilhava acima da cabeça de Mann era agora mais tênue e pouco opressiva, e havia menos moscas. Depois de entrar num beco ainda mais estreito, de quase um metro de largura, e se desviar de uma vaca que estava urinando, ele chegou à casa da irmã.

Era uma casa muito estreita: três andares e uma laje de cobertura, com cerca de um quarto e meio em cada andar e uma grade central na direção da escada que deixava passar a luz do dia. Maan entrou pela porta destrancada e viu a velha Sra. Tandon, a sogra de Veena, fazendo comida numa frigideira. A velha Sra. Tandon não aprovava o gosto musical da nora, e foi por sua causa que, na noite anterior, a família se viu obrigada a voltar sem ouvir Saeeda Bai. Ela sempre dava calafrios a Maan; e assim, depois de cumprimentá-la superficialmente, ele subiu as escadas e logo encontrou Veena e Kedarnath no terraço, jogando *chaupar* à sombra de uma treliça e visivelmente envolvidos numa discussão.

2.7

VEENA era alguns anos mais velha que Maan e tinha puxado à mãe em termos de forma física — era baixinha e um pouco rechonchuda. Quando

Maan apareceu no terraço, ela havia acabado de levantar a voz, e seu rosto rotundo e cordial tinha uma expressão carrancuda. Porém, ao avistar o irmão, abriu o sorriso. Depois se lembrou de uma coisa e voltou a amarrar a cara.

— Então você veio pedir desculpas. Muito bem! Já veio tarde. Ontem nós todos ficamos muito aborrecidos com você. Que irmão é esse, que sabe que iremos visitá-lo em Prem Nivas e fica dormindo horas e horas?

— Mas eu achei que vocês iam ficar para o recital...

— Sim, é claro — disse Veena balançando a cabeça. — Tenho certeza de que você pensou em tudo isso quando caiu no sono. Não teve nada a ver com *bhang*, por exemplo. E você esqueceu por completo que nós tínhamos que levar a mãe de Kedarnath para casa antes que a música começasse. Pelo menos Pran chegou cedo e nos encontrou em Prem Nivas, com Savita e a sogra dele e Lata...

— Ah, o Pran, Pran, Pran... Ele é sempre o herói e eu sou sempre o vilão — retrucou Maan, exasperado.

— Isso não é verdade, não faça drama — disse Veena, lembrando Maan criança, munido de estilingue, tentando atirar em pombos no jardim e se proclamando um arqueiro do *Mahabharata*. — A questão é que você não tem o menor senso de responsabilidade.

— A propósito, o que vocês estavam discutindo quando eu vinha subindo as escadas? E onde está Bhaskar? — perguntou ele, pensando nos recentes comentários do pai e tentando mudar de assunto.

— Está lá fora com os amigos soltando pipa. Pois é, ele também ficou aborrecido. Quis até ir acordá-lo. Você vai ter que jantar conosco hoje para compensar.

— Ah... Ahn... — Maan parecia indeciso, imaginando se não poderia se arriscar a fazer uma visita à casa de Saeeda Bai naquela noite. Ele tossiu. — Mas por que vocês estavam discutindo?

— Nós não estávamos discutindo — respondeu o gentil Kedarnath, sorrindo para o cunhado. Tinha 30 e poucos anos, mas seus cabelos estavam ficando grisalhos. Um otimista preocupado, ele, ao contrário de Maan, tinha forte senso de suas responsabilidades e envelhecera prematuramente por causa da dificuldade de começar do zero em Brahmpur depois da Partição Quando não estava na estrada, recrutando clientes em alguma localidade do sul da Índia, ele trabalhava até altas horas em sua loja em Misri Mandi. Ali os negócios se realizavam à noite, quando intermediários como ele compravam dos sapateiros cestos e mais cestos de sapatos. Suas tardes, no entanto, eram bastante livres.

— Não, nós não estamos discutindo, só estamos debatendo sobre o *chaupar*, é só isso — disse Veena apressada, jogando mais uma vez as pequenas conchas, contando seus pontos e fazendo avançar as fichas pelo tabuleiro de pano em forma de cruz.

— Sim, sim, com certeza — disse Maan.

Sentou-se no tapete e olhou em torno, detendo-se nos vasos cheios de plantas e folhagens, contribuição da Sra. Mahesh Kapoor para o jardim do terraço da filha.

Os sáris de Veena estavam pendurados para secar em um dos lados do terraço, e por todo o lugar havia manchas alegres dos pigmentos coloridos do Holi. Para além do terraço havia uma mistura de telhados, minaretes, torres e topos de templos que se estendia até a estação ferroviária na "Nova" Brahmpur. No céu sem nuvens, perseguiam-se algumas pipas de papel rosa, verde e amarelo, as cores do festival.

— Você aceita uma bebida? — perguntou Veena depressa. — Vou buscar *sherbet*, ou você prefere chá? Pena que não temos *thandai* — acrescentou sem motivo aparente.

— Não, muito obrigado... mas você pode responder à minha pergunta. Sobre o que era o debate? — indagou Maan. — Deixe-me adivinhar. Kedarnath quer ter uma segunda esposa e naturalmente deseja seu consentimento.

— Não seja bobo — disse Veena, rispidamente. — Eu quero um segundo filho e naturalmente desejo o consentimento dele. Oh! — exclamou, percebendo a indiscrição cometida e olhando para o marido. — Não tive intenção de... Ora, afinal ele é meu irmão... Com certeza podemos pedir seu conselho.

— Mas você não quer o conselho de minha mãe neste assunto, não é? — retrucou Kedarnath.

— Agora já é tarde demais — disse Maan, afável. — Para que você quer ter mais um filho? Bhaskar já não basta?

— Nós não podemos arcar com um segundo filho — disse Kedarnath com os olhos fechados, um hábito que Veena ainda achava irritante. — Pelo menos não neste momento. Meus negócios estão... Bom, você sabe como estão. E agora há a possibilidade de uma greve de sapateiros. — Ele abriu os olhos. — Bhaskar é tão inteligente que queremos mandá-lo para as melhores escolas. Isso não sai barato.

— Sim, queríamos que ele fosse idiota, mas infelizmente...

— Veena está sendo espirituosa como sempre — disse o marido. — Dois dias antes do Holi ela me lembrou de que estava difícil fechar as contas com o aluguel, o aumento de preços dos mantimentos e tudo mais. E o custo das aulas de música que ela está tendo, e os remédios de minha mãe, e os livros especiais de matemática para Bhaskar e meus cigarros. Depois disse que tínhamos de contar as rupias. Agora está me dizendo que nós deveríamos ter outro filho, porque cada grão de arroz que ele vai comer já foi marcado com o nome dele. Ah, a lógica das mulheres! Ela nasceu numa família que tinha três filhos, então acha que ter três filhos é uma lei da natureza. Você pode imaginar como iremos sobreviver, se todos eles forem tão inteligentes quanto Bhaskar?

Kedarnath, que normalmente era bastante manipulado pela esposa, estava resistindo bravamente.

— Pela regra, só o primeiro filho é inteligente — disse Veena. — Eu garanto que meus dois próximos filhos serão tão idiotas quanto Pran e Maan. — Ela pegou seu trabalho de costura.

Kedarnath sorriu, recolheu na palma da mão marcada de cicatrizes as conchas de cauri mosqueadas e lançou-as sobre o tabuleiro. Normalmente ele era um homem muito gentil e teria dado plena atenção a Maan, mas o *chaupar* era o *chaupar*, e depois que o jogo começava era quase impossível interrompê-lo. Era ainda mais viciante que o xadrez. Em Misri Mandi, o jantar esfriava, os convidados se retiravam, os credores tinham ataques, mas os jogadores de *chaupar* pleiteavam mais uma rodada. Certa vez, a velha Sra. Tandon pegou o tabuleiro de pano e as conchas pecaminosas e as lançou dentro de um poço abandonado de uma rua adjacente, mas, apesar das finanças da família, outro tabuleiro foi comprado, e o casal ocioso agora jogava no terraço, embora ali fizesse mais calor. Dessa forma eles evitavam a mãe de Kedarnath, cujos problemas de estômago e a artrite dificultavam que subisse as escadas. Em Lahore, por causa da geografia horizontal da casa e também por exercer o papel de confiante matriarca de uma família abastada e reunida, ela havia exercido um controle rígido e até tirânico. Com o trauma da Partição, seu mundo se desmoronara.

A conversa deles foi interrompida por um grito de indignação vindo de um telhado vizinho. Uma mulher de meia-idade, volumosa e vestida num sári de algodão vermelho, gritava de seu terraço para um adversário invisível lá embaixo:

— Eles querem sugar meu sangue, é evidente! Eu nem posso me deitar nem me sentar em paz em lugar nenhum. O barulho desse bate-bola está me deixando louca... É claro que o que acontece no terraço pode ser ouvido no andar de baixo. Seus malditos *kahars*, seus inúteis lavadores de pratos, vocês não conseguem controlar seus filhos?

Notando a presença de Veena e o marido no terraço deles, ela se encaminhou à ligação entre os telhados, pulando sobre um vão baixo na parede oposta. Sua voz penetrante, os dentes desalinhados e os seios enormes, caídos e esparramados causaram forte impressão em Maan.

Depois que Veena os apresentou, a mulher disse, com um sorriso agressivo:
— Ah, então esse é o rapaz que não está se casando.
— É ele, sim — admitiu Veena. Não quis tentar o destino mencionando o noivado de Maan com a moça de Benares.
— Mas você não me disse que iria apresentá-lo àquela moça... Qual era mesmo nome dela? Aquela que veio de Allahabad para visitar o irmão?
— É impressionante como são certas pessoas. Você escreve "A" e elas leem "Z" — disse Mann.
— Ora, é muito natural — disse a mulher, de um jeito predador. — Um homem jovem, uma mulher jovem...
— Ela era muito bonita — disse Veena. — Tinha os olhos de uma gazela.
— Mas não tinha o nariz do irmão... Por sorte! — acrescentou a mulher.
— Não, era muito mais bonito. E tinha até um leve tremor, justamente como o de uma gazela.

Desistindo do jogo de *chaupar*, Kedarnath levantou-se e desceu as escadas. Não conseguia suportar visitas dessa vizinha excessivamente amigável. Desde que o marido dela havia mandado instalar um aparelho telefônico na casa deles, ela tinha se tornado ainda mais autoconfiante e estridente.

— Como devo chamar a senhora? — perguntou Mann à mulher.
— *Bhabhi*. Apenas *bhabhi* — disse Veena.
— Então... o que você achou dela? — perguntou a vizinha.

— Legal — disse Maan.

— Legal? — disse a mulher, agarrando-se à palavra com deleite.

— Quer dizer, é legal poder chamá-la de *bhabhi*.

— Ele é muito esperto — disse Veena.

— Pois eu também sou — afirmou a vizinha. — Você deve vir aqui, conhecer gente, mulheres amáveis — recomendou ela a Maan. — Que graça tem viver nos povoados? Quer dizer, quando visito Pasand Bagh ou Civil Lines, meu cérebro fica morto por umas quatro horas. Quando volto para a viela de nosso bairro, ele começa a zumbir de novo. Aqui as pessoas se importam umas com as outras; se alguém cair doente, o bairro inteiro vai perguntar por ele. Mas talvez seja difícil lhe arranjar alguém. Você deveria conseguir uma garota mais alta que a média...

— Não estou preocupado com isso — disse Maan, rindo. — Uma baixinha também serve.

— Então você não se importa que ela seja alta ou baixa, escura ou clara, magra ou gorda, feia ou bonita?

— É de novo o "Z" em lugar do "A" — disse Maan, olhando na direção do telhado dela. — A propósito, gosto de seu método de secar blusas.

A mulher deu uma risada curta, um grasnido que podia ter sido autodepreciativo se não fosse tão alto. Ela olhou para o arranjo de fios de aço, como um cabideiro, no alto de sua caixa-d'água.

— Não há nenhum outro lugar no meu terraço — explicou ela. — Aqui é possível colocar varais em todo o terraço... Querem saber? Casamento é uma coisa estranha — continuou a mulher, saindo pela tangente. — Eu li no *Star-Gazer* que uma moça de Madras, bem-casada e mãe de dois filhos, viu *Hulchul* cinco vezes, cinco vezes!, e ficou totalmente apaixonada por Daleep Kumar, a ponto de perder a cabeça. Foi até Bombaim, obviamente sem saber o que estava fazendo, porque nem mesmo tinha o endereço dele. Então descobriu-o com a ajuda de uma dessas revistas de fãs de cinema, pegou um táxi para a casa dele e o confrontou com todo tipo de comentários malucos e obcecados. Ele acabou por dar a ela 100 rupias para ajudá-la a ir para casa e a despachou. Mas ela retornou.

— Daleep Kumar! — exclamou Veena, franzindo a testa. — Não o considero grande coisa como ator. Acho que ele deve ter inventado isso tudo para ter publicidade.

— Ah, mas não foi mesmo! Você o viu em *Deedar*? Ele está sensacional! o *Star-Gazer* diz que ele é ótima pessoa, que nunca iria atrás de publicidade. Você precisa avisar ao Kedarnath para ter cuidado com essas mulheres de Madras, ele passa muito tempo por lá, e elas são agressivas... Ouvi dizer que elas nem lavam os sáris com delicadeza, mas batendo como lavadeiras, embaixo da bica... Ai, meu leite! — gritou a mulher subitamente alarmada. — Tenho que correr... Espero que não tenha derr... Meu marido...

E precipitou-se de um telhado ao outro como um grande fantasma vermelho.

Maan caiu na gargalhada.

— Agora eu também vou embora. Já desfrutei bastante a vida fora dos povoados: meu cérebro está zumbindo demais.

— Você não pode ir embora, mal acabou de chegar — disse Veena, severa e carinhosa. — Ouvi dizer que você brincou no festival das cores a manhã inteira, com Pran e o professor dele, e Savita e Lata; portanto, poderá com certeza passar a tarde conosco. E Bhaskar vai ficar irritado se tornar a não encontrá-lo. Você devia tê-lo visto ontem. Parecia um diabinho.

— Ele vai estar na loja hoje à noite? — perguntou Maan, tossindo um pouco.

— Ah, imagino que sim. Estará lá pensando nos padrões das caixas de sapatos. Garoto estranho! — disse Veena.

— Então virei visitá-lo no caminho de volta.

— No caminho de volta de onde? — perguntou Veena. — E não vai vir para o jantar?

— Eu vou tentar, prometo.

— Está com algum problema de garganta? — perguntou Veena. — Você ficou acordado até tarde, não foi? Até que horas, eu me pergunto? Ou foi só porque ficou encharcado no Holi? Vou lhe dar um *jushanda* para você melhorar.

— Aquela coisa repulsiva, não! Beba você mesma para se prevenir! — exclamou Maan.

— Então, como foi o recital? E a cantora? — perguntou Veena.

Maan deu de ombros com tanta indiferença que a irmã ficou preocupada.

— Maan, tenha cuidado — advertiu-o.

Ele conhecia a irmã bem demais para tentar protestar inocência. Além disso, ela em breve ouviria falar de seu flerte público.

— Não é ela que você está indo visitar? — perguntou Veena, incisiva.

— Não, Deus me livre.

— Sim, que Deus o livre. Então onde está indo?

— Ao Baarsat Mahal — disse Maan. — Venha comigo! Você se recorda de que, quando éramos crianças, sempre íamos lá fazer piquenique? Venham comigo, vocês só estão jogando *chaupar*.

— Então é assim que você acha que eu preencho meus dias? Deixe-me dizer: eu trabalho quase tanto quanto *ammaji*. Isso me lembra de que ontem eu vi que eles cortaram o *neem*, aquela árvore em que você sempre subia para chegar à janela do primeiro andar. Isso deixou Prem Nivas diferente.

— É verdade, ela estava furiosa — disse Maan pensando na mãe. — O Departamento de Obras Públicas devia apenas ter podado os galhos para remover o poleiro dos abutres, mas eles contrataram um empreiteiro que cortou toda a madeira possível e deu sumiço nela. Mas você conhece *ammaji*. Tudo o que disse foi: "O que vocês fizeram foi realmente incorreto."

— Se *baoji* estivesse um pouco preocupado com essas questões, teria feito com o homem o que o homem fez com aquela árvore — comentou Veena. — Essa parte da cidade já tem tão pouco verde que a gente precisa realmente aprender a valorizá-lo quando o encontra. Quando minha amiga Priya chegou para o casamento de Pran, o jardim estava tão bonito que ela me disse: "Eu me sinto como se tivessem me tirado da jaula." A pobrezinha não tem sequer um jardim no terraço. Eles quase não a deixam sair de casa. As noras naquela casa entram de liteira nupcial e só saem no caixão do enterro. — Veena olhou soturna por cima dos telhados, na direção da casa da amiga no bairro vizinho. Um pensamento lhe ocorreu. — Ontem à noite *baoji* andou falando com alguém sobre o trabalho de Pran na universidade? O governador, em sua condição de reitor da universidade, não tem nada a ver com essas indicações?

— Se ele falou, eu não ouvi — disse Maan.

— Humm — murmurou Veena, não muito contente. — Se eu bem conheço *baoji*, ele provavelmente pensou no assunto e depois o colocou de lado, como se tratar dele fosse indigno de sua pessoa. Mesmo nós fomos obrigados a esperar a vez na fila para receber aquela deplorável indenização pela perda de nosso negócio em Lahore. E isso tudo quando *ammaji* estava trabalhando dia e noite nos campos de refugiados. Às vezes eu acho que ele não se importa com nada que não seja política. Priya disse que o pai dela é igualzinho. Pois bem, às oito da noite, então. Vou fazer sua *alu paratha* favorita.

— Você pode mandar no Kedarnath, mas não em mim — disse Maan com um sorriso.

— Tudo bem, então vá embora! — disse Veena, com um gesto de cabeça contrariado. — Pela frequência com que nos encontramos, parece que ainda estamos em Lahore. — Maan fez um ruído conciliatório, um estalido da língua seguido de um suspiro. — Com todas as viagens a negócios que o Kedarnath faz, eu às vezes sinto como se só tivesse metade de um marido e um oitavo de irmão. — lamentou Veena, enrolando o tabuleiro de *chaupar*. — Quando você vai voltar a Benares e ter um dia de trabalho honesto?

— Ah, sim, Benares — disse Maan com um sorriso, como se ela tivesse sugerido Saturno. Veena deixou as coisas do jeito que estavam.

2.8

QUANDO Maan chegou ao Barsaat Mahal já era fim de tarde, e os arredores não estavam apinhados de gente. Atravessou a entrada arqueada dos muros que delimitavam o local e passou pelas áreas externas, uma espécie de parque coberto, na maior parte, por grama ressequida e arbustos. Alguns antílopes pastavam sob um pé de *neem* e saltaram preguiçosamente para longe quando ele se aproximou.

A parede interna era mais baixa, o acesso arcado à entrada, menos imponente, mais delicado. Versículos do Corão em pedra negra e chamativas decorações geométricas em pedra colorida estavam incrustados na fachada de mármore. Como na parede externa, a interna corria ao longo de três lados de um retângulo. O quarto lado era comum a ambas: uma grande pendente que partia de uma plataforma de pedra — protegida apenas por uma balaustrada — e chegava às águas do rio Ganges lá embaixo.

Entre o portal interno e o rio se estendiam o famoso jardim e o pequeno, mas requintado palácio. O jardim em si era um triunfo de geometria e horticultura. As espécies que estavam plantadas ali agora — afora o jasmim e as rosas indianas de cor vermelha-escura e perfume intenso — provavelmente não eram as mesmas plantadas há mais de dois séculos. As poucas flores que restavam pareciam exaustas do calor do dia. Mas os gramados bem-cuidados e bem-irrigados, os frondosos pés de *neem* distribuídos em simetria pelo terreno e as estreitas faixas de arenito que separavam os canteiros e a relva em octógonos e quadrados ofereciam uma ilha de calma numa cidade conturbada e cheia de gente. O mais bonito de tudo era o pequeno palácio de prazeres dos nababos de Brahmpur, com sua forma perfeita, colocado no centro exato dos jardins, uma caixa de joias feita de mármore branco filigranado, cujo espírito se compunha de doses iguais de dissipação extravagante e comedimento arquitetônico.

Na época dos nababos, pavões costumavam passear pelos jardins, e suas vozes roucas competiam ocasionalmente com os divertimentos musicais planejados para aqueles soberanos acomodados e decadentes: uma apresentação de dançarinas, uma récita mais séria de um *khyaal*, feita por um músico da corte, uma competição de poesia, um novo gazal do poeta Mast.

Pensar em Mast trouxe de volta à mente de Maan a maravilha da noite anterior. Os versos puros do gazal, as linhas suaves do rosto de Saeeda Bai, suas brincadeiras, que agora lhe pareciam animadas e ternas, a forma como ela puxava o sári por cima da cabeça quando este ameaçava escorregar, as atenções especiais dedicadas a ele, tudo isso lhe voltava à memória enquanto ele caminhava de um lado para outro junto ao parapeito, com a mente muito distante de um suicídio apaixonado. A brisa do rio era agradável, e Maan começou a se animar com os acontecimentos. Ele estivera imaginando se deveria dar passar pela casa de Saeeda Bai naquela noite, e de repente se encheu de otimismo.

O imenso céu vermelho cobria o lustroso Ganges como uma tigela em chamas. No lado oposto se estendiam as areias infindáveis.

Enquanto olhava para o rio, ele se lembrou de uma observação que tinha ouvido da mãe de sua noiva. Mulher religiosa, ela estava convencida de que no festival de Ganga Dussehra o rio começaria, obediente, a subir de novo e cobriria, naquele dia específico, um dos degraus das escadarias dispostas ao longo de sua cidade natal, Benares. Maan começou a pensar na noiva e na família dela e acabou ficando deprimido com esse noivado, como normalmente acontecia cada vez que pensava no assunto. Seu pai fizera os arranjos, conforme tinha ameaçado; Maan se conformara, adotando o caminho que lhe oferecia a menor resistência; e agora era um tenebroso fato da vida. Mais cedo ou mais tarde seria obrigado a se casar com a moça. Não tinha afeição a ela — mal haviam se encontrado, e ainda assim na companhia das famílias — e pensar nela realmente não lhe agradava. Ficava muito mais feliz ao pensar em Samia, que agora estava no Paquistão com a família, mas que queria voltar para Brahmpur só para visitá-lo; ou em Sarla, a filha do ex-inspetor geral de polícia; ou em alguma de suas antigas paixões. No coração de Maan uma paixão posterior, por mais ardente que fosse, não conseguia extinguir as mais antigas. Ele continuava a sentir súbitas pulsações de calor e afeição ante o pensamento de quase todas elas.

2.9

JÁ havia escurecido quando, novamente inseguro sobre se deveria tentar a sorte à porta de Saeeda Bai ou não, Maan caminhou de volta para a tumultuada cidade. Em questão de minutos tinha chegado a Misri Mandi. Era domingo, porém ali não era dia de folga. O mercado de sapatos estava cheio de movimento, luzes e barulhos: a loja de Kedarnath Tandon estava aberta, como todas as outras lojas da mesma galeria — conhecida como o Brahmpur Shoe Mart —, localizada ao lado da rua principal. Os chamados "vendedores da cesta" corriam apressados de loja em loja com cestas equilibradas na cabeça, oferecendo os artigos aos atacadistas — sapatos que eles e suas famílias tinham confeccionado e que teriam de vender para comprar comida, além de couro e outros materiais para trabalhar no dia seguinte. Esses sapateiros, em sua maioria membros da casta "intocável" dos jatavs ou de alguns muçulmanos de casta baixa, a maioria dos quais tinha permanecido em Brahmpur depois da Partição, eram esqueléticos e se vestiam modestamente, e muitos pareciam desesperados. As lojas ficavam situadas um metro acima do nível da rua, permitindo que eles colocassem os cestos na beira do piso coberto com um pano para que as mercadorias fossem examinadas pelo comprador potencial. Kedarnath, por exemplo, podia tirar um par de sapatos de um cesto submetido à sua inspeção. Se ele rejeitasse o cesto, o vendedor era obrigado a correr para o atacadista seguinte — ou para algum em outra galeria. Ou Kedarnath poderia oferecer um preço mais baixo, que o sapateiro poderia aceitar ou não. Ou Kedarnath poderia poupar sua verba oferecendo ao sapateiro menos dinheiro, mas completando o restante com uma nota de crédito ou um vale, ambos aceitos por agentes de crédito ou por vendedores de matérias-primas. Mesmo depois de vendidos os sapatos, era preciso comprar o material para o dia seguinte, e os "vendedores da cesta" virtualmente acabavam forçados a encontrar comprador não muito tarde, ainda que fechem negócio em termos desfavoráveis.

Maan não entendia o sistema, cujo volumoso rendimento dependia de uma rede eficiente de crédito na qual os vales eram tudo e os bancos quase não participavam. Não que ele quisesse entender o sistema — o negócio de têxteis em Benares dependia de estruturas financeiras diferentes. Passara por ali apenas para uma conversa casual, uma xícara de chá e uma chance de encontrar o sobrinho. Vestido como o pai, de calças largas e túnica, Bhaskar estava sentado descalço em cima do pano branco estendido sobre o piso da loja. De vez em quando, o pai se voltava para ele e pedia que calculasse alguma coisa, às vezes para mantê-lo entretido, outras porque o garoto podia de fato prestar ajuda. Ele achava a loja muito estimulante — havia o prazer de calcular as taxas de descontos ou as tarifas de frete para pedidos de longa distância, e os instigantes padrões geométricos e aritméticos das caixas de sapatos empilhadas. Para ficar com o pai, ele retardava ao máximo a hora de se recolher, e Veena às vezes era obrigada a chamá-lo mais de uma vez para que ele voltasse para casa.

— Como está esse sapinho? — perguntou Maan, apertando o nariz de Bhaskar. — Está acordado? Está muito limpinho hoje.

— Você precisava tê-lo visto ontem de manhã — respondeu o pai. — Só dava para distinguir os olhos.

O rosto do menino se iluminou.

— O que você trouxe para mim? — perguntou ele ao tio. — Era você quem estava dormindo ontem. Vai ter que me pagar uma multa.

— Filho... — começou o pai, em tom de reprovação.

— Que nada! — disse Maan com ar sério. Ele soltou o nariz de Bhaskar e tapou a boca do sobrinho com a mão. — Mas me diga... o que você quer? Rápido!

O menino franziu a testa, pensativo.

Dois homens passaram por eles, falando sobre a iminente greve dos "vendedores da cesta". O rádio tocava alto. Um policial gritou. O mensageiro da loja entrou com dois copos de chá trazidos do mercado, e Maan, depois de soprar o líquido por um minuto, começou a beber.

— Está tudo bem? — perguntou ele a Kedarnath. — Hoje à tarde nós não tivemos chance de conversar.

O cunhado deu de ombros, depois assentiu com a cabeça.

— Está tudo bem. Mas você parece preocupado.

— Preocupado? Eu? Ah, não mesmo — protestou Maan. — Mas que conversa é essa que estou ouvindo sobre uma ameaça de greve dos "vendedores da cesta"?

— Bom... — disse Kedarnath. Ele não podia imaginar a confusão que a greve poderia causar e não queria falar do assunto. Passou a mão entre os cabelos grisalhos num gesto desconcertado e fechou os olhos.

— Ainda estou pensando — alertou Bhaskar.

— É um bom costume — disse Maan. — Bom, na próxima vez me diga o que decidiu ou me mande um postal.

— Tudo bem — disse o menino com um sorriso desanimado.

— Agora, até logo.

— Até logo, Maan Maaman... Ah, você sabia que, se tiver um triângulo como esse, desenhar quadrados nas laterais desse jeito — gesticulava Bhaskar — e depois somar esses dois quadrados, você obtém aquele quadrado ali? Não falha nunca — acrescentou.

— Sim, eu sei disso. — Sapinho presunçoso, pensou Maan.

O sobrinho pareceu decepcionado, mas depois se animou.

— Quer que eu lhe diga por quê?

— Hoje não, porque eu preciso ir embora. Quer que eu lhe deixe um problema aritmético de despedida?

O garoto sentiu a tentação de dizer "hoje não", mas mudou de ideia.

— Quero sim.

— Quantos são 256 x 512? — perguntou Maan, que tinha preparado o problema com antecedência.

— Essa é fácil demais, me dá outra.

— Ora, qual é a resposta, então?

— Um *lakh*, trinta e um mil e setenta e dois.

— Hmm. Quanto é 400 x 400?

Bhaskar lhe deu as costas, ofendido.

— Tudo bem, tudo bem — continuou Maan. — Quantos são 798 x 987?

— Sete *lakhs*, setenta e oito mil, setecentos e quarenta e três — disse o garoto, após um intervalo de segundos.

— Vou acreditar em você — disse Maan. De repente havia lhe ocorrido que talvez não devesse arriscar a sorte com Saeeda Bai, que era tão notoriamente temperamental.

— Você não vai conferir? — perguntou Bhaskar.

— Não, gênio, eu preciso ir embora.

Bagunçou o cabelo do sobrinho, fez um aceno de cabeça ao cunhado e saiu para a rua principal de Misri Mandi. Ali fez parar uma charrete para voltar a casa.

No meio do caminho mudou novamente seus planos e foi direto para a casa de Saeeda Bai.

O vigia de turbante cáqui postado na entrada o avaliou por um momento e lhe disse que Saeeda Bai não estava. Maan pensou em mandar um bilhete a ela, mas se defrontou com um problema. Em que língua deveria escrevê-lo? Saeeda Bai certamente não saberia ler em inglês, talvez não fosse capaz de ler em híndi, e Maan não sabia escrever em urdu. Dando ao homem uma rupia, ele disse:

— Por favor, informe a ela que eu vim cumprimentá-la.

O guarda levantou a mão direita para o turbante numa saudação e perguntou:

— E o nome do *sahib*?

Maan estava a ponto de dizer seu nome quando teve uma ideia melhor.

— Diga a ela que eu sou aquele que vive no amor — respondeu. Isso era um trocadilho horrível com o nome de Prem Nivas.

O guarda assentiu, impassível.

Maan examinou a casinha cor-de-rosa de dois andares. Lá dentro algumas luzes estavam acesas, mas talvez aquilo não significasse nada. De coração apertado e com uma sensação de profunda frustração, ele se voltou e tomou o rumo de casa. Mas em seguida decidiu fazer o que normalmente fazia quando se sentia deprimido ou entediado — buscou a companhia dos amigos. Disse ao condutor que o levasse à casa do nababo *sahib* de Baitar. Quando descobriu que Firoz e Imtiaz ficariam fora de casa até tarde da noite, resolveu fazer uma visita a Pran. Este não tinha gostado nada do banho de imersão da baleia, e Maan sentiu-se na obrigação de acalmá-lo. O irmão lhe parecia um sujeito decente, porém morno e pouco expansivo em sua afeição. Maan pensou jovialmente que Pran não tinha o temperamento exigido para se sentir tão apaixonado e infeliz quanto ele se sentia.

2.10

VOLTANDO posteriormente a Baitar House, mansão tristemente malcuidada, Maan conversou até tarde com Firoz e Imtiaz, e depois ficou para dormir.

No dia seguinte, Imtiaz saiu muito cedo para atender a um chamado, bocejando e maldizendo a profissão que exerce.

Firoz tinha uma tarefa urgente a executar para um cliente. Encerrou-se na vasta biblioteca do pai, em uma pequena seção que lhe servia de escritório, e continuou fechado ali por algumas horas, até que emergiu assobiando, a tempo de tomar um desjejum atrasado.

Maan, que havia adiado o café da manhã até que o amigo pudesse tomá-lo com ele, ainda estava sentado no quarto de hóspedes, folheando o *Brahmpur Chronicle* e bocejando. Tinha uma leve ressaca.

Um velho criado da família do nababo *sahib* apareceu diante dele e, depois de fazer reverências e saudações, anunciou que o jovem *sahib* — o *chhoté sahib* — viria imediatamente para o café da manhã. Será que Maan *Sahib* poderia fazer a gentileza de descer? Tudo isso foi pronunciado em urdu majestoso e medido.

Maan fez que sim. Meio minuto depois notou que o velho serviçal ainda estava parado a curta distância e que o olhava com expectativa. Maan lhe dirigiu um olhar interrogador.

— Mais alguma ordem? — perguntou o criado, que parecia ter, segundo Maan reparou, no mínimo 70 anos, mas que se conservava ágil. Para subir e descer diversas vezes ao dia as escadas da casa do nababo *sahib* era preciso estar em boa forma física, pensou Maan. O rapaz estranhava que nunca o tivesse visto.

— Não, o senhor pode ir. Descerei em seguida.

Então, enquanto o velho levava a mão à fronte, numa saudação educada, e se voltava para sair, Maan o deteve:

— Um momento...

O idoso se voltou e esperou para ouvir o que o hóspede teria a dizer.

— O senhor deve ter passado muitos anos a serviço do nababo *sahib* — disse Maan.

— Sim, *huzoor*, eu passei. Sou um velho servidor da família. A maior parte da vida eu trabalhei em Baitar Fort, mas agora que estou idoso ele quis me trazer para cá.

Maan sorriu ao ver que, mesmo inconscientemente e com orgulho sereno, o velho se referia a si mesmo com as próprias palavras que o hóspede tinha usado mentalmente para classificá-lo: "*purana khidmatgar*".

Ao ver que Maan permanecia em silêncio, o velho prosseguiu:

— Entrei para o serviço quando tinha uns 10 anos, eu acho. Vim da aldeia de nababo *sahib* em Raipur, no estado de Baitar. Naquela época eu ganhava 1 rupia por mês, e era mais que suficiente para minhas necessidades. Essa guerra, senhor, aumentou tanto os preços das coisas que com um bom salário muitas vezes o povo encontra dificuldade em se manter. E agora, com a Partição e todos os problemas que ela trouxe, e com o irmão do nababo *sahib* indo para o Paquistão e todas essas leis que ameaçam a propriedade... as coisas estão incertas, muito... — Ele fez uma pausa para buscar outra palavra, mas acabou meramente se repetindo — Muito incertas.

Maan sacudiu a cabeça na esperança de torná-la menos pesada e disse:

— Será que aqui tem aspirina?

O velho pareceu contente de poder ser útil.

— Sim, acredito que sim, *huzoor*. Vou buscar uma para o senhor.

— Ótimo! — disse Maan. — Mas não precisa ir buscá-la para mim — acrescentou, arrependido de obrigar o velho a fazer esforço. — Basta deixar dois comprimidos ao lado do meu prato para quando eu descer e tomar café. Ah, outra coisa: por que razão — prosseguiu, enquanto visualizava mentalmente os dois comprimidos ao lado do prato — Firoz é chamado *chhoté sahib*, se ele e Imtiaz nasceram ao mesmo tempo?

O velho olhou pela janela o frondoso pé de magnólia que tinha sido plantado poucos dias depois do nascimento dos gêmeos. Depois de tossir, explicou:

— *Chhoté sahib*, isto é, Firoz *Sahib*, nasceu sete minutos depois de *burré sahib*.

— Ah.

— É por isso que ele parece mais delicado, menos robusto que *burré sahib*.

Maan estava calado, refletindo sobre essa teoria fisiológica.

— Ele tem os traços delicados da mãe — disse o velho, depois parou como se tivesse transgredido algum limite de explanação.

Maan recordou que a *begum sahiba* — esposa do nababo *sahib* de Baitar e mãe da filha e dos dois filhos gêmeos dele — tinha adotado por toda a vida o costume rigoroso do *purdah*. Maan estranhou que um serviçal de sexo masculino pudesse ter sabido que aparência ela tivera, mas ao sentir o constrangimento do velho não perguntou mais nada. Possivelmente uma fotografia, ou muito mais provavelmente uma especulação entre os criados, pensou.

— Ou pelo menos é o que dizem — acrescentou o velho homem. Depois de uma pausa comentou: — Ela era uma mulher muito boa, que sua alma repouse em paz. Era bondosa para com todos nós. Tinha um caráter forte.

Maan ficou intrigado pelas incursões hesitantes, porém fervorosas, do idoso pela história da família à qual dedicara a vida. Mas agora, apesar da dor de cabeça, sentiu fome e concluiu que não era hora para se conversar. Portanto disse:

— Avise ao *chhoté sahib* que vou descer em... em sete minutos.

Se o velho ficou intrigado com a incomum noção de tempo do hóspede, não o demonstrou. Com uma inclinação de cabeça preparou-se para se retirar.

— Como eles chamam o senhor? — perguntou Maan.

— Ghulam Rusool, *huzoor* — respondeu o velho.

Maan assentiu, e o criado se retirou.

2.11

— VOCÊ dormiu bem? — perguntou Firoz, sorrindo para Maan.

— Muito bem. Mas você se levantou cedo.

— Não mais cedo que de costume. Eu gosto de adiantar bastante o serviço antes do café da manhã. Se eu não estivesse ocupado com um cliente, certamente estaria com meus relatórios. Tenho a impressão de que você nunca trabalha.

Maan olhou para os dois pequenos comprimidos depositados em seu pratinho, mas não disse nada.

— Bom, do ramo têxtil eu não entendo nada... — continuou Firoz.

Maan gemeu e perguntou:

— Esta conversa é séria?

— Claro que sim — respondeu Firoz, rindo. — Faz no mínimo duas horas que eu já estou acordado.

— Puxa, eu estou de ressaca — defendeu-se Maan. — Tenha dó.

— Eu tenho — retrucou Firoz, corando de leve. — Posso lhe garantir. — Olhou para o relógio da parede. — Mas estou sendo esperado no clube de equitação. Um dia, Maan, eu vou lhe ensinar a jogar polo, apesar de todos os seus protestos.

Firoz levantou-se e foi em direção ao corredor.

— Ah, isso sim! — disse Maan, animando-se. — Está mais compatível comigo.

Uma omelete foi trazida. Estava morna, pois tivera que atravessar a vasta distância entre as cozinhas e a sala de desjejum da mansão. Maan ficou olhando para ela por uns instantes, e depois, cauteloso, mordeu uma torrada sem manteiga. A fome tinha desaparecido novamente. Engoliu as aspirinas.

Enquanto isso, Firoz, que tinha chegado à porta da frente, notou que o secretário particular do pai, Murtaza Ali, estava discutindo com um rapaz na entrada. O jovem queria falar com o nababo *sahib*. O secretário, pouco mais velho que ele, estava tentando, de sua maneira solícita e desajeitada, impedir que ele o fizesse. O rapaz não estava muito bem-vestido — a túnica era de algodão branco tecido em casa —, mas falava um urdu culto, tanto em termos de pronúncia quanto de expressão. Ele insistia:

— Mas ele me disse que viesse nesse horário, e aqui estou.

A intensidade da expressão de suas feições afiladas levou Firoz a se deter.

— Algum problema? — perguntou.

Murtaza Ali se voltou e disse:

— *Chhoté sahib*, parece que esse homem quer falar com seu pai em relação a um trabalho na biblioteca. Diz ele que tem uma entrevista.

— Você sabe alguma coisa sobre isso? — indagou Firoz ao secretário.

— Desculpe, mas não sei, *chhoté sahib*.

O rapaz interveio:

— Vim de certa distância, e com alguma dificuldade. O nababo *sahib* recomendou expressamente que eu estivesse aqui às dez horas para falar com ele.

— Você tem certeza de que ele quis dizer hoje? — disse Firoz em tom amável.

— Sim, tenho toda certeza.

— Se meu pai tivesse dito que podia ser perturbado, teria deixado instruções — retrucou Firoz. — O problema é que quando está na biblioteca... Ele fica em outro mundo. Acho que, infelizmente, você vai ter que esperar até ele sair. Ou quem sabe poderia voltar mais tarde?

Uma forte emoção começou a se mostrar nos cantos da boca do moço. Necessitava obviamente do dinheiro que o trabalho traria, mas também era evidente que tinha orgulho.

— Não estou disposto a ficar assim, para cima e para baixo — disse ele em voz nítida, mas baixa.

Firoz ficou surpreso. A seu ver, essa afirmação categórica beirava a descortesia. O moço não tinha dito, por exemplo: "O *nawabzada* entende que é difícil para mim", nem alguma frase atenuante desse teor. Fora simplesmente: "Não estou disposto..."

— Você é quem sabe — disse Firoz, descontraído. — Agora, queira desculpar, mas eu preciso estar em outra parte, sem demora.

Ao entrar no carro, ia de testa levemente franzida.

2.12

NA noite anterior, quando Maan havia passado pela casa de Saeeda Bai, ela estava recebendo um cliente antigo, porém indelicado: o rajá de Marh, pequeno estado principesco de Madhya Pradesh. O potentado estava passando uns dias em Brahmpur, em parte para supervisionar a administração de umas terras que tinha na cidade, mas também para ajudar na construção de um novo templo a Shiva no terreno que possuía junto à mesquita Alamgiri, na parte velha da cidade. Conhecia aquela região desde o tempo em que estudara ali, vinte anos antes. Ele frequentara o estabelecimento de Mohsina Bai quando ela ainda vivia com a filha Saeeda na vergonhosa viela de Tarbuz ka Bazaar.

Durante toda a infância de Saeeda Bai, ela e a mãe tinham compartilhado o andar superior de uma casa com três outras cortesãs; a mais velha delas, pelo fato de ser a dona da residência, fora cafetina do lugar durante anos. A mãe de Saeeda Bai não gostava daquele esquema, e graças à crescente fama e atratividade da filha, conseguiu proclamar a independência das duas. Quando Saeeda Bai tinha uns 17 anos, ela chamou a atenção do marajá de um grande estado do Rajastão e, mais tarde, do rajá de Sitagarh; e daí em diante não houve do que se arrepender.

Com o passar do tempo, Saeeda Bai conseguiu comprar sua casa atual em Pasand Bagh, onde foi viver com a mãe e a irmã mais nova. As três mulheres, entre as quais havia respectivamente intervalos de 20 e 15 anos, eram todas atraentes, cada qual à sua maneira. Se a mãe tinha a força e o brilho do latão, Saeeda Bai possuía o esplendor manchado da prata, e a jovem e caridosa Tasneem, batizada com o nome de uma fonte do Paraíso, protegida pela mãe e pela irmã da profissão de suas ancestrais, contava com a vívida fugacidade do mercúrio.

Mohsina Bai morrera há dois anos. Sua morte foi um golpe terrível para a filha, que às vezes ainda visitava o cemitério e se deitava chorando sobre a lápide da mãe. Agora Saeeda Bai e Tasneem viviam sozinhas na casa de Pasand Bagh com duas criadas: uma arrumadeira e uma cozinheira. À noite, um calmo vigia guardava o portão. Naquela noite, porém, a cantora não contava receber visitas; estava sentada com o tocador de tabla e o tocador de sarangi, entretendo-se com fofocas e músicas.

Os instrumentistas que acompanhavam Saeeda Bai eram completamente diferentes. Ambos tinham 25 anos e eram músicos dedicados e habilidosos. Gostavam muito um do outro e estavam fortemente ligados a Saeeda Bai — por motivos econômicos e afetivos. Mas a semelhança só ia até aí. Ishaq Khan, que tocava as cordas do sarangi com tanta desenvoltura e harmonia, quase com abnegação, era um solteiro levemente irônico. Motu Chand, apelidado assim por ser rechonchudo, era um homem satisfeito e pai de quatro filhos. Lembrava um pouco um buldogue, com seus olhos grandes e a boca arfante, e era de uma apatia afável, exceto nos momentos em que tocava, frenético, a tabla.

Estavam discutindo um dos mais famosos cantores clássicos da Índia, *ustad* Majeed Khan, um homem notoriamente reservado que vivia na Cidade Velha, não muito distante de onde Saeeda Bai crescera.

— Mas o que não entendo, Saeeda *Begum* — disse Motu Chand grotescamente inclinado para trás por causa da barriga —, é que motivo ele tem para ser crítico em relação a nós, gente sem importância. Ele fica sentado com a cabeça acima das nuvens, como se fosse Shiva ou Kailash. Por que ele precisa abrir seu terceiro olho para nos queimar?

— Não dá para explicar o temperamento dos grandes — disse Ishaq Khan. — Tocando com mão a esquerda seu instrumento, ele prosseguiu: — Ora, vejam só este sarangi: é um instrumento nobre. No entanto, o nobre Majeed Khan o detesta. Nunca permite que o sarangi o acompanhe.

Saeeda Bai concordou com a cabeça; Motu Chand soltou murmúrios de encorajamento.

— É o mais adorável dos instrumentos — atestou.

— Você, infiel — disse Ishaq Khan, dirigindo ao amigo um sorriso malévolo —, como pode fingir que gosta deste instrumento? De que ele é feito?

— Ora, de madeira, é claro — disse Motu Chand, agora se inclinando para a frente com certa dificuldade.

— Vejam só o esforço! — Saeeda Bai riu. — Nós precisamos alimentá-lo com um pouco de *laddus*.

Chamou a criada e mandou que trouxesse os doces.

Ishaq continuou a enrolar em torno do relutante Motu Chand as espirais de sua argumentação.

— Madeira! — gritou. — E o que mais?

— Uhn, bom, você sabe, Khan *Sahib*... cordas, e coisas assim... — disse Motu Chand, sem ter clareza das intenções do amigo.

— E de que são feitas essas cordas? — continuou o implacável Ishaq Khan.

— Ah! — disse Motu Chand, vislumbrando a intenção do outro. Ishaq não era má pessoa, mas parecia extrair um prazer cruel do ato de derrotar Motu Chand numa discussão.

— Tripas — revelou Ishaq. — Essas cordas são feitas de tripas. Aliás, como você bem sabe. E a frente do sarangi é feita de pele. O couro de um animal morto. E agora, se fossem forçados a tocar nele, o que fariam seus brâmanes de Brahmpur? Não ficariam impuros por causa dele?

Motu Chand pareceu desanimado, mas em seguida se recuperou.

— De qualquer jeito, eu não sou um brâmane, você sabe... — começou.

— Pare de provocá-lo — disse Saeeda Bai a Ishaq Khan.

— Eu gosto demais do infiel para querer provocá-lo — disse Ishaq Khan. Isso não era verdade. Motu Chand tinha uma disposição mental alarmantemente equânime, e por isso Ishaq Khan gostava, sobretudo, de lhe perturbar o equilíbrio. Mas desta vez o outro reagiu de maneira tediosamente filosófica.

— Khan *Sahib* é muito amável — disse. — Mas às vezes até o ignorante tem sabedoria, e ele seria o primeiro a reconhecer isso. Ora, para mim o sarangi não é aquilo de que ele se compõe, mas o que ele produz, essa sonoridade divina. Nas mãos de um artista até mesmo essa tripa e essa pele podem ser postas a cantar. — Seu rosto foi tomado por um sorriso quase sufista, tamanho seu contentamento. — Afinal de contas, o que somos nós senão pele e tripa? E, no entanto — sua fronte se franziu de concentração —, nas mãos daquele que... nas mãos do Único...

Mas a criada entrou com os doces, e os meandros teológicos de Motu Chand se interromperam. Os dedos gorduchos e ágeis se estenderam para um *laddu* tão redondo quanto o próprio Motu Chand e o atiraram inteiro dentro da boca.

Passado um momento, Saeeda Bai constatou:

— Nós não estamos discutindo Aquele que reside nas alturas — disse, apontando para cima —, mas sim aquele que reside à nossa esquerda. — Ela apontou na direção da velha Brahmpur.

— Dá na mesma — disse Ishaq Khan. — Nós rezamos para o oeste e os céus. Tenho certeza de que *ustad* Khan não levaria a mal se numa tarde dessas nós nos voltássemos equivocadamente para ele na prece. E por que não? Quando rezamos por uma arte tão elevada, estamos elevando nossas preces ao próprio Deus — finalizou de forma ambígua.

Olhou para Motu Chand em busca de aprovação, mas o músico parecia estar emburrado ou concentrado em seu *laddu*.

A criada voltou a entrar e anunciou:

— Está havendo um problema lá no portão.

Saeeda Bai pareceu mais interessada que alarmada.

— Que tipo de problema, Bibbo?

A empregada olhou para ela com ar petulante.

— Parece que um rapaz está discutindo com o vigia.

— Sua sem-vergonha, tire essa expressão do rosto — advertiu Saeeba Bai. — Que aspecto ele tem?

— Como posso saber, *begum sahiba*? — protestou a criada.

— Não seja enfadonha, Bibbo. Ele parece respeitável?

— Sim — admitiu a criada. — Mas as luzes da rua não me deixaram ver mais que isso.

— Vá chamar o vigia — disse a patroa. — Só estamos nós aqui — acrescentou, pois a criada parecia hesitar.

— Mas, e o rapaz?

— Se é respeitável como você diz, ele vai ficar lá fora.

— Sim, *begum sahiba* — respondeu a criada e foi cumprir a ordem.

— Quem vocês acham que pode ser? — especulou em voz alta Saeeda Bai e ficou em silêncio por um minuto.

O vigia entrou na casa, deixou a lança na entrada da frente e subiu pesadamente os degraus até a galeria. Parou na porta do aposento em que todos estavam sentados e cumprimentou. Com seu turbante cáqui, o uniforme da mesma cor, botas pesadas e farto bigode, ele se sentia totalmente deslocado naquela ambiente de decoração feminina. Mas não pareceu absolutamente pouco à vontade.

— Quem é esse homem e o que ele deseja? — perguntou Saeeda Bai.

— Ele quer entrar e falar com a senhora — disse o vigia, fleumático.

— Sim, eu achei que fosse isso... Mas qual é o nome dele?

— Ele não quer dizer, *begum sahiba*. Nem aceita recusa. Ele também veio ontem e me pediu que desse um recado à senhora, mas foi tão impertinente que eu decidi não dar.

Os olhos de Saeeda Bai faiscaram.

— Você decidiu não dar?

— O rajá *sahib* estava aqui — disse calmamente o vigia.

— Hummm. E o recado?

— Que ele é aquele que vive no amor — disse o vigia, impassível.

O vigia usou uma palavra diferente para amor, e o trocadilho com Prem Nivas se perdeu.

— Aquele que vive no amor? O que será que ele quer dizer? — perguntou Saeeda Bai a Motu e Ishaq. Os dois se entreolharam, Ishaq Khan com um ligeiro sorriso de desdém. — Este mundo é povoado por jumentos

— disse ela, sem deixar claro a quem estava se referindo. — Por que ele não deixou um bilhete? Foram essas as palavras exatas que usou? Nem muito naturais, nem muito espirituosas.

O vigia procurou na memória e produziu uma aproximação mais exata das verdadeiras palavras que Maan tinha usado na noite anterior. De toda forma, as palavras "prem" e "nivas" figuravam na frase.

Os três músicos mataram a charada imediatamente.

— Ah! Acho que tenho um admirador — disse Saeeda Bai, divertida. — O que vocês acham? Devemos deixá-lo entrar? Por que não?

Nenhum dos outros dois objetou — coisa que, aliás, não poderiam fazer. O vigia foi instruído a deixar o rapaz entrar. E Bibbo recebeu ordem de dizer a Tasneem que ficasse em seu quarto.

2.13

MAAN, que estava se afligindo junto ao portão, mal conseguia acreditar em sua boa sorte ao ser tão prontamente admitido. Sentiu uma onda de gratidão para com o vigia, em cuja mão enfiou uma rupia. O vigia o conduziu até a porta da casa e a criada lhe indicou o aposento.

Quando o ruído dos passos de Maan foi ouvido na galeria externa ao salão de Saeeda Bai, ela disse em voz alta:

— Entre, entre, *dagh sahib*. Venha se sentar e iluminar nossa reunião.

Maan ficou parado um segundo junto à porta e olhou para Saeeda Bai. Ele sorria com prazer, e ela não pôde deixar de retribuir o sorriso. Maan estava vestido com simplicidade, num imaculado conjunto branco de calça e túnica, muito bem-engomado. Os delicados bordados da túnica complementavam os do elegante barrete branco de algodão. Os sapatos — sapatilhas de bico fino e virado para cima, feitas de couro macio — também eram brancos.

— Como o senhor chegou até aqui? — perguntou a Saeeda Bai.

— Eu vim caminhando.

— Essas roupas são bonitas demais para arriscá-las na poeira.

— São só alguns minutos de distância — limitou-se a responder.

— Sente-se, por favor.

Maan sentou-se de pernas cruzadas no chão forrado de lençóis brancos. Saeeda Bai começou a se ocupar em fazer o *paan*. O rapaz olhava para ela admirado.

— Ontem eu estive aqui, mas tive menos sorte.

— Eu sei — admitiu Saeeda Bai —, o tolo do meu vigia não o deixou entrar. Que posso dizer? Nem todos nós fomos abençoados com a faculdade do discernimento.

— Mas hoje estou aqui — disse Maan, de forma bastante óbvia.

— "Onde quer que *dagh* tenha se sentado, ali fica sentado"? — perguntou Saeeda Bai, sorridente. Com a cabeça inclinada, ela estava aplicando uma branca pincelada de limão sobre as folhas do bétel.

— Desta vez, é possível que ele não deixe mais a reunião de vocês — disse Maan.

Como ela não estava olhando diretamente para ele, o rapaz podia observá-la sem constrangimento. Antes da entrada dele, Saeeda Bai tinha coberto a cabeça com o sári. Mas a pele macia e lisa do pescoço e dos ombros dela estava exposta, e Maan achou as curvas de seu pescoço indescritivelmente encantadoras enquanto ela se inclinava sobre a tarefa.

Depois de fazer dois *paans*, ela os espetou num palitinho de prata com borlas e as ofereceu ao moço. Ele os recebeu e os enfiou na boca, agradavelmente surpreendido pelo sabor de coco, ingrediente que ela gostava de acrescentar aos *paans* que fazia.

— Vejo que o senhor está usando um barrete parecido com o de Ghandi, mas ao seu próprio estilo — observou Saeeda Bai, depois de colocar dois *paans* na boca. Não ofereceu nenhum a Ishaq Khan ou a Motu Chand, mas estes, por sua vez, pareciam virtualmente ter se dissolvido na paisagem.

Maan, inseguro, tocou nervosamente a lateral do barrete branco bordado.

— Não, *dagh sahib*, não se incomode; o senhor sabe que aqui não é uma igreja. — Saeeda Bai olhou para ele e prosseguiu: — Eu me lembrei de outros gorros brancos que são vistos flutuando por aí em Brahmpur. Recentemente as cabeças que eles cobrem tornaram-se mais altas.

— Temo que a senhora vá me acusar do acidente de meu nascimento — disse Maan.

— Não, seu pai tem sido um antigo patrono das artes. Era em outros congressistas que eu estava pensando.

— Talvez eu devesse usar um barrete de uma cor diferente, na próxima vez que eu vier — disse Maan. Saeeda Bai ergueu uma das sobrancelhas. — Supondo que serei trazido à sua presença — acrescentou o rapaz humildemente.

Saeeda Bai pensou consigo: mas que jovem bem-educado! Fez sinal a Motu Chand para que ele trouxesse as tablas e o harmônio que estavam encostados no canto do aposento.

— E agora, o que o *hazrat dagh* nos ordena cantar? — perguntou ela a Maan.

— Ora, qualquer coisa — respondeu ele com impudência.

— Não um gazal, espero — disse ela, apertando uma tecla do harmônio para ajudar a tabla e o sarangi a acertarem o tom.

— Não? — perguntou Maan decepcionado.

— Os gazais são para reuniões fechadas ou para a intimidade dos amantes — explicou Saeeda Bai. — Vou cantar o gênero pelo qual minha família é mais conhecida e o que melhor me ensinou meu *ustad*.

Ela começou um canto melódico *thumri*, no raga Pilu, "Então por que você não está falando comigo?", e o rosto de Maan se iluminou. A visão do rosto dela, o som de sua voz e seu perfume se entrelaçaram à felicidade dele.

Depois de duas ou três *thumris* e uma *dadra*, Saeeda Bai indicou que estava cansada e que Maan deveria ir embora.

Ele foi relutante, mostrando, porém, mais bom humor que relutância. No térreo, uma nota de 5 rupias foi enfiada na mão do vigia.

Lá fora, na rua, Maan saiu andando nas nuvens.

Algum dia ela irá cantar um gazal para mim, prometeu a si mesmo. Irá, sim, certamente que sim.

2.14

ERA a manhã de domingo. O céu estava limpo e luminoso. O mercado semanal de pássaros perto de Barsaàt Mahal estava em pleno funcionamento. Milhares de pássaros — mainás, perdizes, pombos, papagaios —, pássaros que lutavam, pássaros que comiam, pássaros que corriam, pássaros que falavam, estavam pousados ou adejavam em gaiolas de metal ou de junco, em barraquinhas de onde ruidosos mascates apregoavam a excelência e a barateza de seus artigos. A calçada tinha sido tomada pelo mercado de pássaros, e os compradores ou transeuntes como Ishaq eram forçados a caminhar pela rua, tropeçando em riquixás e bicicletas, e em alguma charrete ocasional.

Havia até mesmo uma barraca que vendia livros sobre pássaros. Ishaq apanhou uma frágil brochura impressa em tipologia grosseira, que tratava de corujas e feitiços, e folheou o livro a esmo para ver a que usos poderia se prestar essa ave nefasta. Parecia se tratar de um livro de magia negra hindu, *O tantra das corujas*, embora estivesse impresso em urdu. Ele leu:

Remédio soberano para obter emprego
Pegue as penas da cauda de uma coruja e de um corvo, e queime-as juntas em fogo de lenha de mangueira, até virarem cinza. Quando for procurar emprego, passe a cinza na testa, como se fosse uma marca de casta, e você o obterá com toda certeza.

Franzindo a testa, ele continuou lendo:

Método para manter uma mulher em seu poder
Se você quiser manter o controle sobre uma mulher e evitar que ela se veja sob a influência de outra pessoa, então empregue a técnica descrita abaixo:
   Pegue o sangue de uma coruja, o sangue de uma ave silvestre e o sangue de um morcego, em proporções iguais, e depois de esfregar a mistura em seu pênis tenha relações com a mulher. Então ela nunca mais desejará outro homem.

Ishaq quase vomitou. Esses hindus!, pensou ele. Impulsivamente comprou o livro, achando que era uma excelente maneira de provocar seu amigo Motu Chand.
— Também tenho um a respeito de abutres — disse, prestativo, o livreiro.
— Não, isso é tudo que eu quero — disse Ishaq e foi embora.
Parou numa barraca onde, numa gaiola circular de tela de arame, estavam presas muitas bolas de carne quase amorfas e cobertas de rala penugem verde-acinzentada.

— Ah! — exclamou.

Seu olhar interessado teve um efeito imediato sobre o vendedor de gorro branco, que o avaliou, olhando o livro que ele tinha nas mãos.

— Estes não são periquitos comuns, *huzoor*, são periquitos-do-monte, periquitos alexandrinos, como os chamam os *sahibs* ingleses.

Havia mais de três anos que os ingleses tinham ido embora, mas Ishaq deixou passar a alusão.

— Eu sei.

— Posso identificar um especialista só de vê-lo — disse o vendedor, num tom extremamente amistoso. — Ora, por que não leva este aqui? Só 2 rupias... e vai cantar como um anjo.

— Um anjo masculino ou feminino? — perguntou Ishaq severamente.

O barraqueiro ficou subitamente servil.

— O senhor deve me perdoar. As pessoas aqui são tão ignorantes, que a gente mal consegue suportar se separar dos pássaros mais promissores; mas por alguém que conhece periquitos eu farei qualquer coisa, qualquer coisa. Leve este, *huzoor*.

E selecionou um filhote de cabeça grande, um macho.

Ishaq o segurou por segundos, depois o devolveu à gaiola. O homem balançou a cabeça.

— Vejamos, para um verdadeiro apreciador, o que posso oferecer que seja melhor do que isso? O que o senhor deseja é um pássaro do distrito de Rudhia? Ou da encosta da montanha, em Horshana? Eles são melhores com as palavras do que os mainás.

Ishaq limitou-se a dizer:

— Vamos ver alguma coisa que valha a pena.

O homem foi até os fundos da loja e abriu uma gaiola em que três filhotes pequeninos se aconchegavam uns aos outros. Após observar calado, Ishaq pediu para ver um deles.

Sorriu, pensando nos periquitos que tinha conhecido. Sua tia gostava muito de periquitos e tinha um que ainda estava vivo aos 17 anos.

— Este aqui. — Ele indicou ao homem. — E a essa altura o senhor já sabe que eu também não vou ser enganado em relação ao preço.

Ficaram regateando por algum tempo. O vendedor pareceu um pouco ressentido até o dinheiro mudar de mãos. Depois, quando Ishaq estava a ponto de ir embora com sua compra agasalhada no lenço de bolso, ele disse em voz apreensiva:

— Na próxima vez que o senhor passar por aqui, diga-me como ele vai.
— Como chamam o senhor?
— Muhammad Ismail, *huzoor*. E ao senhor, como se dirigem?
— Ishaq Khan.
— Então nós somos irmãos! — festejou o vendedor. — O senhor deve sempre comprar seus pássaros em minha loja.
— Sim, sim — concordou Ishaq e se afastou, apressado. O pássaro que ele havia comprado era muito bom e iria alegrar o coração da jovem Tasneem.

2.15

ISHAQ foi para casa, almoçou e alimentou o pássaro com um pouco de farinha misturada com água. Mais tarde, carregando o periquito enrolado no lenço, dirigiu-se à casa de Saeeda Bai. De vez em quando olhava o filhote, apreciativo, imaginando o pássaro excelente e inteligente que ele tinha potencial para ser. Estava muito animado. Um bom periquito alexandrino era seu tipo favorito de papagaio. Enquanto caminhava em direção a Nabiganj ele quase tropeçou num carrinho de mão.

Às quatro da tarde, chegou à casa de Saeeda Bai e disse a Tasneem que tinha trazido uma coisa para ela. A moça teria que tentar adivinhar o que era.

— Não me provoque, Ishaq *Bhai* — disse ela, fixando no rosto dele os olhos grandes e bonitos. — Por favor, me diga o que é.

Ishaq olhou para ela e pensou que a expressão "parecida com uma gazela" realmente combinava com Tasneem. De traços delicados, alta e esbelta, ela não lembrava muito a irmã mais velha. Os olhos eram suaves e a expressão, carinhosa. Ela era vivaz, mas parecia estar sempre a ponto de sair correndo.

— Por que insiste em me chamar de *bhai*? — perguntou ele.
— Porque você é praticamente meu irmão — disse ela. — E também porque preciso de um. E o fato de você me trazer este presente é a prova disso. Agora, por favor, não me deixe curiosa. É alguma coisa de vestir?
— Ah, não... Pois seria supérfluo para sua beleza — disse Ishaq sorrindo.

— Não fale assim, por favor — pediu a moça, franzindo a testa. — *Apa* poderá ouvi-lo e então haverá problemas.

— Bom, aqui está...

Ishaq estendeu o que fazia lembrar uma bola macia de tecido felpudo, enrolado no lenço de bolso.

— Uma bola de lã! Você quer que eu lhe faça um par de meias de tricô. Pois bem, eu não farei. Tenho coisas melhores a fazer.

— Como o quê?

— Como... — começou Tasneem, depois se calou. Olhou constrangida para um grande espelho na parede. O que ela fazia? Cortava legumes para ajudar a cozinheira, conversava com a irmã, lia romances, fofocava com a criada, pensava na vida. Mas antes que ela pudesse refletir muito sobre o assunto, a bola se mexeu e os olhos da garota se acenderam de prazer.

— Como você está vendo — disse Ishaq —, é um camundongo.

— Não é, não — retrucou Tasneem com desdém. — É um pássaro. Fique sabendo que eu não sou criança.

— Fique sabendo que eu não sou exatamente seu irmão — replicou Ishaq. Ele desenrolou o periquito e, juntos, os dois ficaram olhando o filhote. Depois ele o colocou sobre a mesa, ao lado de um vaso laqueado de vermelho. A peluda bola de carne parecia muito repugnante.

— Que gracinha! — disse Tasneem.

— Eu o escolhi hoje de manhã — comentou Ishaq. — Levei horas, mas eu queria conseguir um que fosse perfeito para você.

Tasneem olhou o pássaro; depois estendeu a mão e o tocou. Apesar das penas espetadas, ele era muito macio. Sua cor era ligeiramente esverdeada, como se as penas mal tivessem começado a emergir.

— Um periquito?

— É, mas não do tipo comum. É um periquito-do-monte. Ele vai falar tão direitinho quanto um mainá.

Quando Mohsina Bai morreu, seu mainá, extremamente falastrão, não tardou em segui-la. Sem o pássaro, Tasneem ficara ainda mais sozinha. Sentia-se feliz por Ishaq não ter comprado outro mainá, e sim uma ave totalmente diferente. E isso era uma consideração redobrada da parte dele.

— Como ele se chama?

Ishaq riu.

— Por que você quer chamá-lo de alguma coisa? "Tota" já basta. Ele não é um cavalo de batalha que deva ser chamado Ruksh ou Bucéfalo.

Os dois estavam de pé, contemplando o filhote de periquito. Ambos estenderam a mão ao mesmo tempo para tocá-lo. Rapidamente Tasneem recolheu a dela.

— Pode pegar — disse Ishaq. — Eu passei o dia inteiro com ele.

— Ele já comeu alguma coisa?

— Um pouco de farinha misturada com água.

— Onde eles conseguem uns bichinhos assim tão pequenos? — perguntou Tasneem.

O olhar dos dois estava na mesma altura, e Ishaq, desviando o seu para a cabeça dela, coberta com um lenço amarelo, acabou falando sem prestar atenção ao que dizia.

— Ah, ele são retirados dos ninhos quando ainda são muito novos. Se você não pegá-los com pouca idade, eles não aprendem a falar. E é preciso escolher um macho; ele vai desenvolver uma bela plumagem rosa e preta em torno do pescoço, e os machos são mais inteligentes. Os que têm mais facilidade para falar vêm da encosta da montanha. Na barraca havia três da mesma ninhada, e precisei pensar muito antes de decidir...

— Quer dizer que ele foi separado dos irmãos e das irmãs? — interrompeu Tasneem.

— É claro que sim — disse Ishaq. — Era preciso. Se você levar um par de periquitos, eles não aprendem a imitar nada do que nós dissermos.

— Que crueldade — disse Tasneem, e seus olhos se umedeceram.

— Mas quando eu o comprei, ele já tinha sido tirado do ninho — falou Ishaq, perturbado por tê-la feito sofrer. — Não dá para devolvê-los, pois os pais os rejeitarão. — Ele pousou as mãos sobre as dela, que não as retirou de imediato. — Agora, cabe a você dar a ele uma boa vida. Basta colocá-la num ninho de pano na gaiola em que costumava ficar o mainá de sua mãe. E nos primeiros dias alimente-o com um pouco de farinha de grão-de-bico desidratado e umedecido com água ou um pouco de *daal* deixada de molho a noite inteira. Se não gostar dessa gaiola, eu consigo outra para ele.

Tasneem retirou a mão gentilmente da de Ishaq. Pobre periquito, amado e prisioneiro! Ele poderia trocar uma gaiola por outra. E ela trocaria essas quatro paredes por outras quatro distintas. Sua irmã, 15 anos mais velha e experiente nos modos do mundo, iria providenciar tudo isso sem demora. E então...

— Às vezes eu desejaria poder voar... — começou ela, mas parou, constrangida. Ishaq olhou-a com ar sério.

— É bom que nós não possamos voar, Tasneem, ou... Você consegue imaginar a confusão? A polícia já tem dificuldade em controlar o trânsito no Chowk. Se nós pudéssemos voar, além de caminhar, seria cem vezes pior. — Tasneem tentou não achar graça. — Mas seria ainda pior se os pássaros, como nós, só pudessem caminhar — continuou ele. — Imagine-os toda noite passeando para cá e para lá em Nabiganj, de bengala em punho.

Agora ela estava rindo. Ishaq também começou a rir, e eles dois, encantados pela imagem que tinham criado, sentiram as lágrimas rolarem pelo rosto. Ishaq enxugou as dele com a mão; Tasneem, com a echarpe amarela. Os risos deles ressoaram pela casa afora.

O filhote de periquito estava pousado muito quieto sobre o tampo da mesa, ao lado do vaso laqueado de vermelho; seu esôfago transparente subia e descia.

Saeeda Bai, despertada do cochilo vespertino, entrou no recinto e disse em voz surpresa, com um leve toque de severidade:

— Ishaq, o que significa tudo isso? Não é mais permitido a gente descansar, nem mesmo à tarde?

Então seus olhos pousaram sobre o filhote de periquito, e ela estalou a língua, demonstrando irritação.

— Não, nada mais de pássaros nesta casa. Aquele infeliz daquele mainá da minha mãe me causou problemas suficientes. — E depois de uma pausa acrescentou: — Um cantor já basta em qualquer estabelecimento. Livre-se dele.

2.16

NINGUÉM falou nada. Depois de um momento, Saeeda Bai rompeu o silêncio.

— Ishaq, hoje você veio cedo — observou ela.

O músico assumiu uma expressão culpada. Tasneem baixou os olhos com um pequeno soluço. O periquito fez uma leve tentativa de se mexer. Olhando de um para outro, a cantora disse de repente:

— Aliás, onde está seu sarangi?

Ishaq constatou que sequer o havia trazido.

— Esqueci. Eu estava pensando no periquito.

— E então?

— Vou buscá-lo imediatamente, é claro.

— O rajá de Marh mandou recado dizendo que está vindo hoje à noite.

— Vou agora mesmo — disse Ishaq. Depois indagou, olhando para Tasneem: — Devo levar o periquito embora?

— Não, não, por que você iria querer levá-lo? — perguntou Saeeda Bai. — Vá buscar seu sarangi. E não leve o dia inteiro para isso.

Ishaq partiu, apressado.

Tasneem, que tinha estado à beira das lágrimas, olhou agradecida para a irmã. Saeeda Bai, no entanto, estava longe dali. O assunto do periquito a despertara de um sonho estranho e perturbador envolvendo a morte da mãe e seu próprio passado. Quando Ishaq saiu, o clima pavoroso e até pesado do sonho voltou a dominá-la.

Tasneem, notando a irmã subitamente triste, tomou-lhe a mão.

— Qual é o problema, *apa*? — perguntou, usando o termo respeitoso e terno com que sempre se referia à irmã mais velha.

Saeeda Bai começou a soluçar e abraçou Tasneem, beijando-a na testa e nas faces.

— É só de você que eu gosto neste mundo — disse ela. — Que Deus a deixe ser sempre feliz...

Tasneem retribuiu o abraço.

— *Apa*, por que está chorando? Por que está tão abalada? Está pensando no túmulo de *ammi-jaan*?

— Estou sim — admitiu Saeeda Bai e virou as costas. — Agora vá lá dentro apanhar a gaiola que guardamos no antigo quarto de *ammi-jaan*. Limpe-a e traga para cá. E coloque um pouco de *daal* cru de molho para ele comer mais tarde.

Tasneem se dirigiu à cozinha. Saeeda Bai se sentou, um pouco confusa. Em seguida, segurou o filhote de periquito nas mãos para mantê-lo aquecido, e foi assim que a serviçal a encontrou ao anunciar que alguém da casa do nababo *sahib* tinha chegado e estava esperando lá fora.

Saeeda Bai se recompôs e enxugou os olhos.

— Mande entrar — disse ela.

Mas, quando o belo e sorridente Firoz entrou segurando com leveza na mão direita uma bengala elegante, ela ofegou de surpresa.

— O senhor?

— Sim — disse Firoz. — Eu trouxe um envelope da parte de meu pai.

— O senhor veio tarde... Quer dizer, normalmente ele envia alguém pela manhã — murmurou Saeeda Bai, tentando acalmar a confusão em sua mente. — Queira se sentar, por favor.

Até aquele momento o nababo *sahib* tinha mandado o envelope mensal por intermédio de um criado. Nos dois últimos meses, lembrava Saeeda Bai, isso ocorrera dois dias depois de sua menstruação. Este mês também, naturalmente...

Seus pensamentos foram interrompidos por Firoz.

— Encontrei por acaso o secretário particular de meu pai, que estava a caminho...

— Sim, sim.

Saeeda Bai parecia alterada. Firoz se perguntava por que sua aparição a teria afligido tanto. O fato de muitos anos antes ter havido alguma coisa entre o nababo *sahib* e a mãe de Saeeda Bai e do pai dele continuar a mandar todo mês alguma coisinha para ajudar no sustento da família certamente não era motivo para causar nela tamanha agitação. Então ele entendeu que ela já devia estar perturbada antes da chegada dele, e por motivo muito distinto.

Cheguei num mau momento, pensou ele, e resolveu ir embora.

Tasneem surgiu com a gaiola de cobre e, ao vê-lo, parou de repente.

Eles olharam um para o outro. Para Tasneem, Firoz era só mais um admirador bonito da irmã dela — mas surpreendentemente bonito. Baixou os olhos depressa, depois tornou a olhar para ele.

Ela ficou ali parada, com a echarpe amarela, a gaiola na mão direita, a boca entreaberta de deslumbramento — talvez deslumbrada pelo deslumbramento dele. Firoz a olhava, petrificado.

— Nós já nos encontramos antes? — perguntou ele amável, com o coração disparado.

Tasneem estava a ponto de responder quando Saeeda Bai disse:

— Sempre que minha irmã sai de casa, ela observa o *purdah*. Esta é a primeira vez que o *nawabzada* honra com sua presença minha humilde morada. Portanto, não é possível que vocês tenham se encontrado. Tasneem, deixe a gaiola no chão e volte aos seus exercícios de árabe. Não contratei um novo professor para você por nada.

— Mas... — começou Tasneem.

— Volte agora mesmo para seu quarto. Pode deixar que eu cuidarei do pássaro. Já pôs o *daal* de molho?

— Eu...

— Pois vá agora mesmo. Quer fazer o bichinho passar fome?

Quando a confusa Tasneem se retirou, Firoz tentou ordenar seus pensamentos. Tinha a boca seca. Sentiu-se estranhamente perturbado. Certamente, pensou, mesmo que não tenhamos nos encontrado neste plano mortal, nós nos encontramos em alguma vida anterior. Aquela ideia, contrária à religião à qual ele aderia nominalmente, o deixou ainda mais abalado. A moça com a gaiola havia causado sobre ele, num breve instante, a mais profunda e perturbadora impressão.

Depois de uma resumida troca de gentilezas com Saeeda Bai, que parecia estar prestando tão pouca atenção às palavras dele quanto ele às dela, Firoz saiu lentamente porta afora.

Saeeda Bai ficou sentada no sofá por uns minutos, perfeitamente imóvel. Suas mãos ainda aninhavam carinhosamente o filhote de periquito, que parecia ter adormecido. Ela o envolveu num pedaço de pano quentinho e o colocou de novo ao lado do vaso vermelho. Quando ouviu o chamado para a prece vespertina, vindo do lado de fora da casa, ela cobriu a cabeça.

Na Índia inteira, no mundo inteiro, quando o sol ou a sombra da escuridão se move do leste para o oeste, o chamado à oração se move com ele, e qual uma onda os fiéis se ajoelham para rezar a Deus. São cinco ondas a cada dia — uma para cada *namaaz*, a oração pública — que se espraiam pelo globo, de longitude a longitude. Os elementos que as compõem mudam de direção, qual limalha de ferro em presença de um ímã, voltados para a casa de Deus em Meca. Saeeda Bai se levantou e foi para um cômodo interno, onde fez as abluções rituais e começou a prece:

Em nome de Deus, o Clemente, o Misericordioso.

Louvado seja Deus, Senhor do Universo,
Clemente, o Misericordioso,
Soberano do Dia do Juízo.
Só a Ti adoramos e só de Ti imploramos ajuda!
Guia-nos à senda reta,
À senda dos que agraciaste,
Não à dos abominados,
Nem à dos extraviados.

Mas durante a oração e as sucessivas genuflexões e prostrações, um aterrador versículo do Livro Sagrado lhe assomava à memória de forma recorrente:

> E só Deus sabe o que você mantém em segredo e o que divulga.

2.17

SENTINDO que a patroa estava angustiada, a bela e jovem criada de Saeeda Bai, Bibbo, pensou em animá-la falando sobre o rajá de Marh, que faria uma visita naquela noite. Com suas caçadas a tigres e fortalezas nas montanhas, sua reputação de construtor de templos e tirano e suas estranhas preferências sexuais, o rajá não era o tópico ideal para aliviar a tensão. Ele tinha vindo para lançar os alicerces do tempo de Shiva, sua mais recente empreitada, no centro da Cidade Velha. O templo deveria ficar ao lado da majestosa mesquita construída sobre as ruínas de um antigo templo a Shiva, 250 anos antes, por ordem do imperador Aurangzeb. Se o rajá de Marh pudesse ter seu desejo atendido, o alicerce do templo teria se elevado sobre os escombros da própria mesquita.

Em vista desses antecedentes, era interessante o fato de que, no passado, o rajá de Marh, de tal forma apaixonado por Saeeda Bai, tivesse chegado a lhe propor casamento, embora nem fizesse questão de que ela renunciasse à sua crença de muçulmana. A ideia de ser esposa dele deixou-a tão preocupada que ela estabeleceu para o pretendente condições impossíveis de serem atendidas. Qualquer possível herdeiro da atual esposa do rajá seria deserdado, e o filho mais velho da cantora com ele — supondo que ela tivesse algum — se tornaria o herdeiro de Marh. Saeeda Bai fez essa exigência ao rajá, apesar de a rani de Marh e a viúva do antigo rajá terem-na tratado com gentileza quando ela foi convocada à propriedade para se apresentar no casamento da irmã dele. Saeeda Bai, que gostava das ranis, sabia que não havia possibilidade de serem aceitas as condições impostas. Mas o rajá pensava mais com a virilha que com o cérebro. Ele aceitou essas condições e a cantora, apanhada na armadilha, foi obrigada a cair seriamente doente e ouvir de médicos complacentes o diagnóstico de que a mudança daquela cidade para um estado principesco nas montanhas praticamente iria matá-la.

O rajá, cujas feições lembravam as de um volumoso búfalo aquático, passou algum tempo escarvando o solo com os cascos. Ele suspeitou de que estava sendo enganado, ficou bêbado e, literalmente, vermelho de raiva. O principal motivo que o impediu de contratar alguém para se livrar de Saeeda Bai foi o conhecimento de que os britânicos, se descobrissem a verdade, provavelmente o deporiam — como já haviam feito com rajás, e até mesmo marajás, por semelhantes escândalos e assassinatos.

Bibbo não se encontrava a par de todas essas informações, mas sabia, entretanto, dos rumores de que o rajá havia pedido a amante em casamento anos antes. Quando a criada apareceu, Saeeda Bai estava conversando com o pássaro de Tasneem — muito prematuramente, considerando o quão pequeno ele era, mas a cantora achava que era assim que as aves melhor aprendiam.

— Algum preparativo especial para rajá *sahib*? — perguntou ela.
— Por quê? Não, certamente que não — disse Saeeda Bai.
— Talvez eu deva comprar um buquê de cravos-de-defunto...
— Enlouqueceu, Bibbo?
— ...para preparar algo para ele comer.
Saeeda Bai sorriu.
A criada prosseguiu:
— Nós vamos ter que nos mudar para Marh, rani *sahiba*?
— Ora, cale a boca — disse Saeeda Bai.
— Mas para governar um estado...

— Agora ninguém governa de fato os estados; quem governa é Nova Delhi — explicou a cantora. — E veja bem, Bibbo, não é com a coroa que eu teria de casar, e sim com o búfalo embaixo dela. Agora vá embora, você está atrapalhando a educação deste periquito. — A criada se voltou para sair. — Ah, sim, me traga um pouco de açúcar, e veja se o *daal* que você deixou de molho mais cedo já amoleceu. Provavelmente não.

Saeeda Bai continuou a falar com o periquito, que estava pousado num pequeno ninho de trapos limpos no meio da gaiola de latão que antes guardava o mainá de Mohsina Bai.

— Agora, Miya Mitthu — disse Saeeda Bai ao periquito com voz tristonha —, acho bom você aprender coisas boas e auspiciosas enquanto ainda é novinho ou vai ficar estragado para o resto da vida, como aquele mainá desbocado. Dizem que quem não aprender direitinho o alfabeto nunca vai chegar a calígrafo. O que você acha disso? Você quer aprender?

A pequena bola de carne desplumada não estava em posição de responder, e não respondeu.

— Agora olhe para mim — disse Saeeda Bai. — Eu ainda me sinto jovem, embora admita que não seja, naturalmente, tão jovem quanto você. Estou esperando para passar a tarde com um homem asquerosamente feio que tem 55 anos, tira meleca no nariz e arrota, e que vai estar bêbado antes mesmo de chegar aqui. Depois vai querer me ouvir cantar canções românticas para ele. Todo mundo acha que eu sou o máximo do romantismo, Miya Mitthu, mas onde ficam meus sentimentos? Como eu poderia sentir alguma coisa por esses animais velhos, de pele frouxa abaixo do queixo, como a do gado velho que vaga sem rumo perto do Chowk?

O periquito abriu o bico.

— Miya Mitthu — disse Saeeda Bai.

O filhote se balançou um pouco de um lado para outro. Sua cabeça grande parecia instável.

— Miya Mitthu — repetiu Saeeda Bai, tentando imprimir as sílabas na mente dele.

O periquito fechou o bico.

— O que eu realmente queria hoje à noite não era entreter, mas sim ser entretida. Por alguém jovem e bonito — acrescentou.

Saeeda Bai sorriu ao pensar em Maan.

— O que você acha dele, Miya Mitthu? — continuou Saeeda Bai. — Desculpe, você ainda não conhece *dagh sahib*, você só chegou hoje. E deve estar faminto, e por isso que está se recusando a falar comigo – não se pode cantar *bhajans* de estômago vazio. Sinto muito que o serviço esteja tão vagaroso neste estabelecimento, mas Bibbo é uma moça muito distraída.

Logo a criada entrou e o periquito foi alimentado.

A velha cozinheira tinha resolvido ferver e depois esfriar um pouco de lentilha para a avezinha, em vez de só deixar os grãos de molho. Agora ela tinha vindo dar uma espiada nele.

Ishaq Khan entrou com seu sarangi, e parecia um tanto envergonhado. Motu Chand chegou e foi admirar o periquito.

Tasneem deixou de lado o romance que estava lendo e entrou para dizer "Miya Mitthu" e "Mitthu Miya" diversas vezes ao periquito, encantando Ishaq com cada repetição. Pelo menos ela gostava do pássaro que ele lhe dera.

E no devido momento o rajá de Marh foi anunciado.

2.18

SUA Alteza o Rajá de Marh estava, ao chegar, menos bêbado que de costume, mas depressa remediou a situação. Tinha trazido consigo uma garrafa de Black Dog, seu uísque favorito. Isso imediatamente lembrou a Saeeda Bai uma das características mais desagradáveis do rajá, o fato de ficar incrivelmente excitado com a visão de cães copulando. Em Marh, quando Saeeda Bai fora visitá-lo, em duas ocasiões ele colocou cachorros para montar uma cadela no cio. Isso foi o prelúdio para que ele atirasse sobre ela seu próprio corpo grosseiro.

Isso aconteceu alguns anos antes da Independência. Apesar da repulsa que Saeeda Bai sentia, ela não conseguiu escapar imediatamente de Marh, onde o poder do obtuso rajá era limitado apenas por uma série de ministros britânicos enojados, porém cautelosos. Posteriormente, amedrontada demais pelo homem preguiçoso e brutal e seus capangas, ela não ousou cortar de todo as relações com ele. Sua única esperança era de que, com o passar do tempo, as visitas a Brahmpur fossem se tornando menos frequentes.

A aparência do rajá havia se degenerado desde o tempo de estudante em Brahmpur, quando dera a impressão de ser toleravelmente apresentável. Seu filho, que tinha sido protegido do estilo de vida do pai pela rani consorte e pela rani viúva, era agora, ele próprio, um estudante da Universidade de Bhrampur; sem dúvida ele também, quando retornasse ao Marh feudal na idade adulta, se livraria da influência materna e se tornaria tão tamásico quanto seu pai: ignorante, brutal, indolente e vulgar.

O pai não deu atenção ao filho durante a estadia na cidade e visitou uma série de cortesãs e prostitutas. Hoje, novamente, era a vez de Saeeda Bai. Ele chegou adornado de brincos de diamante, com um rubi no turbante de seda e exalando a perfume de extrato de almíscar. Depositou uma pequena bolsa de seda contendo 500 rupias sobre uma mesa próxima à porta do cômodo, no segundo andar, em que a cantora recebia visitantes. Depois se reclinou contra um longo coxim branco sobre um piso forrado de lençóis brancos, e olhou em torno procurando copos, os quais encontrou na mesa baixa sobre a qual também estavam as tablas e o harmônio. A garrafa foi aberta e o uísque, servido em dois copos. Os músicos tinham permanecido no térreo.

— Faz muito tempo que estes olhos não o vêm... — disse Saeeda Bai, tomando um golinho do uísque e reprimindo uma careta por causa do gosto forte.

O rajá estava envolvido demais com seu drinque para pensar em responder.

— O senhor se tornou tão difícil de ver quanto a lua em Id.

O rajá grunhiu diante do galanteio. Depois de ter bebido alguns uísques, tornou-se mais afável e disse a ela o quanto estava bonita, antes de empurrá-la grosseiramente na direção da porta que levava ao quarto de dormir. Depois de meia hora, eles saíram e os músicos foram chamados. Saeeda Bai parecia ligeiramente nauseada.

Ele a obrigou a cantar o mesmo conjunto de gazais de sempre; ela os cantou com a mesma quebra na voz nas mesmas frases de cortar o coração — coisa que tinha aprendido a fazer sem dificuldade — enquanto bebericava do copo de uísque. A essa altura o rajá tinha bebido um terço da garrafa e seus olhos estavam ficando avermelhados. De vez em quando ele gritava "Uhu! Uhu!" num elogio indiscriminado, ou soltava um arroto, ou grunhia ou dava um bocejo ou coçava o saco.

2.19

ENQUANTO os gazais progrediam no andar de cima, Maan caminhava em direção àquela casa. Da rua ele não conseguia distinguir o som da cantoria. Anunciou ao vigia que estava ali para visitar Saeeda Bai, mas o homem, impassível, disse a ele que ela estava indisposta.

— Puxa — disse Maan, a voz cheia de preocupação. — Deixe-me entrar; verei como ela está passando... Talvez eu possa trazer um médico.

— *Begum sahiba* não está recebendo ninguém hoje.

— Mas eu tenho aqui comigo uma coisa para ela — disse Maan. Trazia na mão esquerda um livro grande. Meteu no bolso a mão direita e pegou a carteira. — Você cuidaria para que ela o receba?

— Sim, *huzoor* — assentiu o vigia, aceitando uma nota de 5 rupias.

— Pois muito bem. — Maan, dando um olhar decepcionado para a casa cor-de-rosa por trás do portãozinho verde, retirou-se vagarosamente.

Minutos depois o vigia levou o livro até a porta da frente e o entregou à criada.

— O quê? É para mim? — perguntou Bibbo, flertando.

O vigia olhou para ela com o rosto tão inexpressivo que, em si só, já constituía uma expressão.

— Não. E diga à *begum sahiba* que foi trazido pelo rapaz que veio outro dia.

— Aquele que deixou você encrencado com ela?

— Eu não fiquei encrencado.

E o vigia voltou a seu posto no portão.

Bibbo deu uma risadinha e fechou a porta. Olhou o livro durante alguns minutos. Era muito bonito e, além do texto impresso, continha imagens de homens e mulheres lânguidos em vários ambientes românticos. Uma ilustração específica atraiu a imaginação dela. Uma mulher de manto negro ajoelhava-se junto a um túmulo. Seus olhos estavam fechados. Havia estrelas no céu e um muro alto ao fundo. No primeiro plano estava uma árvore retorcida e sem folhas, com as raízes entrelaçadas em grandes pedras. Bibbo ficou entregue à imaginação por momentos; depois, sem pensar no rajá de Marh, fechou o livro para levá-lo à patroa.

Qual uma fagulha num rastilho lento, o livro se moveu do portão para a porta da frente, através do vestíbulo, escadas acima e ao longo da galeria até o portal do aposento em que Saeeda Bai recebia o rajá. Quando a criada o avistou, parou abruptamente e tentou retroceder ao longo da galeria. Mas a patroa já a tinha visto. Ela interrompeu o gazal que cantava.

— Bibbo, qual é o problema? Pode entrar.
— Não é nada, Saeeda Bai, eu volto mais tarde!
— O que você tem aí na mão?
— Nada, *begum sahiba*.
— Então vamos dar uma olhada nesse nada — disse Saeeda Bai.

Bibbo entrou, fez uma mesura apavorada e entregou a ela o livro. Na capa marrom, com letras douradas, estava escrito em urdu: *As obras poéticas de Ghalib. Um álbum ilustrado por Chughtai.*

Obviamente não era uma coletânea qualquer de poemas de Ghalib. Saeeda Bai não conseguiu resistir à tentação de abri-lo. Ela folheou as páginas. O livro continha um breve introdução e um ensaio escrito pelo artista Chughtai, a coleção completa de poemas em urdu escritos pelo grande Ghalib, um grupo de reproduções das mais lindas pinturas no estilo persa (cada um ilustrando um verso ou dois das poesias) e um texto em inglês. Provavelmente esse texto era um prefácio quando o livro era aberto ao contrário, pensou Saeeda Bai, a quem ainda divertia o fato de que os livros em inglês eram abertos pelo lado errado.

Ela ficou tão encantada com o presente que o colocou em cima do harmônio e começou a folhear as ilustrações.

— Quem o mandou? — perguntou, ao reparar que não havia dedicatória. Levada pelo prazer, havia esquecido a presença do rajá, que fervia de raiva e ciúmes.

Bibbo, examinando o salão em torno à cata de inspiração, disse:
— Chegou com o vigia.

Tendo percebido a fúria perigosa do rajá, ela não queria ver a patroa demonstrar a alegria involuntária que talvez mostrasse diante de uma menção direta ao nome do admirador. Isso despertaria certa indisposição do rajá com relação ao remetente do livro; e a criada, embora travessa, não desejava o mal do rapaz. Na verdade era bem o contrário.

Enquanto isso, Saeeda Bai, de cabeça baixa, olhava a figura de uma velha, uma moça e um menino, que, postados diante de uma janela ao crepúsculo, rezavam na direção da lua nova.

— Sim, mas quem foi que mandou?

Levantou a vista e franziu a testa.

Bibbo, agora sob pressão, tentou mencionar Maan da forma mais indireta possível. Esperando que o rajá não reparasse, ela apontou para uma mancha no piso forrado de lençóis brancos, onde ele tinha derramado um pouco de uísque. Em voz alta ela disse:

— Eu não sei. Nenhum nome foi deixado. Posso ir embora?

— Pode, sim... Mas, que idiota! — disse a patroa, impaciente com o comportamento enigmático da criada.

No entanto, o rajá de Marh foi ficando farto com a interrupção insolente. Vociferando, ele avançou para arrebatar o livro das mãos de Saeeda Bai. Se ela não tivesse se movido rápido no último momento, ele o teria arrancado de suas mãos.

Agora, respirando pesadamente, o rajá interpelou:

— Quem é ele? Quanto vale a vida dele? Qual é seu nome? Essa exibição faz parte do meu entretenimento?

— Não, tenha a bondade de perdoar aquela moça tola. É impossível ensinar bons modos e discrição a essa gente pouco sofisticada. — E depois, para abrandar, ela acrescentou: — Mas veja essa imagem. Que coisa bonita! As mãos deles erguidas em oração, o crepúsculo, a cúpula branca, o minarete da mesquita...

Foi a palavra errada. Com um grunhido rouco de ódio, o rajá de Marh arrancou a página que ela estava mostrando. Saeeda Bai ficou olhando para ele, petrificada.

— Tratem de tocar! — rugiu ele a Motu e Ishaq. E, para a cantora, ele disse, avançando com seu rosto ameaçador: — E você, cante! Termine o gazal... Não! Pode começá-lo de novo. Lembre-se de quem a reservou para esta noite.

Saeeda Bai devolveu ao livro a página rasgada; fechando-o, ela o deixou ao lado do harmônio. Depois, cerrando os olhos, começou novamente a cantar as palavras de amor. A voz dela estava trêmula, e os versos saíam sem vida. De fato, não estava sequer pensando neles. Por trás das lágrimas ela estava fervendo de tanta raiva. Se tivesse a liberdade de fazê-lo, teria se atirado contra o rajá, lançado seu uísque nos olhos dele, vermelhos e saltados, fustigado o rosto dele e o jogado no meio da rua. Mas sabia que, não obstante sua sabedoria mundana, ela estava totalmente impotente. Para evitar esses pensamentos, sua mente se desviou para os gestos da criada.

Uísque? Bebida alcoólica? No chão? Os lençóis?, indagava-se.

Foi então que de repente entendeu o que Bibbo tinha tentado dizer. Era a palavra que ela usou para mancha — "dagh".

Agora, com uma canção no coração, não só nos lábios, Saeeda Bai abriu os olhos e sorriu, observando a mancha de uísque. Como a urina de um cachorro preto!, pensou. Preciso dar um presente a essa moça tão astuta.

Pensou em Maan, um homem — de fato, o único homem — de quem ela gostava e sobre o qual, ao mesmo tempo, ela sentia que poderia exercer controle quase completo. Talvez não o tivesse tratado suficientemente bem — talvez tivesse sido excessivamente desdenhosa com sua tola paixão.

O gazal que estava cantando desabrochou e criou vida. Ishaq Khan, surpreso, não compreendeu a mudança. Até Motu Chand ficou intrigado.

Certamente o poema também possuía o encanto de abrandar o coração selvagem. O rajá de Marh deixou a cabeça afundar suavemente no peito e, momentos depois, começou a roncar.

2.20

NA noite seguinte, quando Maan perguntou ao vigia pela saúde de Saeeda Bai, soube que ela tinha deixado instruções de que o mandassem subir. Aquilo era maravilhoso, tendo em vista que ele não deixara qualquer recado nem mandara qualquer bilhete dizendo que viria.

Enquanto subia as escadas ao fundo do vestíbulo, ele parou para se admirar no espelho e se felicitou dizendo à meia voz *"Adaab arz, dagh sahib"*, levando a mão em concha à testa numa alegre saudação. Estava vestido com a elegância habitual, num imaculado e bem-passado *kurta-pyjama*; usava o mesmo barrete branco que tinha provocado o comentário de Saeeda Bai.

Quando chegou à galeria do andar superior, que circundava o vestíbulo do térreo, ele parou. Não havia som de música nem de conversas. Saeeda Bai provavelmente estaria sozinha. Ele se encheu de expectativa prazerosa; seu coração começou a bater com força.

Ela devia ter ouvido os passos dele: deixando de lado o fino romance que estivera lendo — pelo menos parecia um romance, a julgar pela ilustração da capa —, ela se levantou para cumprimentá-lo.

— *Dagh sahib*, *dagh sahib*, o senhor não precisava fazer aquilo — disse ela quando ele entrou pela porta.

Maan olhou para ela — parecia um pouco cansada. Vestia o mesmo sári de seda vermelho que tinha usado em Prem Nivas. Ele sorriu.

— Todo objeto anseia por encontrar seu lugar adequado. Um livro busca seu admirador mais verdadeiro. Assim como esta mariposa indefesa procura estar perto da vela que a mantém fascinada.

— Mas, Maan *Sahib*, os livros são escolhidos com cuidado e tratados com amor — disse Saeeda Bai, dirigindo-se carinhosamente a ele pelo nome pela primeira vez e não fazendo caso algum da observação convencionalmente galante que ele fizera. — O senhor deve ter tido esse livro em sua biblioteca durante muitos anos. Não deveria ter se separado dele.

De fato o livro permanecera na estante de Maan, só que em Benares. Por alguma razão havia se lembrado dele e pensado imediatamente em Saeeda Bai. Depois de procurar um pouco, tinha conseguido um exemplar de segunda mão em perfeito estado com o livreiro do Chowk. Mas, embevecido ao ouvir alguém se dirigir tão gentilmente a ele, disse apenas:

— O urdu, até mesmo o daqueles poemas que eu conheço de cor, não tem utilidade para mim. Não consigo ler a escrita. Você gostou?

— Sim — respondeu Saeeda Bai muito calmamente. — Todos me dão joias e outras coisas reluzentes, mas nada cativou meus olhos ou meu coração como seu presente. Mas por que estamos de pé? Faça o favor de se sentar.

Maan se sentou. Havia a mesma leve fragrância que ele havia notado antes naquele salão. Mas hoje a essência de rosas estava ligeiramente mesclada com a essência de almíscar, uma combinação que deixou Maan quase fraco de desejo.

— O senhor aceita um uísque, *dagh sahib*? — perguntou Saeeda Bai. — Infelizmente este é o único tipo que nós temos — acrescentou, indicando a garrafa meio vazia de Black Dog.

— Mas este é um excelente uísque, Saeeda *Begum*.

— Faz um tempo que nós o guardamos aqui — disse ela, entregando-lhe o copo.

Maan ficou sentado em silêncio por alguns momentos, reclinado contra um longo coxim cilíndrico e bebericando seu uísque escocês.

— Muitas vezes eu me perguntei sobre os versos que inspiraram as pinturas de Chughtai, mas nunca cheguei a pedir a alguém que soubesse urdu que os lesse para mim. Por exemplo, há uma imagem que sempre me deixou intrigado. Posso descrevê-la sem nem abrir o livro. Mostra uma paisagem aquática em tons de laranja e marrom, com uma árvore ressecada surgindo de dentro da água. Em algum lugar flutua uma flor de lótus, na qual está pousada uma pequena e enfumaçada lamparina. Sabe de que ilustração estou falando? Acho que fica no começo do livro. Na página de papel de seda que a protege consta uma só palavra "Vida!". Esse é todo o texto que há em inglês e é muito misterioso, porque abaixo dele vem um dístico completo em urdu. Talvez a senhora possa me dizer o que está escrito...

Saeeda Bai foi buscar o livro. Ela se sentou à esquerda de Maan e, na medida em que ele ia passando as páginas de seu presente magnífico, ela rezava para não chegarem à página rasgada que ela havia cuidadosamente colado de novo. Os títulos em inglês eram estranhamente sucintos. Depois de passar pelos títulos "Perto do amado", "A taça cheia" e "A vigília inútil", Maan chegou a "Vida!"

— É esta! — exclamou, enquanto examinava de novo a misteriosa pintura. — Ghalib tem muitos dísticos que falam sobre lamparinas. Fico imaginando o que diz esse.

Saeeda Bai virou a página protetora de papel de seda e por um momento as mãos deles se tocaram. Com um leve suspiro, Saeeda Bai baixou o olhar para o dístico em urdu e leu em voz alta:

O cavalo do tempo galopa veloz: vejamos onde ele se detém.
Nem a mão está nas rédeas, nem o pé está no estribo.

Maan caiu na risada.

— Isso deveria me ensinar como é perigoso tirar conclusões apoiando-se em vagas suposições.

Examinaram mais uns dísticos e Saeeda Bai disse:

— Hoje de manhã, quando olhei outros poemas, fiquei imaginando de que tratariam as páginas em inglês no final do livro.

Do meu ponto de vista é o começo do livro, pensou Maan, ainda sorrindo.

— Suponho que seja uma tradução das páginas em urdu do outro lado; mas que tal conferir? — indagou ele.

— Naturalmente, mas para isso você vai ter que mudar de lugar comigo e se sentar à esquerda. Então poderá ler uma frase em inglês e eu lerei a tradução dela para o urdu. Será como ter um professor particular — acrescentou, com um leve sorriso se formando em seus lábios.

A proximidade de Saeeda Bai nesses últimos minutos, ainda que agradável, havia criado agora um pequeno problema para o rapaz. Antes de se levantar para a troca de lugares, ele tinha sido obrigado a fazer um ligeiro ajuste nas roupas, para não permitir que ela notasse o quanto ele estava excitado. Mas quando voltou a se sentar, ele percebeu que Saeeda Bai estava se divertindo mais que nunca. Ela é um verdadeiro *sitam-zareef* — um tirano sorridente —, pensou.

— Então, *ustad sahib*, vamos começar nossa aula. — Ela propôs, levantando uma sobrancelha.

— Pois bem — disse Maan sem olhar para ela, mas profundamente consciente de sua proximidade —, o primeiro item é uma introdução das ilustrações de Chughtai, feita por certo James Cousins.

— Ah, o primeiro item do lado escrito em urdu é uma explicação dada pelo próprio artista sobre suas expectativas com relação a este livro.

— E meu segundo item — continuou Maan — é um prefácio do livro como um todo, escrito pelo poeta Iqbal.

— E o meu — disse Saeeda Bai — é um longo ensaio, novamente de autoria do próprio Chughtai, sobre várias questões, inclusive sua visão da arte.

— Veja isso aqui — disse Maan, subitamente envolvido no que estava lendo. — Eu tinha esquecido o quanto era pomposo o prefácio escrito por Iqbal . Pelo visto ele só fala de seus próprios livros, e não daquele que está apresentando. "Nesse livro de minha autoria eu disse isso, naquele outro livro eu disse aquilo". Há somente algumas observações paternalistas em relação a Chughtai e de como este era jovem...

Ele se interrompeu indignado.

— *Dagh sahib*, está ficando muito exaltado.

Eles se entreolharam, e Maan ficou um pouco desconsertado com a maneira direta como ela falara. A ele parecia que Saeeda Bai estava tentando se controlar para não rir abertamente.

— Talvez eu deva ajudá-lo a esfriar a cabeça com um gazal melancólico — continuou Saeeda Bai.

— Sim, por que não experimenta? — respondeu Maan, lembrando o que ela dissera certa vez sobre gazais. — Vamos ver que efeito ele causa em mim.

— Deixe-me chamar meus músicos.

— Não. — Maan colocou a mão sobre a dela. — Só você e o harmônio, isso já basta.

— Pelo menos o tocador de tabla...

— Eu vou marcar o ritmo com meu coração — disse Maan.

Com uma leve inclinação da cabeça, gesto que quase fez parar o coração do rapaz, ela acedeu.

— O senhor poderia se levantar e apanhá-lo para mim? — perguntou ela com malícia.

— Humm — fez Maan, mas continuou sentado.

— Também vejo que seu copo está vazio — acrescentou Saeeda Bai.

Recusando-se dessa vez a se encabular com qualquer coisa, Maan se levantou. Buscou para ela o instrumento e para si mais um drinque. Saeeda Bai cantarolou durante alguns segundos e disse:

— Sim, acho que sei qual servirá.

Começou a cantar os versos enigmáticos:

— Nenhum grão de pó no jardim é desperdiçado.
Até a trilha é a mancha de luz que leva ao canteiro das tulipas.

Na palavra "dagh", "mancha", Saeeda Bai lançou a Maan um olhar rápido e divertido. O próximo dístico era bastante trivial. Mas depois dele veio o seguinte:

— A rosa sorri dos atos do rouxinol.
O que chamam de amor é um defeito da mente.

Maan, que conhecia bem os versos, deve ter demonstrado uma consternação muito transparente, pois a cantora, depois de olhar para ele, jogou a cabeça para trás e riu. A visão de seu pescoço branco e macio exposto, seu riso repentino, ligeiramente rouco, e a mordacidade de não saber se ela estava rindo com ele ou rindo dele o levaram a esquecer de si mesmo por completo. Antes de se dar conta, e apesar do obstáculo do harmônio, ele se inclinou e a beijou no pescoço, e antes que ela pudesse cair em si, estava retribuindo.

— Não, agora não, agora não, *dagh sahib* — disse ela, um pouco arfante.

— Agora sim, agora sim — disse Maan.

— Então é melhor nós irmos para o outro quarto — disse Saeeda Bai. — Você está pegando o hábito de interromper meus gazais.

— Em que outra ocasião eu interrompi seus gazais? — Ele quis saber, enquanto ela o conduzia ao quarto.

— Algum dia eu lhe direi.

Parte Três

3.1

AOS domingos, o café da manhã na casa de Pran normalmente era um pouco mais tarde que no restante da semana. O *Brahmpur Chronicle* havia chegado, e o professor tinha os olhos fixos no suplemento dominical. Savita estava sentada ao lado dele comendo sua torrada e passando manteiga na do marido. A Sra. Rupa Mehra entrou na sala e perguntou, em voz preocupada:

— Vocês viram Lata em algum lugar?

Pran negou com um gesto de cabeça por trás do jornal.

— Não, *ma* — negou Savita.

— Espero que ela esteja bem — disse a Sra. Rupa Mehra, ansiosa. Olhou a seu redor e perguntou a Mateen: — Onde estão as especiarias? Quando você põe a mesa, eu sempre sou esquecida.

— Porque ela não estaria bem, mãe? — perguntou Pran. — Aqui é Brahmpur, não Calcutá.

— Calcutá é muito segura — disse a Sra. Rupa Mehra, defendendo a cidade onde havia nascido sua única neta. — Talvez seja uma cidade grande, mas o povo de lá é muito bom. É muito seguro para uma moça andar pela cidade a qualquer hora.

— *Ma*, a senhora só está com saudade de Arun — disse Savita. — Todo mundo sabe quem é seu filho favorito.

— Eu não tenho favoritos — defendeu-se a Sra. Rupa Mehra.

O telefone tocou.

— Eu atendo — disse Pran Kapoor casualmente. — Deve ser alguma coisa relativa aos debates de hoje à noite. Ah, por que eu concordo em organizar todas essas malditas atividades?

— Por causa dos olhares de adoração de seus alunos — respondeu Savita.

Pran atendeu o telefone. As outras duas continuaram a tomar café. Um tom cortante e exclamativo na voz de Pran, entretanto, informou a Savita que o assunto era sério. Pran parecia chocado e olhou apreensivo para a sogra.

— *Ma*... — disse ele, mas não conseguiu prosseguir.

— É sobre Lata — disse a Sra. Rupa Mehra, lendo o rosto dele. — Ela sofreu um acidente.

— Não... — disse o genro.

— Graças a Deus.

— Ela fugiu para casar... — disse Pran.

— Ai meu Deus! — disse a Sra. Rupa Mehra.

— Com quem? — perguntou Savita, transfigurada, ainda segurando uma torrada.

— ...Com Maan — disse Pran, balançando lentamente a cabeça para expressar descrença. — Como... — prosseguiu, mas sentiu-se temporariamente incapaz de falar.

— Ai, meu Deus — disseram Savita e a mãe quase simultaneamente. Durante alguns segundos reinou um silêncio atônito.

— Ele telefonou da estação ferroviária ao meu pai — continuou Pran, balançando a cabeça. — Por que ele não conversou sobre isso comigo? Não vejo nenhuma objeção ao casamento em si, a não ser pelo noivado anterior...

— Nenhuma objeção... — disse baixinho a Sra. Rupa Mehra, estupefata. Seu nariz tinha ficado vermelho, e duas lágrimas começaram a descer desamparadas pelas faces. As mãos dela estavam juntas e apertadas, como num gesto de prece.

— Seu irmão — começou Savita, indignada — pode se achar o rei da Criação, mas como você pode pensar que nós...

— Ai, minha pobre filha, coitada da minha filha — choramingava a Sra. Rupa Mehra.

A porta se abriu e Lata entrou.

— Sim, *ma*? A senhora estava me chamando? — Ela observou aquele cenário dramático e cruzou a sala até a mãe. — Ora, qual é o problema? — perguntou, olhando ao redor da mesa. — Espero que nada tenha acontecido com a outra medalha.

— Diga que não é verdade. — A mãe chorava. — Como você pôde pensar em fazer isso? E com o Maan! Como pôde partir assim o meu coração? — Um súbito pensamento lhe ocorreu. — Mas... Não pode ser verdade. A estação ferroviária?

— Eu não estive em nenhuma estação — declarou Lata. — O que está acontecendo, *ma*? Pran me disse que vocês iam ter uma longa sessão falando sobre planos e expectativas para mim... — Ela franziu um pouco a testa. — Ele falou que minha presença só iria me constranger e me pediu que voltasse tarde para o café da manhã. O que foi que eu fiz para deixar vocês tão alteradas?

Savita olhou para Pran com um espanto irritado; agora, para sua indignação, ele apenas bocejou.

— Os que não estão atentos à data — disse Pran, batendo com o dedo no cabeçalho do jornal — devem assumir as consequências.

Era primeiro de abril.

A Sra. Rupa Mehra tinha parado de chorar, mas ainda estava desnorteada. Savita olhava para o marido e a irmã com severa reprovação.

— *Ma*, essa é a ideia que Pran e Lata têm de uma brincadeira de primeiro de abril.

— Não foi minha ideia — defendeu-se Lata, começando a entender o que tinha acontecido em sua ausência. Ela começou a rir. Depois se sentou e olhou para os outros.

— Francamente, Pran — disse Savita. E se voltando para a irmã: — Não teve graça nenhuma, Lata.

— Pois é, e em plena temporada de provas — observou a Sra. Rupa Mehra. — Isso atrapalharia seus estudos... E todo tempo e dinheiro iriam por água abaixo. Não ria.

— Alegrem-se, Lata ainda está solteira. Deus está no céu — disse Pran sem se arrepender e voltou a se esconder atrás do jornal. Ele também estava rindo, mas em silêncio, consigo mesmo. Savita e a Sra. Rupa Mehra lançavam olhares afiados em direção ao jornal.

Um súbito pensamento abalou Savita:

— Eu podia ter sofrido um aborto.

— Ah, não, você é forte — disse o marido, despreocupado. — O frágil aqui sou eu. Aliás, tudo isso foi feito em seu benefício, para animar sua manhã de domingo. Você está sempre se queixando de que o domingo é monótono.

— Pois eu prefiro a monotonia a isso. Você não vai nem ao menos se desculpar conosco?

— Com certeza — disse ele prontamente. Embora não estivesse muito feliz por ter feito a sogra chorar, ele estava encantado pela forma como o truque havia funcionado. E Lata pelo menos tinha se divertido.

— Desculpe *ma*. Desculpe, querida. Eu sinto muito.

— Espero que sim. Peça desculpas também a Lata.

— Desculpe, Lata, mas você deve estar com fome — disse Pran às risadas. — Por que não pede seu ovo? Embora, na verdade — continuou ele, desfazendo uma parte da boa vontade que havia angariado —, eu não vejo por que deva pedir desculpas. Eu não gosto dessas bobagens tipo primeiro de abril. Mas por ter me casado numa família ocidentalizada eu pensei: Pran, você precisa fazer sua parte ou vão pensar que você é um camponês, e que nunca será capaz de encarar Arun Mehra novamente.

— Pode parar de fazer observações depreciativas sobre meu irmão — advertiu Savita. — Desde o casamento você vem fazendo isso. O seu é igualmente vulnerável. Na verdade, é até mais vulnerável.

Pran refletiu sobre isso por um momento. Maan tinha começado a dar o que falar.

— Vamos lá, querida me perdoe — disse ele, com um pouco mais de contrição genuína na voz. — O que eu preciso fazer para compensar?

— Levar a gente ao cinema — disse Savita imediatamente. — Hoje eu quero ver um filme em híndi, só para enfatizar até que ponto eu sou ocidentalizada.

Savita gostava de filmes falados em híndi (quanto mais sentimental, melhor); também sabia que Pran detestava a maioria deles.

— Um filme em híndi? — indagou Pran. — Eu pensei que os desejos estranhos das grávidas só abrangessem comidas e bebidas.

— Muito bem, então está combinado — afirmou Savita. — Que filme nós vamos ver?

— Desculpe, mas é impossível — disse Pran. — Tenho um debate hoje à noite.

— Pois iremos à matinê — decretou Savita, tirando o excesso de manteiga da torrada com ar decidido.

— Tudo bem, tudo bem; acho que eu mesmo provoquei isso. — Pran buscou no jornal a página com os horários dos filmes. — Que tal esse? *Sangraam*. No Odeon. "Aclamado por todos: uma sensacional maravilha cinematográfica. Só para adultos." Ashok Kumar está no filme... Ele vai acelerar o coração de *ma*.

— Você está me provocando — disse a Sra. Rupa Mehra, já um tanto aplacada. — Mas eu gosto da interpretação dele. Mesmo assim, de certa forma, sabe como é, todos esses filmes para adultos, eu acho que...

— Tudo bem — disse Pran. — O próximo. Não... Não tem nenhuma sessão da tarde para esse. Ããã... aqui está uma coisa que parece interessante.

Kaalé Badal. Um épico de amor e romantismo. Meena, Shyam, Gulab, Jeewan, etc. etc, e até Baby Tabassum! O programa certo para você, em sua atual condição — acrescentou ele para Savita.

— Não — objetou Savita —, eu não gosto de nenhum dos atores.

— Mas que família exigente! — disse Pran. — Primeiro elas querem um filme, depois rejeitam todas as opções.

— Continue a ler — ordenou Savita, muito severa.

— Sim, senhora — disse Pran. — Bom, tem o *Hulchul*. Grande estreia. Nargis...

— Eu gosto dela — disse a Sra. Rupa Mehra. — Tem um rosto tão expressivo...

— Daleep Kumar...

— Ah! — suspirou a Sra. Rupa Mehra.

— Contenha-se, *ma* — advertiu Pran. — Sitara, Yaqub, K. N. Singh e Jeevan. "Enredo espetacular. Estrelas famosas. Música sensacional. Em trinta anos de filmes indianos nunca houve um filme como este." E então?

— Onde está passando?

— No Majestic. "Reformado, luxuosamente decorado e equipado com ar-condicionado para dar confortável frescor."

— Isso parece ótimo para qualquer critério — opinou a Sra. Rupa Mehra com cauteloso otimismo, como se estivesse discutindo um noivo potencial para Lata.

— Mas, esperem! — disse Pran. — Aqui há um anúncio tão grande que eu quase não enxerguei: é do filme *Deedar*. Em exibição no... vejamos... no igualmente bem equipado Manorma Talkies, que também tem um aparelho de refrigeração de ar. Eis aqui o que diz: "Cheio de astros e estrelas! Quinta semana de exibição. Entremeado de canções sensuais e de romance para aquecer seu coração. Nargis, Ashok, Kumar..."

Fez uma pausa para a esperada exclamação por parte da sogra.

— Você está sempre me provocando, Pran — disse feliz a Sra. Rupa Mehra, com todas as lágrimas esquecidas.

— "...Nimmi, Daleep Kumar"... Que sorte incrível, *ma*! "Yaqub, Baby Tabassum"... Acertamos na loteria. "Canções do musical maravilhoso que são cantadas em cada rua da cidade. Aclamado, aplaudido, admirado por todos. Um filme para as famílias. Um filme arrebatador. Uma torrente de melodias. *Deedar*, da produtora Filmkar. Em matéria de filme, é uma joia cravejada de estrelas! O melhor filme dos últimos anos." O que me dizem?

Olhou para os três rostos maravilhados em torno dele.

— Todo mundo atordoado! — disse Pran com aprovação. — Duas vezes na mesma manhã.

3.2

NAQUELA tarde, os quatro foram aquecer seus corações no Manorma Talkies. Compraram os melhores lugares do balcão, acima da ralé, e uma barra de chocolate Cadbury, da qual Lata e Savita comeram a maior parte. A Sra. Rupa Mehra foi autorizada a comer um quadradinho, apesar do diabetes, e Pran só quis comer um. Pran e Lata ficaram de olhos secos a maior parte do tempo; Savita fungou e a Sra. Rupa Mehra soluçou desconsolada. O filme era mesmo muito triste, assim como as canções, e não ficou claro se foi o destino patético do cantor cego ou a ternura da história de amor que mais a comoveu. Todos teriam passado bons momentos se não fosse um homem sentado uma ou duas fileiras atrás deles, que, a cada vez que surgia na tela o cego Daleep Kumar, explodia num horroroso frenesi de pranto e chegou a bater com a bengala no chão para talvez demonstrar um protesto indignado contra o destino ou o diretor. Pran acabou por perder a paciência e, virando-se para trás, reclamou:

— Será que o senhor poderia se abster de bater com essa...

Parou subitamente ao constatar que o culpado era o pai da Sra. Rupa Mehra.

— Ai, meu Deus — disse ele a Savita —, é o seu avô! Queira me desculpar, senhor! Por favor, não se importe com que eu disse. *Ma* também está aqui, quero dizer, a Sra. Rupa Mehra. Peço mil perdões. Savita e Lata estão aqui também. Esperamos que o senhor nos encontre depois que o filme acabar.

Agora era o próprio Pran quem estava sendo silenciado pelos outros na plateia, e ele se virou para a esposa, balançando a cabeça. Os outros membros do grupo estavam igualmente chocados. Tudo isso não causou nenhum efeito aparente sobre as emoções do Dr. Kishen Chand Seth, que durante a última meia hora do filme continuou chorando com tanto clamor e energia quando tinha chorado antes.

— Como foi que não nos encontramos no intervalo? — perguntava-se Pran. — E ele também não reparou na gente? Nós estávamos sentados na frente dele.

O que o rapaz não podia saber é que o Dr. Kishen Chand Seth, depois de estar envolvido com um filme, era impermeável a qualquer estímulo visual ou aditivo externo. Quanto à questão do intervalo, aquilo foi — e continuaria a ser — um mistério, principalmente porque o Dr. Seth e sua esposa Parvati tinham vindo juntos ao cinema.

Quando o filme acabou e eles, como o público restante, foram expulsos do salão de projeção, todos se encontraram no saguão. O Dr. Kishen Chand Seth ainda derramava copiosas lágrimas, e os outros enxugavam os olhos com seus lenços.

Parvati e a Sra. Rupa Mehra fizeram algumas tentativas corajosas, porém frustradas, de fingir que gostavam uma da outra. Parvati era uma mulher forte, ossuda e calejada de 35 anos. Tinha a pele morena e curtida de sol, e uma atitude em relação ao mundo que parecia uma extensão de sua atitude para com os pacientes mais debilitados: era como se ela de repente houvesse resolvido que não ia mais ficar esvaziando o penico de ninguém. Usava um sári de crepe todo estampado com o que parecia cones de pinheiro impressos em cor-de-rosa. O batom dela, no entanto, não era rosado, mas sim laranja.

A Sra. Rupa Mehra, encolhendo-se diante da impressionante visão, tentou explicar por que não tinha podido ir visitar Parvati em seu aniversário.

— Mas que bom encontrar você aqui! — acrescentou.

— É mesmo, não é? — disse Parvati. — Eu estava até dizendo ao Kishy, um dia desses...

Mas o resto da frase se perdeu para a Sra. Rupa Mehra, que nunca tinha ouvido alguém se referir ao seu pai de 70 anos em termos de tão odiosa trivialidade. "Meu marido" já era bastante ruim; mas "Kishy"? Ela olhou para o pai, mas ele ainda parecia encerrado num mundo à parte.

O Dr. Kishen Chand Seth emergiu de sua aura sentimental em poucos minutos.

— Nós precisamos ir para casa — anunciou ele.

— Por favor venha tomar chá em minha casa, antes de voltar para a sua — sugeriu Pran.

— Não, hoje não dá. Irei um dia desses. Sim. E diga a seu pai que estamos esperando por ele amanhã à noite para jogar bridge. Às sete e meia em ponto. Pontualidade de cirurgião, não de político.

— Ah, direi com prazer — prometeu Pran, agora sorridente. — Ainda bem que o mal-entendido entre os senhores foi esclarecido.

O Dr. Kishen Chand Seth percebeu com um susto que obviamente o mal-entendido não tinha sido esclarecido. Sob a neblina cinematográfica em que estivera envolvido — pois em *Deedar* bons amigos tinham trocado palavras ásperas entre si —, ele havia esquecido sua desavença com Mahesh Kapoor. Olhou aborrecido para Pran. Parvati tomou uma súbita decisão.

— Sim, ficou tudo esclarecido para meu marido. Por favor, diga a ele que o aguardamos com prazer.

Ela olhou para o Dr. Seth em busca de confirmação. Este deu um grunhido contrariado, mas achou melhor deixar as coisas como estavam. De repente sua atenção mudou de foco.

— Para quando? — perguntou, indicando a barriga de Savita com o punho da bengala.

— Agosto ou setembro, foi o que nos disseram — disse Pran, com muita imprecisão, como se temesse que o Dr. Seth resolvesse novamente assumir o comando das coisas.

Virando-se para Lata, o avô perguntou:

— Por que você ainda não está casada? Não gostou do meu radiologista?

Lata olhou para ele e tentou disfarçar o espanto. Suas faces queimavam.

— O senhor ainda não a apresentou ao radiologista — interpôs rapidamente a Sra. Rupa Mehra. — E agora ela está quase na época de provas.

— Que radiologista? — perguntou Lata. — Ainda estamos no primeiro de abril. É disso que se trata?

— Sim, o radiologista. Telefone para mim amanhã — disse o Dr. Seth à filha. — Não me deixa esquecer, Parvati. Agora precisamos ir embora. Eu tenho que ver de novo este filme na semana que vem. Tão triste! — acrescentou ele com aprovação.

A caminho de seu Buick cinzento, o Dr. Seth reparou num carro estacionado incorretamente. Berrou para o policial de plantão na movimentada encruzilhada. O policial, que reconheceu o apavorante Dr. Seth, também familiar à maior parte dos representantes das forças da ordem e da desordem em Brahmpur, deixou o trânsito entregue à própria sorte e acorreu prontamente, anotando a placa do carro. Um mendigo se aproximou mancando e pediu uns centavos. O Dr. Seth o olhou enfurecido, dando-lhe uma violenta pancada na perna com a bengala. Ele e Parvati entraram no carro, e o policial abriu caminho para eles no trânsito.

3.3

— SEM conversas, por favor — disse o fiscal da prova.
— Eu estava só pedindo uma régua emprestada.
— Se precisar, peça por meu intermédio.
— Sim, senhor.
O rapaz se sentou e voltou a se dedicar à folha que tinha diante de si.
Uma mosca zumbia de encontro à vidraça da sala de aula. Do lado de fora da janela, via-se a copa avermelhada de um flamboyant, abaixo dos degraus de pedra. Com um rangido, os ventiladores giravam lentamente. Fila após fila de cabeças, fila após fila de mãos, gota após gota de tinta, palavras e mais palavras. Alguém se levantou para tomar um gole da água da jarra de barro junto da porta de saída. Alguém se recostou no espaldar da cadeira e suspirou.

Meia hora antes Lata havia parado de escrever, e agora olhava a prova sem enxergar nada. Estava tremendo. Não conseguia pensar de modo algum nas perguntas. Respirava pesadamente, com o suor a lhe brotar da fronte. Nenhuma das duas garotas que a ladeavam notou nada. Quem eram elas? Não as reconheceu das aulas de inglês.

O que significavam essas perguntas?, questionou-se. E como eu estava conseguindo respondê-las pouco antes? Os heróis trágicos shakespearianos mereciam seus destinos? Alguém merecia seu destino? Lata voltou a olhar em torno. O que está acontecendo comigo, que sou tão boa nos exames? Não estou com dor de cabeça, não estou menstruada... Qual é o motivo? O que *ma* vai dizer...

Uma imagem de seu quarto na casa de Pran lhe voltou à mente. Nela viu as três malas da mãe, repletas da maior parte de seus pertences neste mundo.

Apêndices costumeiros de sua peregrinação ferroviária anual, as malas ficavam em um canto, e sobre elas repousava uma enorme bolsa de mão, qual um confiante cisne negro. Junto à bolsa ficava um pequeno exemplar quadrado do *Bhagavad-Gita*, encadernado em verde-escuro, e um copo que continha a prótese dentária que ela usava desde o acidente de carro sofrido dez anos antes.

O que meu pai — com seu brilhante desempenho, suas medalhas de mérito — teria pensado?, perguntava-se Lata. Como pude decepcioná-lo desse jeito? Foi em abril que ele morreu. Naquela época os flamboyants também estavam florindo... Preciso me concentrar. Eu tenho que me concentrar. Alguma coisa aconteceu comigo, e eu não devo entrar em pânico. Preciso relaxar, e as coisas voltarão ao normal.

Lata voltou a cair num devaneio. A mosca emitia um zumbido regular.

— É proibido cantarolar. Por favor, façam silêncio.

Assustada, Lata percebeu que era ela quem estava cantarolando baixinho, e agora as duas meninas que estavam ao seu lado a olhavam: uma parecia intrigada, a outra, aborrecida. Inclinou a cabeça para o caderno de respostas. As linhas azuis-claras se estendiam de um lado a outro da página vazia, sem qualquer significado potencial.

— Se você não for bem-sucedida no começo... — Ela ouvia a voz da mãe dizer.

Rapidamente retornou a uma pergunta anterior, já respondida, mas o que escrevera lhe pareceu sem sentido.

"O desaparecimento de Júlio César de sua própria peça, já no terceiro ato, implicaria..."

Lata apoiou a cabeça nas mãos.

— Está passando mal?

Ela ergueu o rosto e viu a expressão conturbada do jovem professor-assistente do departamento de filosofia que participava naquele dia da equipe de fiscalização das provas.

— Não.

— Tem certeza? — murmurou ele.

Lata fez que sim. Apanhou a caneta e começou a escrever alguma coisa no caderno de respostas. Passados alguns minutos, o fiscal anunciou:

— Falta meia hora.

Lata percebeu que, das três horas de prova, pelo menos uma havia sido desperdiçada. Até agora ela só respondera duas perguntas. Subitamente alarmada, começou a escrever respostas para as duas questões restantes — que escolheu virtualmente ao acaso — num garrancho ditado pelo pânico, sujando os dedos na tinta, manchando o caderno de respostas, quase sem consciência do que estava escrevendo. O zumbido da mosca parecia ter entrado em seu cérebro. Sua caligrafia, em geral atraente, agora parecia pior que a letra de Arun, e esse pensamento quase a paralisou novamente.

— Faltam cinco minutos.

Lata continuou a escrever, quase inconsciente do que estava escrevendo.

— Canetas sobre a mesa, por favor.

A mão dela continuou a se mover sobre a página.

— Parem de escrever, por favor. O tempo acabou.

Lata pousou a caneta e enterrou a cabeça nas mãos.

— Tragam suas provas aqui para a frente. Queiram conferir se o número de chamada está corretamente escrito na folha de rosto e se seus cadernos suplementares, se é que têm algum, estão colocados na ordem certa. Sem conversas, por favor, até saírem da sala.

Lata entregou o caderno de respostas. A caminho da saída, ela encostou o pulso direito na fria jarra de argila por alguns segundos.

Não sabia o que tinha acontecido.

3.4

LATA ficou parada por um minuto do lado de fora da sala. A luz do sol se derramava sobre os degraus de pedra. A lateral de seu dedo médio estava manchada de tinta azul-escura, e ela o olhou, franzindo o cenho. Estava quase às lágrimas.

Outros estudantes de inglês encontravam-se nos degraus e conversavam. Eles realizavam uma autópsia completa da prova, coordenada por uma garota otimista e gordinha que ia marcando nos dedos as várias questões que tinha respondido corretamente.

— Este é um exame que eu sei que fiz realmente bem — dizia ela. — Principalmente a pergunta sobre *Rei Lear*. Acho que a resposta era "Sim".

Outros estavam parecendo animados ou deprimidos. Todos concordavam que várias perguntas eram muito mais complicadas do que precisavam ser. Um grupinho de estudantes de história estava parado a certa distância, discutindo outra prova, que tinha sido realizada simultaneamente no mesmo edifício. Um deles era o jovem que se impusera à atenção de Lata na livraria Imperial Book Depot, e ele parecia levemente preocupado. Nos últimos meses tinha devotado grande parte de seu tempo a atividades extracurriculares — principalmente o críquete —, e aquilo tivera um efeito negativo sobre seu desempenho.

Lata caminhou para um banco sob o flamboyant, onde se sentou para recuperar o autocontrole. Quando chegasse em casa para almoçar, seria atormentada com centenas de perguntas sobre o próprio desempenho na prova. Olhou para as flores vermelhas espalhadas aos seus pés. O zumbido da mosca ainda estava em sua cabeça.

O rapaz, mesmo conversando com os colegas de turma, tinha notado a garota descendo as escadas. Quando Lata se sentou no banco distante sob a árvore, ele resolveu falar com ela. Disse aos amigos que precisava ir para casa almoçar — que o pai estaria esperando por ele — e foi andando depressa pela trilha que passava ao lado do flamboyant. Ao passar pelo banco, soltou uma exclamação de surpresa e parou.

— Olá — disse ele.

Lata levantou a cabeça e o reconheceu. Ficou vermelha de vergonha, temerosa de que ele a visse em sua atual e evidente aflição.

— Imagino que não se lembra de mim — arriscou ele.

— Eu me lembro — disse Lata, surpresa de vê-lo continuar a falar com ela, apesar de seu evidente desejo de passar despercebida. Ela não disse nada por alguns segundos, ele também não.

— Nós nos encontramos na livraria — lembrou ele.

— Eu sei — disse Lata. Depois acrescentou depressa: — Por favor, deixe-me ficar sozinha. Não tenho vontade de conversar com ninguém.

— Foi o exame, não foi?

— Foi.

— Não se preocupe; dentro de cinco anos você terá esquecido tudo sobre ele.

Lata ficou indignada. Pouco lhe importava a filosofia superficial que ele expressava. Quem diabos ele achava que era? Por que não ia embora, exatamente como a danada da mosca?

— E digo isso — continuou ele — porque um aluno do meu pai certa vez tentou se matar depois de se dar mal nos exames finais. Ainda bem que não conseguiu, porque quando saíram os resultados ele descobriu que tinha ficado em primeiro lugar.

— Como alguém pode achar que se saiu mal em matemática quando se saiu bem? — perguntou Lata, interessada apesar de tudo. — As respostas nessa matéria ou estão certas ou estão erradas. Posso entender a dúvida em história ou em inglês, mas em...

— Eis aí um pensamento animador — disse o rapaz, contente com o fato de ela ter se lembrado de alguma coisa a respeito dele. — Provavelmente nós nos saímos melhor do que julgamos.

— Então você também se saiu mal?

— Sim — respondeu ele singelamente.

Lata achou difícil acreditar nele, já que não parecia nada angustiado.

Durante uns minutos houve silêncio. Alguns colegas do rapaz passaram ao lado do banco, porém diplomaticamente evitaram cumprimentá-lo. Ele sabia, no entanto, que isso não os impediria de perturbá-lo mais tarde sobre o começo de uma grande paixão.

— Mas veja bem, não se preocupe... — prosseguiu o rapaz. — De cada seis provas, uma será forçosamente difícil. Você quer um lenço?

— Não, obrigada. — Lata encarou-o, furiosa, e depois desviou o olhar.

— Quando estava parado ali, me sentindo deprimido — disse ele, apontando para o alto dos degraus —, reparei que você estava parecendo ainda pior, e aquilo me animou. Posso me sentar?

— Não, por favor — disse Lata. Depois, ao ver que suas palavras tinham parecido indelicadas, corrigiu-se: — Não, sente-se. Mas eu tenho que ir embora. Espero que você tenha se saído melhor do que pensa.

— Eu espero que você se sinta melhor do que se sente agora — disse o rapaz e se sentou. — Essa conversa ajudou?

— Não — disse Lata —, nem um pouco.

— É pena. — Ele ficou um pouco desconcertado. — Seja como for lembre-se de que no mundo há coisas mais importantes que as provas.

Recostou-se no banco e ergueu o olhar para as flores vermelho-alaranjadas.

— Como o quê? — perguntou Lata.

— Como a amizade — disse ele, um pouco severamente.

— É mesmo? — Agora Lata sorria um pouco a contragosto.

— É sim. Conversar com você certamente me deixou mais animado.

Mas ele continuava a parecer sisudo.

Lata se levantou e começou a andar para longe do banco.

— Você tem alguma objeção a que eu vá caminhando ao seu lado por parte do percurso? — perguntou ele, levantando-se.

— Não posso impedi-lo — retrucou Lata. — A Índia agora é um país livre.

— Tudo bem. Vou ficar sentado aqui neste banco pensando em você — disse ele, melodramático, e tornou a se sentar. — E na atraente e misteriosa mancha de tinta perto de seu nariz. O Holi foi há alguns dias.

Lata deu um muxoxo de impaciência e foi embora. Os olhos do rapaz a seguiram, e ela estava consciente disso. Para controlar o constrangimento, esfregou com o polegar a lateral do dedo médio manchada de tinta. Estava irritada com ele e consigo mesma, e com o fato de ter gostado inesperadamente da inesperada companhia dele. Mas esses pensamentos tiveram o efeito de substituir sua angústia e seu pânico, causados pelo mau desempenho na prova sobre teatro, pelo desejo de ir correndo se olhar no espelho.

3.5

DEPOIS, na tarde do mesmo dia, Lata, Malati e algumas amigas — só moças, naturalmente — estavam indo passear juntas num bosque de jacarandás, onde elas gostavam de se sentar para estudar. Por tradição, o bosque de jacarandás só era aberto a mulheres. Malati carregava um manual de medicina inconvenientemente volumoso.

O dia estava quente. As duas passeavam de mãos dadas entre os pés de jacarandá. Algumas flores de cor lilás caíam devagar até o chão. Quando ambas se afastaram das amigas o suficiente para não serem ouvidas, Malati perguntou, com serena jovialidade:

— Em que você está pensando? — Quando Lata a olhou intrigada, Malati continuou, inexorável: — E não adianta olhar para mim desse jeito; sei que alguma coisa está perturbando você. De fato, eu até sei o que é. Tenho minhas fontes de informação.

— Sei o que você vai dizer, e não é verdade.

Malati olhou para a amiga.

— Toda aquela educação cristã recebida em St. Sophia teve má influência sobre você. Transformou-a numa terrível mentirosa. Não, não é bem isso que eu quero dizer, e sim, você mente terrivelmente mal.

— Pois muito bem, o que você ia dizer?

— Agora não lembro mais.

— Ah, por favor, eu não larguei meus livros para isso. Não seja malvada, não seja ambígua e não fique de implicância. Do jeito que a coisa está já é bastante ruim.

— Por quê? Você já está apaixonada? Já estava na hora, a primavera acabou.

— É claro que não — disse Lata, indignada. — Você está maluca?

— Eu não.

— Então, por que está me fazendo essas perguntas?

— Ouvi dizer que ele caminhou com toda familiaridade até o banco em que você se sentou depois da prova — disse Malati. — Daí imaginei que depois daquele dia na livraria vocês deviam ter se encontrado de vez em quando.

Pela descrição dada pelo informante, Malati imaginara que tinha sido o mesmo rapaz. E ficou satisfeita de ter acertado.

Lata olhou-a com mais irritação que carinho. As notícias circulam depressa demais, pensou, e Malati tem por hábito bisbilhotar a conversa alheia.

— Nós não nos encontramos — defendeu-se. — Não sei onde você consegue essas informações, Malati. Eu gostaria que você falasse de música, ou das últimas notícias, ou de alguma coisa sensata. Até mesmo de seu socialismo. Essa é só a segunda vez que nos falamos e eu nem mesmo sei o nome dele. Olha, me dê seu livro de medicina e vamos nos sentar. Se eu ler uns parágrafos sobre um assunto que não entendo, vou me sentir melhor.

— Você não sabe nem o nome dele? — estranhou Malati, agora olhando a amiga como se ela tivesse perdido a razão. — Coitado do sujeito! E ele sabe o seu nome?

— Acho que eu disse a ele lá na livraria. É, eu disse. Então ele me perguntou se eu ia perguntar o dele, e eu disse que não.

— E desejou não ter dito isso — comentou Malati, examinando-lhe atentamente o rosto.

Lata ficou calada. Sentou-se e apoiou-se no jacarandá.

— E eu imagino que ele teria gostado de lhe dizer o nome — disse Malati, sentando-se ao lado dela.

— Imagino que sim. — Lata riu.

— Coitado do Purê de Batata — disse Malati.

— Coitado do quê?

— Ora, você sabe: "Não coloque pimenta no purê de batata" — citou Malati, imitando a outra. Lata ficou vermelha. — Você gosta dele, não gosta? Se mentir, eu vou saber.

Lata não respondeu de imediato. Na hora do almoço tinha conseguido encarar a mãe com relativa calma, apesar do estranho episódio — quase um transe — da prova de teatro.

— Ele viu que eu estava abalada depois da prova. Acho que não foi fácil para ele se aproximar e falar comigo, já que na livraria eu o tinha... ora, de certa forma, rejeitado.

— Ah, não sei — disse Malati em tom casual. — Os homens são uns idiotas. Ele poderia perfeitamente ter feito isso só pelo desafio. Eles estão sempre desafiando uns aos outros para fazer tolices, como invadir o alojamento feminino no Festival do Holi. Eles se consideram heróis.

— Ele não é um idiota — disse Lata ressentida. — E quanto ao heroísmo, acho que fazer uma coisa pela qual se pode levar um tremendo fora requer, no mínimo, um pouco de coragem. No Blue Danube você disse alguma coisa nesse sentido.

— Não requer coragem, e sim atrevimento — corrigiu Malati, que estava achando extremamente divertidas as reações da amiga. — Os rapazes não ficam apaixonados, eles são apenas ousados. Quando nós quatro estávamos caminhando para este bosque, ainda há pouco, reparei em dois rapazes de bicicleta que nos seguiam de um jeito que dava pena. E nenhum deles queria realmente se atrever a ter um encontro com uma de nós, mas nenhum dos dois podia confessar isso. Portanto, para eles foi um grande alívio quando nós entramos no bosque e a questão se tornou irrelevante.

Lata ficou em silêncio. Deitou-se no gramado e ficou olhando para o céu através da copa do jacarandá. Pensou na mancha de tinta no nariz, lavada antes do almoço.

— Às vezes eles se aproximam em grupo — continuou Malati — e ficam sorrindo mais uns para os outros do que para você. Outras, têm tanto medo de que os amigos consigam pensar em uma cantada melhor que a deles que se armam de coragem e se aproximam sozinhos. E qual é a frase de abertura? Nove entre dez vezes é: "Você me empresta suas anotações?" Talvez temperem a frase com um morno e fraco "namastê". Por falar nisso, qual foi a frase introdutória do Purê de Batata?

Lata deu um pontapé em Malati.

— Desculpe, eu quis dizer, do seu docinho de coco.

— O que foi mesmo que ele disse? — perguntou Lata, quase para si. Quando tentou recordar exatamente como a conversa havia começado, percebeu que esta, mesmo tendo acontecido horas antes, já ficara nebulosa em sua memória. O que permanecia, no entanto, era a lembrança de que o nervosismo inicial diante da presença do rapaz tinha terminado em uma confusa sensação de calor: pelo menos alguém, mesmo que só um bonitão desconhecido, ao vê-la desnorteada e abalada, tinha se importado o bastante para fazer alguma coisa que lhe animasse o espírito.

3.6

ALGUNS dias depois foi realizado um recital de música no Bharatendu Auditorium, um dos dois maiores da cidade. Um dos intérpretes era *ustad* Majeed Khan.

Lata e Malati conseguiram comprar ingressos. Outra que também conseguiu foi uma amiga delas, Hema, moça alta, magra e muito animada que morava com numerosos primos de ambos os sexos numa casa nas imediações de Nabiganj. Eles estavam sob os cuidados de um parente mais velho e severo, ao qual todos se referiam como "Tauji". O Tauji de Hema tinha a seu cargo uma enorme tarefa, pois não só era responsável por garantir o bem-estar e a reputação das moças da família, mas também por cuidar de que os rapazes não se metessem nos numerosos tipos de encrenca em que eles geralmente se metem. Muitas vezes ele havia amaldiçoado a própria sorte que o tornou, numa cidade universitária, o único representante de uma família grande e territorialmente dispersa. Houve ocasiões em que ele ameaçou mandar todo mundo de volta para casa, pois já haviam lhe causado mais problemas do que podia suportar. Mas a esposa dele, chamada por todos de "Taiji", embora tendo sido, ela própria, criada praticamente sem liberdade, achava uma grande lástima ver igualmente reprimidas as sobrinhas e sobrinhas-netas. Ela conseguia obter para as moças o que estas não obteriam mediante uma abordagem mais direta.

Nessa noite, Hema e os primas tinham conseguido pegar emprestado o imenso Packard marrom-avermelhado de Tauji e percorreram a cidade a fim de buscar as amigas para assistirem ao concerto. No momento em que Tauji desapareceu de vista, todas esqueceram seu comentário de despedida, totalmente indignado:

— Flores? Flores nos cabelos? Sair para passear durante a temporada de provas para ouvir toda essa música profana! Todo mundo vai pensar que vocês são totalmente depravadas; vocês nunca vão se casar.

Onze moças, inclusive Lata e Malati, emergiram do Packard no Bharatendu Auditorium. O estranho é que seus sáris não estavam amassados, ainda que elas talvez parecessem um pouco despenteadas. Ficaram do lado de fora do auditório arrumando os próprios cabelos e os das outras, numa tagarelice empolgada. Então, num movimentado lampejo colorido, entraram no recinto. Não havia lugar para todas se sentarem juntas; portanto, elas se sentaram em grupos de duas e três, extasiadas, mas não menos volúveis. Alguns ventiladores giravam no teto, mas o dia tinha sido quente, e o auditório estava abafado. Lata e as amigas começaram a se abanar com o programa, aguardando o começo do recital.

A primeira metade consistia num recital de cítara decepcionante de tão burocrático, interpretado por um músico famoso. No intervalo, Lata e Malati estavam paradas junto à escadaria no saguão quando o Purê de Batata caminhou em direção a elas.

Malati, que o viu primeiro, cutucou a amiga para chamar sua atenção e disse:

— Encontro número três. Vou tomar chá de sumiço.

— Malati, por favor, fique aqui — disse Lata em súbito desespero, mas a amiga havia desaparecido após ter dado uma advertência: "Não seja um camundongo, seja uma tigresa."

O rapaz aproximou-se dela em passos muito seguros.

— Posso interrompê-la? — perguntou ele, à meia voz.

Na balbúrdia do saguão lotado, Lata não conseguiu entender o que ele estava dizendo, e indicou sua dificuldade.

Aquilo foi recebido pelo rapaz como permissão para se aproximar. Ele chegou mais perto, sorriu para ela e disse:

— Eu perguntei se poderia interrompê-la.

— Me interromper? — disse Lata. — Mas eu não estava fazendo nada.

Seu coração batia disparado.

— Quero dizer interromper seus pensamentos.

— Eu não estava tendo nenhum — disse Lata, tentando controlar o repentino turbilhão em sua mente. Lembrando-se do comentário de Malati sobre o quanto ela mentia mal, sentiu o sangue lhe subir ao rosto.

— Está muito abafado lá dentro — comentou o rapaz. — E aqui também, é claro.

Lata assentiu. Não sou camundongo nem uma tigresa, pensou. Sou um ouriço.

— Que beleza de música — disse ele.

— É mesmo — concordou Lata, embora não achasse isso. A presença dele, tão próxima, deixava sua pele formigando. Além disso, estava envergonhada de ser vista com um rapaz. Sabia que se olhasse ao redor veria algum conhecido observando-a. Porém, como já tinha sido indelicada com ele duas vezes, estava decidida a não rejeitá-lo de novo. No entanto, fazer sua parte do diálogo era difícil, pois se sentia muito confusa e agitada. Como era difícil para ela encará-lo, ela baixou o olhar.

O rapaz estava dizendo:

— ...Embora eu não vá lá com frequência, é claro. E você?

Lata, desconcertada porque não tinha ouvido nem registrado o que acontecera antes, não respondeu.

— Você está muito calada — observou ele.

— Eu sou sempre muito calada. É para equilibrar.

— Não, você não é calada — disse o rapaz com um sorriso pálido. — Quando você e suas amigas entraram, estavam tagarelando como papagaios, e algumas continuaram a bater papo enquanto o concertista afinava o instrumento.

— Você acha — perguntou Lata, erguendo o olhar um tanto abruptamente — que os homens não costumam bater papo e tagarelar tanto quanto as mulheres?

— Acho sim — disse o rapaz com irreverência, feliz por ela finalmente falar alguma coisa. — É um fato da natureza. Devo contar a você uma lenda folclórica sobre Akbar e Birbal? É muito relevante para o tema.

— Não sei. Depois de tê-la ouvido eu lhe direi se você deveria tê-la contado.

— Bom, talvez em nosso próximo encontro?

Lata recebeu com frieza o comentário.

— Imagino que haverá um próximo encontro. Ao que parece nós estamos constantemente nos encontrando por acaso.

— Será que precisa ser por acaso? — perguntou ele. — Quando falei sobre você e suas amigas, o fato é que eu estava atento principalmente a você. No momento em que a vi entrar, pensei no quanto estava bonita num simples sári verde com uma rosa branca nos cabelos.

A palavra "principalmente" incomodou Lata, mas o resto foi pura música. Ela sorriu. Ele retribuiu o sorriso e de repente se tornou muito específico.

— Vai haver uma reunião da Sociedade Literária de Brahmpur às cinco da tarde de sexta-feira, na casa do velho Sr. Nowrojee. O endereço é Hastings Road, 20. Deve ser interessante, e está aberta a quem quiser comparecer. Com as férias da universidade se aproximando, pelo visto eles querem receber gente de fora para fazer número.

As férias da universidade, pensou ela. Talvez no fim das contas nós não voltemos a nos ver. Aquele pensamento a entristecia.

— Ah, eu queria perguntar uma coisa a você — disse ela.

— É mesmo? — O rapaz parecia intrigado. — Pergunte.

— Como você se chama?

O rosto dele se abriu num sorriso de felicidade.

— Ah, eu pensei que você nunca iria perguntar. Meu nome é Kabir, mas recentemente meus amigos começaram a me chamar de Galahad.

— Por quê? — perguntou Lata, surpresa.

— Porque acham que meu passatempo é salvar donzelas em perigo.

— Eu não estava em perigo para precisar ser salva.

Ele riu.

— Eu sei que você não estava, você sabe que não estava, mas meus amigos são um bando de idiotas.

— Minhas amigas também — disse Lata, desleal. Afinal de contas, Malati a havia deixado desamparada.

— Por que não trocamos também nossos sobrenomes? — propôs o rapaz, aproveitando a vantagem obtida.

Algum instinto de conservação fez Lata se deter. Gostava do rapaz e desejava muito que eles voltassem a se encontrar, mas ele talvez perguntasse o endereço dela da próxima vez. Imagens da Sra. Rupa Mehra fazendo milhares de perguntas vieram à mente.

— Não, é melhor que não — disse Lata. Então, sentindo o quanto fora abrupta e talvez o tivesse magoado, ela disse a primeira coisa que lhe veio à mente num rompante: — Você tem irmãos ou irmãs?

— Tenho um irmão mais novo.

— Nenhuma irmã? — Lata sorriu, sem saber muito bem porquê.

— Eu tinha uma irmã mais nova até o ano passado.

— Ah, eu lamento muito — disse ela, consternada. — Deve ter sido terrível para você... E para seus pais.

— Para meu pai, sim — confirmou ele, baixinho. — Mas parece que *ustad* Majeed Khan já começou. Que tal nós entrarmos?

Lata quase não ouviu o que ele disse, mas, movida por uma onda de compaixão e até de ternura, ela o seguiu quando Kabir se dirigiu à porta do auditório. Lá dentro o maestro tinha começado sua lenta e magnífica interpretação do raga Shri. Eles se separaram, retomaram seus lugares e se sentaram para ouvir.

3.7

NORMALMENTE Lata teria ficado em transe com a música de *ustad* Majeed Khan. Malati, sentada ao lado dela, estava hipnotizada. Mas o encontro com

Kabir havia deixado as ideias de Lata vagando em tantas direções distintas que ela poderia perfeitamente estar ouvindo o silêncio. De repente sentiu o coração leve e começou a sorrir ao pensar na rosa que tinha nos cabelos. Um minuto depois, lembrando a última parte da conversa deles, recriminou-se por ter sido tão insensível. Tentou interpretar o que ele dissera em voz tão baixa — "para meu pai, sim". Será que a mãe dele já havia morrido? Nesse caso a morte da mãe o colocava numa curiosa simetria em relação a Lata. Ou a mãe, tão alheia à família, não teve consciência da morte da filha ou não se afligiu muito com ela? Por que eu estou pensando nessas coisas impossíveis?, estranhou Lata. De fato, quando Kabir dissera "até o ano passado eu tinha uma irmã mais nova", aquilo implicava necessariamente a conclusão a que Lata havia chegado? Mas, pobre moço, ele tinha ficado tão tenso e subjugado pelas últimas palavras trocadas entre os dois que ele próprio sugeriu voltarem para o auditório.

Malati teve a gentileza e a sagacidade de não olhar para ela nem cutucá-la. E Lata logo acabou mergulhando na música e se perdendo dentro dela.

3.8

NA próxima vez em que Lata viu Kabir, ele parecia o verdadeiro oposto de tenso e subjugado. A moça ia atravessando o campus com um livro e um fichário embaixo do braço quando o avistou junto com outro estudante, ambos vestidos com roupas de jogar críquete, perambulando na trilha que levava ao campo de esportes. Kabir balançava casualmente um bastão enquanto caminhavam, e os dois rapazes pareciam envolvidos numa conversa relaxada e intermitente. Lata estava a uma distância considerável deles e não conseguiu distinguir nada do que diziam. De repente Kabir jogou a cabeça para trás e explodiu numa gargalhada. À luz matinal ele estava tão bonito, e seu riso era tão franco e relaxado que Lata, que quase se desviara para a biblioteca, continuou a segui-lo. Mesmo surpresa com a própria atitude, ela não se recriminou. Ora, por que eu deveria?, pensou. Já que ele se aproximou de mim em três ocasiões, não vejo por que não segui-lo uma vez só. Mas eu pensei que a temporada de críquete tivesse acabado. Não sabia que havia partidas em plena época de provas.

Acontece que Kabir e o amigo tinham saído para praticar um pouco. O extremo oposto do campo de esportes, onde estavam instaladas as redes para treinamento, ficava próximo a um pequeno bambuzal. Lata sentou-se à sombra e, sem que a vissem, ficou observando os dois se revezarem com a bola e o taco. Ela não sabia nada sobre críquete — nem o entusiasmo de Pran a havia influenciado —, mas ficou sonolentamente extasiada ante a visão de Kabir vestido de branco, camisa aberta ao colarinho, sem gorro e com os cabelos em desalinho, correndo para fazer o arremesso ou parado junto a uma das linhas de demarcação do *pitch*, brandindo o taco com evidente destreza. Teria quase 1,80m de altura e era delgado e atlético, com um tom de pele moreno claro, nariz aquilino, e cabelos negros e ondulados. Lata não sabia quanto tempo ficou sentada ali, mas teria sido mais de meia hora. O som do taco na bola, o murmurar da brisa leve nos bambus, o chilrear de alguns pardais, os gritos de um casal de mainás e principalmente o som das risadas descontraídas e da conversa indistinta dos dois rapazes; tudo se combinou para quase fazê-la se esquecer de si. Foi preciso um tempo para se recobrar.

Estou me comportando como uma *gopi* fascinada, pensou. Em breve, em vez de ter ciúmes da flauta de Krishna, começarei a invejar o taco de críquete de Kabir! Ela sorriu ante aquele pensamento, depois se levantou, limpou da roupa algumas folhas secas e, ainda sem ser notada, voltou pelo mesmo caminho percorrido antes.

— Você precisa descobrir quem é ele — disse ela a Malati naquela tarde, enquanto arrancava uma folha de uma árvore e passava-a distraidamente pelo braço.

— Ele quem? — perguntou Malati, deliciada.

Lata deu um suspiro irritado.

— Ora, se você tivesse deixado, eu poderia ter contado alguma coisa sobre ele depois do concerto.

— Tipo o quê? — Lata quis saber, ansiosa.

— Ora, aqui estão dois fatos — disse Malati, provocadora. — Para começar: ele se chama Kabir e joga críquete.

— Mas isso eu já sei — protestou Lata —, e é praticamente tudo que sei. Você não sabe mais nada?

— Não. — Malati brincou com a ideia de inventar um traço de criminalidade na família dele, mas aquilo lhe pareceu demasiado cruel.

— Mas você disse "para começar". Quer dizer que deve saber mais alguma coisa.

— Não sei, não. A segunda parte do concerto começou exatamente quando eu ia fazer mais algumas perguntas ao meu informante.

— Tenho certeza de que você é capaz de descobrir tudo a respeito dele, caso resolva se dedicar a isso.

A confiança de Lata na amiga era tocante, porém Malati duvidava. Possuía um amplo círculo de conhecidos, mas estavam praticamente no final do semestre e ela não sabia por onde começar a investigação. E alguns estudantes — aqueles cujos exames haviam terminado — já tinham deixado a cidade. Entre eles incluía-se o informante dela no concerto. Ela própria viajaria dentro de alguns dias de volta para Agra.

— A Agência de Detetives Trivedi necessita de uma ou duas pistas para começar — explicou. — E o tempo é curto. Você precisa pensar de novo nas conversas que tiveram. Será que não há mais alguma coisa nelas que você saiba sobre ele e que possa me ajudar?

Lata refletiu por alguns momentos, mas sua mente permaneceu em branco.

— Nada — anunciou. — Ah, espere... O pai dele ensina matemática.

— Na Universidade de Brahmpur?

— Eu não sei. E outra coisa: acho que ele gosta de literatura. Queria que eu fosse amanhã à reunião da Soc. Lit.

— Então por que você não vai e pergunta tudo diretamente para ele? — indagou Malati, que acreditava no poder de uma abordagem audaciosa. — Por exemplo, se ele escova os dentes com Kolynos. "Há magia no sorriso Kolynos."

— Não posso — objetou Lata, com tamanha ênfase que deixou Malati um pouco surpresa.

— Não venha me dizer que está se apaixonando por ele! — exclamou. — Você nem sabe o mais essencial a respeito dele; a família ou mesmo o nome completo.

— Sinto que sei a respeito dele coisas mais importantes que o essencial — defendeu-se Lata.

— Sim, claro, como a brancura dos dentes e o negror dos cabelos. "Ela flutuava numa nuvem mágica bem alta no céu, sentindo com cada fibra de seu ser a forte presença dele em torno dela. Ele era para ela o universo todo. Era a razão de ser e o fim de tudo." Conheço a sensação.

— Se você vai ficar dizendo bobagens... — disse Lata, sentindo o calor subir às faces.

— Não, não... — disse Malati, ainda rindo. — Vou descobrir tudo o que eu puder. — Várias ideias lhe cruzavam a mente: reportagens sobre críquete na revista universitária? O departamento de matemática? A secretaria? — Deixe o Purê de Batata por minha conta — continuou em voz alta. — Vou passar pimenta nele e apresentá-lo a você numa bandeja. De toda forma, a julgar por seu rosto, Lata, ninguém diria que você ainda tem uma prova a fazer. Apaixonar-se lhe faz bem. Devia fazê-lo com mais frequência.

— Sim, eu vou fazer. Quando você for médica, receite isso a todos os seus pacientes.

3.9

NO dia seguinte, às cinco da tarde, Lata chegou ao número 20 da Hastings Road. Naquela manhã tinha feito a última prova. Estava convencida de não ter ido bem no teste, mas quando começou a se preocupar pensou em Kabir e se animou na hora. Agora estava procurando por ele no meio do grupo de 15 homens e mulheres sentados na sala de estar do velho Sr. Nowrojee — local de realização das reuniões semanais da Sociedade Literária de Brahmpur desde tempos imemoriais. Mas o rapaz não tinha chegado, ou então desistira de comparecer.

A sala estava cheia de cadeiras estofadas e forradas com tecido de estampa floral e almofadas excessivamente estofadas e igualmente forradas com tecido de estampa floral.

O Sr. Nowrojee, um homem magro, baixinho e gentil, de cavanhaque branco e impecável terno cinza-claro presidia a ocasião. Percebendo que Lata era uma novata, apresentou-se a ela e lhe deu as boas-vindas. Sentados ou de pé em pequenos grupos, os outros não prestaram atenção a ela. Sentindo-se pouco à vontade no começo, Lata caminhou até uma janela e ficou olhando para fora na direção de um pequeno jardim bem-cuidado que tinha um relógio de sol no meio. Tamanho era o desejo que tinha de encontrá-lo que ela afastou com veemência o pensamento de que ele talvez não comparecesse.

— Boa tarde, Kabir.

— Boa tarde, Sr. Nowrojee.

À menção do nome de Kabir, Lata se voltou na direção do som ameno e grave da voz dele e lhe deu um sorriso tão radiante que ele pôs a mão na testa e deu alguns passos cambaleantes para trás.

Ela não soube como interpretar a palhaçada dele, que felizmente ninguém mais notou. Agora o Sr. Nowrojee encontrava-se sentado à mesa oblonga no fundo da sala e tossia discretamente para chamar a atenção. Lata e Kabir se acomodaram em um sofá desocupado junto à parede mais distante da mesa. Antes que pudessem trocar palavra, um homem de meia-idade de rosto redondo, vivaz e alegre lhes entregou um maço de cópias feitas a partir de papel-carbono que pareciam cobertas de poemas.

— Makhijani — disse ele misteriosamente ao passar.

O Sr. Nowrojee tomou um golinho de água de um dos copos à sua frente.

— Companheiros da Sociedade Literária de Brahmpur e amigos — começou ele numa voz que mal chegava ao local em que Lata e Kabir estavam sentados —, estamos reunidos aqui para a 1.698ª sessão de nossa sociedade. Eu agora declaro aberta a reunião. — Olhou saudosamente pela janela e limpou os óculos com um lenço. Depois continuou: — Ainda me lembro quando Edmund Blunden discursou para nós. Ele disse, e até hoje recordo suas palavras...

O Sr. Nowrojee parou, tossiu e olhou para uma folha à sua frente. Sua pele parecia tão fina quanto o papel.

Ele prosseguiu:

— Reunião 1.698ª recitação de poemas de própria autoria por membros da Sociedade. Estou vendo que as cópias foram distribuídas. Na semana que vem o professor O. P. Mishra, do departamento de inglês, nos apresentará um ensaio sobre o tema: "Eliot: que rumo tomar?"

Lata, que gostava das palestras do professor Mishra, apesar do tom rosado de que agora ele estava investido na mente dela, pareceu interessada, embora o título fosse um pouco desconcertante.

— Três poetas lerão suas próprias obras hoje — continuou o Sr. Nowrojee — e, depois disso, espero que vocês nos acompanhem para tomar chá.

Lamento constatar que o Sr. Sorabjee, meu jovem amigo, não conseguiu encontrar tempo para comparecer — acrescentou num tom de amável repreensão.

O Sr. Sorabjee, de 57 anos e etnia parse, como o próprio Sr. Nowrojee, era o supervisor da Universidade de Brahmpur e raramente deixava de comparecer a uma reunião da Sociedade Literária da cidade. Mas sempre conseguia evitar as reuniões em que os participantes liam seus próprios esforços poéticos.

O Sr. Nowrojee sorriu indeciso.

— Os poetas que lerão hoje são o Dr. Vikas Makhijani, a Sra. Supryia Joshi...

— Srimati Supryia Joshi — disse uma retumbante voz feminina. A Sra. Joshi, de seios fartos, se levantara para fazer a correção.

— Sim, nossa... ahn... talentosa poetisa Srimati Supryia Joshi, e, naturalmente, eu próprio, Sr. R. P. Nowrojee. E como já estou sentado à mesa vou me valer da prerrogativa de presidente para ler primeiro meus próprios poemas, à guisa de aperitivo para o cardápio mais substancial que virá depois. *Bon appetit.*

Ele se permitiu um risinho triste, muito frio, antes de pigarrear e tomar outro gole de água.

— O primeiro poema que eu gostaria de ler tem o título "Paixão fantasma" — prosseguiu ele empertigado. E leu a seguinte poesia:

> Assombra-me uma terna paixão,
>   Seu fantasma não morrerá.
> As folhas de outono fenecerão
> Assombra-me uma terna paixão,
> E a primavera também, à sua moda,
>   Sua doce canção me queimará.
> Assombra-me uma terna paixão,
>   Seu fantasma não morrerá.

Quando o Sr. Nowrojee terminou de declamar o poema, parecia estar tentando conter as lágrimas com hombridade. Olhou para o jardim, para o relógio de sol e, recompondo-se, anunciou:

— Este poema foi um triolé. Agora lerei para vocês uma balada. Seu título é "Chamas enterradas".

Depois de ter lido este e três outros poemas de teor semelhante, com decrescente vigor, ele parou, tendo exaurido toda a sua emoção.

Em seguida, ergueu-se como quem havia acabado de percorrer uma distância infinita em uma viagem exaustiva e foi se sentar numa cadeira estofada perto da mesa do palestrante. No breve intervalo de tempo até o próximo leitor, Kabir deu a Lata um olhar indagador, que ela retribuiu com um olhar inquisitivo. Ambos estavam tentando controlar o riso, e a troca de olhares não os ajudava a alcançar o objetivo.

Felizmente o homem gorducho e alegre que tinha distribuído os poemas que planejava ler se precipitou agora vigorosamente para a mesa do palestrante. Antes de se sentar, proferiu uma única palavra:

— Makhijani.

Depois de ter anunciado seu nome, ele parecia ainda mais satisfeito que antes. Folheou as páginas com um ar de concentração intensa e agradável, depois sorriu ao Sr. Nowrojee, que se encolheu na cadeira como um pardal se encolhe de medo em seu ninho antes da tempestade.

O Sr. Nowrojee havia tentado a certa altura dissuadir o Dr. Makhijani de fazer a leitura, mas foi recebido com tão benevolente indignação que se viu obrigado a ceder. Mas, tendo lido uma cópia dos poemas naquele mesmo dia, ele não pôde deixar de desejar que o banquete houvesse terminado no aperitivo.

"Hino à Mãe Índia", anunciou categórico, e depois sorriu ao público. Inclinou-se com a concentração de um ferreiro corpulento e leu o poema inteiro, incluindo os números das estrofes, que martelavam como se fossem ferraduras.

1. Quem já não viu um infante sorver o leite
   Dos seios fartos da mãe, de andrajos ou de enfeite?
   O amor da terna mãe, qual uma nuvem de chuva pejada.
   Em palavras poéticas, ó mãe, reverenciada.

2. Que pobre dádiva, quando o médico trata o paciente.
   Os corações ele ouve, mas quanta dor o coração sente.

O médico que pode me curar a dor, onde estará?
Por que sofre a mãe? Onde a culpa lançar?

3. Seus trajes molhados de chuva, seja monção ou maio,
Como Savitri ela salva os filhos do derradeiro desmaio.
Enganando a morte com um milhão de população.
Levando a uma casta e virtuosa nação.

4. Da costa de Kanyakumari à Caxemira, colorida,
Do tigre de Assam à besta de Gir, incontida,
A aurora da liberdade lhe banha o rosto e se expande,
Tremor de negras melenas é a graça do Ganges.

5. Como descrever a servidão da mãe tão pura
Presa ao grilhão da lei por depravados, insegura?
Britânicos cruéis, indianos a sorrir escravizados,
cuja vergonha os torna do torturante sepulcro dispensados.

Enquanto lia a estrofe anterior, o Dr. Makhijani foi ficando extremamente agitado, mas recuperou a serenidade ao chegar à estrofe seguinte:

6. Deixai-me recordar a história de heróis valorosos,
Alimentados de leite materno, eles se mostraram corajosos.
Com o peso do mundo nas costas, ferozmente eles lutaram,
O alicerce firme do estado indiano fundaram.

Com um aceno de cabeça ao nervoso Sr. Nowrojee, o Dr. Makhijani agora lhe louvou o parônimo, um dos pais do movimento de libertação da Índia:

7. Dadabhai Naoroji ingressou ao parlamento,
Representando Finsbury, a graça do firmamento.
Mas os seios opulentos da mãe não esqueceu:
Sonhou com a Índia mesmo quando no Ocidente viveu.

Lata e Kabir se entreolharam com um misto de fascínio e horror.

8. De Maharashtra, B.G.Tilak se originou.
    "A Independência é meu direito", sempre gritou.
    Mas os cruéis captores o levaram à inóspita prisão
    Dos fortes de Mandalay, por seis anos no grilhão.

9. A humilhação da mãe a ousada Bengala vilipendiou.
    Pistola terrorista na mão do filho de Cali colocou.
    O sári de Draupadi sempre se esvoaçando —
    Duryodhanas brancos rindo e zombando.

A voz do Dr. Makhijani tremeu de beligerância nesses versos vívidos. Várias estrofes adiante, ele fez referências às figuras do passado e presente imediatos:

26. Mahatma veio a nós como o verão,
    Era M. K. Ghandhi, varrendo a corrupção.
    O assassinato mutilou a paz até desfigurá-la.
    Em reverência e dor eu me levanto, nada me abala.

A essa altura, para sinalizar veneração, o Dr. Makhijani se levantou e ficou em pé nas três estrofes derradeiras:

27. Quando os britânicos partiram, hesitantes
    Tivemos nosso Jawahar Lal como governante.
    Qual rosado lampejo ele ao trono ascendeu,
    E a nossa Índia um nome glorioso concedeu.

28. Muçulmanos, hindus, siques e cristãos o veneram.
    parses, jainistas e budistas também o consideram.
    Estrela-guia, majestoso, ele anda altivo
    De um ambiente esplêndido o espírito vivo.

29. Todos nós somos patrões, cada qual rajá ou rani.
    Não há escravo, nem alto, nem baixo, proclama Makhijani.
    Liberdade igualdade fraternidade justiça na Constituição.
    Em homenagem à mãe acharemos toda e qualquer solução.

Na tradição da poesia urdu ou híndi, o bardo havia embutido seu próprio nome na última estrofe. Ele agora se sentou, enxugando o suor da testa e sorrindo.

Kabir tinha escrito um bilhetinho. Ele o passou a Lata; as mãos deles se tocaram por acidente. Embora estivesse com o rosto dolorido por conta da tentativa de reprimir o riso, ela sentiu um choque de excitação com o toque dele.

Foi Kabir quem, após alguns segundos, afastou a mão, e ela viu o que ele tinha escrito:

> Deste nobre endereço desejo pronta escapada,
> Embora dos poetas ele seja a morada.
> Do reino encantado do Sr. Nowrojee fuja comigo.
> Não abandone ao desamparo o amigo.

A composição não estava à altura dos esforços do Dr. Makhijani, mas conseguiu transmitir o recado. Lata e Kabir se levantaram depressa, como se estivessem obedecendo a um sinal, e chegaram à porta da rua antes que pudessem ser interceptados pelo traído Dr. Makhijani.

Lá fora, na rua tranquila, eles riram por alguns minutos, citando trechos do hino patriótico do Dr. Makhijani. Quando os risos morreram, Kabir disse:

— Que tal um café? Podíamos ir ao Blue Danube.

Preocupada com a possibilidade de encontrar alguém que ela conhecesse e já pensando na reação da mãe, Lata declinou:

— Não, francamente não posso. Preciso voltar para casa. Para minha mãe — acrescentou ela, maliciosa.

Kabir não conseguia desviar os olhos dela.

— Mas você já terminou as provas. Devia estar comemorando. Eu ainda tenho duas para fazer.

— Bem que eu gostaria de poder comemorar. Mas encontrar você aqui já foi um passo muito ousado para mim.

— Mas pelo menos nos encontraremos aqui na semana que vem? Para ouvir a palestra "Eliot: que rumo tomar?" — Kabir fez um gesto petulante, como se fosse um cortesão afetado, e Lata sorriu.

— Mas você estará em Brahmpur na sexta-feira que vem? —perguntou ela. — As férias...

— Claro que sim: eu moro aqui.

Ele relutava em se despedir, mas acabou por fazê-lo.

— Então nos veremos na sexta-feira... ou antes disso — disse Kabir, subindo na bicicleta. — Você tem certeza de que não posso deixá-la em algum lugar? Minha bicicleta tem espaço para duas pessoas. Com ou sem mancha de tinta você é muito bonita.

Lata olhou em torno, ruborizada.

— Tenho certeza. Até logo, e... muito obrigada!

3.10

QUANDO Lata chegou a casa, evitou a mãe e a irmã e foi direto para o quarto. Ficou deitada na cama olhando o teto, exatamente como, dias antes, se deitara na grama olhando o céu por entre os ramos do jacarandá. O contato acidental da mão dele, enquanto lhe passava o bilhete, era o que mais queria recordar.

Mais tarde, durante o jantar, o telefone tocou. Lata, que estava sentada mais perto do aparelho, tirou o fone do gancho.

— Alô?

— Alô... Lata?   perguntou Malati.

— Sou eu mesma — disse ela alegremente.

— Descobri algumas coisas. Hoje à noite vou viajar por duas semanas, Então achei melhor lhe contar tudo de uma vez só. Você está sozinha? — acrescentou Malati, cautelosa.

— Não.

— Você vai estar sozinha na próxima meia hora mais ou menos?

— Não, acho que não.

— As notícias não são boas— anunciou Malati, em tom sério. — É melhor você esquecê-lo.

Lata não disse nada.

— Você ainda está aí? — perguntou Malati, preocupada.

— Estou — respondeu Lata, dirigindo um olhar aos outros três sentados em torno da mesa. — Pode falar.

— Bom, ele está no time de críquete da universidade — começou Malati, relutando em dar a má notícia à amiga. — Na revista da universidade há uma fotografia do time.

— É mesmo? — respondeu Lata intrigada. — Mas o que...

— Lata — disse Malati, incapaz de continuar fazendo rodeios —, o sobrenome dele é Durrani.

E daí?, pensou ela. O que isso tem a ver? Ele é de etnia sindhi ou coisa assim? Como... ora, Chetwani ou Advani ou... ou Makhijani?

— Ele é muçulmano — disse Malati, intrometendo-se nos pensamentos dela. — Você ainda está aí?

Lata ficou olhando fixo para a frente. Baixando o garfo e a faca, Savita olhou ansiosa para a irmã.

— Você não tem a menor chance — continuou Malati. — Sua família vai ser mortalmente contra ele. Esqueça-o. Coloque isso na conta da experiência. E sempre trate de descobrir o sobrenome de alguém que tenha um prenome ambíguo... Por que você não fala alguma coisa? Você está ouvindo?

— Estou — disse Lata, com o coração em alvoroço.

Tinha dezenas de perguntas, e mais do que nunca precisava do conselho e da solidariedade da amiga. Ela disse em voz lenta e inalterada:

— Agora preciso desligar. Estamos no meio do jantar.

— Não me ocorreu... — continuou Malati. — Simplesmente não me ocorreu... mas a você também não? Com um nome como aquele... Embora sejam hindus todos os meus conhecidos que têm esse nome, Kabir Bhandare, Kabir Sondhi...

— A mim também não ocorreu... Obrigada, Malu — acrescentou, usando a forma carinhosa do nome de Malati. — Eu te agradeço por... Bem...

— Puxa, eu sinto muito. Coitada de você.

— Não, a gente se vê quando você voltar.

— Leia os livros de Wodehouse — aconselhou Malati ao se despedir. — Até mais.

— Até mais — disse Lata e colocou o fone no gancho com cuidado.

De volta à mesa, não conseguiu comer. Imediatamente a mãe tentou descobrir qual era o problema. Savita resolveu não dizer absolutamente nada naquele momento. Pran ficou olhando, atônito.

— Não é nada — disse Lata, encarando o rosto ansioso da mãe.

Depois de jantar, foi para o quarto. Não conseguia conversar com a família nem ouvir as últimas notícias no rádio. Ficou deitada em sua cama com o rosto enterrado no travesseiro e caiu no choro, o mais baixo possível, repetindo o nome dele com amor e com ressentida condenação.

3.11

LATA não precisava que Malati lhe dissesse que o caso era impossível. Ela o sabia por conta própria. Conhecia a mãe e o profundo sentimento de horror que teria ao saber que a filha estivera se encontrando com um jovem muçulmano.

Qualquer rapaz seria bastante preocupante, mas isso era vergonhoso demais, doloroso demais para acreditar. Lata ouvia a voz da mãe dizendo: "O que eu fiz em minha vida passada para ter merecido isso?" e via as lágrimas dela ao cogitar o horror de que a filha amada fosse entregue aos inomináveis. Sua velhice seria amargurada, e ela não teria consolação.

Lata permaneceu deitada na cama. Estava raiando o dia. A mãe já tinha percorrido dois capítulos do *Gita* que ela recitava todo dia ao romper da aurora. O *Gita* pregava o desapego, a sabedoria tranquila, a indiferença aos frutos da ação. Essa era uma lição que a Sra. Rupa Mehra jamais aprenderia, jamais poderia entender. A lição não se ajustava ao seu temperamento, mas a recitação, sim. No dia em que a mãe aprendesse a ser desapegada e indiferente e tranquila, deixaria de ser ela mesma.

Lata sabia da preocupação materna. Mas talvez a mãe atribuísse a indisfarçável aflição sentida pela filha à angústia ligada ao resultado das provas.

Quem dera que Malati estivesse aqui, disse Lata consigo.

Quem dera que ela, para começar, não tivesse conhecido Kabir. Quem dera que as mãos deles não tivessem se tocado. Ah, quem dera!

Quem dera que eu pudesse parar de agir como uma tola!, disse Lata a si mesma. Malati sempre insistia em dizer que os rapazes eram os que se comportavam como idiotas ao se apaixonarem, ficando suspirosos em seus quartos de pensão e chafurdando no sentimentalismo dos gazais. Uma semana se passaria antes que ela se encontrasse novamente com Kabir. Se soubesse como entrar em contato com ele antes disso, teria ficado ainda mais dividida pela indecisão.

Pensou nos risos no dia anterior, diante da casa do Sr. Nowrojee, e lágrimas de raiva lhe assomaram de novo aos olhos. Lata foi à estante de Pran e apanhou o primeiro livro de P. G. Wodehouse com que se deparou: *Pigs Have Wings*. Embora irreverente, a bem-intencionada Malati receitara o remédio certo.

— Você está bem? — perguntou Savita.

— Estou — disse Lata. — Ontem à noite o bebê chutou?

— Acho que não. Pelo menos eu não acordei.

— Os homens deviam ser obrigados a tê-los — disse Lata, a propósito de nada. — Vou dar uma volta na beira do rio.

Ela supôs, corretamente, que a irmã não tinha condição de acompanhá-la na descida da trilha íngreme que levava do campus até a areia na margem do rio.

Trocou as sapatilhas por sandálias, que facilitavam a caminhada. Enquanto descia a ladeira barrenta, quase um barranco argiloso, até a beirada do Ganges, reparou num bando de macacos que brincavam em duas figueiras — duas árvores que tinham se fundido numa só, graças ao entrelaçamento de seus ramos. Uma pequena estátua de um deus, manchada de tinta laranja, estava enfiada entre os troncos centrais. Em geral, os macacos se alegravam ao ver a moça — sempre que se lembrava, ela lhes trazia frutas e amendoins. Hoje havia esquecido, e eles deixaram evidente seu descontentamento. Alguns dos macacos menores lhe puxavam o cotovelo, suplicantes, enquanto um dos maiores, um macho agressivo, mostrou os dentes, irritado, mas ficou à distância.

Ela precisava se distrair. De repente sentiu imensa ternura pelo reino animal, que lhe parecia, provavelmente de forma incorreta, muito mais simples que o mundo dos humanos. Embora já tivesse descido metade da ladeira, tornou a subi-la, foi até a cozinha e apanhou um saco de papel, o qual encheu de amendoins. Em outro saco colocou três grandes limões doces. Sabia que os animais gostavam menos deles do que de laranjas, mas no verão só estavam disponíveis os limões doces de casca verde e mais espessa.

No entanto, os macacos ficaram encantados. Antes mesmo que ela dissesse "Aa! Aa!" — som que certa vez tinha ouvido um velho sadhu pronunciar para atraí-los —, os animais avistaram os sacos de papel. Reuniram-se em torno dela, agarrando, pegando, implorando, subindo e descendo pela árvore, agitados, e até se pendurando nos galhos e raízes suspensas e esticando os braços. Os pequeninos guinchavam, os grandes rosnavam. Um dos animais, possivelmente o que antes havia mostrado os dentes, escondeu amendoins nas bochechas enquanto tentava pegar outros. Lata espalhou mais alguns, e também alimentou os animais com a mão. Ela própria comeu alguns amendoins. Os dois macaquinhos menores, como fizeram antes, agarravam — e até acariciavam — o cotovelo dela em busca de atenção. Quando a moça ficava de mão fechada para provocá-los, eles procuravam abri-la com muita delicadeza — com os dedos e não com os dentes.

Quando ela tentou descascar os limões, os macacos maiores não deixaram. Normalmente ela conseguia fazer uma distribuição democrática, mas desta vez eles agarraram os três limões. Um animal desceu um trecho da ladeira e foi se sentar numa raiz enorme: tirou metade da casca e o comeu. Outro, menos exigente, comeu-o com casca e tudo.

Rindo, ela acabou girando no ar o que sobrou do pacote de amendoins, e o saco ficou preso no ramo alto de uma árvore, mas depois se soltou e caiu até acabar preso novamente em outro galho. Um macaco grande de traseiro vermelho subiu para buscá-lo, e se voltava de vez em quando para ameaçar um ou dois outros que escalavam as raízes e galhos pendentes do tronco principal da figueira-de-bengala. Agarrando o pacote inteiro, ele subiu ainda mais para desfrutar seu monopólio. Mas a boca do saco se abriu de repente e os amendoins se espalharam por todo lado. Ao ver isso, um filhote magro ficou saltando agitado de um galho para outro, perdeu o equilíbrio, bateu com a cabeça no tronco da árvore e caiu no chão. O macaquinho saiu correndo aos guinchos.

Em vez de descer até o rio como havia planejado, Lata agora ficou sentada na raiz exposta onde o macaco havia comido o limão e tentou se concentrar no livro que tinha nas mãos. A leitura não conseguiu desviar seus pensamentos. Levantando-se, a moça subiu de novo a ladeira e depois se dirigiu à biblioteca.

Ela folheou os números da revista universitária da última temporada, lendo com intenso interesse o que até então não merecia sequer uma olhada de sua parte: as resenhas dos jogos de críquete e os nomes sob as fotografias do time. O autor das resenhas, que assinava "S. K.", tinha um estilo de animada formalidade. Em lugar de escrever sobre, por exemplo, Akhilesh e Kabir, ele escrevia sobre o Sr. Mittal e o Sr. Durrani e a excelente defesa que fizeram.

Pelo visto Kabir era um bom arremessador, além de razoável rebatedor. Embora normalmente ocupasse uma posição secundária na ordem dos rebatedores, ele tinha salvado muitas partidas ao permanecer impassível diante de momentos difíceis. E deve ter sido um corredor incrivelmente rápido, porque algumas vezes tinha feito três corridas e, em certa ocasião, tinha conseguido fazer até quatro. Nas palavras de S. K.:

> Este repórter nunca tinha visto uma coisa assim. É verdade que, por causa da chuva da manhã, o *outfield* estava não só devagar, mas quase parando. É inegável que o limite do meio de campo da área de nosso adversário fica a uma distância maior que a normal. É irrefutável que houve confusão entre os jogadores em campo e que um deles chegou até a escorregar e cair ao perseguir a bola. Mas não são essas circunstâncias incríveis que ficarão na lembrança. O que será lembrado em tempos futuros pelos brahmpurianos é a atuação de dois foguetes humanos que, com a agilidade do mercúrio, ricochetearam, indo e voltando com velocidade mais adequada à pista de corrida — e mesmo aí pouco frequente — que ao campo de críquete. O Sr. Durrani e o Sr. Mittal fizeram quatro corridas para bolas que nem mesmo cruzaram o limite da cancha; e o fato de terem atingido o objetivo com mais de 1 metro de vantagem comprova o fato de que o risco que assumiram não foi ditado pelo exibicionismo nem a imaturidade.

Lata leu e reviveu partidas que já ainda pareciam recentes até mesmo para os próprios participantes, e quanto mais lia, mais se apaixonava por Kabir — tanto pelo jovem que conhecia quanto por aquele que lhe era revelado pelo olhar criterioso de S. K.

Sr. Durrani, pensou ela, este deveria ser um mundo diferente.

Se, conforme dissera Kabir, ele morava na cidade, seu pai muito provavelmente lecionava na Universidade de Brahmpur. Agora, com uma inclinação para a pesquisa até então ignorada, Lata examinou o gordo volume do anuário da Universidade de Brahmpur e descobriu o que buscava no item "Faculdade de Artes: Departamento de Matemática". O Dr. Durrani não era o chefe de seu próprio departamento, mas as três letras mágicas junto ao nome dele, indicativas da condição de Fellow of the Royal Society, eram vinte vezes mais gloriosas do que o cargo de professor titular.

E a Sra. Durrani? Lata pronunciou as palavras em voz alta, avaliando-as. Sim, e quanto a ela? E quanto ao irmão e à irmã que Kabir havia tido "até o ano passado"? Nos últimos dias a mente dela de vez em quando recorria a esses seres fugidios e àqueles comentários fugazes. Mesmo que durante a alegre conversa diante da casa do Sr. Nowrojee ela tivesse pensado a respeito deles — coisa que não fizera —, na ocasião não tinha conseguido se forçar a perguntar sobre eles. Agora, naturalmente, era tarde demais. Se ela não quisesse perder a própria família, teria que se proteger do fulgurante e súbito raio de luz solar que entrara em sua vida por engano.

Já fora da biblioteca, ela tentou avaliar as coisas. Entendeu que não poderia comparecer à reunião da Sociedade Literária de Brahmpur na sexta-feira seguinte.

"Lata: que rumo tomar?", disse ela consigo, e caiu na risada por segundos; de repente percebeu que estava chorando.

Não faça isso!, pensou. Desse jeito poderá atrair mais um Galahad. A ideia levou-a a rir de novo. Mas era um riso que não desanuviava sua mente e ainda a deixava mais intranquila.

3.12

KABIR confrontou-a na manhã do sábado seguinte, a curta distância da casa dela. Lata havia saído para dar uma volta. Ele estava na bicicleta, encostado a uma árvore. Fazia lembrar um cavaleiro. Tinha no rosto um ar implacável. Quando ela o avistou, seu coração deu um salto.

Não foi possível evitar o rapaz, que evidentemente a estivera esperando. Lata manteve a compostura.

— Olá, Kabir.
— Olá. Achei que nunca sairia de casa.
— Como descobriu onde eu moro?

— Eu fiz uma investigação — disse ele sem sorrir.

— A quem você perguntou? — disse Lata, sentindo-se um pouco culpada pelo interrogatório que ela mesma estava fazendo.

— Isso não importa — retrucou Kabir com um movimento de cabeça.

Lata olhou para ele com agonia.

— Suas provas terminaram? — perguntou ela, seu tom de voz revelando um pouco de ternura.

— Sim, ontem.

Lata olhou com tristeza para a bicicleta dele. Ela queria lhe dizer: "Por que não me contou? Por que não me contou sobre você no momento em que trocamos algumas palavras na livraria, para que eu pudesse me certificar de que não sentiria nada por você?" Mas quantas vezes haviam se encontrado? Seriam eles íntimos o suficiente para fazer quaisquer perguntas tão diretas, quase desesperadas? Será que ele sentia o mesmo que ela? Ele gostava dela, disso ela sabia. Mas será que havia algo a ser acrescentado a isso?

Ele interrompeu qualquer outra provável pergunta dela ao dizer:

— Por que você não foi ontem?

— Porque não pude — disse ela indefesa.

— Não torça assim a ponta da sua *dupatta*, você vai amassá-la.

— Ah, desculpa. — Lata olhou surpresa para suas mãos.

— Eu esperei por você. Cheguei cedo. Assisti à palestra inteira. Até comi os bolos duros como pedra da Sra. Nowrojee. Eu estava com muita fome.

— Oh, eu não sabia que existia uma Sra. Nowrojee — disse Lata, agarrando-se ao comentário. — Eu fiquei me perguntando se existia uma inspiração para o poema, qual era mesmo o nome? "Paixão Assombrada"? Você pode imaginar a reação dela? Como ela é?

— Lata.... — disse Kabir um pouco machucado. — Sua próxima pergunta será sobre se a palestra do professor Mishra foi boa. Foi, mas não me importei. A Sra. Nowrojee é branca e gorda, mas eu não dei a mínima. Por que você não foi?

— Eu não pude — respondeu Lata calmamente. Seria melhor se ela conseguisse reunir um pouco de raiva para lidar com as perguntas dele.

— Então venha e tome alguma coisa comigo no café da universidade.

— Não posso — disse Lata. Ele balançou a cabeça com espanto. — Eu realmente não posso — repetiu ela. — Por favor, deixe-me ir.

— Não estou detendo você.

Lata olhou pra ele e suspirou:

— Não podemos ficar parados aqui.

Kabir recusava-se a se deixar abalar por todos esses "não posso", "não pude".

— Bem, então vamos ficar em outro lugar. Vamos dar um passeio no parque Curzon.

— Ah, não — disse Lata. Metade do mundo caminha no parque Curzon.

— Onde, então?

Eles caminharam em direção às figueiras pela encosta que levava às margens do Ganges. O largo rio marrom brilhava à luz do sol. Os dois ficaram calados. Lata sentou-se em uma raiz, e Kabir a acompanhou.

— Como é lindo aqui — disse ela.

Kabir assentiu. Havia um amargor em sua boca. Se ele falasse, essa sensação se refletiria em suas palavras.

Embora Malati a tivesse fortemente aconselhado a ficar longe de Kabir, Lata queria apenas estar com ele por algum tempo. Ela sentia que, se ele fizesse menção de se levantar para sair, ela tentaria convencê-lo do contrário. Mesmo que estivessem calados, mesmo nesse clima atual, ela queria sentar-se ali na companhia dele.

Kabir estava olhando o rio. Com súbita avidez, como se tivesse esquecido seu desgosto por um minuto, disse:

— Vamos passear de barco.

Lata pensou em Windermere, o lago perto do Tribunal Superior, onde aconteciam algumas festas do departamento. Amigos alugavam barcos e iam velejar juntos. Aos sábados, o lugar estava cheio de casais e seus filhos.

— Todos vão para Windermere — disse Lata. — Alguém nos reconhecerá.

— Eu não quis dizer o Windemere. Quis dizer subir o Ganges. Eu sempre fico impressionado como as pessoas vão velejar naquele lago sem graça tendo o melhor rio do mundo na porta de casa. Vamos subir o Ganges até o Barsaat Mahal. À noite a vista é linda. Vamos pedir a um barqueiro que mantenha o barco parado no meio do rio para você ver o monumento refletido ao luar.

Ele se virou para ela. Lata não conseguia olhá-lo.

Kabir não entendia por que ela estava tão distante e deprimida. Também não entendia por que se tornara tão detestado assim de repente.

— Por que você está tão distante? — perguntou. — É alguma coisa relacionada a mim? Foi algo que eu disse?

Lata fez que não.

— Então alguma coisa que eu fiz?

Por algum motivo veio à mente dela a ideia de Kabir fazendo aquelas quatro corridas impossíveis. Ela tornou a negar com um gesto.

— Em cinco anos você terá esquecido tudo isso — respondeu ela.

— Que resposta esquisita é essa? — estranhou Kabir, alarmado.

— Foi o que você me disse um dia.

— Eu disse isso? — Kabir estava surpreso.

— Disse. No banco, quando veio em meu socorro. Eu realmente não posso ir com você, Kabir; não posso mesmo — disse ela com súbita veemência. — Você não deveria fazer isso, me convidar para passear de barco em sua companhia à meia-noite. — Ah, finalmente a bendita raiva.

Ele estava a ponto de responder no mesmo tom, mas se deteve. Depois de uma pausa falou com surpreendente serenidade:

— Não vou dizer que estou vivendo para cada um de nossos encontros. Provavelmente você já sabe disso. Não precisa ser ao luar; ao amanhecer já é suficiente. Se você está preocupada com outras pessoas, não se aflija. Ninguém vai nos ver; ninguém que nós conhecemos sai de barco ao amanhecer. Traga uma amiga; traga dez amigas, se você quiser. Eu só quero lhe mostrar o Barsaat Mahal refletido no rio. Ainda que seu estado de espírito não tenha nada a ver comigo, você tem que vir.

— O amanhecer — disse Lata, pensando em voz alta. — Não há perigo no amanhecer.

— Perigo? — Kabir olhou-a incrédulo. — Você não confia em mim? — Lata não disse nada. Kabir prosseguiu: — Você não gosta de mim nem um pouquinho?

Ela ficou calada.

— Ouça, se alguém lhe perguntar, é só uma excursão com fins educacionais. À luz do dia. Com uma amiga, com quantos amigos você quiser trazer. Eu vou lhes contar a história do Barsaat Mahal. O nababo *sahib* de Baitar me deu acesso à biblioteca dele, e eu descobri alguns fatos surpreendentes sobre o lugar. Vocês serão meus alunos. Eu serei o guia: "Um jovem estudante de história cujo nome não consigo lembrar agora... Ele veio conosco e mencionou algumas informações históricas interessantes, bons comentários... Um rapaz muito simpático."

Lata sorriu com tristeza. Ao sentir que estava quase conseguindo vencer uma defesa invisível, Kabir declarou:

— Encontrarei você e seus amigos neste exato lugar, na manhã de segunda-feira às seis em ponto. Traga um suéter: costuma ventar um pouco no rio.

Ele prorrompeu em poesia medíocre ao estilo Makhijani:

— Ó Srta. Lata, encontre-me aqui
Longe das margens do Windermere.
No Ganges deslizaremos em paz,
Muitas moças e só um rapaz.

Lata riu.

— Prometa que virá comigo — instou Kabir.

— Tudo bem — disse Lata, balançando a cabeça, não renegando parcialmente a própria decisão, como pareceu a Kabir, mas sim lamentando parcialmente a própria fraqueza.

3.13

LATA não queria que dez amigas a acompanhassem, e mesmo que quisesse não teria conseguido juntar nem metade desse número. Uma já bastava. Infelizmente Malati havia saído de Brahmpur. Lata resolveu ir à casa de Hema para convencê-la a acompanhá-la. Ela ficou muito animada com a perspectiva e concordou prontamente. Parecia romântico e conspiratório. "Vou guardar o segredo", prometeu; mas, ante a ameaça de eterna inimizade, cometeu o erro de confiá-lo a uma de suas numerosas primas, que o confiou a outra, em termos igualmente estritos. No prazo de um dia a notícia havia chegado aos ouvidos de Taiji. E esta, normalmente leniente, viu sérios riscos na empreitada. Ela não sabia, tampouco Hema, que Kabir era muçulmano. Mas sair de barco com qualquer rapaz às seis da manhã: até ela hesitou. Disse a Hema que não a autorizaria a sair. Hema ficou emburrada, mas cedeu, e telefonou à Lata na noite de domingo. Esta, por sua vez, foi dormir muito ansiosa; porém, após ter tomado uma decisão, não dormiu mal.

Não poderia decepcionar Kabir novamente. Imaginou-o parado no bosque de figueiras-de-bengala, angustiado e com frio, sem contar sequer com o sustento granítico dos bolinhos da Sra. Nowrojee, esperando por ela e vendo passarem os minutos sem que ela aparecesse. Às quinze para as seis da manhã seguinte, ela saltou da cama, vestiu-se depressa, pôs um suéter folgado que pertencera ao pai, disse à mãe que ia fazer uma longa caminhada pelo terreno da universidade e foi se encontrar com Kabir no local combinado.

Ele a estava esperando. O dia já tinha clareado, e os pássaros despertavam nas árvores, cantando.

— Você ficou muito diferente com esse suéter — observou ele em tom de aprovação.

— Pois você está com a mesma aparência de sempre — retrucou ela, também um tom de aprovação. — Faz muito tempo que está esperando?

Ele fez que não.

Ela lhe contou sobre a confusão com Hema.

— Espero que você não vá desistir por falta de uma acompanhante — disse ele.

— Não vou, não. — Lata sentia-se tão audaciosa quanto Malati. Naquela manhã não tivera muito tempo para pensar, e nem desejava fazê-lo. Apesar da ansiedade da noite anterior, seu rosto oval estava descansado e atraente, e nos olhos animados já não havia sono.

Desceram para a margem do rio e caminharam pela areia durante algum tempo, até chegarem a uns degraus de pedra. Alguns lavadores de roupas estavam na água, batendo as peças contra os degraus. Numa pequena trilha que subia a ladeira naquele ponto estavam parados alguns burricos entediados e sobrecarregados de trouxas. O cão de um dos trabalhadores latiu para eles em tons hesitantes e sincopados.

— Você tem certeza de que conseguiremos um barco? — perguntou Lata.

— Ah, sim, sempre há algum. Eu já fiz isso muitas vezes.

Embora Kabir estivesse apenas querendo dizer que gostava de sair pelo Ganges ao raiar do dia, Lata sentiu uma pequena e penetrante pulsação de dor atravessá-la.

— Veja, ali está um barqueiro.

O barqueiro estava no meio da correnteza, levando o barco para cima e para baixo. Era abril; portanto, o rio estava baixo e corria preguiçoso. Com as mãos em concha ao redor da boca, Kabir gritou:

— *Aré, mallah!*

O barqueiro, porém, não fez qualquer tentativa de remar na direção deles.

— Qual é o problema? — gritou ele em híndi, com forte sotaque de Brahmpur, dando ênfase especial ao verbo "hai".

— Pode nos levar até um ponto onde se veja o Barsaat Mahal refletido?

— Com certeza!

— Quando custa?

— Duas rupias.

Agora ele se aproximou da margem em seu velho barco de fundo chato. Kabir parecia irritado.

— Não se envergonha de cobrar tão caro? — perguntou ele zangado.

— É o que todo mundo está cobrando, *sahib*.

— Eu não sou um forasteiro que você possa enganar — advertiu Kabir.

— Ah, por favor não briguem por nada...

Ela se interrompeu de pronto; Kabir supostamente insistiria em pagar pelo passeio e, como ela, provavelmente não tinha muito dinheiro.

Kabir continuou irritado, gritando para ser ouvido acima do barulho das roupas que eram batidas nos degraus da escadaria:

— Nós entramos neste mundo com as mãos vazias e saímos com as mãos vazias. Você precisa mentir já de manhã cedinho? Quando deixar a Terra, vai levar seu dinheiro consigo?

O barqueiro, talvez confuso por terem se dirigido a ele de maneira tão filosófica, respondeu:

— Pode embarcar, *sahib*; eu aceito o que o senhor achar adequado.

Ele guiou Kabir para o local, a 200 metros de distância, onde o barco poderia se aproximar da margem. Quando os jovens finalmente chegaram ali, o barqueiro tinha subido o rio.

— Ele foi embora — disse Lata. — Talvez a gente encontre outro barqueiro.

O Kabir negou com a cabeça.

— Nós combinamos; ele vai voltar.

O barqueiro, depois de remar correnteza acima e cruzar para a margem oposta, apanhou um objeto na encosta e remou de volta.

— Vocês sabem nadar?

— Eu sei — disse Kabir e se virou em direção à moça.

— Eu não — respondeu ela.

Kabir pareceu surpreso.

— Nunca aprendi. Minha escola era na região das montanhas — justificou-se Lata.

— Eu confio em sua habilidade de remar — disse Kabir ao barqueiro, um homem de pele morena e rosto hirsuto, que vestia calça e camisa com um colete de lã para cobrir o peito. — Se houver um acidente, você cuida de si, que eu cuido dela.

— Combinado — disse o barqueiro.

— Agora, quando vai custar?

— Bom, o que você quiser...

— Não, vamos combinar um preço. Nunca lidei de outra forma com barqueiros.

— Tudo bem — disse o barqueiro. — Quanto você acha que é justo?

— Uma rupia e quatro *annas*.

— Ótimo.

Kabir subiu a bordo e estendeu o braço para Lata. Com mão firme, puxou-a para o barco. Ela estava ruborizada e feliz. Por um segundo desnecessário ele continuou a lhe segurar a mão. Depois, sentindo que a moça estava a ponto de retirá-la, soltou-a.

Ainda havia uma leve neblina sobre o rio. Kabir e Lata se sentaram de frente para o barqueiro, que remava. Estavam a mais de 200 metros da escadaria, mas o som das roupas sendo batidas, embora fraco, ainda era audível. Os detalhes da encosta se esvaíam na neblina.

— Ah — disse Kabir —, que maravilha estar aqui no rio cercado pela neblina; é raro nessa época do ano. Isso me lembra das férias que passamos certa vez em Simla. Todos os problemas do mundo desapareceram. Nós parecíamos uma família totalmente diferente.

— Vocês vão todo verão para a serra? — perguntou Lata.

Embora ela tivesse frequentado a St. Sophia's Convent em Mussourie, agora eles não tinham dinheiro para alugar uma casa nas montanhas quando quisessem.

— Ah, sim, meu pai insiste nisso — disse Kabir. — Normalmente, a cada ano nós vamos a uma cidade serrana diferente: Almora, Nainital, Ranikhet, Mussourie, Simla e até Darjeeling. Ele diz que o ar puro "expande sua capacidade de compreensão", o que quer que isso signifique. Um dia, após seis semanas nas montanhas, ele disse que, como Zaratustra, havia adquirido percepção matemática suficiente para a vida toda. Mas, naturalmente, no ano seguinte, como de praxe, nós subimos a serra.

— E você? — perguntou Lata. — O que você acha?

— O que eu acho? — perguntou Kabir; ele pareceu perturbado por alguma lembrança.

— Você gosta das montanhas? Este ano você irá como de costume?

— Não sei. Eu gosto muito de ir lá. É como nadar.

— Nadar? — perguntou Lata, arrastando a mão dentro d'água.

Uma ideia de repente ocorreu a Kabir. Ele disse ao barqueiro:

— Quanto você cobra à população local para levá-los das escadarias até Barsaat Mahal?

— Quatro *annas* por cabeça — disse barqueiro.

— Pois então nós deveríamos pagar a você 1 rupia no máximo, tendo em vista que metade da viagem é na mesma direção da correnteza. Eu estou pagando a você 1 rúpia e 4 *annas*. Logo, não estou sendo injusto.

— Eu não estou reclamando — disse o barqueiro, surpreso.

A neblina havia se dissipado, e um pouco mais adiante, na margem do rio, se elevava o imponente edifício cinzento do forte Brahmpur, com larga extensão de areia à frente dele. Perto da construção e descendo pela areia havia uma enorme rampa de terra, e acima dela uma grande figueira-sagrada, com suas folhas tremulando na brisa matinal.

— O que você quis dizer com "nadar"? — perguntou Lata.

— Ah, sim — disse Kabir —, o que eu quis dizer é que você está num elemento totalmente diverso. Todos os seus movimentos são diferentes e, consequentemente, seus pensamentos também. Quando fui andar de tobogã na neve em Gulmarg, lembro-me de ter pensado que eu não existia de verdade. Só havia o ar limpo e puro, a neve alta, esse arrebatamento acelerado.

As planícies monótonas e sem acidentes trazem a gente de volta a si. Exceto talvez como agora no rio.

— Como a música? — perguntou Lata.

A pergunta foi dirigida tanto a si mesma quanto a Kabir.

— Humm, sim, acho que sim, de certa forma. — Ele refletiu. — Não, não exatamente — concluiu. Seu raciocínio considerava uma mudança de espírito causada por uma mudança de atividade física.

— Mas — disse Lata, seguindo seus próprios pensamentos — a música realmente me causa esse efeito. Mesmo sem cantar uma nota, o simples dedilhar das cordas da tambura me deixa em transe. Às vezes faço isso por uns 15 minutos antes de voltar a mim mesma. Quando as coisas pesam demais, essa é a primeira coisa a que recorro. E quando penso que só no ano passado eu comecei a estudar canto, sob a influência de Malati, percebo a sorte que tive. Você sabe que minha mãe tem tão pouca aptidão para a música que, quando eu era criança e ela cantava canções de ninar, eu implorava para que ela parasse e deixasse minha *ayah* cantar em seu lugar?

Kabir estava sorrindo. Passou o braço sobre os ombros de Lata, que, em vez de protestar, deixou-se ficar assim. Ele parecia estar no lugar certo.

— Por que você não está dizendo nada? — perguntou ela.

— Tinha esperança de que você continuasse a falar. É tão raro ouvi-la falar de si. Às vezes fico pensando que não sei nada sobre você. Por exemplo, quem é essa Malati?

— Não sabe nada? — perguntou Lata, recordando um trecho da conversa que tivera com Malati. — Mesmo depois das investigações que você instituiu?

— Pois é — disse Kabir. — Conte-me a seu respeito.

— Seu pedido não está muito claro. Seja mais específico. Por onde devo começar?

— Ora, por qualquer coisa. Comece pelo começo, prossiga até alcançar o fim e então pare.

— Bom, como ainda não chegou a hora do café — disse Lata —, você terá que ouvir pelo menos seis coisas impossíveis.

— Ótimo — disse Kabir, rindo.

— Só que minha vida provavelmente não contém seis coisas impossíveis; ela é bastante trivial.

— Comece por sua família — sugeriu Kabir.

Lata começou a falar sobre a família — seu pai tão amado, que mesmo agora parecia projetar uma aura protetora sobre ela sob a forma de um suéter cinza; sua mãe, com as leituras do *Gita*, a choradeira e a carinhosa volubilidade; Arun e Meenakshi e Aparna e Varun em Calcutá; e naturalmente Savita e Pran e o bebê prestes a nascer. Ela falava com desenvoltura, chegando a se mover um pouco mais para perto do rapaz. Em nenhum momento Lata duvidou do afeto dele, algo estranho para uma moça às vezes tão insegura de si.

O forte e as areias tinham passado, assim como as escadarias do crematório e uma visão fugaz dos tempos da velha Brahmpur e dos minaretes da Mesquita de Alamgiri. Agora, quando contornavam uma curva suave do rio, eles viram diante de si a delicada estrutura branca do Barsaat Mahal, primeiro na diagonal e depois gradualmente de frente.

A água não estava cristalina, mas sua superfície permanecia calma. Parecia um vidro turvo. O barqueiro se moveu para o meio da correnteza enquanto remava. Então estabilizou o barco bem no centro, alinhado com o eixo vertical de simetria do Barsaat Mahal, e mergulhou no meio do rio a longa vara que havia pegado mais cedo na margem oposta. A vara atingiu o fundo e o barco ficou parado.

— Agora observem por cinco minutos — disse o barqueiro. — Esta é uma visão que vocês jamais esquecerão em suas vidas.

De fato, nenhum dos dois iria esquecê-la. O Barsaat Mahal, lugar de política e intriga, amor e diversão dissoluta, glória e lenta decadência havia se transfigurado em um exemplo de beleza abstrata e definitiva. Ele se erguia acima do dique escarpado, lançando na água seu reflexo quase perfeito, quase sem ondulação. No trecho do rio em que se situava, até os sons da velha cidade pareciam amortecidos. Os dois passaram alguns minutos sem dizer absolutamente nada.

3.14

APÓS um pequeno intervalo, e sem que ninguém o ordenasse, o barqueiro retirou a vara de dentro da lama do fundo do rio e continuou a remar correnteza acima, passando pelo Barsaat Mahal. O leito se estreitava ligeiramente por causa de um banco de areia projetado da margem oposta até quase o meio do lençol d'água. As chaminés de uma fábrica de sapatos, um curtume e um moinho de farinha surgiram à vista. Kabir se espreguiçou e bocejou, afastando o braço do ombro de Lata.

— Agora vou dar a volta e nós passaremos diante dele — disse o barqueiro.

Kabir concordou com um gesto.

— Aqui é onde começa, para mim, a parte fácil — anunciou o barqueiro, fazendo o barco dar a volta. — É bom que ainda não esteja muito quente. Guiando a embarcação com algumas remadas ocasionais, ele a deixou ir à deriva correnteza abaixo.

— Daquele ponto ali houve muitos suicídios — comentou alegremente, apontando a pendente que ia do castelo até a água. — Um aconteceu na semana passada. Quanto mais quente o tempo, mais loucas as pessoas ficam. Que gente maluca!

Fez um gesto em direção à margem. Era evidente, em sua opinião, que os que viviam permanentemente em terra não podiam ter muita saúde mental.

Enquanto passavam de novo pelo Barsaat Mahal, Kabir tirou do bolso um folheto intitulado *Diamond Guide to Brahmpur* e leu o seguinte para Lata:

Embora Fatima Jaan fosse apenas a terceira esposa do nababo Khushwaqt, foi para ela que ele construiu o nobre edifício do Barsaat Mahal. Sua graça feminina, a dignidade de sentimentos e sua sagacidade se mostraram tão poderosas que em breve toda a afeição do soberano se transferiu para sua nova noiva; o amor apaixonado dos dois os tornou companheiros inseparáveis tanto nos palácios quanto na corte. Para ela, ele construiu o Barsaat Mahal, milagre de mármore filigranado, destinado à vida e aos prazeres de ambos.

Uma vez ela também o acompanhou em campanha. Naquela ocasião, deu à luz um filho de saúde frágil e, infelizmente, em razão de alguma complicação, ela dirigiu um olhar desesperado a seu senhor. O nababo ficou muito chocado. Seu coração se afundou na aflição e seu rosto empalideceu... Que pena! No dia 23 de abril de 1735, com 33 anos, Fatima Jaan fechou os olhos na presença do amante inconsolável.

— Mas tudo isso é verdade? — perguntou Lata as risadas.

— Cada palavra — disse Kabir. — Acredite em seu historiador.

E prosseguiu:

O nababo Khushwaqt, de tão devastado, ficou mentalmente perturbado e até se preparou para morrer, o que naturalmente não podia fazer. Por muito tempo não conseguiu esquecê-la, apesar de todos os esforços possíveis. Toda sexta-feira ele ia a pé até o túmulo de sua amada e lia pessoalmente a *fatiha*, o primeiro capítulo do Corão, no derradeiro local de repouso dos ossos dela.

— Por favor, pare com isso. Você vai estragar o Barsaat Mahal para mim.

Mas Kabir continuou impiedoso:

Após a morte dela, o palácio se tornou sórdido e triste. Os tanques cheios de peixes dourados e prateados já não ofereciam diversão ao nababo. Ele se tornou libidinoso e dissoluto. Mandou construir um quarto escuro onde eram enforcados os membros insubmissos do harém, e seus corpos eram arrebatados pela correnteza do rio. Isso deixou uma mancha em sua personalidade. Durante aquele período essas punições foram habituais, sem distinção de sexos. Não havia outra lei exceto as ordens do soberano, e os castigos eram drásticos e furiosos.

As fontes ainda brincavam com águas perfumadas, que corriam incessantemente pelo piso. O palácio era um verdadeiro céu em que a beleza e os encantos estavam livremente dispersos. Mas o que importavam a ele as numerosas mulheres, depois de expirada a Única de sua vida? O nababo soltou seu derradeiro alento em 14 de janeiro, contemplando fixamente o retrato de F. Jaan.

— Em que ano ele morreu? — perguntou Lata.

— Acho que o folheto não fala nada sobre isso, mas eu próprio posso fornecer a data: foi em 1766. Também não nos dizem por que o palácio se chama Barsaat Mahal.

— Por que será? — estranhou ela. — Talvez porque a água corria incessante pelo palácio? — especulou.

— Na verdade tem a ver com o poeta Mast — respondeu Kabir. — O edifício costumava ser chamado Fatima Mahal. Durante uma de suas récitas aqui, Mast traçou uma analogia poética entre as lágrimas incessantes de Khushwaqt e as chuvas das monções. O gazal que continha esses versos específicos se tornou popular.

— Ah — disse Lata e fechou os olhos.

— Além disso — continuou Kabir —, os sucessores do nababo, inclusive seu filho de saúde frágil, eram encontrados nas agradáveis dependências do Fatima Mahal com mais frequência durante o período das monções que em outras ocasiões. A maior parte das atividades se interrompia durante as chuvas, com exceção daquelas ligadas ao prazer. E foi assim que seu nome popular mudou.

— Que história era aquela que você estava prestes a me contar sobre Akbar e Birbal? — perguntou a moça.

— Sobre Akbar e Birbal?

— Não foi hoje, foi no concerto.

— Ah, eu ia contar? Mas há tantas histórias... a qual delas eu estava me referindo? Quer dizer, qual era o contexto?

Como é possível, pensou Lata, que ele não se lembre desses comentários que fez e de que eu me recordo tão bem?

— Acho que era algo sobre eu e minhas amigas lhe fazerem lembrar um bando de tagarelas.

— Ah, sim. — O rosto de Kabir se iluminou com a lembrança. — A história é assim: Akbar estava entediado; portanto, pediu à corte que lhe contasse algo realmente surpreendente, mas não alguma coisa de que tivessem ouvido falar, e sim que eles próprios tivessem presenciado. A história mais surpreendente ganharia prêmios. Todos os seus cortesãos e ministros contaram sobre fatos diversos e espantosos, mas todos comuns. Um deles disse que tinha visto um elefante barrindo, aterrorizado, diante de uma formiga. Outro, que vira um navio voando pelo céu, e que havia encontrado um xeque capaz de enxergar tesouros enterrados. Outro que tinha visto um búfalo com três cabeças. E assim por diante. Quando chegou a vez de Birbal, ele não disse nada. Finalmente admitiu que naquele dia, ao vir para a corte a cavalo, tinha visto uma coisa incomum: cerca de cinquenta mulheres estavam reunidas, sentadas embaixo de uma árvore, em absoluto silêncio. E todo mundo imediatamente concordou que Birbal deveria ganhar o prêmio.

Kabir jogou a cabeça para trás e deu uma risada.

Lata não gostou da história, e estava a ponto de dizer a ele, mas pensou na Sra. Rupa Mehra, que achava impossível se calar sequer por alguns minutos, quer na tristeza, quer na alegria, na doença ou na saúde, num vagão de trem ou num concerto ou, de fato, absolutamente em qualquer lugar.

— Por que você sempre me lembra de minha mãe? — perguntou Lata.

— É mesmo? Não era minha intenção.

E ele passou o braço de novo em torno dela.

Kabir permaneceu calado; seus pensamentos tinham vagado para a própria família. Lata também estava em silêncio; ela ainda não conseguia entender o que a levara a entrar em pânico na prova, e aquilo voltou a deixá-la perplexa.

A margem da ribeira de Brahmpur tornou a passar por eles, mas agora havia mais atividade na beira da água. O barqueiro tinha optado por se manter próximo da margem. Agora ouviam com mais clareza os remos de outros barcos; os banhistas chapinhavam, limpando a garganta, tossindo e a assoando o nariz; os corvos crocitavam; versículos das Escrituras estavam sendo recitados num alto-falante; e para além das areias era possível ouvir os sinos baterem e as abóbadas em concha dos templos ressoarem.

O rio seguia em direção ao leste naquele ponto, e o sol nascente era refletido em sua superfície muito além da universidade. Na água flutuava uma guirlanda de cravos-da-índia. Na escadaria do crematório, ardiam piras. Do forte partiam instruções para desfiles militares. Enquanto desciam pela corrente, eles mais uma vez ouviram o ruído incessante dos lavadores de roupa e o zurrar ocasional de seus jumentos.

O barco chegou aos degraus. Kabir ofereceu 2 rupias ao barqueiro, que as recusou nobremente.

— Nós tínhamos um acordo. Na próxima vez pode procurar por mim — disse ele.

Quando o barco se imobilizou, Lata sentiu um aperto de decepção. Pensou no que Kabir tinha dito sobre nadar ou andar de tobogã — sobre a desenvoltura conferida por um novo elemento, um movimento diferente. O ondular da embarcação, a sensação que tivera de liberdade e distanciamento do mundo iria em breve se dispersar, ela sentia isso. Quando Kabir a ajudou a desembarcar, ela não se afastou, e os dois saíram caminhando de mãos dadas ao longo da beira do rio em direção às figueiras-de-bengala e do pequeno santuário. Os dois seguiam calados.

Para Lata, calçada de sapatilhas, foi muito mais difícil subir a trilha do que descer, mas Kabir a ajudou. Ele pode ser delicado, ela pensou, mas com certeza é forte. Achava surpreendente eles quase não terem falado da universidade, dos exames, de críquete, dos professores, de planos, do mundo imediatamente acima dos penhascos. Ela abençoou os escrúpulos da Taiji de Hema.

Os dois se sentaram nas raízes retorcidas das figueiras gêmeas. Lata não sabia o que dizer. Ouviu a própria voz perguntar:

— Kabir, você se interessa por política?

Ele a olhou surpreso diante da pergunta inesperada, depois respondeu com simplicidade "não" e a beijou.

O coração dela deu uma cambalhota completa. Ela correspondeu ao beijo dele sem pensar, estupefata consigo mesma, maravilhada com o fato de poder ser tão impulsiva e feliz.

Terminado o beijo, Lata de repente recomeçou a pensar, e com mais intensidade que antes.

— Eu te amo — disse Kabir. Quando ela continuou calada, ele indagou: — Você não vai dizer nada?

— Ah, eu também te amo — retrucou ela, declarando um fato que lhe parecia totalmente óbvio e que, portanto, deveria ser óbvio para ele também. — Mas é inútil dizer isso, portanto retire o que disse.

Kabir ficou espantado. Mas, antes que pudesse dizer alguma coisa, ela perguntou:

— Kabir, por que você não me disse seu sobrenome?

— É Durrani.

— Eu sei.

Ouvi-lo dizer o sobrenome num tom tão casual trouxe de volta à mente dela todas as preocupações do mundo.

— Você sabe? — Kabir estava surpreso. — Mas eu me lembro de que no concerto você se recusou a trocar sobrenomes comigo.

Lata sorriu; a memória dele era muito seletiva. E então ela tornou a ficar séria.

— Você é muçulmano — disse, baixinho.

— Sim, eu sou, mas por que isso é tão importante para você? Foi por isso que às vezes você ficou tão estranha e distante?

Havia nos olhos dele uma luz bem-humorada.

— Importante? — Agora foi a vez dela de se espantar. — É muito importante. Você não sabe o que isso significa em minha família?

Será que ele estava deliberadamente se recusando a ver o obstáculo, perguntou-se, ou ele realmente acreditava que não fazia diferença?

Kabir segurou sua mão.

— Você me ama. Eu te amo. É só isso que importa.

— Seu pai não se importa? — insistiu Lata.

— Não. Ao contrário de muitas famílias muçulmanas, acredito que nós nos sentimos protegidos durante a Partição, e antes dela. Ele quase não pensa em coisas que não sejam seus parâmetros e perímetros. E uma equação é a mesma, quer esteja escrita em tinta vermelha ou verde. Eu não vejo por que a gente tem que falar sobre isso.

Lata amarrou na cintura o suéter cinzento e eles caminharam para o alto da trilha. Combinaram se encontrar de novo em três dias, no mesmo lugar e na mesma hora. Kabir estaria ocupado por alguns dias fazendo trabalhos para o pai. Ele tirou a corrente da bicicleta e, após uma rápida olhada em torno, beijou-a novamente. Quando ele estava a ponto de ir embora, ela perguntou:

— Você já tinha beijado alguém?

— O quê? — Ele parecia estar achando graça.

Ela o olhou fixamente e não repetiu a pergunta.

— Você quer dizer antes de agora? — perguntou ele. — Não, acho que não. Não a sério.

E saiu pedalando.

3.15

MAIS tarde naquele dia, a Sra. Rupa Mehra estava sentada com as filhas, bordando para o bebê um lencinho minúsculo com uma rosa. Branco era uma cor sexualmente neutra, mas branco sobre branco era demasiado monótono para o gosto dela, portanto preferiu uma rosa amarela. Depois de sua amada netinha Aparna, ela queria — e tinha previsto — um neto. Teria bordado o lencinho com linha azul, não fosse pelo fato de que o gesto certamente teria convidado o destino a mudar o sexo da criança no útero.

Rafi Ahmad Kidwai, o ministro de Comunicações da União, tinha acabado de anunciar que as tarifas postais iriam subir. A Sra. Rupa Mehra ocupava pelo menos um terço de seu tempo respondendo à sua abundante correspondência, e o aumento de tarifas teria grande impacto sobre ela. Rafi *Sahib* tinha a mentalidade mais secular possível, era menos apegado à comunidade, porém ele era muçulmano. A Sra. Rupa Mehra sentia vontade de agredir alguém, e ele parecia ser um bom alvo direto.

— Nehru é muito indulgente com eles, e só fala com o Azad e o Kidwai. Ele acha que é o primeiro-ministro do Paquistão? Agora veja o que eles fazem.

Em geral, Lata e Savita deixavam a mãe expressar sua opinião, mas hoje Lata protestou:

— Mãe, não concordo de jeito nenhum. Ele é o primeiro-ministro da Índia, não só dos hindus. Que mal há em ele ter dois ministros muçulmanos em seu gabinete?

— Você tem muitas ideias de gente instruída — retrucou a Sra. Rupa Mehra, que normalmente reverenciava a educação.

A Sra. Rupa Mehra talvez estivesse zangada porque as mulheres mais velhas não estavam conseguindo persuadir Mahesh Kapoor a concordar com a recitação do *Ramcharitmanas* em Prem Nivas por ocasião do festival de Ram Navami. Os problemas do Templo de Shiva no Chowk pesavam na mente de Mahesh Kapoor, e muitos dos maiores donos de terras que seriam espoliados pela lei da abolição das grandes propriedades rurais eram muçulmanos. Ele achava que deveria pelo menos se abster de agravar a situação.

— Eu conheço esses muçulmanos todos — disse soturna a Sra. Rupa Mehra, quase para si. Naquele momento não pensava no tio Shafi e em Talat Khala, velhos amigos da família.

Lata olhou para a mãe com indignação, mas não disse nada. Savita olhou para Lata, mas também permaneceu em silêncio.

— Não olhe para mim de olhos arregalados — advertiu a Sra. Rupa Mehra energicamente para a filha mais nova. — Eu conheço os fatos. Você não os conhece como eu. Não tem experiência de vida.

— Eu vou estudar — disse Lata. Ela levantou-se da cadeira de balanço de Pran. Mas a mãe estava com disposição beligerante.

— Por quê? Precisa estudar para quê? Já terminou as provas finais. Você vai estudar para o ano que vem? Quem trabalha sem descanso vira uma pessoa chata. Sente-se e converse comigo. Ou saia para dar uma volta. Vai fazer bem à pele.

— Eu saí para dar uma volta hoje de manhã — disse Lata. — Estou sempre saindo para caminhar.

— Você é muito teimosa.

Sou mesmo, pensou Lata, e com um sorriso muito sutil foi para seu quarto.

Savita tinha observado essa explosão e achou que a provocação era pequena demais, impessoal demais para irritar Lata em uma situação normal. Evidentemente, alguma coisa lhe pesava no coração. Um telefonema de Malati que tinha causado um efeito tão intenso sobre ela também voltou à memória da irmã. Ao juntar dois e dois ela não obteve quatro, mas os dois algarismos em forma de cisnes a nadar ainda pareciam inquietantes. Ficou preocupada com a irmã. Esta parecia, ultimamente, andar num estado volátil de excitação, mas sem estar disposta a se abrir com alguém. E Malati, sua amiga e confidente, havia saído da cidade. Savita esperou uma chance de conversar com Lata sozinha, o que não foi fácil. E, quando a chance apareceu, ela a agarrou sem hesitação.

Deitada na cama, com o rosto entre as mãos, Lata estava lendo. Tinha terminado *Pigs Have Wings* e tinha prosseguido com *Galahad at Blandings*. O título lhe parecia adequado, agora que ela e Kabir estavam apaixonados. Esses três dias de separação seriam como um mês, e ela teria que se distrair o máximo possível com Wodehouse.

A interrupção, ainda que da parte da irmã, não lhe agradou.

— Posso me sentar aqui na cama? — perguntou Savita.

Lata fez que sim, e a outra se sentou.

— O que é isso que você está lendo?

Lata mostrou a capa do livro para rápida inspeção e depois voltou a ler.

— Hoje eu estou me sentindo um pouco triste — disse Savita.

Lata se sentou imediatamente e olhou para irmã.

— Puxa, você está menstruada ou coisa assim?

Savita começou a rir.

— Quando se está esperando um filho não se fica menstruada. — Ela olhou espantada para Lata. — Você não sabia disso?

Savita teve a impressão de que sabia desse fato elementar há muito tempo, mas talvez não fosse assim.

— Não — disse Lata. Dado que suas conversas com a informativa Malati abordavam diversos assuntos, era surpreendente que o tema nunca tivesse surgido. Mas achou inteiramente justo que Savita não tivesse que lidar com dois problemas físicos ao mesmo tempo. — Mas então, qual é o problema?

— Ah, não é nada, não sei o que é. Só que às vezes eu me sinto assim. Ultimamente, com maior frequência. Talvez seja a saúde de Pran.

Pôs o braço delicadamente no de Lata. Esta sabia que a irmã não era temperamental. Olhou-a carinhosamente e perguntou:

— Você ama o Pran?

De repente aquilo parecia muito importante.

— É claro que sim — respondeu Savita, surpresa.

— Por que seria claro, *didi*?

— Não sei. Eu o amo. E me sinto melhor quando ele está aqui. Eu me preocupo com ele. E às vezes me preocupo com o filho dele.

— Ora, o bebê vai estar bem, se julgarmos pelos chutes que dá.

Lata se deitou de novo e tentou voltar à leitura do livro. Mas não conseguia se concentrar nem mesmo em Wodehouse. Depois de um tempo, perguntou:

— Você gosta de estar grávida?

— Gosto — admitiu Savita com um sorriso.

— Você gosta de estar casada?

— Sim — respondeu, ampliando o sorriso.

— Com um homem que escolheram para você... que você nem conhecia antes do casamento?

— Não fale assim do Pran, como se estivesse falando de um estranho — protestou Savita, desconcertada. — Às vezes, Lata, você é engraçada. Você também não tem amor a ele?

— Sim — respondeu Lata, estranhando a conclusão incoerente —, mas não tenho obrigação de ficar perto dele da mesma forma. O que não consigo entender é como... bom, outros decidiram que ele servia para você... mas se você não o tivesse achado atraente...

Ela estava pensando que Pran não era bonito e não acreditava que a bondade dele pudesse substituir... o quê? Uma centelha

— Por que você está me fazendo todas essas perguntas? — perguntou Savita, acariciando os cabelos da irmã.

— Bom, eu posso ter que enfrentar um problema como esse algum dia.

— Você está apaixonada, Lata?

A cabeça sob a mão de Savita se sobressaltou muito discretamente e depois fingiu que nada havia acontecido. Savita tinha sua resposta, e em meia hora tinha também a maioria dos detalhes sobre Kabir e seus diversos encontros. Lata ficou tão aliviada de falar com alguém que a amava e a compreendia que revelou todas as suas esperanças e perspectivas de felicidade. Savita viu o quanto estas eram impossíveis, mas deixou a irmã falar à vontade. Foi ficando cada vez mais triste, ao passo que a outra se sentia cada vez mais enlevada.

— Mas o que eu deveria fazer? — perguntou Lata.

— Fazer? — repetiu a irmã. A resposta que lhe ocorreu foi de que Lata deveria abrir mão de Kabir imediatamente, antes que a paixão deles fosse mais adiante, mas teve o bom-senso de não dizê-lo à irmã, que poderia ficar muito contrariada.

— Será que eu devia contar à *ma*? — perguntou Lata.

— Não! — reagiu Savita. — Não, faça o que fizer, não conte nada à *ma*. Ela imaginava o choque e a dor que a mãe sofreria.

— Por favor, *didi*, não conte a ninguém. A ninguém mesmo — pediu Lata.

— Não posso esconder nenhum segredo de Pran.

— Por favor, guarde este. Os boatos circulam com muita facilidade. Você é minha irmã. Faz menos de um ano que você conhece esse homem...

Nem bem lhe haviam escapado da boca essas palavras, Lata se sentiu mal em relação ao modo como se referira ao cunhado, que ela agora adorava. Ela deveria ter construído melhor a frase.

Savita assentiu, um pouco descontente. Embora detestasse o clima de conspiração que sua pergunta talvez gerasse, ela sentiu que precisava ajudar a irmã, e até mesmo protegê-la de certa forma.

— Será que eu deveria conhecer Kabir?

— Vou perguntar a ele — prometeu Lata. Tinha certeza de que Kabir não faria nenhuma objeção a conhecer alguém que fosse complacente, mas achava que ele não ficaria especialmente satisfeito. Também não queria apresentá-lo ainda a nenhum parente, pelo menos por enquanto. Tinha a sensação de que tudo ficaria confuso e de que o clima despreocupado da viagem de barco que tinham feito desapareceria rapidamente.

— Tenha cuidado, Lata, por favor — pediu Savita. — Ele pode ser bonito e de boa família, mas...

Deixou inacabada a segunda parte da frase, na qual Lata tentou, mais tarde, encaixar diversos finais.

3.16

NO início daquela noite, quando o calor do dia havia arrefecido um pouco, Savita foi visitar a sogra, da qual havia aprendido a gostar muito. Fazia quase uma semana que não se viam. A Sra. Mahesh Kapoor estava no jardim, e se precipitou a receber a nora quando viu chegar a charrete. Estava contente em vê-la, mas preocupada com o fato de que viera em uma charrete em seu estado de gravidez. Perguntou a Savita sobre sua saúde e a de Pran; queixou-se de que ele vinha visitá-la tão raramente; perguntou pela Sra. Rupa Mehra, que era esperada em Prem Nivas no dia seguinte; e indagou à nora se por acaso algum dos irmãos dela se encontrava na cidade. Ligeiramente intrigada com essa última pergunta, Savita disse que não. As duas saíram então passeando pelo jardim.

O lugar parecia um pouco seco, apesar de ter sido regado alguns dias antes; mas um pé de flamboyant estava florido; suas pétalas eram quase escarlates, em vez do laranja-avermelhado mais comum. No jardim de Prem Nivas tudo parecia mais intenso, pensou Savita. Era quase como se as plantas entendessem que sua senhora, mesmo sem se queixar abertamente de um desempenho mediano, só se contentasse com o melhor.

O jardineiro-chefe, Gajraj, e a Sra. Mahesh Kapoor tinham passado os últimos dias em acirrada disputa. Os dois haviam chegado a um acordo sobre as mudas a serem reproduzidas, as variedades de sementes a serem selecionadas, os arbustos a podar, o momento de transplantar as mudinhas de crisântemos para os vasos maiores. Mas, depois de começada a preparação do solo para a semeadura de novas plantas, havia surgido uma diferença aparentemente irreconciliável.

Esse ano, como experimento, a Sra. Mahesh Kapoor propôs que, antes da semeadura, uma parte do gramado fosse deixada sem nivelar. Isso tinha parecido extremamente excêntrico ao malinês e em total discrepância com as instruções habituais da patroa. Ele reclamou que seria impossível regar devidamente o gramado, que seria difícil apará-lo, que uma poça de lama se formaria durante as monções e as chuvas de inverno, que o jardim ficaria infestado de garças do brejo se alimentando de besouros aquáticos e outros insetos, e que o comitê julgador da Mostra de Flores consideraria a falta de regularidade do solo como sinal de falta de equilíbrio — em termos estéticos, naturalmente.

A Sra. Mahesh Kapoor respondeu que havia proposto deixarem desnivelado apenas o gramado lateral, não o frontal; que o desnível proposto era sutil; que o jardineiro poderia regar com a mangueira as partes mais altas; que a pequena parcela de gramado que se mostrasse difícil de ser aparada pelo enorme e cego cortador puxado pelo plácido touro branco do Departamento de Obras Públicas podia ser acertada com um pequeno cortador manual trazido do estrangeiro que ela pegaria emprestado com uma amiga; que o comitê julgador da Mostra de Flores olhava o jardim durante talvez uma hora, em fevereiro, mas que este dava prazer a ela durante o ano inteiro; que um terreno plano não tinha nada a ver com equilíbrio; e, por último, que ela havia proposto a experiência exatamente por causa das poças e das garças do brejo.

Um dia do final de dezembro, dois meses depois do casamento de Savita, quando o jasmim-coral ainda tinha flores e as roseiras estavam em sua primeira florada, quando o alisso-doce e as cravinas tinham começado a desabrochar, quando os canteiros de delfínios de folhas emplumadas que as codornas não tinham devorado até quase as raízes tentavam ao máximo se recuperar diante dos pés de cosmo de folhas igualmente emplumadas, mas flores pouco apetitosas, havia caído uma chuva pesadíssima, quase torrencial. Durante dois dias o tempo estivera encoberto e frio, com rajadas de vento e sem sol, mas o jardim ficou cheio de aves e pássaros: perdizes, mainás, carriças pequenas e cinzentas de penugem estufada, em seus buliçosos grupos de sete, poupas e periquitos numa combinação que fazia recordar as cores da bandeira do Congresso; um par de quero-queros de peito vermelho e um casal de abutres que voavam para a copa do *neem* carregando no bico pedaços grandes de gravetos. Apesar do heroísmo dos abutres no poema épico *Ramayana*, a

Sra. Mahesh Kapoor nunca havia conseguido se reconciliar com eles. Mas do que ela realmente gostou foi das três garças do brejo, gordas e desmazeladas, cada uma parada ao lado de uma pequena poça, quase inteiramente imóveis enquanto olhavam para a água, demorando um cauteloso minuto para darem cada passo, inteiramente satisfeitas com o aspecto lamacento do ambiente. Mas as poças do gramado plano haviam evaporado rapidamente quando o sol emergiu. Contudo, este ano, desejosa de oferecer a hospitalidade de seu gramado a mais algumas garças do brejo, a Sra. Mahesh Kapoor não queria deixar a questão ao sabor do acaso.

Tudo isso ela explicou à nora, arfando um pouco enquanto falava por causa da alergia às flores do *neem*. Savita refletiu que a sogra lembrava um pouco uma garça do brejo. Banal, cor de terra, gorducha — ao contrário do resto das outras garças —, deselegante e corcunda. Mas, alerta e infinitamente paciente, ela era capaz de exibir de repente uma deslumbrante asa branca no momento de alçar voo.

Savita achou engraçada a própria analogia e começou a sorrir. Mas a Sra. Mahesh Kapoor, mesmo retribuindo o sorriso, não procurou descobrir a razão da alegria de Savita.

Ela é muito diferente de *ma*, pensou Savita enquanto as duas continuavam a caminhar pelos jardins. Podia ver semelhanças entre a sogra e o marido, e uma óbvia semelhança física entre a Sra. Mahesh Kapoor e a animada Veena. No entanto, de que modo havia conseguido gerar um filho como Maan ainda era para Savita uma questão que lhe causava graça e espanto.

3.17

NA manhã seguinte, a Sra. Rupa Mehra, a velha Sra. Tandon e a Sra. Mahesh Kapoor se encontraram em Prem Nivas para conversar. Que a Sra. Mahesh Kapoor fosse a anfitriã era muito adequado: para as outras duas ela fazia o papel de elo numa cadeia, era a *samdhin* ou "cossogra". Além disso, por ser a única cujo marido ainda vivia, era a única ainda senhora da própria casa.

A Sra. Rupa Mehra gostava de companhia de qualquer tipo, e esse tipo era ideal. Primeiro elas tomaram chá e comeram *matthri* com picles de manga preparado pela própria anfitriã. Todas declararam que estava delicioso. A receita do picles foi analisada e comparada com as de sete ou oito tipos de picles de manga. Quanto ao *matthri*, a Sra. Rupa Mehra decretou:

— Estão exatamente como devem ser: crocantes e folheadas, mas não se desmancham.

— Não posso comer muito por causa da minha digestão — disse a velha Sra. Tandon, servindo-se de mais uma.

— Pois é, quando a gente envelhece não há nada que se possa fazer... — comentou solidária a Sra. Rupa Mehra. Aos 40 e tantos anos, ela gostava de se imaginar velha quando na presença de gente mais idosa; e de fato, sendo viúva há vários anos, achava que já tinha vivenciado parte da experiência da velhice.

A conversa toda acontecia em híndi, com uma ou outra palavra em inglês. A Sra. Mahesh Kapoor, por exemplo, quando se referia ao marido, muitas vezes o chamava de "ministro *sahib*". Às vezes, em híndi, ela até o chamava de "o pai de Pran". Referir-se a ele pelo nome teria sido impensável. Até mesmo "meu marido" era inaceitável para ela.

Elas compararam os preços dos legumes com os praticados na mesma época do ano anterior. O ministro *sahib* se preocupava mais com as cláusulas de seu projeto de lei do que com os alimentos, mas às vezes ficava irritadíssimo quando a comida tinha muito sal ou pouco sal ou quando estava demasiado condimentada. Gostava principalmente de melão-de-são-caetano, o fruto mais amargo de todos — e para ele quanto mais amargo, melhor.

A Sra. Rupa Mehra se sentia muito próxima da velha Sra. Tandon. Para alguém que acreditava que todos os passageiros de um vagão de trem existiam principalmente para ser absorvidos em uma rede de relacionamentos, a *samdhin* da *samdhin* era virtualmente uma irmã. As duas eram viúvas e ambas tinham noras problemáticas. A Sra. Rupa Mehra se queixava de Meenakshi; algumas semanas antes ela tinha contado às outras duas sobre a medalha tão cruelmente fundida. Mas, naturalmente, diante da Sra. Mahesh Kapoor, a velha Sra. Tandon não podia se queixar de Veena e da predileção desta por música profana.

Os netos também foram mencionados: Bhaskar e Aparna e o filho de Savita que estava por nascer, cada qual fez sua aparição.

Então a conversa tomou um rumo diferente.

— Nós não podemos fazer alguma coisa em relação ao Ram Navami? Será que o ministro *sahib* não vai mudar de ideia? — perguntou a velha Sra. Tandon, talvez a mais insistentemente religiosa das três.

— Ufa! O que posso dizer? Ele é tão teimoso! — disse a Sra. Mahesh Kapoor. — E hoje em dia, com tanta pressão, ele se impacienta com qualquer coisinha que eu diga. Ultimamente tenho sentindo dores, mas nunca me preocupo com elas; é com ele que me preocupo muito. — Ela sorriu. — Vou dizer a vocês com franqueza: tenho até medo de dizer alguma coisa a ele — continuou em sua voz calma. — Eu até falei: "Está certo, se o senhor não quer que o poema inteiro seja recitado, pelo menos nos deixe chamar um sacerdote para recitar uma parte dele, talvez apenas o 'Sundar Kanda'", e ele só respondeu "Vocês mulheres vão incendiar essa cidade. Façam o que quiserem!" e saiu do quarto.

As outras duas produziram ruídos de solidariedade.

— Mais tarde ele ficou andando de um lado para outro pelo jardim, no calor, o que não é bom nem para ele, nem para as plantas. Eu lhe disse que nós poderíamos convidar os futuros sogros do Maan para virem de Benares celebrar a ocasião conosco. Eles também gostam de recitais de declamação. Isso ajudará a cimentar os laços. Maan está ficando tão... — Ela procurou a palavra adequada. — Tão fora de controle...

Sua voz se extinguiu, angustiada. Os comentários sobre Maan e Saeeda Bai eram agora generalizados em Brahmpur.

— O que ele disse? — perguntou alvoroçada a Sra. Rupa Mehra.

— Ah, fez um gesto dizendo: "É tudo intriga e fofoca!"

A velha Sra. Tandon balançou a cabeça.

— Quando o filho de Zaidi passou no concurso para servidor público, a mulher dele organizou na casa dela uma recitação do Corão inteiro: vieram trinta mulheres e cada uma leu uma... como eles chamam mesmo? *Paara*, é isso.

A palavra parecia desagradá-la.

— Foi mesmo? — perguntou a Sra. Rupa Mehra, chocada com a injustiça dos fatos. — Será que eu deveria falar com o ministro *sahib*?

Tinha uma vaga noção de que isso ajudaria.

— Não, não, de jeito nenhum — respondeu a Sra. Mahesh Kapoor, preocupada com a ideia do choque entre essas duas personalidades poderosas.

— Ele só vai se esquivar. Um dia, quando falei no assunto, ele até disse: "Se você insiste nisso, procure seu grande amigo, o ministro do Interior; ele apoiará com certeza esse tipo de injúria." Fiquei assustada demais para dizer alguma coisa.

As três lamentaram o declínio geral da verdadeira religiosidade.

— Hoje em dia todo mundo aderiu às grandes cerimônias nos templos: cânticos e bhajans e declamações e discursos — disse a velha Sra. Tandon. — Mas em casa não realizam uma cerimônia adequada.

— É verdade — concordaram as outras duas.

— Pelo menos em nosso bairro nós vamos ter nossa própria cerimônia de Ramlila dentro de seis meses — prosseguiu a velha Sra. Tandon. — Meu neto é pequeno demais para interpretar um dos personagens principais, mas certamente poderá ser um dos macacos-guerreiros.

— Lata gostava muito de macacos — refletiu vagamente a Sra. Rupa Mehra.

As outras se entreolharam. Saindo de repente de sua hesitação, a Sra. Rupa Mehra olhou para as duas.

— O que foi? Algum problema? — perguntou.

— Antes de você chegar nós estávamos mesmo falando... sabe como é, assim... por falar... — disse que a velha Sra. Tandon, conciliatória.

— É a respeito de Lata? — perguntou a Sra. Rupa Mehra, compreendendo o tom de voz da outra com tanta exatidão quanto havia compreendido o olhar.

As duas mulheres se entreolharam e assentiram com ar sério.

— Digam-me, digam-me depressa — pediu a Sra. Rupa Mehra, totalmente alarmada.

— Pois é, é o seguinte. — disse delicadamente a Sra. Mahesh Kapoor — Cuide de sua filha, por favor, porque ontem de manhã alguém a viu caminhando com um rapaz na margem do Ganges, perto das escadarias do crematório.

— Mas que rapaz é esse?

— Aí eu não sei. Mas estavam caminhando de mãos dadas.

— Quem foi que viu?

— O que eu deveria esconder de você? — perguntou solidária a Sra. Mahesh Kapoor. — Foi o cunhado de Avtar *Bhai*. Ele reconheceu Lata, mas não o rapaz. Eu disse a ele que deveria ser um de seus filhos, mas soube por Savita que eles estão em Calcutá.

O nariz da Sra. Rupa Mehra começou a ficar vermelho de infelicidade e vergonha. Duas lágrimas rolaram por suas faces e ela apanhou dentro da enorme bolsa um lencinho bordado.

— Ontem de manhã? — perguntou com voz trêmula.

Tentou lembrar onde a filha dissera que tinha ido. É isso que acontece quando se confia nos filhos, quando eles são deixados soltos por aí, passeando para todo lado. Nenhum lugar era seguro.

— Foi o que ele contou — resumiu gentilmente a Sra. Mahesh Kapoor. — Mas tome um pouco de chá. Não fique alarmada demais. Todas essas moças ficam vendo esses filmes de amor modernos, são influenciadas por essas histórias, mas Lata é uma boa menina. Basta conversar com ela.

Mas a Sra. Rupa Mehra estava muito alarmada; engoliu o chá, que chegou a adoçar com açúcar por engano, e foi para casa tão logo pôde fazê-lo sem parecer indelicada.

3.18

A SRA. Rupa Mehra entrou ofegante pela casa adentro.

Viera aos prantos na charrete. O cocheiro, preocupado ao ver chorando tão abertamente uma senhora bem-vestida, ficara falando consigo mesmo para fingir que não havia reparado, mas ela encharcara não só o lenço bordado como também o sobressalente.

— Ai, minha filha, minha filha! — lamentou-se.

— Sim, *ma* — respondeu Savita.

Estava chocada de ver o rosto da mãe marcado de lágrimas.

— Não é com você, não. Onde está Lata, aquela sem-vergonha?

Savita entendeu que a mãe tinha descoberto alguma coisa. Mas o quê? E até que ponto? Aproximou-se instintivamente da Sra. Rupa Mehra para tranquilizá-la.

— Sente-se, *ma*, e procure se acalmar; tome um chá — propôs Savita, guiando a mãe, que parecia muito perturbada, até sua poltrona favorita.

— Tomar chá! É chá e mais chá! — protestou a Sra. Rupa Mehra, resistindo em sua aflição.

Savita pediu a Mateen que fizesse chá para as duas.

— Onde está ela? O que será de todos nós? E agora, quem vai se casar com ela?

— Mãe, não dramatize demais as coisas — disse Savita, conciliatória. — Isso vai passar.

A Sra. Rupa Mehra sentou-se abruptamente.

— Então você sabia! Você sabia! E não me disse nada. Eu tive que ficar sabendo pela boca de estranhos.

Essa nova traição engendrou um novo ataque de soluços. Savita abraçou a mãe e ofereceu a ela outro lenço. Depois de alguns minutos, pediu:

— Não chore, *ma*, não chore. O que foi que a senhora ouviu dizer?

— Ai, minha pobre filha... Ele é de boa família? Eu bem que tive a impressão de que alguma coisa estava acontecendo. Ai, meu Deus! O que o pai dela teria dito se estivesse vivo? Ai, minha filha.

— *Ma*, o pai dele ensina matemática na universidade. Ele é um rapaz decente. E Lata é uma moça de bom-senso.

Mateen entrou com o chá, registrou a cena com solícito interesse e voltou à cozinha.

Segundos depois, Lata entrou. Ela havia levado um livro para o bosque de figueiras, onde se sentara tranquilamente durante algum tempo, perdida na leitura e em seus próprios pensamentos deslumbrados. Mais dois dias, mais um dia, e voltaria a se encontrar com Kabir.

Parou na soleira da porta, despreparada para a cena à sua frente.

— Por onde você andou, mocinha? — perguntou a Sra. Rupa Mehra, com tanta raiva que a voz tremia.

— Fui dar um passeio — gaguejou Lata.

— Um passeio? Que passeio? — A voz da mãe foi subindo de tom gradualmente. — Sei bem que tipo de passeio...

Lata ficou de queixo caído e olhou para a irmã. Savita balançou de leve a cabeça e acenou com a mão direita para dizer que não fora ela quem entregara a irmã.

— Quem é ele? — inquiriu a Sra. Rupa Mehra. — Vem cá. Vem aqui agora mesmo.

Lata olhou para Savita.

— É só um amigo — disse, aproximando-se da mãe.

— Só um amigo?! Um amigo?! E desde quando amigos são para ficar de mãos dadas? Foi para isso que eu criei você? Todos vocês... e foi para isso...

— *Ma*, sente-se aí — disse Savita, pois a mãe estava se levantando da cadeira.

— Quem contou para a senhora? — perguntou Lata. — Foi a Taiji de Hema?

— A Taiji de Hema? E ela também está nisso? — indagou a Sra. Rupa Mehra com renovada indignação. — Ela deixa aquelas garotas ficarem andando por aí à noite para todo lado, com flores nos cabelos. Quem me contou? A infeliz ainda me pergunta quem foi que me contou. Ninguém me contou. Na cidade não se fala de outra coisa, todo mundo está sabendo a respeito. Todo mundo pensava que você era uma boa moça, de boa reputação... e agora é tarde demais. Tarde demais. — Ela soluçou.

— Mãe, a senhora sempre diz que Malati é uma boa moça — disse Lata como autodefesa. — E ela tem amigos assim... a senhora sabe disso... todo mundo sabe disso.

— Cale a boca! Não me responda! Eu vou te dar uns tapas bem fortes. Fica andando por aí descaradamente perto do crematório e se divertindo.

— Mas Malati...

— Malati! Malati! Estou falando de você, e não de Malati. Estudar medicina e ficar cortando rãs... — A voz da Sra. Rupa Mehra tornou a se elevar: — Você quer ser igual a ela? E mentindo para sua mãe! Nunca mais vou deixar você sair para caminhar, está ouvindo? Vai ficar dentro de casa, está entendendo?

A Sra. Rupa Mehra tinha ficado em pé.

— Estou sim, *ma* — respondeu Lata, lembrando com um espasmo de vergonha que fora obrigada a mentir para a mãe para poder se encontrar com Kabir. O encantamento estava sendo despedaçado; sentia-se assustada e infeliz.

— Qual é o nome dele?

— Kabir — disse Lata, empalidecendo.

— Kabir de quê?

Lata ficou parada e não respondeu. Uma lágrima rolou por sua face.

A Sra. Rupa Mehra não estava disposta a sentir pena. O que eram aquelas lágrimas ridículas? Agarrou a orelha da filha e torceu. A moça soluçou.

— Ele tem sobrenome, não tem? Qual é o dele... Kabir Lal, Kabir Mehra... Qual é? Você está esperando o chá esfriar? Ou se esqueceu?

Lata fechou os olhos.

— Kabir Durrani — revelou, e esperou a casa vir abaixo.

As três sílabas letais fizeram seu efeito. A Sra. Rupa Mehra botou a mão no coração, abriu a boca em horror silencioso, olhou ao redor sem nada ver e se sentou.

Savita imediatamente correu para junto da mãe. Seu próprio coração estava batendo rápido demais.

Uma derradeira possibilidade ocorreu à Sra. Rupa Mehra.

— Ele é parse? — perguntou ela em voz débil, quase suplicante. Tal pensamento era odioso, porém não tão calamitosamente aterrador. Mas um olhar ao rosto de Savita lhe revelou a verdade. — Um muçulmano! — disse a Sra. Rupa Mehra, mais para si que para os demais. — O que eu fiz em minha vida passada para causar isso à minha filha querida?

Savita estava de pé ao lado dela e segurava sua mão. Esta ficou inerte, enquanto a Sra. Rupa Mehra olhava fixamente para frente.

De repente ela percebeu a curva suave da barriga de Savita, e novos horrores lhe vieram à mente.

Tornou a ficar de pé.

— Nunca, nunca, nunca — disse.

A essa altura Lata tinha adquirido um pouco de força, depois de invocar mentalmente a imagem de Kabir. Abriu os olhos. As lágrimas tinham cessado e a boca tinha uma expressão desafiadora.

— Nunca, nunca, de jeito nenhum... sujos, violentos, cruéis, lascivos...

— Como Talat Khala? — desafiou Lata. — Como o tio Shafi? Como o nababo *sahib* de Baitar? Como Firoz e Imtiaz?

— Você quer se casar com ele? — gritou a Sra. Rupa Mehra, furiosa.

— Quero sim! — disse Lata, mais arrebatada e furiosa a cada segundo.

— Ele vai se casar com você... e um ano depois vai dizer "talaq talaq talaq" e botá-la no olho da rua. Garota burra, teimosa! Devia se afogar num copo d'água, de pura vergonha!

— Eu *vou* me casar com ele — disse Lata para si.

— Eu vou trancá-la em casa. Como naquela vez em que você queria ser freira.

Savita tentou interceder.

— Vá agora mesmo para seu quarto! — ordenou-lhe a Sra. Rupa Mehra. — Isso não é bom para você.

A mãe ergueu o dedo, e Savita, que não estava acostumada a receber ordens em sua própria casa, obedeceu humildemente.

— Quem dera eu tivesse me tornado freira — disse Lata. — Lembro que papai sempre nos dizia que devíamos seguir os impulsos do coração.

— Ainda está me respondendo? — disse a Sra. Rupa Mehra, enfurecida pela menção ao marido. — Vai já levar umas bofetadas.

Deu dois fortes tapas na filha e em seguida caiu no choro.

3.19

A SRA. Rupa Mehra não abrigava mais preconceitos contra os muçulmanos que a maioria das mulheres hindus de casta elevada da mesma geração e classe social. Conforme Lata havia assinalado de forma inoportuna, ela tinha amigos que eram muçulmanos, embora quase todos não ortodoxos. O nababo *sahib* talvez fosse muito ortodoxo, mas para a Sra. Rupa Mehra ele era mais um conhecido que um amigo.

Quanto mais pensava, mais a Sra. Rupa Mehra ficava agitada. Casar-se com um hindu não pertencente à casta dos xátrias já era bastante ruim. Mas aquilo então era inominável. Uma coisa era se misturar socialmente com os muçulmanos; outra, inteiramente diversa, era sonhar em poluir o próprio sangue e sacrificar a própria filha.

A quem ela poderia recorrer em sua hora de aflição? Quando Pran veio almoçar em casa e ouviu a história, sugeriu pacificamente que conhecessem o rapaz. A Sra. Rupa Mehra teve outro ataque. Aquilo estava completamente fora de cogitação. Pran resolveu então não se meter e deixar o assunto morrer. Não ficou magoado quando soube que Savita tinha preservado o segredo de Lata, e a esposa o amou ainda mais por causa disso. Ela tentou acalmar a mãe, consolar a irmã e mantê-las em cômodos separados — pelo menos durante o dia.

No quarto, Lata olhou em torno e se perguntou o que estava fazendo naquela casa com a mãe quando seu coração estava por inteiro em outro lugar, qualquer lugar que não fosse ali — num barco, num campo de críquete, num concerto, num bosque de figueiras-de-bengala, numa cabana nas montanhas, no castelo Blandings, em qualquer outro lugar, desde que estivesse com Kabir. Não importava o que acontecesse, amanhã ela iria encontrá-lo conforme o planejado. Ela repetia para si mesma que o caminho do verdadeiro amor nunca deixava de ter seus tropeços.

A Sra. Rupa Mehra escreveu uma carta a Arun em Calcutá, num formulário de aerograma. Suas lágrimas caíram sobre o papel e mancharam a tinta. Ela acrescentou: "P. S.: minhas lágrimas caíram sobre a carta, mas o que posso fazer? Meu coração está partido e só Deus irá mostrar uma saída. Mas seja feita a vontade Dele." Como a tarifa postal havia acabado de subir, ela teve que colar um selo extra no impresso previamente pago.

Com o espírito muito amargurado, ela foi ver o pai. Seria uma visita humilhante. Para conseguir seus conselhos, ela seria obrigada a enfrentar o mau humor dele. O pai podia ter se casado com uma mulher grosseira, que tinha a metade da idade dele, mas aquele matrimônio, em comparação com o que ameaçava Lata, era uma união talhada no céu.

Como se esperava, o Dr. Kishen Chand Seth recriminou severamente a Sra. Rupa Mehra na presença da pavorosa Parvati, e disse que ela era uma mãe incompetente. Mas por outro lado, acrescentou ele, hoje em dia todo mundo parecia desmiolado. Na semana passada ele dissera a um paciente que examinou no hospital: "Você é muito burro. Em dez ou 15 dias estará morto; fazer uma cirurgia será jogar dinheiro fora, e o procedimento só vai fazer você morrer mais depressa." O idiota do paciente ficou extremamente transtornado. Evidentemente ninguém sabia como aceitar ou dar conselhos hoje em dia. E ninguém sabia disciplinar os filhos; era daí que se originavam todos os problemas do mundo.

— Veja só o Mahesh Kapoor! — agregou ele com satisfação.

A filha concordou.

— E seu caso é ainda pior.

A Sra. Rupa Mehra soluçou.

— Você estragou o mais velho. — Ele deu um riso abafado ao se lembrar da voltinha que Arun tinha dado no carro dele. — E agora estragou a mais nova, e só tem a si mesma para responsabilizar. E só vem me procurar para pedir conselho quando já é tarde demais.

A filha não disse nada.

— E seus queridos Chatterji são a mesma coisa — acrescentou, deliciado. — Ouvi dizer nos círculos de Calcutá que eles não têm controle sobre os filhos. Nenhum deles.

Esse pensamento lhe deu algumas ideias. Agora a filha estava satisfatoriamente em lágrimas; portanto, o pai lhe deu uns conselhos e recomendou que os pusesse em prática sem tardar.

A Sra. Rupa Mehra foi para casa, pegou dinheiro e se dirigiu à estação ferroviária de Brahmpur. Comprou duas passagens para Calcutá no trem da noite seguinte.

Em vez de postar a carta a Arun, mandou-lhe um telegrama.

Savita tentou dissuadir a mãe, mas não teve êxito.

— Pelo menos espere o começo de maio, quando saem os resultados das provas finais — pediu. — Lata vai se preocupar com eles sem necessidade.

A mãe lhe respondeu que os resultados das provas não importariam se a reputação de uma moça estivesse arruinada, e, além disso, poderiam ser enviados pelo correio. Ela sabia muito bem o que preocupava Lata. A Sra. Rupa Mehra então virou o jogo emocional na direção de Savita, determinando que qualquer discussão acalorada entre ela própria e Lata deveria acontecer em outro lugar, e não ao alcance do ouvido da filha grávida, que deveria permanecer calma. "Calma, esta é a palavra", repetia energicamente a Sra. Rupa Mehra.

Lata nada retrucou, limitando-se a se calar quando a mãe lhe disse que arrumasse a bagagem para viajar.

— Nós vamos embarcar para Calcutá amanhã à noite, pelo trem das seis e vinte e dois. E isso é tudo. Não se atreva a dizer nada — advertiu a Sra. Rupa Mehra.

Lata não disse nada. Recusou-se a mostrar qualquer emoção diante da mãe. Arrumou a bagagem com cuidado. Até comeu alguma coisa no jantar. A imagem de Kabir lhe fazia companhia.

Depois do jantar ela se sentou no terraço, pensativa. Quando foi dormir, não disse boa-noite à mãe, que estava deitada insone na cama vizinha à dela. A Sra. Rupa Mehra estava de coração partido, mas Lata não se sentia muito piedosa. Pegou logo no sono e sonhou, entre outras coisas, com o jumento de um lavador de roupa. O animal tinha a cara do Dr. Makhijani e mastigava a bolsa preta da Sra. Rupa Mehra e todas as suas estrelinhas prateadas.

3.20

LATA acordou descansada. Ainda estava escuro. Ela havia combinado de se encontrar com Kabir às seis da manhã. Foi ao banheiro, que trancou por dentro, e depois escapuliu para o jardim pelos fundos. Não se atreveu a levar consigo um suéter, já que isso teria despertado as suspeitas da mãe. De todo modo, não fazia muito frio.

Mas ela tremia. Caminhou em direção aos barrancos de terra, depois desceu a trilha. Kabir estava esperando por ela, sentado na mesma raiz da figueira-de-bengala. Ao ouvi-la chegar, ele se levantou. Seus cabelos estavam em desalinho e ele parecia ter sono. Chegou a bocejar enquanto ela se aproximava. À luz da aurora, o rosto dele era ainda mais bonito do que quando havia atirado a cabeça para trás e dado uma risada, perto do campo de críquete.

A moça pareceu a Kabir muito tensa e agitada, mas não infeliz. Eles se beijaram. Então ele falou:

— Bom dia.
— Bom dia.
— Você dormiu bem?
— Muito bem, obrigada. Sonhei com um jumento.
— Ah, é? Não foi comigo?
— Não.
— Eu não consigo lembrar com que sonhei — disse Kabir —, mas não tive uma noite tranquila.
— Eu adoro dormir. Sou capaz de dormir nove ou dez horas por dia.
— Você não está com frio? Por que não veste isso aqui?

Kabir fez menção de tirar o suéter.

— Eu estava ansiosa para ver você de novo — disse ela.
— Lata, o que aconteceu para deixá-la transtornada?

Os olhos dela estavam excepcionalmente brilhantes.

— Nada. — Ela lutou contra as lágrimas. — Não sei quando verei você novamente.

— O que houve?

— Estou indo para Calcutá hoje à noite. Minha mãe descobriu a nosso respeito. Quando ouviu seu sobrenome, teve um ataque. Eu avisei como era minha família.

Kabir se sentou na raiz.

— Ai, não!

Lata também se sentou.

— Você ainda me ama? — perguntou ela depois de um tempo.

— Ainda? — Kabir deu um riso amargo. — Qual é o seu problema?

— Você lembra o que disse na vez passada? Que nós nos amamos e que só isso importa?

— Sim, é só o que importa.

— Então vamos embora daqui...

— Ir embora — retrucou ele com tristeza. — Ir embora daqui para onde?

— Para qualquer lugar, para as serras... Qualquer lugar mesmo.

— E deixar tudo para trás?

— Tudo. Eu não me importo. Até já empacotei algumas coisas.

O espírito prático de Lata o fez sorrir, em vez de alarmá-lo.

— Se formos embora, não teremos a menor chance. Vamos esperar para ver como as coisas se encaminham. Nós faremos isso dar certo.

— Eu pensei que você vivesse para o nosso próximo encontro.

Kabir passou o braço pelos seus ombros.

— E eu vivo. Mas não podemos decidir tudo. Não quero decepcioná-la, mas...

— Você está me decepcionando. Por quanto tempo teremos que esperar?

— Acho que dois anos. Primeiro eu preciso terminar a graduação. Depois disso vou me candidatar a uma vaga na Universidade de Cambridge ou talvez faça concurso para a carreira diplomática...

— Ah... — Foi um grito abafado de dor quase física.

Ele se interrompeu, percebendo o quanto devia ter parecido egoísta.

— Em dois anos eu estarei casada — disse Lata, cobrindo o rosto com as mãos. — Você não é mulher, você não entende. Minha mãe talvez nem me deixe voltar a Brahmpur...

Dois versos de um dos encontros deles lhe vieram à lembrança:

> Do reino encantado do Sr. Nowrojee fuja comigo.
> Não abandone ao desamparo seu amigo.

Lata se levantou. Não fez qualquer tentativa de esconder as lágrimas.

— Vou embora — anunciou.

— Não vá, Lata, por favor. Escute, por favor! — insistiu Kabir. — Quando poderemos nos falar de novo? Se não falarmos agora...

Lata se apressava trilha acima, tentando escapar da companhia dele.

— Lata, seja razoável.

Ela havia chegado ao terreno plano no alto da trilha. Kabir vinha caminhando mais atrás. Lata parecia isolada dele por uma parede, de tal modo que ele não a tocou. Sentiu que ela o teria afastado com o gesto, talvez com outro comentário magoado.

No caminho da casa havia uns arbustos da mais perfumada murta, alguns dos quais tinham crescido até alcançar a altura de árvores. O ar estava pesado da fragrância deles; as ramas se cobriam de pequenas flores brancas que contrastavam com um fundo de folhas verdes-escuras, o solo estava coberto de pétalas. Quando passaram sob as árvores, ele esbarrou nas folhagens delicadamente, e uma chuva de pétalas perfumadas caiu sobre os cabelos da moça. Se ela percebeu o movimento, não deu a menor indicação.

Continuaram andando, sem se falar. Então Lata se voltou.

— Aquele ali de roupão é o marido da minha irmã. Eles estiveram me procurando. Volte. Ninguém nos viu ainda.

— Eu sei, é o Dr. Kapoor. Vou falar com ele... vou convencê-los...

— Você não pode completar quatro corridas todos os dias — disse Lata.

Kabir ficou como que preso ao solo, com um ar de perplexidade no rosto, mais que de dor. Lata seguiu em frente sem olhar para trás.

Nunca mais queria tornar a vê-lo.

Em casa, a Sra. Rupa Mehra estava tendo um ataque histérico. Pran tinha uma expressão séria no rosto. Savita estivera chorando. Lata recusou-se a responder qualquer pergunta.

A Sra. Rupa Mehra e Lata partiram para Calcutá na mesma noite. A mãe repetia em ladainha que a filha era indecorosa e imprudente; que estava forçando a mãe a sair de Brahmpur antes da festa de Ram Navami; que tinha sido a causa de desnecessária conturbação e despesa.

Não recebendo respostas, finalmente desistiu. Pela primeira vez quase não falou com os outros passageiros.

Lata se manteve em silêncio. Ficou olhando pela janela do trem até esta ficar completamente escura. Sentia-se inconsolável e humilhada. Estava farta da mãe, de Kabir e da confusão que era sua vida.

Parte Quatro

4.1

ENQUANTO Lata estava se apaixonando por Kabir, na velha Brahmpur se dava uma sequência de fatos muito distintos, mas que seriam relevantes para a história da jovem. Os acontecimentos envolviam a irmã de Pran, Veena, e família dela.

Veena Tandon entrou em sua casa em Misri Mandi e foi recebida pelo filho Bhaskar com um beijo, que ela aceitou alegremente apesar de o menino estar resfriado. Ele correu de volta ao pequeno sofá em que estivera sentado — entre o pai e o convidado deste — e continuou a dar sua explicação das potências do número dez.

Kedarnath Tandon olhou o filho com tolerância, mas, embora satisfeito com a genialidade do menino, não prestou muita atenção ao que ele estava dizendo. O convidado do pai, Haresh Khanna, que tinha sido apresentado a Kedarnath por um conhecido do setor de calçados, teria preferido conversar sobre o comércio de couro e de sapatos de Brahmpur, mas achou melhor fazer uma concessão ao filho do anfitrião — principalmente porque o garoto, arrebatado pelo entusiasmo, teria ficado muito decepcionado com a perda da plateia doméstica num dia em que não o deixaram sair para soltar pipa. Haresh tentou se concentrar no que o menino estava dizendo.

— Bom, Haresh *Chacha*, é essa a questão, entendeu? Primeiro a gente tem o dez, e é só dez, ou seja, dez elevado à primeira potência. Depois vem o número cem, que é o dez multiplicado por dez, e corresponde a dez elevado à segunda potência; aí vem o mil, ou dez elevado à terceira potência. Depois vem o 10 mil, que é o dez elevado à quarta potência... Mas é aí que o problema começa, entende? Não existe uma palavra especial para ele, e deveria existir. O 10 mil multiplicado por dez é o dez elevado à quinta potência, que é um *lakh*. Depois vem o dez elevado à sexta potência, que é 1 milhão; o dez elevado à sétima potência, que se chama *crore*; e aí chegamos a mais uma potência para a qual não temos uma palavra: é o dez elevado à oitava potência. Deveríamos ter uma palavra para isso também. E depois disso vem o dez elevado à nona potência, que é 1 bilhão; e depois vem o dez elevado à décima potência. Ora, o espantoso é não termos uma palavra especial, nem em inglês nem em híndi, para um número tão importante quanto o dez elevado à décima potência. O senhor concorda comigo,

Haresh *Chacha*? — perguntou ele, com os olhos brilhantes fixados no rosto do visitante.

— Mas eu acho que existe uma palavra especial para o 10 mil — disse Haresh, puxando da memória recente alguma nova informação para o empolgado Bhaskar. — Os chineses dos curtumes de Calcutá, com os quais temos negócios, certa vez me disseram que usavam o número 10 mil como uma unidade-padrão de contagem. Não consigo lembrar o nome que dão a ela, mas eles usam esse número do mesmo jeito que nós usamos o *lakh* como um ponto natural de medição.

Bhaskar ficou eletrizado.

— Mas Haresh *Chacha*, o senhor tem que descobrir esse número para mim. Precisa descobrir como ele é chamado. Eu preciso saber — disse ele com o olhar queimando de fogo místico, seus traços de sapinho assumindo um esplendor assombroso.

— Tudo bem, já digo o que farei: quando eu voltar a Kanpur vou investigar, e assim que descobrir como eles se referem a esse número mandarei uma carta. Quem sabe eles talvez tenham até um número para o dez à oitava potência.

— O senhor acha mesmo? — arfou Bhaskar, especulativo. Seu prazer lembrava o do filatelista que de repente vê os dois selos que lhe faltam na coleção serem supridos por um estranho. — Quando o senhor vai voltar para Kanpur?

Veena, que tinha acabado de entrar com as xícaras de chá, recriminou o filho pelo comentário pouco hospitaleiro e perguntou a Haresh quantas colheres de açúcar ele queria.

Haresh não pôde deixar de reparar que Veena estava com a cabeça descoberta quando ele a vira minutos antes, mas agora, depois de voltar da cozinha, havia coberto a cabeça com o sári. Ele adivinhou corretamente que ela o fizera por insistência da sogra. O visitante observara que, embora Veena fosse um pouco mais velha que ele, e bem rechonchuda, tinha muita vivacidade nos traços. O leve ar de ansiedade do olhar só intensificava o dinamismo de seu caráter.

Veena, por sua parte, não pôde deixar de notar que o convidado do marido era um homem de muito boa aparência. Haresh era baixo, robusto sem ser atarracado, de pele clara e rosto quadrado. Os olhos não eram grandes, mas o olhar tinha uma franqueza que ela acreditava ser um indício da honestidade do caráter dele. Camisa de seda e abotoaduras de ágata, Veena observou.

— Agora, Bhaskar, vá conversar com sua avó — disse Veena. — O amigo do papai quer conversar coisas importantes com ele.

Bhaskar olhou para os dois homens num apelo inquisitivo. O pai, mesmo estando de olhos fechados, sentiu que o filho aguardava sua palavra.

— Sim, faça o que sua mãe está dizendo — disse Kedarnath. Haresh não disse nada, mas sorriu. O menino saiu muito contrariado por ter sido excluído.

— Não se preocupe com ele — desculpou-se Veena —, sua contrariedade nunca dura muito. É que ele não gosta de ser excluído das coisas que o interessam. Quando Kedarnath e eu jogamos *chaupar* juntos, precisamos primeiro cuidar de que Bhaskar não esteja em casa, senão ele insiste em jogar e acaba ganhando de todo mundo. Muito irritante.

— Imagino que seja — concordou Haresh.

— O problema é que ele não tem com quem conversar sobre matemática, e às vezes se torna muito retraído. Na escola ele dá aos professores mais motivos de preocupação do que de orgulho. Às vezes parece até se sair mal em matemática propositalmente, como, por exemplo, quando ele se aborrece com alguma coisa. Uma vez, quando era menor, eu lembro que Maan, o meu irmão, perguntou a ele quanto era 17 menos seis. Quando Bhaskar respondeu 11, Maan pediu que tirasse outros seis. Quando ele respondeu cinco, Maan tornou a pedir para diminuir seis. Aí o Bhaskar começou a gritar: "Não, não, Maan Maama está me enganando! Não deixem ele me enganar!" e passou uma semana sem falar com o tio.

— Bom, passou pelo menos uns dois dias — disse o pai. — Mas isso foi antes de aprender sobre números negativos. Quando aprendeu, insistia em passar o dia inteiro diminuindo números maiores de outros menores. Imagino que do jeito que as coisas estão indo no meu trabalho ele vai ter muita prática nesse tipo de operação.

— Aliás, acho que você deveria sair hoje à tarde — disse Veena, ansiosa, ao marido. — Bajaj veio aqui hoje de manhã e, como não encontrou você, disse que iria aparecer por volta das três da tarde.

Haresh adivinhou pelas expressões do casal que Bajaj talvez fosse um credor.

— Quando a greve acabar, as coisas vão melhorar — disse Kedarnath, desculpando-se com Haresh. — No momento eu ando um pouco apertado em termos de dinheiro.

— O problema é que há muita desconfiança — esclareceu Veena. — Os líderes locais tornam a situação muito pior. Já que meu pai anda muito ocupado com seu departamento e com o legislativo, Kedarnath procura ajudar estabelecendo contato com o eleitorado dele. Logo, quando surge algum tipo de problema, quase sempre as pessoas vêm procurá-lo. Mas desta vez, quando meu marido tentou mediar a situação, embora... eu sei que não deveria estar dizendo isso, e que ele não gosta que o diga, mas é verdade... embora Kedarnath seja muito querido e respeitado por gente dos dois lados, as lideranças dos sapateiros sabotaram todos os esforços que ele fez, só porque ele é um comerciante.

— Bom, não foi bem assim — disse Kedarnath, mas decidiu adiar sua explicação até ele e Haresh ficarem sozinhos. Tinha tornado a fechar os olhos. O convidado parecia um tanto preocupado.

— Não se preocupe — disse Veena a Haresh. — Ele não está dormindo, nem entediado; também não está rezando antes do almoço. — O marido abriu os olhos depressa. — Ele faz isso o tempo todo. Até em nosso casamento... mas se notava menos, por trás daquelas franjas de flores.

Ela se levantou para ver se o arroz estava pronto. Depois de os homens terem sido servidos e de terem terminado sua refeição, a velha Sra. Tandon entrou por momentos para trocar algumas palavras. Ao saber que Haresh Khanna era originário de Nova Delhi, ela lhe perguntou se ele era dos Khanna de Neel Darvaza ou dos que moravam em Lakkhi Kothi. Quando ele se declarou de Neel Darvaza, ela disse que, nos tempos de menina, tinha visitado a cidade.

Haresh descreveu algumas mudanças com a família, contou algumas histórias pessoais, elogiou a comida vegetariana simples, porém saborosa, que as duas mulheres tinham preparado e fez um grande sucesso com a idosa.

— Meu filho viaja muito — confidenciou ela ao visitante — e ninguém o alimenta direito no caminho. Mesmo aqui, se não fosse por mim...

— Tem toda razão — disse Veena, tentando esvaziar o argumento da sogra. — Para um homem é muito importante ser tratado como criança. Em termos de comida, é claro. Kedarnath, quer dizer, o pai de Bhaskar —

corrigiu-se quando a sogra lhe lançou um olhar —, simplesmente adora a comida que a mãe dele prepara. É pena que os homens não gostem de serem postos para dormir com canções de ninar.

Os olhos de Haresh brilharam e quase desapareceram entre as pálpebras, mas ele conservou os lábios imóveis.

— Eu imagino se Bhaskar vai continuar a gostar da comida que preparo — continuou Veena. — Provavelmente não. Quando ele se casar...

Kedarnath levantou a mão.

— Francamente — protestou ele, em discreta reprovação.

Haresh percebeu que a palma da mão do outro tinha profundas cicatrizes.

— Ora, o que foi que eu fiz agora? — perguntou Veena inocentemente, mas mudou de assunto. O marido era de um decoro que a assustava, e ela não queria receber dele um juízo negativo.

— Sabe, eu vivo me culpando pela obsessão do Bhaskar com matemática — continuou ela. — Dei a ele o nome de Bhaskar em homenagem ao Sol. Depois, quando ele tinha 1 ano, alguém me disse que um de nossos matemáticos do passado se chamou Bhaskar, e agora o nosso Bhaskar não consegue viver sem sua matemática. Nomes são extremamente importantes. Meu pai não estava na cidade quando eu nasci e minha mãe me chamou de Veena, achando que isso o agradaria, pois ele gostava muito de música. Mas o resultado é que eu acabei obcecada por música, e também não consigo viver sem ela.

— Verdade? — perguntou Haresh. — E a senhora toca veena?

— Não — respondeu ela rindo, os olhos brilhando. — Eu canto. Eu canto. Não consigo viver sem cantar.

A velha Sra. Tandon se levantou e saiu da sala.

Passado um momento, dando de ombros, Veena foi atrás dela.

4.2

QUANDO os homens ficaram a sós, Haresh, que por alguns dias tinha sido mandado a Brahmpur por seus empregadores, a empresa Cawnpore Leather & Footwear Company, para comprar materiais, voltou-se para Kedarnath.

— Durante estes últimos dias eu circulei pelos mercados e já tenho alguma noção do que acontece neles, ou pelo menos teoricamente. Mas, apesar de toda essa inspeção, acho que não consegui entender tudo. Principalmente o sistema de crédito adotado por vocês, com todos esses vales e notas promissórias, etc. E por que razão os pequenos fabricantes, que fazem sapatos em suas próprias casas, entraram em greve? Com certeza isso deve causar a eles terríveis dificuldades. E deve ser muito ruim para os comerciantes que compram diretamente deles, como é o seu caso.

— Pois é, o sistema de vales — disse Kedarnath, passando os dedos entre os cabelos ligeiramente grisalhos — também me deixou confuso no começo. Como eu já mencionei, nós fomos forçados a sair de Lahore no tempo da Partição e mesmo naquela época eu não estava exatamente no setor de calçados. De fato, o que aconteceu é que até chegar aqui eu passei por Agra e Kanpur; e você tem razão, Kanpur não tem nada parecido com o sistema adotado por aqui. Mas você esteve em Agra?

— Estive, sim, mas isso foi antes de entrar nesse setor.

— Pois veja bem, Agra tem um sistema bastante parecido com o nosso.

E o anfitrião o descreveu em linhas gerais.

Como estavam sempre com problemas de caixa, os comerciantes davam vales pré-datados como parte do pagamento aos sapateiros. Estes, que só podiam conseguir dinheiro para compra de matéria-prima se descontassem esses documentos de crédito em outros lugares, sentiram que durante anos os comerciantes estavam extorquindo deles uma espécie de crédito sem garantia. Finalmente, os comerciantes tentaram em peso elevar os vales à condição de dinheiro, e os sapateiros entraram em greve.

— E é claro que você tem razão — acrescentou Kedarnath —, essa greve prejudica a todos: os grevistas poderiam passar fome e nós poderíamos ir à falência.

— Imagino que os sapateiros alegariam que, em consequência do sistema de vales, são eles que estão financiando a expansão de vocês — disse Haresh, pensativo.

Em sua voz não havia acusação, mas a mera curiosidade do homem pragmático tentando entender corretamente os fatos e as atitudes. Kedarnath correspondeu a seu interesse e prosseguiu:

— É realmente o que alegam — concordou. — Mas é também a própria expansão deles, a expansão de todo o mercado que eles estão financiando. E, além disso, apenas uma parte do pagamento deles é feita com pré-datados.

A maior parte do que é pago ainda é em dinheiro. Acho que todo mundo começou a ter uma visão muito radical de tudo, com os comerciantes normalmente levando a má fama. Ainda bem que o ministro do Interior, L. N. Agarwal, vem de uma comunidade mercantil. Ele representa parte desse setor na Assembleia Legislativa, e pelo menos consegue enxergar o nosso ângulo da questão. O pai de minha mulher não se dá muito bem com ele em termos políticos, até mesmo pessoais, na verdade, mas eu digo a ela, quando está disposta a ouvir, que Agarwal entende mais de comércio que o meu sogro.

— Você acha que poderia me levar em visita a Misri Mandi hoje à tarde? — perguntou Haresh. — Assim poderei ter uma perspectiva mais informada.

Era interessante, pensou Haresh, que os dois poderosos ministros e rivais representassem eleitorados de áreas contíguas.

Kedarnath estava em dúvida se concordaria, e Haresh deve ter visto o conflito em seu rosto. Impressionado pelo conhecimento técnico da fabricação de calçados demonstrado pelo visitante e por seu espírito empreendedor, o anfitrião pensava em propor um acordo comercial. Talvez, pensou ele, a Cawpore Leather & Footwear Company se interessasse em comprar sapatos diretamente com ele. Afinal, às vezes acontecia de empresas como a CLFC receberem pequenas encomendas de sapatarias, talvez de 5 mil pares de um tipo específico de calçados, e para elas não valia a pena reaparelhar a própria instalação fabril para atender a esses pedidos.

Em tais casos, se Kedarnath pudesse contar com o fornecimento de calçados dos sapateiros locais de Brahmpur e despachá-los para Kanpur, a operação poderia beneficiar tanto a ele quanto aos patrões de Haresh.

No entanto, esses eram dias conturbados; a forte pressão financeira atingia a todos, e a impressão que Haresh talvez tivesse da confiabilidade ou eficiência do setor calçadista de Brahmpur não seria favorável.

Mas as pequenas gentilezas do visitante ao filho de Kedarnath e sua atitude respeitosa em relação à mãe deste pesaram a seu favor.

— Está bem, nós iremos lá, mas o mercado, mesmo no nível a que foi reduzido pela greve, só vai abrir mais tarde, perto do anoitecer. O Brahmpur Shoe Mart, onde fica meu quiosque, abre às seis. Mas eu tenho uma sugestão para antes dessa hora. Vou levá-lo para conhecer alguns lugares onde realmente se fazem sapatos. Será diferente para você, em termos das condições de produção que conheceu na Inglaterra ou em sua fábrica de Kanpur.

Haresh concordou prontamente.

Enquanto desciam as escadas, com a luz vespertina atravessando as camadas de treliças e recaindo sobre eles, Haresh pensou que, em termos de estrutura, a casa lembrava muito a de seu pai adotivo em Neel Darvaza — embora, naturalmente, fosse muito menor.

Na esquina do beco, onde este se abria para uma ruela um pouco mais larga e mais movimentada, havia uma barraca de *paan*, onde pararam.

— Simples ou doce? — perguntou Kedarnath.

— Simples, com tabaco.

Pelos cinco minutos seguintes, enquanto os dois caminhavam juntos, Haresh permaneceu calado, pois mantinha o *paan* na boca sem engolir. Mais adiante iria cuspi-lo numa abertura da canaleta que acompanhava a lateral do beco. Mas naquele momento, sob a agradável intoxicação do tabaco, em meio ao burburinho e aos gritos que o cercavam, além das conversas e dos sons de campainhas de bicicletas, de sinetas de vacas e dos sinos do Templo de Radhakrishna, ele novamente se lembrou do beco próximo à casa do padrasto na Cidade Velha de Delhi, onde ele fora criado depois da morte dos pais.

Embora tivesse optado por um *paan* simples, Kedarnath também não falava. Ele iria levar esse rapaz de camisa de seda até uma das zonas mais pobres da cidade, onde, em condições de sórdida pobreza, moravam e trabalhavam os sapateiros da casta dos jatavs, ou intocáveis, e imaginava como o visitante reagiria. Pensou em sua própria e súbita queda da confortável condição financeira em Lahore à virtual indigência a que chegara em 1947; na segurança arduamente conquistada que, no decorrer dos últimos anos, havia obtido para Veena e Bhaskar; nos problemas da atual greve e nos perigos que ela significaria para eles. Kedarnath acreditava com extrema convicção que havia uma centelha especial de genialidade no filho. Sonhava em enviá-lo a uma escola como Doon, e talvez mais tarde a Oxford ou Cambridge. Mas os tempos andavam difíceis, e se Bhaskar obteria a educação especial que merecia, se Veena poderia continuar com a música que lhe fazia tanta falta e se ele poderia ou não continuar a custear o modesto aluguel que pagavam eram questões que o perturbavam e o envelheciam.

Mas esses eram os reféns do amor, dizia ele a si mesmo, e é tolice me perguntar se eu trocaria mulher e filho pela cabeleira de quem não tem preocupações.

4.3

ELES emergiram numa aleia ainda mais larga e depois entraram numa rua quente e empoeirada, não muito distante do terreno elevado do Chowk. Um dos dois grandes marcos dessa área apinhada era um edifício grande e rosado de três andares. Ali ficava o *kotwali*, a delegacia de polícia da cidade, a maior de Purva Pradesh. Outro ponto importante, a uns cem metros dali, era a bonita e austera Mesquita de Alamgiri, mandada construir pelo imperador Aurangzeb no coração da cidade, sobre as ruínas de um grande templo.

Registros históricos do final do império mogol e do império britânico relatam uma série de conflitos entre hindus e muçulmanos nessa região. Não está claro o motivo exato que provocou a ira do imperador. É verdade que ele foi o menos tolerante dos grandes imperadores de sua dinastia, mas a área em torno de Brahmpur tinha sido poupada de seus piores excessos. A volta da imposição de pedágio aos infiéis, um tributo revogado por seu bisavô, Akbar, afetou o cidadão local tanto quanto os demais cidadãos do império. Mas a demolição de templos normalmente exigia algum incentivo extraordinário, como a indicação de que o local estivesse sendo usado como centro de resistência armada ou política. Defensores de Aurangzeb se apressaram em alegar que sua fama de intolerante era maior que a merecida e que sua severidade se exercia igualmente sobre xiitas e hindus. Mas para os cidadãos hindus mais ortodoxos de Brahmpur, os 250 anos de história anteriores não tinham apagado sua aversão a um homem que se atreveu a destruir um dos templos mais sagrados do deus Shiva, ele próprio o Grande Destruidor.

Corriam boatos de que o grande *Shiva-linga* do santuário interno do templo tinha sido preservado pelos sacerdotes do chamado Templo de Chandrachur na noite que precedeu à sua demolição. Em vez de ser mergulhado num poço profundo, como frequentemente se fazia na época, o falo sagrado foi escondido nos baixios arenosos próximos ao terreno do crematório, junto ao Ganges. Não se sabe como o pesado objeto de pedra foi carregado até lá. Evidentemente o conhecimento de sua localização foi mantido em segredo e transmitido por mais de dez gerações, de um sumo sacerdote ao seguinte, em sucessão hereditária. De todas as imagens comuns de veneração hindu, o

Shiva-linga era provavelmente o mais desprezado pelos teólogos ortodoxos do islamismo. Onde lhes foi possível destruí-lo, fizeram-no com um sentido específico de repugnância virtuosa. Enquanto houve a menor chance de que o perigo muçulmano pudesse reaparecer, os sacerdotes não recorreram a suas próprias relações de família. Mas, depois da Independência e da divisão entre Paquistão e Índia, o sacerdote do Templo de Chandrachur, destruído havia muito, homem que agora vivia na pobreza em uma cabana próxima às escadarias do crematório, considerou seguro emergir e se identificar. Ele tentou reconstruir seu templo e obter recursos para a escavação e reinstalação do *Shiva-linga*. No princípio o Archeological Survey tinha se recusado a acreditar nos dados específicos que ele forneceu sobre a localização do falo. O boato da preservação do objeto não era apoiado por outros registros. E mesmo que fosse verdade, o Ganges havia mudado de curso, as areias e os baixios mudaram de posição, e os próprios versos e mantras que descreviam a localização poderiam ter se tornado imprecisos em decorrência da transmissão oral de geração em geração. Também é possível que os funcionários do Archeological Survey estivessem conscientes dos possíveis efeitos do desenterro do símbolo fálico e, por isso, tenham decidido que pelo bem da ordem pública ele estava mais seguro na horizontal, sob as águas, do que na vertical, num santuário. Seja como for, o sacerdote não obteve ajuda da parte deles.

Enquanto os dois homens passavam junto aos muros vermelhos da mesquita, Haresh, que não era nativo de Brahmpur, perguntou por que havia bandeiras negras penduradas nos portões externos. Kedarnath replicou em voz indiferente que as bandeiras tinham surgido na semana anterior, quando fora iniciada a obra de um templo no terreno adjacente. Para quem tinha perdido a casa, a terra e os meios de subsistência em Lahore, ele parecia mais cansado dos fanáticos religiosos em geral que ressentido dos muçulmanos. Sua imparcialidade deixava a mãe muito irritada.

— Algum sacerdote hinduísta localizou um *Shiva-linga* no Ganges — explicou Kedarnath. — Supõe-se que tenha vindo do Templo de Chandrachur, o Grande Templo de Shiva que dizem ter sido destruído por Aurangzeb. Os pilares da mesquita têm pedaços de esculturas hindus, portanto devem ter vindo de algum templo em ruínas, Deus sabe há quanto tempo. Cuidado, veja onde pisa!

Haresh por pouco não pisou em fezes de cachorro. Ele estava usando sapatos muito elegantes de estilo oxford, na cor vinho, e se alegrou de ter sido avisado.

— De qualquer forma — continuou Kedarnath, sorrindo diante da agilidade de Haresh —, o rajá de Marh é o proprietário da casa que fica, ou melhor, ficava, ao lado da parede ocidental da mesquita. Ele mandou demoli-la e está construindo um templo no lugar. Um novo Templo de Chandrachur. O rajá é realmente maluco. Como não pode destruir a mesquita e construir o templo na localização original, decidiu construí-lo imediatamente ao lado e instalar ali no santuário o *Shiva-linga*. Para ele é uma grande piada pensar que os muçulmanos se prostrarão cinco vezes por dia na direção de seu falo sagrado.

Ao ver um riquixá desocupado, Kedarnath acenou-lhe para que parasse e nele embarcaram.

— Siga para Ravidaspur! — ordenou, e depois continuou: — Veja só, para um povo supostamente gentil e espiritual, tudo indica que nos comprazemos em esfregar na merda o nariz uns dos outros, você não acha? Certamente não consigo entender gente como o rajá de Marh. Ele se imagina um novo Ganesha, cuja missão divina nesta vida é conduzir os exércitos de Shiva à vitória sobre os demônios. E, no entanto, está enlouquecido com metade das cortesãs muçulmanas desta cidade. Quando lançou a pedra fundamental do templo, duas pessoas morreram. Não que para ele essas mortes tenham alguma valia: provavelmente em seu próprio estado mandou matar vinte vezes esse número. Seja como for, um dos dois mortos era muçulmano e foi aí que os mulás mandaram pendurar as bandeiras no portão da mesquita. E, se você olhar com atenção, vai ver que nos minaretes estão penduradas outras bandeiras menores.

Haresh se voltou para olhar, mas de repente o triciclo, que ganhara velocidade na descida da ladeira, colidiu com um carro que se movia com lentidão e eles pararam de forma abrupta. O carro vinha se arrastando ao longo da rua movimentada, e não houve dano para ninguém, mas alguns raios da roda do triciclo ficaram tortos. O condutor, que na aparência era magro e indeciso, saltou do veículo e, dando uma rápida olhada na roda da frente, esmurrou a janela do carro, agressivo.

— Me dá dinheiro! *Phataphat*! Agora mesmo! — berrava ele.

O motorista de libré e as passageiras, duas mulheres de meia-idade, pareciam surpresos com a súbita exigência. O motorista, parcialmente recuperado do susto, botou a cabeça para fora da janela.

— Por quê? Você estava descendo a ladeira descontrolado — gritou. — Nós não estávamos sequer andando. Se quer se suicidar, sou obrigado a pagar por seu enterro?

— Dinheiro! Depressa! Três raios da roda, 3 rupias! — disse o condutor, com a rudeza de um assaltante de estrada.

O motorista virou a cara. O condutor do riquixá ficou mais irado:

— Seu filho da puta! Eu não tenho o dia inteiro, não. Se você não pagar meu prejuízo, vou deixar seu carro no prejuízo também.

Não fosse a presença das patroas, que já estavam ficando nervosas, o motorista provavelmente teria respondido com desaforos à altura, mas ele continuou calado.

O condutor de outro riquixá, que passou ao lado, gritou como incentivo:

— É isso mesmo, irmão, não tenha medo.

A essa altura umas vinte pessoas haviam se reunido para observar a confusão.

— Ora, pague a ele e vamos embora — disse uma das senhoras no banco traseiro. — Está muito quente para ficar discutindo.

— Três rupias! — repetiu o condutor.

Haresh estava quase saltando do triciclo para pôr um fim à extorsão quando, de repente, o motorista do carro jogou uma moeda de meia rupia ao condutor.

— Pegue isso e vá se foder! — gritou o motorista, com raiva diante da própria impotência.

Quando o carro foi embora e a multidão se dispersou, o condutor do riquixá começou a cantar, deliciado. Inclinando-se, levou vinte segundos para endireitar os dois raios tortos, e lá se foram eles de novo.

4.4

— COMO só visitei Jagat Ram duas vezes — avisou Kedarnath —, vou precisar perguntar o caminho quando chegarmos a Ravidaspur.

— Jagat Ram? — perguntou Haresh, ainda pensando no incidente com os raios da roda do triciclo e zangado com o condutor.

— É o sapateiro cuja oficina nós estamos indo visitar. Ele é um jatav. Originalmente foi um dos vendedores da cesta de que lhe falei e que levam seus produtos a Misri Mandi para vender a qualquer comerciante que os compre.

— E agora?

— Agora ele tem sua própria oficina. É um homem confiável, ao contrário da maioria desses sapateiros que depois de botarem o dinheiro no bolso não se importam com prazos de entrega ou promessas. Ele é talentoso. E não bebe, não muito. Comecei dando-lhe pequenas encomendas de algumas dúzias de pares, e ele fez um bom trabalho. Não tardei a encomendar seus produtos regularmente. Agora ele conseguiu contratar dois ou três auxiliares, que se somaram a seus próprios parentes. Isso não apenas o ajudou, mas a mim também. E talvez você queira ver se a qualidade do trabalho dele atende aos padrões que o seu pessoal na CFLC necessita. Se atender... — Kedarnath deixou no ar o resto da frase.

Haresh acenou, anuindo, e deu a ele um sorriso tranquilizador. Depois de uma pausa, acrescentou:

— Agora que saímos das vielas está fazendo calor. E o cheiro é pior que de um curtume. Onde estamos agora? Em Ravidaspur?

— Ainda não. Ravidaspur fica no outro lado da linha do trem. Lá o mau cheiro não é tão forte assim. Claro que há uma área aqui onde eles preparam o couro, mas não é exatamente um curtume como aquele do Ganges...

— Talvez nós devêssemos descer para vê-lo — disse Haresh com interesse.

— Mas lá não há nada para ver — protestou Kedarnath, tapando o nariz.

— Você já esteve aqui antes? — perguntou Haresh.

— Não!

Haresh riu e gritou para o condutor:

— Pare aqui!

Sob os protestos de Kedarnath, ele fez o companheiro descer do veículo e os dois, guiados pelo olfato em direção aos poços de curtimento, penetraram num labirinto de vias fedorentas e casebres humildes.

As veredas imundas se detinham de súbito numa ampla área cercada de barracos e marcada pelos poços circulares que tinham sido cavados no solo e forrados de argila endurecida. Uma pavorosa fedentina se elevava em todo o lugar. Haresh sentiu náuseas; Kedarnath quase vomitou de tanto nojo. O sol brilhava cruelmente e o calor tornava o fedor ainda mais intenso. Algumas cisternas estavam cheias de um líquido branco, outras de uma infusão tânica marrom. Homens escuros e esqueléticos, vestidos apenas de *lungis*, ficavam parados ao lado dos poços, raspando a gordura e os pelos de uma pilha de couros. Um deles, dentro de um poço, parecia estar lutando com um couro imenso. Um porco bebia de um vala cheia de água estagnada e negra. Duas crianças, as cabeleiras imundas e grudadas de sujeira, brincavam na poeira ao lado dos poços. Quando viram os estranhos, pararam abruptamente e ficaram olhando fixo para eles.

— Se você queria conhecer o processo inteiro desde o começo, eu poderia tê-lo levado para ver o terreno onde os búfalos mortos são esfolados e deixados aos urubus — disse Kedarnath, irônico. — Fica perto do retorno que está em obras.

Levemente arrependido de ter forçado o outro a acompanhá-lo até ali, Haresh fez que não. Olhou para um barraco próximo, que só continha uma máquina rudimentar para descarnar o couro. Haresh se aproximou para examiná-la. No barraco seguinte, viu uma antiga máquina para dividir a pele em camadas e um poço com paredes de taipa. Três rapazes esfregavam uma pasta negra num couro de búfalo estendido no chão. Ao lado deles havia uma pilha branca de pelegos de carneiro salgados. Ao verem os estranhos, os rapazes pararam de trabalhar e olharam para eles.

Ninguém disse palavra — nem as crianças, nem os rapazes, nem os dois estranhos.

Kedarnath acabou rompendo o silêncio:

— *Bhai* — disse ele, dirigindo-se a um dos três rapazes. — Nós viemos aqui para ver como o couro é preparado. Vocês nos mostrariam a região?

O homem o examinou com atenção e depois encarou Haresh, observando sua camisa de seda marfim, os sapatos sociais, a pasta, seu jeito profissional.

— De onde são os senhores? — perguntou a Kedarnath.

— Somos da cidade. Estamos a caminho de Ravidaspur. É lá que mora um homem com quem eu trabalho.

Ravidaspur era um bairro quase exclusivamente de sapateiros. Mas, se Kedarnath imaginava que o fato de trabalhar com couro iria facilitar sua aceitação entre os curtidores, estava enganado. Até mesmo entre os *chamars* havia uma hierarquia. Os sapateiros — como o homem que eles iriam visitar — olhavam com desdém os esfoladores e curtidores. Os desdenhados, por sua vez, expressavam o desagrado que lhes inspiravam os fabricantes de sapatos.

— A gente não gosta de ir àquele bairro — disse bruscamente um dos rapazes.

— De onde vem aquela pasta? — perguntou Haresh depois de uma pausa.

— Vem de Brahmpur — disse o rapaz, negando-se a ser específico.

Seguiu-se outro silêncio.

Então apareceu um velho de mãos molhadas, das quais pingava um líquido escuro e pegajoso. Ficou parado na entrada do barraco a observá-los.

— Você aí! Essa água do poço... *pani*! — disse ele em inglês, antes de voltar a uma forma grosseira de híndi. Sua voz oscilava, e ele estava bêbado. Apanhou do chão um pedaço de couro áspero e tingido de vermelho. — Isso é melhor que o couro cereja do Japão! Já ouviram falar do Japão? Eu lutei com eles e os fiz fracassar. Couro envernizado da China? Sou capaz de igualar os nossos aos de todos eles. Tenho 60 anos e o conhecimento completo de todas as pastas, todas as misturas, todas as técnicas.

Kedarnath começou a ficar preocupado e tentou sair do barracão. O velho bloqueou o caminho abrindo os braços num gesto servil de agressão.

— Você não pode ver os poços. Você é um espião do Departamento de Investigação Criminal, da polícia, do banco... — Agarrou as orelhas num gesto de vergonha e depois voltou a falar inglês: — Não, não, não, *bilkul* não!

A essa altura o fedor e a tensão tinham deixado Kedarnath um tanto desesperado. Com o rosto contraído, ele suava de ansiedade e calor.

— Deixe-nos passar, precisamos chegar a Ravidaspur! — disse.

O velho avançou para ele e estendeu a mão manchada que pingava.

— Dinheiro! Taxas! Para a bebida; sem isso você não pode ver os poços! Vá para Ravidaspur! Nós não gostamos dos jatavs, não somos como eles. Eles comem carne de búfalo. Que nojo! — cuspiu, repugnado. — Nós só comemos cabrito e carneiro.

Kedarnath se encolheu. Haresh começou a ficar irritado.

O velho sentiu que transtornava Kedarnath, o que lhe trouxe uma sensação perversa de encorajamento. Mercenário, desconfiado e fanfarrão, ele agora os levou em direção aos poços.

— Nós não recebemos dinheiro do governo. As famílias precisam de dinheiro para comprar materiais, produtos químicos. O governo nos dá muito pouco. Você é meu irmão hindu — disse ele em tom de zombaria. — Traga-me uma garrafa e eu lhe darei amostras das melhores tintas, da melhor bebida, do melhor remédio! — Ficou rindo da própria piada. — Olhe! — disse, apontando para um líquido avermelhado num poço.

Um dos rapazes, um homem baixo e cego de um olho, disse:

— Eles nos impedem de buscar matéria-prima, nos impedem de conseguir produtos químicos. Nós precisamos ter documentos e registros. Somos achacados. Diga a seu departamento do governo que nos dê isenção de impostos e dinheiro. Veja nossos filhos. Olhe...

Mostrou com o gesto uma criança que defecava num monte de lixo.

Para Kedarnath, o lugar inteiro era insuportavelmente sórdido.

— Nós não somos de nenhum departamento do governo — disse em voz baixa.

Subitamente o rapaz se enfureceu. Com a boca rígida, interpelou:

— Então de onde são vocês? — A pálpebra sobre o olho cego começou a se contrair em espasmos. — De onde vocês são? Por que vieram aqui? O que querem deste lugar?

Kedarnath percebia que o convidado estava a ponto de explodir. Ele sentia que Haresh era rude e muito destemido, mas a seu ver o destemor era insensato quando havia o que temer. Ele sabia como as coisas podiam subitamente explodir, passando do ressentimento à violência. Pondo o braço sobre os ombros do amigo, ele o levou de volta por entre os poços. O solo estava coberto de lodo, e a parte inferior do elegante sapato de Haresh estava respingada de sujeira negra.

O rapaz os seguiu e em dado momento pareceu pronto a botar as mãos em Kedarnath.

— Eu o reconhecerei. Não volte mais aqui. Vocês querem ganhar dinheiro à custa de nosso sangue. O couro dá mais dinheiro que a prata e o ouro, ou você não teria vindo a esse lugar fedorento.

— Não... não... — disse agressivo o velho bêbado — *Bilkul* não!

Kedarnath e Haresh tornaram a entrar nas vielas vizinhas; o fedor pouco melhorou. Bem na abertura de um beco, na periferia de um terreiro aberto e cheio de poços, Haresh notou uma grande pedra vermelha, de topo achatado. Sobre ela um rapaz de 17 anos tinha colocado um pedaço de pelego de carneiro, já bastante limpo da lã e da gordura. Com uma faca própria para descarnar, ele removia os pedaços de carne restantes. As peles empilhadas ao lado dele estavam mais limpas do que se tivessem sido descarnadas por uma máquina. Apesar do que acontecera antes, Haresh estava fascinado. Normalmente teria parado para fazer algumas perguntas, mas Kedarnath o apressou a prosseguir.

Os curtidores os haviam deixado. Empoeirados e suados, Haresh e Kedarnath percorreram de volta as veredas sujas. Quando chegaram ao triciclo na rua, respiraram aliviados o ar que antes lhes parecera insuportavelmente infecto. E na verdade, comparado ao que haviam respirado na última meia hora, era o próprio hálito do paraíso.

4.5

DEPOIS de esperarem no calor, durante 15 minutos, que um trem de carga muito lento cruzasse a passagem de nível, finalmente chegaram a Ravidaspur. As vielas desse bairro de periferia eram um pouco menos apinhadas que o velho centro de Brahmpur, onde Kedarnath morava, porém muito mais insalubres, com preguiçosos filetes de esgoto escorrendo ao longo das vielas e cruzando as ruas de um lado a outro. Abrindo passagem entre cães pulguentos, porcos enlameados que roncavam e vários objetos estáticos desagradáveis, e atravessando uma precária ponte de madeira sobre um valão de esgoto, eles se encaminharam à pequena oficina de Jagat Ram, construção retangular sem janelas, feita de tijolo e barro. À noite, depois de encerrado o trabalho, era ali que dormiam os seis filhos dele; marido e mulher em geral dormiam num cômodo de paredes de tijolo, coberto de telha corrugada, que ele tinha construído sobre a laje da oficina.

Dentro da oficina, vários homens e dois meninos estavam trabalhando à luz do sol que entrava pela porta e de um par de lâmpadas elétricas fracas e nuas. A maioria deles usava *lungis*, com exceção de um homem vestido de calça e túnica, e o próprio Jagat Ram, que trajava camisa e calça. Estavam sentados de pernas cruzadas no chão em frente às plataformas baixas, quadradas e feitas de pedra cinzenta, sobre as quais se encontravam os materiais deles. Apesar de concentrados em seu trabalho — cortar, dividir em camadas, colar, dobrar, aparar ou martelar —, de vez em quando um deles fazia um comentário — sobre o trabalho, ou mexericos pessoais, ou sobre política ou o mundo em geral —, e isso levava ao início de uma nova conversa entre os sons dos martelos, facas e a única máquina de costura Singer operada por pedal.

Ao ver Kedarnath e Haresh, Jagat Ram pareceu surpreso. Tocou no bigode com um gesto inconsciente. Tinha esperado outros visitantes.

— Sejam bem-vindos, vamos entrar — disse ele calmamente. — O que os traz aqui? Eu avisei ao senhor que a greve não vai atrapalhar o atendimento de sua encomenda — acrescentou, prevendo uma possível razão para a presença de Kedarnath.

Uma garotinha de 5 anos, filha de Jagat Ram, estava sentada no degrau. Agora ela começou a cantar "Lovely walé aa gaye! Lovely walé aa gaye!" e a bater palmas.

Agora foi a vez de Kedarnath ficar surpreso, e um pouco aborrecido. Ligeiramente constrangido, o pai a corrigiu:

— Este não é o pessoal da Lovely, Meera. Agora vá dizer à sua mãe que precisamos de um chá. — Voltando-se para Kedarnath, ele admitiu: — Na verdade, eu estava esperando o pessoal da Lovely.

Não achou necessário adiantar nenhuma outra informação.

Kedarnath Tandon inclinou a cabeça. A Lovely Shoe Shop, uma das sapatarias mais recentes da rua principal, tinha boa coleção de calçados femininos. Normalmente o gerente da loja teria pedido suprimentos aos intermediários de Bombaim, já que era ali que se produzia a maioria dos calçados femininos do país. Agora ele estava obviamente procurando se abastecer perto de casa e recorrendo a uma fonte que Kedarnath estava feliz por explorar sozinho — ou pelo menos servir de intermediário na exploração.

Deixando a questão momentaneamente de lado, ele disse:

— Este é o Sr. Haresh, de Benares, mas ele está trabalhando para a CLFC em Kanpur. Ele estudou fabricação de calçados na Inglaterra. Eu o trouxe aqui para mostrar a ele o trabalho que nossos sapateiros de Bhrampur são capazes de fazer, mesmo com suas ferramentas simples.

Jagat Ram fez um gesto com a cabeça, muito satisfeito.

Junto à entrada da oficina havia um banquinho de madeira, no qual o sapateiro pediu que Kedarnath se sentasse. Este, por sua vez, convidou o visitante a se sentar, mas Haresh declinou educadamente. Em vez disso, sentou-se sobre uma das pequenas plataformas de pedra na qual não havia ninguém trabalhando. Os artesãos ficaram tensos, olhando para ele com desagrado e assombro. A reação deles foi tão palpável que Haresh se levantou rapidamente. Era óbvio que fizera algo de errado e, sendo um homem direto, voltou-se para Jagat Ram e perguntou:

— Qual foi o problema? Não se pode sentar num desses?

Jagat Ram tinha reagido com idêntico ressentimento quando o visitante se sentou, mas a franqueza de sua pergunta e a evidente falta de intenção de ofender levaram-no a responder com delicadeza:

— Um trabalhador chama sua plataforma de trabalho de seu "emprego"; ele não se senta em cima dela — explicou com toda a calma. Sequer mencionou que cada um mantinha sua mesa imaculadamente polida e até pronunciava uma prece curta para ela antes de começar o dia de trabalho. Ao filho ele disse: — Levante-se e deixe Haresh *Sahib* se sentar.

Um garoto de 15 anos se levantou da cadeira próxima à máquina de costura e, apesar dos protestos do visitante de não desejar interromper o trabalho de ninguém, fizeram-no se sentar. O filho mais novo do sapateiro, de 7 anos, entrou trazendo três xícaras de chá.

As xícaras, pequenas e de louça pesada, estavam lascadas aqui e ali na superfície branca, mas limpas. Conversaram um pouco sobre assuntos variados: a greve em Misri Mandi, a alegação feita por um jornal de que a fumaça do curtume e da fábrica de sapatos Praha estava danificando Barsaat Mahal, o novo imposto sobre o comércio municipal, e várias personalidades locais.

Depois de um tempo, Haresh se impacientou, como era sua tendência quando ficava sentado sem fazer nada. Ele se levantou para dar uma olhada nos arredores da oficina e descobrir o que todos estavam fazendo. Uma série de sandálias femininas estava sendo confeccionada; tinham uma linda aparência, com tiras trançadas de couro verde e preto.

Haresh estava realmente surpreso com a habilidade dos trabalhadores. Com ferramentas rudimentares — cinzel, faca, sovela, martelo e uma máquina de costura de pedal —, eles estavam produzindo sapatos não muito inferiores à qualidade daqueles feitos pelas máquinas da CLFC. O visitante declarou o que achava da capacidade e da qualidade do produto deles, apesar das limitações com que trabalhavam, e eles ficaram mais bem-dispostos.

Um dos trabalhadores mais ousados — o irmão mais novo de Jagat Ram, um homem amistoso de rosto redondo — pediu para ver os sapatos de Haresh, um modelo social cor de vinho. Ele os tirou, mencionando que não estavam muito limpos. De fato, àquela altura já estavam totalmente respingados de lama e com uma camada de barro no solado. Os sapatos foram passados de mão em mão para todos examinarem e admirarem.

— Saxone — Jagat Ram leu as letras com esforço. — Saksena, Inglaterra — explicou com uma ponta de orgulho.

— Vejo que vocês também fazem sapatos masculinos — observou Haresh. Ele havia reparado numa penca enorme de formas de calçados masculinos penduradas do teto, qual um cacho de uvas, num canto escuro do aposento.

— É claro que sim — disse o irmão de Jagat Ram com um sorriso jovial. — Mas o lucro pode ser maior com aquilo que poucos sabem fazer. Para nós é muito melhor fazer calçados femininos...

— Não necessariamente — retrucou Haresh, retirando da pasta um conjunto de moldes de papel, para surpresa de todos, inclusive de Kedarnath. — Agora me diga, Jagat Ram: seus operários têm a destreza necessária para me dar um par de sapatos, também de estilo social, usando estes moldes como base?

— Sim — respondeu Jagat Ram, quase sem pensar.

— Não diga sim tão depressa — advertiu Haresh, mesmo contente com a resposta pronta e confiante. Ele também gostava de aceitar desafios, assim como gostava de lançá-los aos demais.

Jagat Ram examinou os moldes com grande interesse — eram de um sapato com cadarço de bico fino, tamanho 41. Só com o exame das peças planas de cartão fino que compunham os moldes — o elegante desenho perfurado, o formato da biqueira, a gáspea, o calcanhar — o calçado inteiro assumiu uma forma nítida e tridimensional diante de seus olhos.

— Quem está fabricando esses sapatos? — perguntou, com a testa franzida de curiosidade. — São um pouco diferentes dos que o senhor está calçando.

— Somos nós na CLFC. E, se o trabalho de vocês for bom, também poderão fabricá-lo para nós.

Embora evidentemente muito surpreso e interessado na declaração de Haresh, Jagat Ram passou um bom momento sem responder, enquanto continuava a examinar os moldes.

Encantado com o efeito dramático que causara ao exibir os moldes, Haresh disse:

— Pode ficar com eles hoje para examiná-los. Aquelas formas de madeira penduradas ali não são padronizadas, pelo que posso ver; portanto, vou lhe mandar amanhã um par de fôrmas tamanho 41. Eu trouxe algumas para Brahmpur. Muito bem, além das fôrmas, de que mais vai precisar? Digamos, um metro quadrado de couro, couro bovino... digamos, cor de vinho também...

— E couro para o forro — acrescentou Jagat Ram.

— Perfeitamente; suponhamos que seja couro natural bovino, mais um metro quadrado. Eu trarei isso da cidade.

— E couro para a sola e a palmilha? — perguntou o sapateiro.

— Não, essas podem ser compradas já prontas e não são caras. Você pode cuidar disso. Eu lhe darei 20 rupias para pagar as despesas e o tempo, e você mesmo poderá arranjar o material para o salto. Eu trouxe alguns contrafortes e reforços de biqueira de boa qualidade, eles sempre são um problema, e linha de costura; mas o material está na casa onde estou hospedado.

Mesmo de olhos fechados, Kedarnath ergueu as sobrancelhas, admirado com esse sujeito empreendedor que havia tido a perspicácia de pensar em todos esses detalhes antes de sair de sua cidade numa rápida viagem cuja meta era principalmente comprar materiais. Entretanto, preocupava-o que Jagat Ram pudesse ser cooptado por Haresh e que ele próprio ficasse de fora da jogada. A menção à Lovely Shoe Shop também voltou a inquietá-lo.

— Agora, se eu voltasse amanhã de manhã com o material, quando você poderia me entregar os sapatos?

— Acho que poderia aprontá-los em cinco dias.

Haresh balançou a cabeça, impaciente.

— Não posso ficar na cidade cinco dias só por causa de um par de sapatos; que tal três dias?

— Preciso deixar na fôrma pelo menos 72 horas — disse o sapateiro. — Se o senhor quer que eu faça sapatos que não se deformem, sabe que isso é o mínimo.

Agora que ambos estavam de pé, Jagat Ram sobrepujava Haresh com sua altura. Mas o visitante não se sentiu diminuído, pois sempre havia tratado a própria estatura com a irritação dedicada a um detalhe inconveniente, psicologicamente insignificante. Além disso, era ele quem estava encomendando sapatos.

— Quatro dias.

— Se o senhor me enviar o couro hoje à noite, para nós podermos começar o corte amanhã bem cedinho...

— Combinado! Eu virei pessoalmente amanhã trazer os outros materiais para ver como vocês estão se saindo. Agora preciso ir.

— Mas acabo de lembrar mais uma coisa, Haresh *Sahib* — disse Jagat Ram, quando eles estavam saindo. — Em condições ideais, eu gostaria de ter uma amostra do sapato que o senhor deseja que eu reproduza.

— Pois é — disse Kedarnath com um sorriso —, por que você não está calçando um par de sapatos fabricados por sua própria empresa em vez de feitos pelos ingleses? Tire-os, e eu mandarei carregarem você no colo de volta ao riquixá.

— Infelizmente meus pés já se habituaram a esse par — disse Haresh retribuindo o sorriso, embora soubesse tão bem quanto os outros que fora o coração que se habituara aos sapatos, não os pés. Ele gostava de boas roupas e de bons calçados, e se sentia mal com o fato de os produtos da CLFC não alcançarem os padrões internacionais de qualidade, os quais, tanto por instinto quanto por treinamento, ele admirava muito.

— Bom, de um jeito ou de outro, vou tentar conseguir um par para você, como amostra — continuou, apontando para os moldes de papelão nas mãos do sapateiro.

Haresh dera de presente a um velho amigo dos tempos de faculdade, em cuja casa estava se hospedando, um par de sapatos sociais de bico fino fabricado pela CLFC. Agora seria obrigado a pegá-lo emprestado por alguns dias. Mas não sentia remorso de fazê-lo. Quando se tratava de trabalho, ele jamais se sentia constrangido, de forma alguma, em relação a nada. De fato, não era propenso a se sentir constrangido em geral.

Enquanto se encaminhavam de novo ao triciclo, Haresh sentia-se muito satisfeito com o rumo que as coisas estavam tomando. Bhrampur tinha começado devagar, mas estava se mostrando muito interessante e, na verdade, imprevisível.

Tirou do bolso um cartãozinho e anotou em inglês:

O que fazer:
    1. Misri Mandi — ver comércio.
    2. Comprar couro.
    3. Enviar couro a Jagat Ram.
    4. Jantar no Sunil; pegar os sapatos com ele.
    5. Amanhã: Jagat Ram/ Ravidaspur.
    6. Telegrama — retorno tardio a Cawnpore.

Elaborada a lista, ele a revisou, e percebeu que seria difícil enviar o couro a tempo para Jagat Ram, cuja oficina ninguém seria capaz de encontrar, principalmente à noite. Pensou na ideia de pedir ao condutor do triciclo que prestasse atenção ao lugar onde morava o sapateiro e de pagar a ele para voltar ali mais tarde trazendo o couro. Depois lhe ocorreu algo melhor. Voltou à oficina e pediu a Jagat Ram que mandasse alguém à loja de Kedarnath no Bhrampur Shoe Mart em Misri Mandi, às nove daquela mesma noite: o couro estaria à espera do portador naquele endereço. Só era preciso apanhá-lo e começar o trabalho ao raiar do dia seguinte.

4.6

ERAM dez da noite, e Haresh e outros jovens, sentados ou de pé na sala de estar de Sunil Patwardhan, perto da universidade, estavam alegremente embriagados por uma mistura de bebida alcoólica e bom humor.

Sunil Patwardhan era professor-assistente de matemática na Universidade de Brahmpur. Fora companheiro de Haresh nos tempos em que ambos frequentavam o St. Stephen's College, em Nova Delhi. Depois daquela época, eles perderam contato por muitos anos, pois Haresh viajou à Inglaterra para fazer seu curso de especialização no setor calçadista, e só tinham notícias um do outro por intermédio de amigos comuns. Embora fosse matemático, Sunil tivera na faculdade a fama de ser um cara popular. Era alto e corpulento, mas cheio de energia preguiçosa, de bom humor bonachão, de gazais em urdu e citações de Shakespeare, e muitas mulheres o achavam atraente. Ele também gostava de beber, e naqueles anos tinha tentado fazer o amigo adquirir o hábito — em vão, pois Haresh era totalmente abstêmio.

Quando estudante, Sunil Patwardhan acreditava que 15 dias de trabalho eram suficientes para se ter um verdadeiro insight matemático; no tempo restante ele não dava atenção aos estudos, mas ainda assim seu desempenho era excelente. Agora que estava lecionando, achava difícil impor aos alunos uma disciplina acadêmica em que ele próprio não depositava sua fé.

Ficou encantado em rever Haresh depois de tantos anos. Este, como era de esperar, não havia informado que viria a Brahmpur a serviço, mas tinha aterrissado à sua porta dois ou três dias antes; deixou a bagagem na sala de estar, conversou meia hora e depois saiu correndo para algum lugar, dizendo algo incompreensível sobre a compra de placas de borracha microporosa e solados de microduro.

— Estes aqui são para você — acrescentara ele ao partir, depositando uma caixa de sapatos sobre a mesa da sala de estar.

Ao abri-la, Sunil ficara maravilhado.

— Sei que você só calça sapato social de bico fino — dissera Haresh.

— Mas como você se lembrou do tamanho que eu calço?

— Para mim os pés das pessoas são como se fossem carros. Eu simplesmente me lembro do tamanho que elas calçam; não me pergunte como faço isso. E seus pés são como Rolls-Royces.

Sunil recordou um tempo em que ele e alguns amigos haviam desafiado Haresh, que estava se comportando com seu habitual e irritante excesso de confiança, a identificar de uma determinada distância cada um dos cinquenta e tantos carros estacionados na porta da faculdade por ocasião de uma solenidade. Haresh identificou com precisão cada um deles. Considerando sua memória quase perfeita para objetos, era estranho que tivesse se graduado em língua inglesa com desempenho regular e uma monografia sobre poesia repleta de citações equivocadas.

Só Deus sabe como ele foi parar no setor de calçados, pensou o amigo, mas provavelmente o ofício combinava com ele. Se tivesse se tornado um acadêmico como eu, teria sido uma tragédia para o mundo e para si próprio. O fato de Haresh ter escolhido cursar uma faculdade de inglês é que era surpreendente.

— Que bom! Agora que você está aqui, vamos fazer uma festa — disse Sunil. — Vai ser como nos velhos tempos. Vou chamar alguns ex-colegas nossos de faculdade que estão em Bhrampur para se reunirem com os meus amigos mais animados da universidade. Mas se você quiser tomar refrigerante vai ter que trazer o seu próprio.

Haresh tinha prometido vir "se o trabalho permitisse". Sunil ameaçou excomungá-lo se não viesse à festa.

Agora ele estava ali, mas falando ininterrupta e entusiasticamente sobre os esforços do dia.

— Ora, já chega, Haresh, não fique nos contando sobre coureiros e borracha microporosa, pois isso não nos interessa — interrompeu Sunil. — O que aconteceu com aquela garota sique que você perseguia quando era mais impetuoso?

— Não era uma *sardarni*; era a inimitável Kalpana Gaur — disse um jovem historiador. Inclinando a cabeça para a esquerda no trejeito mais melancólico possível, fez uma imitação exagerada do olhar de adoração que a moça lançava a Haresh, do lado oposto da sala, durante as aulas sobre Byron. Kalpana tinha sido uma das poucas moças a estudarem no St. Stephen's.

— Ah, você não conhece os verdadeiros fatos — disse Sunil com desdenhosa autoridade. — Kalpana Gaur corria atrás dele e ele corria atrás da *sardarni*. Haresh sempre fazia serenatas para ela diante da casa da família e lhe mandava cartas por intermediários. Os siques não conseguiam suportar a ideia de sua amada filha se casar com um *lala*. Se você quiser mais detalhes...

— Ele está embriagado pela própria voz — disse Haresh.

— Estou mesmo — admitiu Sunil. — Mas você... você ficou jogando conversa fora com quem não devia. Em vez da filha, podia ter cortejado a mãe e a avó.

— Obrigado pelo conselho! — disse Haresh.

— Você ainda mantém contato com ela? Como se chamava...?

Haresh não adiantou mais nenhuma informação. Não estava disposto a contar a esses afáveis idiotas que ainda estava muito apaixonado por ela depois de muitos anos, e que na mala, junto aos reforços de biqueira e contrafortes, ele levava uma foto da moça numa moldura de prata.

— Pode tirar os sapatos — disse ele a Sunil. — Quero-os de volta.

— Seu canalha! — protestou Sunil. — Só porque eu mencionei por acaso a mais santa das santas...

— Eu não vou comer os sapatos, seu burro! — retrucou Haresh. — Em mais uns dias os devolvo a você.

— O que você vai fazer com eles?

— Se eu contasse você ficaria entediado. Vamos lá, pode ir tirando.

— O quê? Agora?

— Sim, por que não? Com mais uns drinques eu terei esquecido, e você terá ido dormir com eles enfiados nos pés.

— Ora essa! Tudo bem... — respondeu o outro, condescendente, e tirou os sapatos.

— Assim, sim — disse Haresh. — Você ficou alguns centímetros mais perto da minha altura. Que meias fabulosas! — acrescentou, quando as meias vermelhas de algodão de Sunil, de padronagem escocesa, ficaram à plena vista.

— Uau! Uau! — Houve gritos de aprovação de todos os lados.

— Hmm, belos tornozelos — continuou Haresh. — Que tal fazer um espetáculo?

— Acendam os lustres — disse alguém.

— Tragam os cálices de esmeralda.

— Borrifem a essência de rosas.

— Forrem o piso com um lençol branco e vamos cobrar entrada!

O jovem historiador, numa inflexão pomposa de locutor oficial, comunicou ao público: a famosa cortesã Sunil irá agora nos apresentar sua requintada versão da dança *kathak*. O Senhor Krishna está dançando com as pastorinhas. "Venham", diz a elas. "Venham a mim. O que há a temer?"

— Ta-ta-ta-tá! — gritou um físico embriagado, imitando o som dos passos de dança.

— Cortesã, não, seu grosso; é *artiste*!

— Sim, *artiste* — disse o historiador, prolongando a última vogal.

— Venha, Sunil, estamos esperando.

E solícito como era, Sunil dançou uns passos desajeitados de um arremedo de *kathak*, enquanto os amigos rolavam de tanto rir. Ele dava sorrisinhos idiotas com ar de timidez coquete enquanto rodopiava pelo recinto com seu corpanzil rechonchudo, derrubando um livro aqui e, mais adiante, a bebida de alguém. Depois, fascinado com a própria encenação de Krishna e as pastorinhas — na qual interpretava ambos os papéis — acrescentou uma cena improvisada em que representava o vice-reitor da Universidade de Bhrampur (um mulherengo notório e nada seletivo) cumprimentando untuosamente a poetisa Sarojini Naidu, quando ela veio à instituição como convidada de honra das cerimônias do Annual Day. Alguns dos amigos do anfitrião, fracos de tanto rir, lhe imploravam que parasse, enquanto outros, igualmente fracos, pediam que continuasse a dançar para sempre.

4.7

NAQUELE momento entrou um cavalheiro alto de cabelos brancos, o Dr. Durrani, que ficou levemente surpreso ao ver o que estava acontecendo ali. Sunil ficou paralisado em plena dança — na verdade, no meio de um passo —, mas depois se apressou a ir receber o conviva inesperado.

Este não ficou tão surpreso quanto deveria; um problema de matemática lhe ocupava grande parte do cérebro. O Dr. Durrani havia decidido dar uma caminhada até lá e discutir o problema com seu jovem colega. De fato, fora Sunil quem lhe havia fornecido o impulso para a ideia que tivera.

— Ahn... eu... será que eu... não escolhi um... ahn... momento inconveniente? — perguntou ele com sua voz arrastada.

— Ora, não... não... ahn... exatamente — disse Sunil. Ele gostava do Dr. Durrani, por quem sentia um enorme respeito. O Dr. Durrani era um dos dois detentores do título de Fellow of the Royal Society de que podia se gabar a Universidade de Bhrampur; o outro era o professor Ramaswami, o renomado físico.

O recém-chegado nem percebeu que o anfitrião estava imitando seu modo de falar; o próprio Sunil, que depois da apresentação dançante ainda estava em modo de imitação, só posteriormente percebeu o que tinha feito.

— Ahn... bem, Patwardhan... acho que eu, talvez, esteja... ahn... incomodando? — continuou o Dr. Durrani.

Ele tinha o rosto quadrado e forte, com um belo bigode branco, mas apertava os olhos para pontuar cada "ahn" que dizia. A sílaba também fazia as sobrancelhas e a parte inferior da testa se moverem para cima e para baixo.

— Não, Dr. Durrani, é claro que não. Por favor, junte-se a nós.

Sunil o levou para o centro da sala, planejando apresentá-lo aos outros convidados. Anfitrião e recém-chegado apresentavam uma série de contrastes físicos, apesar do fato de serem ambos muito altos.

— Bom, se você tem... ahn... certeza, sabe como é, de que eu não vou... ahn... ser um estorvo... Acontece que — prosseguiu, mais fluente que antes, apesar de igualmente vagaroso — o que vem me perturbando nesses últimos dias é essa questão do que você talvez possa chamar de... ahn... superoperações. Eu... bom, eu... sabe, eu... humm... pensei que, com base em tudo isso, nós poderíamos encontrar diversas séries muito surpreendentes: veja só... ahn...

Tal era a força do envolvimento inocente do matemático em seu mundo mágico, e tamanha sua condescendência com as travessuras descomedidas das gerações mais novas, que os rapazes não pareceram se incomodar muito com o fato de que o professor havia invadido a noitada deles.

— Agora você vê, Patwardhan... — O Dr. Durrani tratava o mundo inteiro com um distanciamento educado — Não é apenas uma questão de 1, 3, 6, 10, 15, que seria uma série trivial baseada na operação combinatória primária, ou mesmo 1, 2, 6, 24, 120, que seria baseada na operação combinatória secundária. Isso poderia ir muito além. A operação combinatória terciária resultaria em 1, 2, 9, 262.144, e depois em 5 elevados à potência de 262.144. E naturalmente só isso nos levaria... ahn... ao quinto termo na... ahn... terceira operação dessa natureza. Onde isso... ahn... irá terminar?

Ele parecia empolgado e angustiado ao mesmo tempo.

— Ah... — disse Sunil, cuja mente encharcada de uísque não estava muito atenta ao problema.

— Mas naturalmente o que estou dizendo é... ahn... bastante óbvio. Não tive intenção de... hmm... ahn... perturbá-lo com isso; mas achei que eu... ahn... — passou o olhar pelo recinto e seus olhos foram pousar no relógio de cuco na parede —... que eu usaria seu conhecimento para alguma coisa que pode ser muito... bom, muito intuitiva. Agora pense em 1, 4, 216, 72.576 e assim por diante. Isso o surpreende?

— Na verdade...

— Isso mesmo! Eu achei que não — disse o Dr. Durrani com um olhar de aprovação para o jovem colega, cujos conhecimentos ele frequentemente utilizava dessa forma. — Pois muito bem, posso lhe dizer qual foi o impulso, ou seja, o catalisador de tudo isso?

— Sim, diga, por favor!

— Foi um... ahn... comentário... um comentário muito... perceptivo de sua parte.

— Foi mesmo?

— Você disse, a propósito do lema de Pergolesi: "O conceito vai formar uma árvore." Foi um... ahn... um comentário brilhante. Eu nunca havia pensado nisso nesses termos.

— Puxa... — disse Sunil.

Haresh piscou o olho para ele, mas Sunil fechou a cara. Ridicularizar o Dr. Durrani era, a seu ver, um crime de lesa-majestade.

— E de fato — prosseguiu generosamente o Dr. Durrani, semicerrando os olhos fundos até quase fazê-los desaparecer, uma maneira inconsciente de ilustrar suas palavras — ele forma uma árvore. Uma árvore que não pode ser podada.

Em sua visão mental ele via uma imensa figueira-de-bengala prolífica e, pior que tudo, incontrolável, espalhando-se num horizonte plano. Cada vez mais aflito e agitado, prosseguiu:

— Porque seja qual for o... ahn... método escolhido para a superoperação, isto é, o tipo 2 ou o tipo 1, ele não pode... ahn... decididamente não pode ser aplicado a cada... ahn... cada um dos estágios. Escolher um agrupamento específico de tipos poderá... hmm... poderá de fato podar os galhos, mas também será... ahn... arbitrário. A alternativa não fornecerá um algoritmo coerente. Então me vem à mente uma... ahn... pergunta: como se poderá generalizá-lo à medida que se for evoluindo para operações mais altas?

O Dr. Durrani, cuja tendência era ficar ligeiramente curvado, agora se empertigou. Evidentemente, diante dessas terríveis incertezas, era preciso partir para a ação.

— A que conclusão você chegou? — perguntou Sunil, cambaleando um pouco.

— Ah, mas essa é justamente a questão! Não cheguei a nenhuma. Naturalmente a superoperação $n + 1$ tem de funcionar em relação à superoperação n como a n funciona em relação à $n - 1$. Isso nem é preciso dizer. O que me incomoda é a questão da iteração. Será que a mesma suboperação, a mesma... ahn... subsuperoperação, se é que posso chamá-la assim — ele sorriu ao pensar em sua terminologia — será que ela... ou seja... ela iria...

A frase foi deixada em suspenso enquanto o professor olhava em torno, agradavelmente perplexo.

— Fique para jantar conosco, Dr. Durrani — convidou Sunil. — Hoje todos estão convidados. Posso lhe oferecer alguma coisa para beber?

— Ah, não, muito obrigado — disse gentilmente o Dr. Durrani. — Vocês jovens fiquem à vontade, não se preocupem comigo.

Haresh, pensando subitamente em Bhaskar, aproximou-se do Dr. Durrani.

— O senhor me desculpe, mas eu estava me perguntando se seria abuso pedir sua atenção para um jovem muito brilhante. Acho que ele gostaria muito de lhe ser apresentado e acho que o senhor também vai gostar de conhecê-lo.

O Dr. Durrani olhou curioso para Haresh, mas não disse nada. O que os jovens ou as pessoas em geral tinham a ver com qualquer coisa?, perguntava-se.

— Outro dia ele estava falando das potências de dez — explicou Haresh — e lamentava que nem o inglês, nem o híndi dispusessem de uma palavra específica para a quarta potência de 10 ou a oitava potência de 10.

— Sim, isto é... bem, é mesmo uma pena — disse o Dr. Durrani com alguma empatia. — Naturalmente, nas contas de Al-Biruni encontramos...

— Ele parecia achar que alguma coisa deveria ser feita em relação a isso.

— Que idade tem esse jovem? — perguntou o Dr. Durrani, muito interessado.

— Nove anos.

O Dr. Durrani se curvou de novo para se colocar em posição de falar com Haresh.

— Ah, bom, diga a ele que me procure. Você sabe onde eu moro — acrescentou ele e se voltou para sair.

Que Haresh o soubesse era improvável, pois eles dois nunca haviam se encontrado. Mas Haresh agradeceu, muito contente por conseguir colocar duas pessoas de mentes parecidas em contato uma com a outra. Não o constrangeu a possibilidade de estar invadindo o tempo e a energia do grande homem. De fato, esse pensamento nem lhe ocorreu.

4.8

PRAN, que chegou um pouco mais tarde, não era ex-aluno da St. Stephen's College. Sunil o convidou como amigo. O recém-chegado não encontrou o Dr. Durrani, que só conhecia de vista, e não ouviu a conversa sobre Bhaskar. À semelhança de quase todos na família, ele sentia admiração pelo sobrinho, que em certos aspectos parecia igual a qualquer criança — gostava de soltar pipa e de matar aula na escola e era carinhoso principalmente com as avós.

— Por que chegou tão tarde? — perguntou Sunil, um pouco beligerante. — E por que Savita não veio? Contávamos com ela para fermentar nosso grupo de bobalhões. Ou será que ela está andando dez passos atrás de você? Não, não a vejo em parte alguma. Ela achou que iria nos cercear?

— Responderei as duas perguntas que merecem resposta — disse Pran. — Uma: Savita se sentiu muito cansada e pede que você a desculpe. Duas: cheguei atrasado porque jantei antes de vir. Sei como são as coisas na sua casa. O jantar não é servido antes da meia-noite, se é que você se lembra de mandar servi-lo, e mesmo assim não é comestível. Normalmente, na volta para casa somos obrigados a comer *kebabs* num quiosque para nos alimentar. Você deveria se casar, Sunil. Assim sua casa não seria administrada de forma tão aleatória. Além disso, haveria alguém para cerzir essas suas meias hediondas. Aliás, por que está sem os sapatos?

Sunil deu um suspiro.

— Porque Haresh resolveu que precisa de dois pares de sapatos para si próprio. "Minha necessidade é maior do que a vossa." Ali estão meus sapatos num cantinho e eu sei que nunca voltarei a vê-los. Ah, mas vocês dois ainda não se conhecem — disse Sunil, agora falando em híndi. – Haresh Khanna, Pran Kapoor. Todos dois estudaram literatura inglesa, e nunca vi ninguém conhecê-la mais do que um, nem menos do que o outro.

Os dois trocaram um aperto de mão.

— Para que precisa de dois pares de sapatos? — perguntou Pran, sorridente.

— Ele adora criar mistérios sobre tudo — explicou Haresh —, mas a explicação é simples: estou usando um par como amostra para fazer outro par.

— Para si mesmo?

— Nada disso; eu trabalho para a CLFC e estou em Bhrampur a serviço por alguns dias.

Ele presumia que todos estivessem inteiramente familiarizados com as siglas que usava frequentemente.

— CLFC? — perguntou Pran.

— Cawnpore Leather & Footwear Company.

— Então você trabalha no setor de calçados — concluiu Pran. — É muito distante da literatura inglesa.

— Toda a minha vida está na sovela — disse Haresh com leveza, sem oferecer mais nenhuma explicação ou uma citação equivocada.

— Meu cunhado também trabalha no setor calçadista — disse Pran. — Talvez você o tenha conhecido; ele é negociante no Brahmpur Shoe Mart.

— É, talvez sim, mas por causa da greve nem todos os comerciantes abriram seus quiosques. Qual é o nome dele?

— Kedarnath Tandon.

— Kedarnath Tandon! Mas é claro que sim. Ele me levou para conhecer muitos lugares. — Haresh estava encantado. — De fato, foi de certa forma por causa dele que Sunil perdeu os sapatos. Então você é seu *sala*... desculpe, quero dizer, o irmão de Veena. Você é o mais velho ou o mais novo?

Sunil Patwardhan se meteu de novo na conversa.

— É o mais velho — esclareceu ele. — O mais novo, Maan, também foi convidado, mas hoje em dia suas noites são ocupadas de outra forma.

— Mas me diga — disse Pran, voltando-se decididamente para Sunil —, essa festa é por alguma ocasião especial? Não é seu aniversário, é?

— Não, não é. E você não é muito bom em mudar de assunto. Mas vou deixá-lo se esquivar dessa vez, Dr. Kapoor, porque tenho uma pergunta para você. Por que você e seu comitê disciplinar... como é mesmo o nome que lhe deram? Comitê de bem-estar estudantil? Por que foram tão severos com os rapazes que fizeram algumas brincadeiras bem-humoradas durante o Holi?

— Brincadeiras bem-humoradas? — retrucou Pran. — As moças pareciam ter sido tingidas de vermelho e azul. Foi sorte não terem tido uma pneumonia. E, francamente, houve muita esfregação desnecessária de tinta, aqui e ali, sabe como é?

— Mas despejar os rapazes dos alojamentos e ameaçar expulsá-los?

— Você chama isso de severidade?

— Claro que sim. Em plena época de preparação para os exames finais?

— Eles certamente não estavam se preparando para os exames no Holi. Pelo visto alguns até estavam sob efeito de *bhang* quando decidiram invadir o dormitório feminino e trancar a inspetora no salão comunitário.

— Ora, aquela megera de coração de pedra! — disse Sunil desdenhoso, depois caiu na risada pensando na imagem da inspetora trancada na sala, talvez batendo em frustração no tabuleiro de carambola. Ainda que muito bonita, a inspetora era uma mulher draconiana, que mantinha as tuteladas com rédea curta, usava muita maquiagem e olhava com reprovação qualquer uma das moças que fizesse o mesmo.

— Puxa, Sunil, ela é muito atraente. Acho que você tem uma queda por ela.

Sunil deu um riso de deboche ante a ideia ridícula.

— Aposto que ela pediu que eles fossem expulsos imediatamente. Ou suspensos temporariamente. Ou eletrocutados. Como aconteceu outro dia com aqueles espiões russos nos Estados Unidos. O problema é que depois de passar pelos próprios tempos de estudante ninguém se lembra dessa fase.

— O que você teria feito no lugar dela? — perguntou Pran. — Ou, aliás, em nosso lugar? Os pais das moças ficariam aflitos se não tivéssemos tomado providências. E acho que a punição não foi injusta, apesar das consequências. Alguns no comitê queriam que fossem expulsos.

— Quem? O supervisor?

— Alguns dos integrantes — desconversou Pran.

— Vamos, não faça tanto segredo, você está entre amigos — disse Sunil, colocando um braço gordo em torno dos ombros magros de Pran.

— Não, francamente, Sunil, eu já falei demais.

— Você, naturalmente, votou a favor da tolerância.

Pran refutou seriamente o amistoso sarcasmo.

— Para falar a verdade, sim, eu sugeri leniência. Além disso, sei que as coisas podem escapar ao controle. Lembrei o que aconteceu quando Maan resolveu brincar com o Moby Dick durante o Holi.

A essa altura o incidente com o professor Mishra era notório na universidade inteira.

— Ah, sim, o que aconteceu com sua vaga de docente? — perguntou o físico, que havia se aproximado.

Pran inspirou o ar vagarosamente.

— Nada.

— Mas a vaga já está aberta há meses.

— Eu sei — disse Pran. — Ela foi até anunciada, mas pelo jeito eles não querem estabelecer uma data para o comitê de seleção se reunir.

— Isso não está certo. Vou falar com alguém do *Bhrampur Chronicle* — disse o jovem físico.

— É isso aí — disse Sunil entusiasmado. — "Chegou ao nosso conhecimento que apesar da falta crônica de professores no departamento de língua inglesa de nossa renomada universidade e da disponibilidade de mais de um candidato local qualificado para o posto de professor-adjunto, vaga que está sem preencher há um exorbitante período de tempo..."

— Por favor — disse Pran, nada sereno —, deixem as coisas seguirem seu curso natural. Não envolvam os jornais nisso.

Sunil pareceu meditar por um instante, como se estivesse elaborando alguma coisa.

— Tudo bem, tome um drinque! — disse ele de repente. — Por que você não está com uma bebida na mão?

— Primeiro ele passa meia hora me interrogando sem me oferecer nada para beber, depois me pergunta por que eu não estou com uma bebida na mão. Eu aceito um uísque com água — respondeu Pran, num tom menos agitado.

À medida que a noite avançava, os convivas falaram das notícias da cidade, do desempenho constantemente ruim do país nas competições internacionais de críquete ("duvido que algum dia nós consigamos ganhar um Test Match", disse Pran com um pessimismo confiante), da política em Purva Pradesh e no mundo em geral e das esquisitices de vários professores, tanto na Universidade de Brahmpur quanto — para os ex-alunos — no St. Stephen's College em Nova Delhi. Os ex-alunos desta última instituição faziam coro com uma frase queixosa, deixando confusos os que não estudaram ali: "Na minha turma só direi uma coisa: você pode não entender, você pode não querer entender, mas você *vai* entender!"

O jantar foi servido e era tão rudimentar quanto Pran previra. Apesar das provocações bem-humoradas com os amigos, o próprio Sunil era vítima de um velho empregado cujo afeto pelo patrão (a quem ele servia desde que Sunil era criança) só era igualado por sua relutância em realizar qualquer tarefa.

Durante o jantar houve uma discussão — um tanto incoerente, pois alguns comensais estavam beligerantes ou distraídos por causa da bebida — sobre a situação política e econômica. Era difícil entendê-la na íntegra, mas uma parte dela foi assim:

— Vejam bem, a única razão pela qual Nehru se tornou primeiro-ministro foi o fato de ser o favorito de Gandhi. Isso é conhecido de todos. Ele só sabe proferir aqueles longos discursos que não chegam a lugar algum. Imagina só. Até no Partido do Congresso, com Tandon e seus comparsas colocando-o contra a parede, o que ele faz? Só faz o jogo deles e nós somos obrigados a...

— Mas o que ele pode fazer? Não é um ditador.

— Você poderia não me interromper? Quer dizer, posso expor meu argumento? Depois disso você pode dizer o que quiser, pelo tempo que quiser. Então, o que faz Nehru? O que ele faz? Ele manda uma mensagem a alguma associação em que está escalado para discursar e diz: "Muitas vezes temos essa sensação de escuridão." Escuridão! Quem se importa com a escuridão dele ou com o que tem na cabeça? Ele talvez tenha uma cabeça bonita, e a rosa vermelha pode ficar linda na lapela de seu casaco, mas nós estamos precisando mais é de alguém de coração valente, não de coração sensível. É obrigação dele, como primeiro-ministro, dar um rumo a esse país, e ele simplesmente não tem a força de caráter para fazê-lo.

— Bom...

— Bom o quê?

— Experimente só dirigir o país. Tente alimentar o povo, para começar. Evite que os hindus massacrem os muçulmanos...

— ... Ou vice-versa...

— Tudo bem, ou vice-versa. E tente abolir as grandes propriedades rurais quando os donos disputam com você cada palmo de chão.

— Ele não está fazendo isso como primeiro-ministro. O imposto territorial não é uma questão do governo federal, é uma questão estadual. Nehru vai fazer seus discursos vagos, mas pergunte ao Pran quem é o verdadeiro cérebro por trás de nosso projeto de lei da abolição das grandes propriedades rurais.

— Sim, é o meu pai — admitiu Pran. — De todo modo, minha mãe diz que ele trabalha até terrivelmente tarde e às vezes volta para casa depois da meia-noite cansado como um cachorro. Às vezes também passa a noite acordado preparando o discurso do dia seguinte na Assembleia. — Deu uma risada breve e balançou a cabeça. — Minha mãe se preocupa porque ele está estragando a saúde. Duzentas cláusulas, duzentas úlceras, é o que ela pensa. E agora que a lei das propriedades rurais foi decretada inconstitucional em Bihar, todo mundo entrou em pânico. Como se, aliás, não houvesse bastante pânico por aí, com toda essa confusão no Chowk.

— Qual confusão no Chowk? — perguntou alguém, achando que Pran se referia a um provável acontecimento daquele dia.

— O rajá de Marh e seu maldito Templo de Shiva — disse Haresh prontamente. Embora fosse o único forasteiro, ele fora informado dos fatos por Kedarnath e os tomara como assunto pessoal.

— Não o chame de maldito Templo de Shiva — disse o historiador.

— É um maldito Templo de Shiva, sim; já causou um número suficiente de mortes.

— Você é hindu, e o chama de maldito Templo de Shiva; você devia se olhar no espelho. Os ingleses já foram embora, caso você precise ser lembrado, portanto não se dê ares de importância. Maldito templo, malditos nativos...

— Ai meu Deus! Pensando bem, vou tomar outra bebida — disse Haresh a Sunil.

Enquanto a discussão se acalorava e se acalmava durante o jantar e depois dele e os convivas se reuniam em pequenos grupos ou se ligavam a outros mais inflamados, Pran puxou Sunil de lado e perguntou casualmente:

— Esse cara, o Haresh: ele é casado, ou noivo, ou alguma coisa?

— Alguma coisa.

— Como é isso? — estranhou Pran.

— Ele não é casado nem noivo, mas com certeza é "alguma coisa".

— Sunil, não fique falando por enigmas; já é meia-noite.

— É nisso que dá você aparecer tarde na minha festa. Antes de você chegar nós estávamos conversando longamente sobre ele e uma *sardarni*, Simran Kaur, pela qual ainda continua fascinado. Puxa, por que será que uma hora atrás eu não consegui lembrar o nome dela? Na faculdade havia uns versinhos sobre isso:

Por Gaur amado, por Kaur apaixonado;
Casto ele era, mas agora isso é passado!

Ele continuou:

— Não posso garantir os fatos do segundo verso. Mas, seja como for, ficou evidente pela cara dele que ainda está apaixonado por ela. E não posso condená-lo. Eu a encontrei certa vez e era uma verdadeira beleza.

Sunil Patwardhan recitou um dístico em urdu que falava nas negras nuvens de tempestade dos cabelos dela.

— Bom, quem diria? — disse Pran.

— Mas por que você quer saber?

— Por nada — disse Pran, dando de ombros. — Acho que ele é um homem que sabe o que quer, e me deixou curioso.

Pouco depois os convidados começaram a se despedir. O anfitrião sugeriu que fossem em grupo visitar a velha Bhrampur "para ver se alguma coisa estava acontecendo".

— Hoje à meia-noite — entoou Sunil em voz cantante, ao estilo de Nehru —, enquanto o mundo dorme, Bhrampur despertará para a vida e a liberdade.

Enquanto levava os convivas à porta, Sunil foi ficando deprimido.

— Boa noite — disse ele, amável, e, em seguida, em um tom mais melancólico: — Boa noite, moças, boa noite, moças bonitas, boa noite, boa noite.

E um pouco mais tarde, enquanto fechava a porta, murmurou mais para si mesmo que para os outros, na cadência incompleta e saltitante com que Nehru terminava seus discursos em híndi:

— Irmãos e irmãs, Jai Hind!

No entanto, Pran voltou muito animado para casa. Gostara da festa e também de ter se distanciado do trabalho e — foi obrigado a admitir — do círculo familiar de esposa, sogra e cunhada.

Que pena Haresh já estar comprometido, pensou. Apesar de suas citações equivocadas, havia agradado a Pran, que se perguntava se aquele seria talvez um "pretendente" para a cunhada. Pran estava preocupado com ela. Desde o telefonema recebido na hora do jantar alguns dias antes, Lata não era mais a mesma. Mas andava difícil conversar até mesmo com Savita sobre a irmã dela. Às vezes, pensou Pran, tenho a sensação de que todas elas me veem como um intruso, um simples intruso entre os Mehra.

4.9

FAZENDO um esforço, Haresh se levantou cedo, apesar da cabeça pesada, e tomou um riquixá para Ravidaspur. Levava consigo as fôrmas e outros materiais que tinha prometido, além dos sapatos de Sunil. Pessoas esfarrapadas andavam pelos becos entre os barracões cobertos de palha. Um garoto puxava um pedaço de madeira preso com barbante e outro tentava acertá-lo com um pedaço de pau. Quando cruzou a ponte instável, observou que um vapor espesso e esbranquiçado depositava-se sobre a água escura do esgoto a céu aberto, onde as pessoas faziam suas abluções matinais. Como podiam viver assim?, pensou consigo.

Alguns fios elétricos pendiam casualmente dos postes ou estavam enrolados entre os galhos de uma árvore empoeirada. Algumas casas exploravam ilegalmente essa parca fonte de energia fixando um fio no cabo principal. Do sombrio interior dos outros barracos saía a luz oscilante de lâmpadas improvisadas: latas cheias de querosene, cuja fumaça enchia os casebres. Era muito fácil uma criança, um cachorro ou uma vaca entorná-los, e os incêndios começavam assim, espalhando-se de um barraco a outro e queimando tudo que fora escondido no telhado de palha para ser mantido em segurança, inclusive os preciosos cartões de racionamento de alimentos. Haresh balançava a cabeça, desanimado pela devastação daquilo tudo.

Chegou à oficina e encontrou o sapateiro sentado sozinho no degrau, observado apenas pela filha menor. Para sua irritação, entretanto, Haresh constatou que o homem não estava trabalhando nos sapatos, mas sim em um brinquedo de madeira, aparentemente um gato. Ele desbastava a madeira com grande concentração e pareceu surpreso de ver Haresh. Depositou no degrau o objeto inacabado e se levantou.

— O senhor chegou cedo — disse ele.

— Pois é, cheguei — retrucou Haresh bruscamente —, e descubro que você está trabalhando em outra coisa. De minha parte estou fazendo todo o esforço possível para suprir os materiais num prazo mínimo, mas não tenho intenção de trabalhar com gente que não seja confiável.

Jagat Ram tocou no bigode. Seus olhos assumiram um fulgor mortiço, e suas palavras saíram em staccato:

— O que eu quero dizer... — começou ele. — O senhor pelo menos perguntou? O senhor está achando que não sou homem de palavra?

Ele se levantou e entrou na casa, de onde trouxe as peças que tinha cortado segundo os moldes cedidos por Haresh no belo couro cor de vinho que ele fora buscar na noite anterior. Enquanto Haresh examinava as peças, ele disse:

— Eu ainda não fiz os desenhos no couro, mas achei que deveria fazer o corte pessoalmente, em vez de deixá-lo para meu cortador. Estou acordado desde o nascer do sol.

— Muito bem, excelente — disse Haresh, inclinando a cabeça e usando um tom mais amável. — Vamos ver a peça de couro que deixei para você.

Jagat Ram tirou-a com muita relutância de uma das prateleiras de alvenaria na parede do quartinho. Grande parte dela ainda estava sem usar. Haresh a examinou cuidadosamente e a devolveu. Jagat Ram pareceu aliviado. Levou a mão até o bigode grisalho e o alisou, meditativo, sem nada dizer.

— Excelente! — disse Haresh com generoso entusiasmo. O corte de Jagat Ram tinha sido surpreendentemente rápido e economizara muito material. Na verdade, ele parecia ter um intuitivo domínio do espaço, o que era muito raro mesmo entre sapateiros treinados e com muitos anos de profissão. Essa característica fora perceptível nos comentários dele no dia anterior, quando ele construíra mentalmente os sapatos depois de um breve olhar aos componentes do molde.

— Para onde foi sua filha?

Jagat Ram se permitiu um leve sorriso.

— Ela estava atrasada para a escola.

— O pessoal da Lovely Shoe Shop apareceu ontem?

— Sim e não — respondeu Jagat Ram, sem se aprofundar no assunto. Como Haresh não tinha interesse direto no pessoal da Lovely, não fez pressão; achou que talvez Jagat Ram não quisesse falar sobre um dos concorrentes de Kedarnath na presença de um amigo dele.

— Eu trouxe aqui todos os outros materiais de que você necessita — Abriu a pasta e tirou as linhas, os componentes, as fôrmas e os sapatos. Enquanto o sapateiro os analisava com as mãos, apreciativo, Haresh continuou:
— Em três dias, a contar de hoje, virei vê-lo às duas da tarde, e espero que os sapatos já estejam prontos. Comprei passagem de volta a Kanpur no trem das seis e meia da mesma tarde. Se os sapatos estiverem bem-feitos, minha expectativa é conseguir uma encomenda para você. Caso contrário, não vou atrasar minha viagem de volta.

— Se tudo der certo, espero trabalhar diretamente com o senhor — disse Jagat Ram.

Haresh fez que não.

— Foi por intermédio de Kedarnath que conheci você e é através dele que vamos fazer negócio — retrucou.

O sapateiro concordou de má vontade e levou o visitante até a porta. Pelo jeito não havia como se livrar dos intermediários sanguessugas. Primeiro tinham sido os muçulmanos, agora eram esses punjabis que tinham tomado o lugar deles. Kedarnath, porém, dera a ele sua primeira oportunidade e, nos negócios, não era má pessoa — talvez sugasse só um pouquinho.

— Muito bem — disse Haresh. — Excelente. Agora tenho muito que fazer; preciso ir embora.

E saiu caminhando com sua habitual energia pelas veredas sujas de Ravidaspur. Hoje calçava um Oxford preto comum. No espaço aberto, porém imundo, perto de um pequeno santuário branco ele viu um grupo de garotinhos brincando com um baralho em péssimo estado e apostando dinheiro — um deles era o filho mais novo do sapateiro. Haresh deu um muxoxo, mais de irritação que de reprovação moral diante daquele estado de coisas. Analfabetismo, pobreza, indisciplina, sujeira! Era como se as pessoas daquele lugar não tivessem potencial. Se as coisas fossem como ele queria e lhe fossem dadas verbas e mão de obra, ele colocaria esse bairro em ótimo estado em seis meses. Saneamento básico, água potável, eletricidade, pavimentação, cidadania — era apenas uma questão de tomar decisões sensatas e de ter os instrumentos necessários para colocá-las em prática. Haresh era tão entusiasmado pelos "instrumentos necessários" quanto era por sua lista de "tarefas a cumprir". Se algum instrumento estivesse faltando ou se algo não fosse cumprido, ele perdia a paciência consigo mesmo. Também acreditava em "levar as tarefas até o fim".

Ah, sim: o filho de Kedarnath, qual era mesmo o nome dele? Ah, Bhaskar!, disse consigo. Devia ter pegado o endereço do Dr. Durrani com Sunil na noite anterior. Franziu a testa diante de sua própria falta de perspicácia.

Mas depois do almoço ele foi, de toda forma, buscar o menino, que levou de charrete até a casa de Sunil. O Dr. Durrani dera a impressão de ter caminhado até lá, refletiu Haresh, logo não podia morar tão longe assim.

Bhaskar acompanhou Haresh em silêncio, e este, por sua vez, ficou satisfeito em não dizer nada além do destino deles.

O empregado fiel e preguiçoso de Sunil apontou para a casa do professor, que ficava a algumas portas de distância. Haresh pagou a charrete e caminhou até lá com Bhaskar.

4.10

UM rapaz alto e bonito, vestido com um uniforme branco de críquete, abriu a porta.

— Nós viemos ver o Dr. Durrani — anunciou Haresh. — Ele está ocupado?

— Vou ver o que meu pai está fazendo — disse o jovem numa voz baixa, agradável, ligeiramente cortante. — Por favor, entrem.

Ele retornou após alguns instantes.

— Meu pai virá em um minuto. Perguntou quem eram vocês e percebi que eu não tinha perguntado. Desculpem-me, antes preciso me apresentar: meu nome é Kabir.

Impressionado pela aparência e as maneiras do rapaz Haresh estendeu a mão, sorriu de leve e se apresentou.

— E este é Bhaskar, filho de um amigo.

O rapaz pareceu um pouco perturbado com alguma coisa, mas se esforçou para manter a conversa.

— Olá, Bhaskar — disse Kabir. — Quantos anos você tem?

— Nove — respondeu o menino, sem objeção a essa pergunta, das menos originais. Estava imaginando de que se trataria tudo isso.

Passado um momento, Kabir comentou:

— Não imagino o que está fazendo meu pai demorar. — E saiu da sala de novo.

Quando o Dr. Durrani finalmente entrou na sala de estar, ficou muito surpreso de ver os visitantes. Reparando no menino, perguntou a Haresh:

— Vocês vieram ver um dos meus... ahn... filhos?

Os olhos de Bhaskar se iluminaram diante desse insólito comportamento adulto. Gostou do rosto forte e quadrado do Dr. Durrani e, em particular, do equilíbrio e da simetria de seu magnífico bigode branco. Haresh, que havia se levantado, respondeu:

— Não, Dr. Durrani, é o senhor que nós viemos ver. Não sei se se lembra de mim; nós nos conhecemos na festa de Sunil...

— Sunil? — perguntou o Dr. Durrani, e seus olhos se estreitaram em extrema perplexidade, a sobrancelha subindo e descendo. — Sunil... Sunil... — Parecia estar avaliando alguma coisa com muita seriedade. — Patwardhan! — disse, com ar de quem chegou a uma importante conclusão. Avaliou essa nova premissa a partir de diversos ângulos, em silêncio.

Haresh resolveu acelerar o processo.

— Dr. Durrani, o senhor disse que nós podíamos aparecer para visitá-lo — disse, um tanto bruscamente. Este é o meu jovem amigo Bhaskar, sobre o qual eu lhe falei. Considero notável o interesse dele pela matemática e achei que ele deveria conhecê-lo.

O Dr. Durrani pareceu muito satisfeito e perguntou ao garoto quanto eram dois mais dois.

Haresh ficou atônito, mas, apesar de normalmente rejeitar como indignas de sua atenção somas muito mais complexas, Bhaskar, pelo jeito, não se ofendeu. Em voz muito titubeante respondeu:

— Quatro?

O Dr. Durrani ficou calado. Parecia estar ruminando a resposta. Haresh começou a se sentir pouco à vontade.

— Bom, sim, você pode... ahn... deixá-lo aqui por algum tempo — disse o Dr. Durrani.

— Posso voltar para buscá-lo às quatro? — perguntou Haresh.

— Mais ou menos — respondeu o Dr. Durrani.

Quando ele e Bhaskar ficaram sozinhos, ambos permaneceram calados. Passado um momento, o menino sondou:

— Essa foi a resposta certa?

— Mais ou menos — disse novamente o Dr. Durrani. — Quer saber? É como... — continuou, apanhando um limão-doce dentro de uma tigela na mesa de jantar — é como a questão da... ahn... soma dos ângulos em um... ahn... num... triângulo. O que eles ensinaram a você que era?

— 180 graus — respondeu o garoto.

— Bom, mais ou menos — disse o Dr. Durrani. — Na superfície dele, pelo menos. Mas não na superfície desse... ahn... limão, por exemplo...

Ficou por momentos olhando o limão verde, seguindo um raciocínio misterioso. Depois que a fruta havia servido ao propósito dele, olhou para ela admirado, como se não conseguisse entender o que ela fazia em sua mão. Descascou-a com certa dificuldade, por causa da espessura da casca e começou a comê-la.

— Você aceitaria... ahn... um pouco? — perguntou prosaicamente ao garoto.

— Sim, obrigado — respondeu ele, estendendo as duas mãos para receber um pedaço, como se recebesse uma oferenda santificada de um templo.

Uma hora depois, quando Haresh voltou, teve a sensação de ter causado uma interrupção indesejada. Os dois estavam sentados à mesa de refeições, sobre a qual se espalhavam, entre outras coisas, vários limões, várias cascas de limão, um grande número de palitos de dente em variadas configurações, um cinzeiro de cabeça para baixo, algumas tiras de jornal coladas para formar estranhos anéis retorcidos e uma pipa de papel roxo. O restante da superfície da mesa estava coberto de equações escritas com giz amarelo.

Antes de ir embora com Haresh, Bhaskar recolheu os anéis de papel-jornal, a pipa roxa e exatamente 16 palitos. Nem o Dr. Durrani nem Bhaskar agradeceram um ao outro pelo tempo que passaram juntos. Na charrete de volta a Misri Mandi, Haresh não resistiu e perguntou ao garoto:

— Você entendeu todas aquelas equações?

— Não — disse Bhaskar, mas era claro pelo tom de sua resposta que ele achava que isso não tinha importância.

Embora Bhaskar não tenha dito nada quando chegou em casa, a mãe percebeu pela expressão do rosto do filho que ele havia passado momentos maravilhosamente estimulantes. Ela tirou os diversos objetos das mãos dele e lhe disse que fosse lavar as mãos grudentas. Depois, quase com lágrimas nos olhos, agradeceu a Haresh.

— Foi muita gentileza sua ter se dado esse trabalho, Haresh *Bhai* — disse Veena. — Posso ver o que isso significou para ele.

— Vai além do que eu consigo ver — respondeu Haresh com um sorriso.

4.11

ENQUANTO isso, os sapatos descansavam em suas fôrmas na oficina de Jagat Ram. Dois dias se passaram. Na data combinada, às duas da tarde, Haresh veio buscar os sapatos e as fôrmas. A filhinha do sapateiro o reconheceu e ficou batendo palmas ao vê-lo chegar. Ela se divertia com uma canção, e como ele estava ali, ela também o entreteve. A canção era assim:

Ram Ram Shah,	Ram Ram Shah,
Alu ka rasa,	molho feito de batatas,
Mendaki ki chatni —	chutney feito de rãs —
Aa gaya nasha!	beba até se embriagar!

Haresh examinou os sapatos com um olhar experiente. Estavam bem-feitos. Fora costurado de forma primorosa, embora na simples máquina de costura que estava à sua frente. A moldagem tinha sido feita com rigor — não havia bolhas de ar nem rugas. O acabamento estava primoroso, até a coloração do couro. Ele ficou muito satisfeito. Fora rigoroso em suas exigências, mas agora pagou a Jagat Ram 50 por cento a mais do que havia prometido.

— Você vai ter notícias de mim — prometeu.

— Certamente espero que sim, Haresh *Sahib* — disse o sapateiro. — O senhor vai embora hoje? Que pena!

— É pena, mas vou.

— E foi só por causa disso que o senhor ficou?

— Foi; se não fosse isso eu teria ido embora em dois dias, em vez de em quatro.

— Bom, espero que este par agrade ao pessoal da CLFC.

Dito isso, cada um foi para seu lado. Haresh fez algumas tarefas e umas compras; voltando à casa de Sunil, devolveu-lhe seu par de sapatos, arrumou as pequenas malas, despediu-se e tomou a charrete para a estação, onde pegaria o trem da noite com destino a Kanpur. No caminho parou na loja de Kedarnath para agradecer.

— Espero poder lhe ser útil de alguma forma — disse Haresh apertando-lhe calorosamente a mão.

— Isso você já foi, segundo Veena me contou.

— Quero dizer, em termos de negócios.

— Eu também espero que sim — disse Kedarnath. — E se eu puder lhe valer em alguma coisa...

Trocaram um aperto de mãos.

— Diga-me uma coisa — disse Haresh subitamente. — Há dias eu venho pensando em perguntar isso: como foi que as palmas de suas mãos ficaram com todas essas cicatrizes? Não parecem ter sido apanhadas por uma máquina, ou haveria cicatrizes nos dois lados da mão.

Kedarnath ficou mudo por uns segundos, como se procurasse se ajustar a uma mudança de pensamento.

— Recebi essas cicatrizes durante a Partição — respondeu. Depois de uma pausa, continuou: — Na época em que fomos forçados a fugir de Lahore, consegui um lugar num comboio de caminhões militares, e nós estávamos no primeiro caminhão, meu irmão mais novo e eu. Pensei que nada poderia ser mais seguro. Acontece que era um regimento de baluques. Eles pararam um pouco antes da ponte Ravi, e os rufiões muçulmanos saíram de trás dos depósitos de madeira e começaram uma chacina com suas lanças. Meu irmão mais novo tem marcas nas costas, e eu tenho essas, nas palmas das mãos e nos pulsos, pois tentei agarrar uma lança pela lâmina... Passei um mês inteiro no hospital.

O rosto de Haresh traiu o choque. Kedarnath continuou, fechando os olhos, porém em voz calma:

— Vinte ou trinta pessoas foram massacradas em dois minutos: o pai de um, a filha de outro... Por muita sorte um regimento gurkha estava vindo na direção oposta e começou a atirar. E então os saqueadores fugiram, e eu estou aqui para lhe contar a história.

— Onde estava sua família? Nos outros caminhões?

— Não... eu os havia despachado de trem um pouco antes. Na época Bhaskar tinha apenas 6 anos. Não que os trens fossem seguros, como você sabe.

— Não sei se deveria ter perguntado isso — disse Haresh encabulado, o que era atípico.

— Não, não faz mal. Pensando bem, nós tivemos sorte. O comerciante muçulmano que na época era dono de minha loja aqui em Bhrampur... — interrompeu-se. — Bom, o estranho é que, depois de tudo isso que aconteceu lá, eu ainda tenho saudade de Lahore — confessou Kedarnath. — Mas é melhor você se apressar ou vai perder o trem.

A estação ferroviária de Bhrampur estava como sempre muito cheia, barulhenta e malcheirosa: o assobio das nuvens de vapor, os apitos dos trens na chegada, os gritos dos vendedores ambulantes, o fedor de peixe, o zumbido das moscas, o tagarelar dos passageiros andando para lá e para cá. Haresh se sentiu cansado. Embora passasse das seis da tarde, ainda fazia muito calor. Ele tocou na abotoadura de ágata e se admirou do frescor da pedra.

Deslizando o olhar pela multidão, reparou em uma moça de sári de algodão azul-claro, parada ao lado da mãe. O professor de inglês que ele conhecera na reunião de Sunil estava ajudando as duas a tomarem o trem para Calcutá. A mãe estava de costas para ele, que não conseguiu ter dela uma visão adequada. O rosto da filha era surpreendente. Não era uma beleza clássica — não lhe atraía o coração tanto quanto a fotografia que ele carregava consigo —, mas possuía tão atraente intensidade que fez Haresh se deter por um segundo. A moça parecia estar lutando contra uma melancolia que ultrapassava a tristeza normal de uma despedida em uma plataforma de trem. Haresh pensou em fazer uma ligeira pausa para tornar a se apresentar ao jovem professor, mas alguma coisa na expressão da moça, de recolhimento quase desesperado, o impediu de fazê-lo. Além disso, seu trem não tardaria a partir. O carregador já estava muito adiante dele, e Haresh, que não era alto, preocupou-se com o fato de que talvez o perdesse de vista na multidão.

Parte Cinco

5.1

ALGUMAS insurreições são causadas por fatores externos; outras se manifestam por iniciativa própria. Não se esperava que os problemas em Misri Mandi alcançassem um ponto de violência. No entanto, alguns dias depois da partida de Haresh, o coração do bairro — inclusive a área em torno da loja de Kedarnath — ficou repleto de policiais armados.

Na noite anterior tinha havido uma briga dentro de um botequim modesto, à beira de uma estrada de terra que unia a Cidade Velha de Bhrampur ao curtume. A greve significava menos dinheiro, porém mais tempo ocioso para todos; portanto, o botequim estava tão cheio quanto de costume. O local era frequentado principalmente por membros da tribo dos jatav, intocáveis, mas não só por eles. A bebida igualava a todos, e ninguém se incomodava com quem estava sentado na mesa de madeira simples ao seu lado. Eles bebiam, riam, choravam e saíam dali cambaleando, às vezes cantando, às vezes praguejando. Juravam amizade eterna, trocavam confidências, imaginavam ofensas. O assistente de um comerciante de Misri Mandi estava de péssimo humor, pois enfrentava problemas com o sogro. Bebia sozinho e estava evoluindo para um estado generalizado de agressividade. Ao ouvir um comentário feito às suas costas sobre as práticas pouco éticas de seu patrão, cerrou os punhos, furioso. Derrubando o banquinho em que se sentava, ele se voltou para ver quem estava falando e caiu no chão.

Os três homens na mesa atrás dele começaram a rir. Eram jatavs que já haviam negociado com ele antes. Era o assistente quem geralmente pegava os sapatos dos cestos deles, quando à noitinha os artesãos corriam desesperados para o mercado — o patrão dele, o comerciante, não gostava de tocar nos sapatos, pois achava que estes o deixariam impuro. Os intocáveis sabiam que a suspensão dos negócios em Misri Mandi havia prejudicado especialmente os comerciantes que haviam ultrapassado suas cotas de vales. Também sabiam que eles próprios seriam ainda mais prejudicados pela paralisação, mas eles não eram poderosos sendo obrigados a cair de joelhos. No caso atual, porém, foi justamente isso que aconteceu, literalmente, diante deles.

A bebida alcoólica barata que era destilada no local lhes havia subido à cabeça, e não tinham dinheiro para comprar as *pakoras* e outros salgados que poderiam tê-la estabilizado. Ficaram rindo incontrolavelmente.

— Ele está lutando corpo a corpo com o vento — caçoou um deles.

— Aposto que ele preferia estar fazendo outro tipo de corpo a corpo — disse outro em deboche.

— Mas será que ele daria conta? Dizem que é por isso que está tendo problemas em casa...

— Que fracassado — provocou o primeiro homem, fazendo um gesto de desprezo similar ao de um comerciante rejeitando um cesto de calçados por conta de um único par defeituoso.

A fala deles estava arrastada, os olhos, desdenhosos. O homem caído arremeteu contra eles, que se atiraram sobre ele. Algumas pessoas, inclusive o dono da taberna, ou *kalari*, tentaram levá-los à conciliação, porém a maioria se reuniu em torno para desfrutar a diversão e gritar palavras ébrias de estímulo. Os quatro rolaram pelo chão, trocando socos.

Quando o conflito terminou, o homem que começara a briga tinha sido espancado até ficar inconsciente, e todos os outros saíram feridos. Um estava sangrando no olho e urrando de dor.

Naquela noite, quando ele perdeu a visão do olho, uma imensa multidão de jatavs se reuniu no Govind Shoe Mart, onde ficava o quiosque do comerciante. Encontraram o local fechado. Depois de gritar palavras de ordem, a multidão ameaçou incendiar o quiosque. Um dos comerciantes tentou trazê-los de volta ao bom-senso e eles o atacaram. Alguns policiais, sentindo o ânimo da multidão, correram à delegacia local em busca de reforços. Dez policiais emergiram, armados de *lathi* de bambu reforçado, e começaram a bater indiscriminadamente nas pessoas. A multidão se dispersou.

Num prazo espantosamente curto, cada autoridade relevante foi informada do assunto: do superintendente de polícia do distrito ao inspetor-geral de Purva Pradesh, do secretário do Interior ao ministro do Interior. Cada um recebeu diferentes fatos e interpretações e ofereceu diferentes sugestões de ação ou de inação.

O chanceler estava fora da cidade. Em sua ausência — e já que a manutenção da ordem era de sua alçada —, o ministro do Interior comandava a situação. Embora fosse ministro da Fazenda e não estive envolvido diretamente na situação, Mahesh Kapoor ouviu falar da agitação porque Misri Mandi fazia parte de seu eleitorado. Ele acorreu ao local e conversou com o superintendente de polícia e o corregedor distrital. O SP e o

CD acreditavam que, se nenhum dos lados fosse provocado, a situação se acalmaria. No entanto, o ministro do Interior, L. N. Agarwal, cujo eleitorado se compunha parcialmente de moradores de Misri Mandi, não viu necessidade de comparecer ao local; depois de receber alguns telefonemas em casa, resolveu que era preciso adotar alguma medida, à guisa de exemplo salutar.

Havia muito tempo que esses intocáveis vinham perturbando o comércio da cidade com suas queixas frívolas e sua greve mal-intencionada. Com certeza tinham sido agitados pelos líderes sindicais. Agora eles ameaçavam bloquear a entrada do mercado na junção desta com a estrada principal de Misri Mandi. E muitos comerciantes locais já enfrentavam dificuldades financeiras — o piquete iria acabar com eles. O próprio L. N. Agarwal era proveniente de uma família de lojistas, e muitos comerciantes eram seus amigos. Outros lhe forneciam ajuda financeira para as eleições. O ministro tinha recebido três telefonemas desesperados da parte deles. Não era momento de conversar, mas sim de agir. Não era apenas uma questão de lei, mas sim de ordem, a ordem social em si. Com certeza era isso que o Homem de Ferro da Índia, o falecido Sardar Patel, teria sentido em seu lugar.

Mas o que ele teria feito se estivesse aqui? Como num sonho, o ministro do Interior conjurou a severa cabeça arqueada de seu mentor político, morto havia quatro meses. Sentou-se a refletir por uns instantes. Depois disse a seu assistente pessoal que pusesse ao telefone o corregedor distrital.

Aos 30 e tantos anos, o corregedor distrital tinha diretamente a seu cargo a administração civil do distrito de Bhrampur, e juntamente com o SP — conforme o superintendente de polícia era tratado por todos — mantinha a lei e a ordem pública.

O AP tentou conseguir contato e depois disse:

— Desculpe, senhor, mas o CD saiu e foi para o local. Está tentando conciliar... —

— Me dê o telefone — disse o ministro do Interior em voz calma. Nervoso, o AP lhe entregou o receptor.

— Quem?... Onde?... Aqui está falando Agarwal, ele mesmo... Sim, instruções diretas... Não me importa, chame Dayal imediatamente... Sim, dez minutos... Ligue-me de volta... O SP está no local, com certeza é suficiente. Isso não é uma sessão de cinema.

Colocou o fone no gancho e agarrou os cachos grisalhos distribuídos em semicírculo por sua cabeça, que em todo o restante de sua extensão era careca.

Passado um momento fez menção de pegar o aparelho de novo, mas depois preferiu não fazê-lo, e voltou a atenção para um fichário.

Dez minutos depois o jovem CD, Krishan Dayal, telefonou. O ministro do Interior ordenou que guardasse a entrada do mercado. A partir daquele momento, ele deveria dispersar qualquer piquete, lendo, se necessário, a seção 144 do Código de Processo Penal e depois atirando, caso a multidão permanecesse no local.

A linha não estava boa, mas a mensagem era perturbadoramente clara. Krishan Dayal disse em voz firme, mas cheia de preocupação:

— Com o devido respeito, posso sugerir uma linha de ação alternativa? Estamos conversando com os líderes da multidão...

— Então é assim? Há líderes? Quer dizer que não foi espontâneo.

— É espontâneo, senhor, mas há líderes.

L. N. Agarwal refletiu que eram novatos como Krishan Dayal que o haviam mantido preso nos cárceres britânicos. Ele respondeu calmamente:

— O senhor está de brincadeira, Sr. Dayal?

— Não, senhor, eu...

—O senhor já recebeu suas instruções. Isto é uma emergência. Eu discuti o assunto pelo telefone com o secretário-geral. Pelo que entendi, a multidão deve ter umas trezentas pessoas. Quero que o SP coloque policiais em toda parte ao longo da estrada principal de Misri Mandi e guarde todas as entradas: Govind Shoe Mart, Bhrampur Shoe Mart, etc. Basta o senhor fazer o necessário.

Seguiu-se uma pausa. O ministro do Interior estava a ponto de baixar o fone quando o CD falou:

— Senhor, talvez não dê para dispor de um número tão grande de policiais de uma hora para outra. Alguns estão posicionados no local do Templo de Shiva para o caso de haver problemas. A situação está muito tensa. O ministro da Fazenda acha que na sexta-feira...

— Eles estão lá neste momento? Não reparei nisso hoje de manhã — disse L. N. Agarwal em tom relaxado, mas implacável.

— Não, senhor, mas estão na principal delegacia da área do Chowk, ou seja, suficientemente próximos ao local do templo. É melhor mantê-los ali para o caso de uma emergência.

Krishan Dayal tinha lutado no exército durante a guerra, mas ficou abalado pelo ar sereno e quase desdenhoso de interrogatório e autoridade do ministro do Interior.

— Deus vai se encarregar do Templo de Shiva. Estou em contato constante com muitos membros do comitê; o senhor acha que eu não conheço as circunstâncias?

O que o exasperou foi a referência de Dayal a uma "emergência" e a menção deste a Mahesh Kapoor, seu rival e, como a sorte insensível permitiria, o parlamentar eleito pelo distrito contíguo ao dele.

— Sim, senhor — disse Krishan Dayal com o rosto vermelho, condição que felizmente o ministro do Interior não podia ver. — Posso saber por quanto tempo a polícia deverá permanecer ali?

— Até notificação posterior — respondeu o ministro do Interior e bateu o telefone para evitar qualquer conversa adicional. Não lhe agradava o modo como os chamados funcionários públicos respondiam aos que ocupavam posições acima deles na cadeia de comando e que, além disso, eram vinte anos mais velhos. Indubitavelmente, o serviço administrativo era necessário, mas era igualmente necessário os servidores aprenderem que já não governavam mais o país.

5.2

NA sexta-feira, na prece do meio-dia, o imame hereditário da Mesquita de Alamgiri proferiu um sermão. Ele era baixo e rechonchudo, mas sua respiração curta não detinha seus espasmódicos arroubos de oratória. Na verdade, a respiração estertorante dava a impressão de que estava sufocado pela emoção. A construção do Templo de Shiva prosseguiria. Os apelos do imame a todos, do governador para baixo, tinham caído em ouvidos surdos. Um processo fora aberto, contestando o direito do rajá de Marh ao terreno vizinho à mesquita, e estava tramitando em primeira instância. A ordem de adiamento da construção do templo, porém, não pôde ser obtida imediatamente — de fato, talvez não pudesse ser obtida de forma alguma. Enquanto isso, aquele monte de estrume ia crescendo diante dos olhos angustiados do sacerdote.

A situação já estava tensa. Durante meses, muitos muçulmanos de Brahmpur, consternados, tinham visto surgir, no terreno ao lado da mesquita deles, os alicerces do templo. Agora, depois da primeira parte das preces, o imame dirigiu à sua plateia o discurso mais comovente e inflamatório que pronunciara em anos, e muito distante de seu sermão habitual sobre retidão pessoal, ou pureza, ou esmolas, ou devoção. Sua tristeza e frustração, tanto quanto a própria ansiedade amargurada dos fiéis, exigia medidas mais drásticas. Sua religião estava em perigo. Os bárbaros estavam bem ali diante deles. Esses infiéis rezavam para suas imagens e pedras e se perpetuavam na ignorância do pecado. Pois então, que fizessem o que lhes apetecesse em seus próprios covis de imundície. Mas Deus podia ver o que estava acontecendo agora. Eles tinham levado sua bestialidade para a vizinhança do próprio recinto da mesquita. A terra sobre a qual os infiéis procuravam construir o templo — procuravam não, em que efetivamente o estavam construindo neste momento — era território disputado aos olhos de Deus e do homem, mas não aos olhos dos animais que passavam o tempo soprando em conchas e venerando partes do corpo cujo próprio nome era vergonhoso de se mencionar. Sabia o povo da fé, aqui reunido na presença de Deus, como estava sendo planejada a consagração daquele *Shiva-linga*? Selvagens cobertos de cinzas dançariam nus — nus! — diante dele. Esses eram os despudorados, qual o povo de Sodoma, que zombou do poder do Todo-Poderoso.

> ... Deus não guia o povo
> dos infiéis.
> Aqueles — Deus colocou um selo em seus
> corações, e seus ouvidos, e seus olhos,
> e aqueles — eles são os insensatos;
> Sem dúvida, no mundo vindouro
> eles serão os desventurados.

Eles veneravam suas centenas de ídolos, para os quais reivindicavam a condição divina — ídolos com quatro cabeças, ou cinco cabeças, ou cabeças de elefante —, e agora os infiéis que detinham o poder na terra queriam que os muçulmanos, quando virassem o rosto na direção oeste em prece à Caaba, encarassem cabisbaixos esses mesmos ídolos e esses mesmos objetos obscenos.

— Mas nós que atravessamos tempos difíceis e amargos — continuou o imame —, sofremos por nossa fé e pagamos com sangue por ela só precisamos lembrar o destino dos idólatras:

"E atribuem semelhantes a Deus,
para desviar os demais da Sua senda.
Dize-lhes: 'Deleitai-vos (nesta vida), porque o fogo será
o vosso destino!'"

Uma expectativa lenta e atenta preencheu o silêncio que se seguiu.

— Mas mesmo agora — gritou o imame num frenesi renovado, meio ofegante pela falta de ar —, neste exato momento em que vos falo, eles poderiam estar engendrando seus esquemas para evitar nossa devoção noturna, soprando as conchas para afogar o chamado à oração. Eles podem ser ignorantes, mas também são cheios de subterfúgios. Já estão se livrando dos muçulmanos na força policial para deixar indefesa a comunidade de Deus. Aí poderão nos atacar e escravizar. Agora para nós ficou demasiado evidente que não estamos vivendo numa terra protegida, mas sim numa terra de inimizade. Nós apelamos à justiça e fomos chutados até cair ali mesmo nas portas a que nos dirigimos, suplicantes. O próprio ministro do Interior apoia esse comitê do templo, cujo líder é o devasso búfalo de Marh! Não deixem que nossos locais sagrados sejam poluídos pela proximidade da corrupção, não deixem que isso aconteça. Mas agora que fomos deixados sem defesa diante da espada de nossos inimigos na terra dos hindus, o que pode nos salvar senão nossos próprios esforços, nossa própria... — nesse ponto ele esforçou-se para respirar normalmente e para ser mais enfático —... nossa própria ação direta, que tem o objetivo de nos proteger? E não só a nós mesmos, não só às nossas famílias, mas também a esses poucos metros de solo pavimentado que nos foram dados há séculos, onde desenrolamos nossos tapetes de oração e erguemos nossas mãos em pranto ao Todo-Poderoso, a uma terra que foi desgastada pela devoção de nossos ancestrais e que, se Deus assim desejar, o será também por nossos descendentes. Mas não temam, Deus assim o deseja, não temam, Deus estará convosco:

> "Não reparaste em como o teu Senhor procedeu
> em relação à tribo de Ad,
> Aos (habitantes) de Iram, (cidade) de pilares elevados,
> Cujo similar não foi criado em toda a terra?
> E no povo de Samud, que perfurou rochas no vale?
> E no Faraó, o senhor das estacas,
> Os quais transgrediram, na terra,
> E multiplicaram, nela, a corrupção,
> Pelo que o teu Senhor lhes infligiu variados castigos?
> Atenta para o fato de que o teu Senhor está sempre alerta.

"Ó Deus, ajuda àqueles que ajudam a religião do profeta Maomé, que a paz esteja com Ele. Que nós também façamos o mesmo. Enfraquece aqueles que enfraquecem a religião de Maomé. Louvado seja Deus, senhor de todos os seres."

O gorducho imame desceu do púlpito e liderou os fiéis em mais orações. Naquela noite houve um levante.

5.3

SEGUINDO instruções do ministro do Interior, a maior parte da polícia estava posicionada em pontos delicados de Misri Mandi. À noite foram deixados apenas 15 policiais na principal delegacia no Chowk. Quando o chamado à oração na Mesquita de Alamgiri tremeu nos céus vespertinos, ouviu-se soar uma concha que o interrompeu várias vezes por um infeliz acaso ou talvez por provocação intencional. Normalmente, um acontecimento como esse teria sido minimizado, mas não naquele dia.

Ninguém soube como os homens que estavam se reunindo nos becos estreitos do bairro muçulmano situado ao lado do Chowk se sublevaram. Num momento eles estavam caminhando individualmente pelas ruelas, ou em pequenos grupos, em direção à mesquita para a prece vespertina, mas depois se aglutinaram e formaram grupos maiores, discutindo acaloradamente os sinais nefastos que tinham ouvido. Após o sermão do meio-dia, a maioria não estava inclinada a ouvir nenhuma voz de moderação. Alguns dos membros mais afoitos do comitê Alamgiri Masjid Hifaazat fizeram comentários que inflamaram a multidão; outros valentões locais se revoltaram e instigaram os circunstantes, levando-os a um estado de fúria. Quando as vielas se juntaram, dando lugar a becos maiores, a multidão cresceu; a massa, aumentada sua densidade, velocidade e sensação de determinação indistinta, já não era uma aglomeração, mas sim uma entidade ferida e furiosa que só queria ferir e enfurecer. Houve gritos de "Allah-u-Akbar" que podiam ser escutados até na delegacia. Alguns dos que aderiram à multidão tinham varas nas mãos. Um ou dois até portavam facas. Agora não era à mesquita que eles se dirigiam, mas ao templo parcialmente construído, que ficava ao lado. Fora dali que se originara o sacrilégio e era aquele lugar que devia ser destruído.

Como o superintendente de polícia distrital estava ocupado em Misri Mandi, o jovem corregedor Krishan Dayal tinha ido pessoalmente, com uma hora de antecedência, para o alto edifício rosado da delegacia, no intuito de garantir que a situação permanecesse estável na área do Chowk. Ele temia o aumento de tensão que a sexta-feira quase sempre trazia. Quando ouviu falar do sermão do imame, perguntou ao *kotwal* — como era chamado o representante do superintendente de polícia da cidade — o que este planejava fazer para proteger a área.

O *kotwal* de Bhrampur, no entanto, era um preguiçoso que só queria que o deixassem em paz para receber tranquilamente suas propinas.

— Não haverá distúrbios, senhor, acredite em mim — garantiu ele ao corregedor distrital. — O próprio Agarwal *Sahib* me telefonou. Agora ele me diz que eu devo ir para Misri Mandi ficar com o SP; logo, preciso sair, com a sua licença, naturalmente. — E foi embora com ar preocupado, levando consigo dois dos oficiais menos graduados e deixando o *kotwali* virtualmente a cargo de um comissário de polícia. — Mandarei o inspetor de volta — prometeu, tranquilizador. — Mas o senhor não deveria ficar aqui: já é tarde, e tudo está calmo — acrescentou, obsequioso. — Depois dos problemas ocorridos na mesquita nós neutralizamos a situação, alegra-me dizer.

Deixado com um efetivo de 12 policiais, Krishan Dayal decidiu aguardar a volta do inspetor antes de resolver se iria para casa. A esposa estava acostumada a vê-lo voltar em horas insólitas e esperaria por ele; nem era preciso telefonar a ela. Na verdade, ele não esperava distúrbios; apenas sentia que a tensão estava alta e que não valia a pena correr riscos. Acreditava que o ministro do Interior tivesse avaliado mal as prioridades, no que se referia ao Chowk e a Misri Mandi; mas, por outro lado, ele era incontestavelmente o homem mais poderoso no estado, depois do chanceler. Quanto a Dayal, não passava de um CD.

Estava sentado com a mente despreocupada, mas incomodada, quando ouviu o que seria recordado por diversos policiais no inquérito que se seguiu, conduzido por um oficial superior e normalmente requerido depois de qualquer ordem autoritária para abrir fogo. Primeiro ele ouviu os sons coincidentes da concha e do chamado à prece do muezim. Isso o incomodou levemente, mas os relatórios que lhe trouxeram sobre o discurso do imame não tinham incluído sua profética referência a uma concha. Depois, passado um momento, veio um murmúrio distante de vozes mescladas com gritos estridentes. Antes mesmo que pudesse entender as sílabas isoladas, ele pôde discernir o que estava sendo gritado, graças à direção de onde partiam o clamor, o fervor do som e sua forma geral. Ele mandou um policial subir ao último andar da delegacia — que tinha três pavimentos — para avaliar onde estava a multidão naquele momento. A multidão em si estaria invisível — escondida pelas casas do labirinto de becos, que se interpunham —, mas a direção para a qual voltavam-se as cabeças dos espectadores postados nos telhados denunciaria a posição da massa. À medida que se aproximavam os gritos de "Allah-u-Akbar! Allah-u-Akbar!", o corregedor disse gentilmente à pequena força de 12 policiais que se alinhassem com ele, fuzis em prontidão, na frente dos alicerces e das paredes rudimentares do local do Templo de Shiva. Por sua cabeça passou rapidamente o pensamento de que, apesar do treinamento recebido no exército, ele não tinha aprendido a pensar em termos táticos no combate a uma desordem urbana. Será que não haveria nada melhor que ele pudesse fazer além de desempenhar esse louco dever sacrificatório de se postar diante de uma parede encarando probabilidades esmagadoras?

Os policiais sob seu comando efetivo eram muçulmanos e rajaputros — na maioria, muçulmanos. Antes da Partição, eles compunham grande parte do efetivo policial, como resultado da acertada política imperialista de dividir para governar: convinha aos britânicos que os dirigentes predominantemente hindus no congresso fossem espancados pelos policiais predominantemente muçulmanos. Mesmo depois do êxodo para o Paquistão em 1947, ainda havia um grande número deles na força. Eles não ficariam nada felizes de atirar em outros muçulmanos.

Krishan Dayal geralmente acreditava que, embora nem sempre fosse necessário usar força total, era preciso dar a impressão de estar preparado para fazê-lo. Em voz forte, comunicou aos policiais que deveriam atirar quando ele desse a ordem. Ele próprio ficou ali, de pistola em punho. Mas nunca se sentiu tão vulnerável em sua vida. Disse consigo que um bom policial, acompanhado de uma força em que pudesse confiar de modo absoluto, quase sempre conseguiria levar a melhor, mas ele tinha reservas quanto ao "de modo absoluto"; além disso, o "quase" o deixava preocupado. Uma vez que a revolta, ainda distante algumas quadras, contornasse a derradeira esquina, partisse para o ataque e avançasse em direção ao templo, a força policial patente e pateticamente ineficaz seria esmagada. Dois homens tinham acabado de chegar correndo para dizer que havia talvez uns mil homens na multidão, que os revoltosos estavam bem-armados e que, a julgar pela velocidade com que caminhavam, estariam ali em dois ou três minutos.

Agora, ciente de que estaria morto em alguns instantes — morto se atirasse, morto se não atirasse —, o jovem corregedor concedeu um breve pensamento à esposa, depois aos pais e finalmente a um velho professor de sua escola que certa vez tinha confiscado um revólver azul de brinquedo, levado por ele à sala de aula. Seus pensamentos dispersos desapareceram quando o comissário se dirigiu a ele com urgência.

— *Sahib*!

— Pois não!

— *Sahib*... o senhor está decidido a atirar se for preciso?

O comissário era muçulmano; a ele deve ter parecido estranho estar a ponto de morrer atirando em muçulmanos, defendendo um templo hindu em construção que era uma afronta à própria mesquita na qual ele próprio rezava com frequência.

— O que lhe parece? — perguntou Krishan Dayal numa voz que deixava tudo muito definido. — Preciso repetir as ordens dadas?

— *Sahib*, posso lhe dar um conselho? — indagou depressa o comissário. — Nós não deveríamos ficar aqui, onde seremos derrotados. Devíamos esperar por eles pouco antes do lugar onde farão a última curva na frente do templo. Assim que eles virarem a esquina, nós devemos atacar e atirar ao mesmo tempo. Eles não saberão quantos somos, e nem vão entender o que está acontecendo. Há 99 por cento de chance de que se dispersem.

Atônito, o corregedor declarou ao comissário:

— Você é quem devia ter o meu emprego.

Voltou-se para os demais, que pareciam petrificados, e imediatamente lhes ordenou que corressem em direção à curva. Ficaram posicionados nos dois lados da viela, a uns 6 metros da esquina. A multidão estava a menos de um minuto de distância. Dayal ouvia seus gritos e berros; sentia a vibração do solo enquanto centenas de pés seguiam adiante.

No último momento, ele deu o sinal. Os 13 homens se lançaram ao ataque e atiraram.

Confrontada com aquela investida súbita e aterrorizante, a multidão descontrolada e perigosa, composta de centenas de pessoas, parou, vacilante, deu as costas e fugiu. Foi estranho: em 30 segundos ela havia se dissolvido. Dois corpos estavam caídos na rua. Um rapaz tivera o pescoço atravessado por um tiro e estava agonizando ou já morto; outra vítima, um velho de barba branca, caíra e fora esmagado pela multidão em debandada. Estava muito ferido, talvez mortalmente.

Espalhados por toda parte viam-se chinelos e pedaços de pau. Em diversos pontos da rua estreita havia sangue, logo tornou-se evidente que tinha havido outros feridos, possivelmente mortos. Era provável que amigos ou parentes tivessem arrastado os corpos para a proteção da soleira de casas vizinhas. Ninguém queria chamar atenção da polícia.

O corregedor correu o olhar por seus homens. Dois deles tremiam, mas a maioria se rejubilava. Nenhum estava ferido. Seu olhar se cruzou com o do comissário. Os dois começaram a rir de alívio, mas pararam — algumas mulheres choravam aos gritos em casas próximas. Afora isso, tudo estava em paz, ou melhor, em silêncio.

5.4

NO dia seguinte, L. N. Agarwal visitou Priya, sua única filha, que era casada. Ele o fez porque gostava de visitá-la, e também o genro, mas, na verdade desejava escapar dos parlamentares apavorados de sua facção que, desesperadamente preocupados com as consequências do tiroteio no Chowk, estavam, com sua aflição, tornando a vida dele deprimente.

A filha de L. N. Agarwal vivia na velha Bhrampur, na área de Shahi Darvaza, não muito longe de Misri Mandi, onde morava sua amiga de infância Veena Tandon. Priya vivia numa família extensa que incluía os irmãos do marido e as respectivas esposas e filhos. O marido dela era Ram Vilas Goyal, um advogado cuja clientela se concentrava principalmente no tribunal regional, embora de vez em quando ele aparecesse no Tribunal Superior. Trabalhava principalmente em processos civis, e não criminais. Era um homem plácido, bonachão, de traços brandos, parco nas palavras e só ligeiramente interessado em política. O exercício da advocacia e seus poucos negócios lhe bastavam, juntamente com o ambiente familiar sossegado e as engrenagens tranquilas da rotina que ele esperava que a esposa lhe proporcionasse. Seus colegas o respeitavam pela honestidade escrupulosa e a competência jurídica morosa, porém lúcida. E o sogro, o ministro do Interior, gostava de conversar com ele, pois o genro guardava sigilo sobre confidências, se abstinha de dar conselhos e não tinha paixão pela política.

Priya Goyal, por seu lado, era um espírito impetuoso. Toda manhã, inverno ou verão, ela caminhava ao longo do terraço. Era um terraço longo, pois cobria três estreitas casas geminadas, conectadas em cada um dos três andares. Na verdade o conjunto operava como uma casa grande, e assim era tratado pela família e pelos vizinhos. Conheciam-na localmente como a casa de Rai Bahadur, porque o avô de Ram Vilas Goyal (ainda vivo aos 88 anos), que recebeu esse título dos britânicos, havia comprado e restaurado a propriedade meio século antes.

No andar térreo havia numerosos cômodos usados como depósito, além dos quartos dos empregados. No primeiro andar vivia o idoso avô de Ram Vilas Goyal, o Rai Bahadur, além de seu pai, sua madrasta e sua irmã. A cozinha comunitária também estava localizada nesse andar, assim como a sala de *puja* (raramente visitada pela pouco devotada e até herética Priya). No segundo andar ficavam os quartos das respectivas famílias dos três irmãos; Ram Vilas era o irmão do meio e ocupava os dois quartos do último andar da "casa" do meio. Acima disso estava o terraço do telhado, com os varais e os tanques de lavar roupa.

Quando ficava andando de um lado para outro no telhado, Priya Goyal se imaginava uma fera enjaulada. Olhava com saudade para a direção da casinha em que morava sua amiga de infância, Veena Tandon, a alguns minutos de caminhada — e que mal se avistava por entre a selva de telhados interpostos. Ela sabia que a amiga deixara de ser rica, mas tinha a liberdade para fazer o que quisesse: ir ao mercado, andar por aí sozinha, frequentar aulas de música. Na casa onde Priya morava, isso estava fora de cogitação. Seria desonroso uma nora da família do *rai bahadur* ser vista no mercado. O fato de ter 32 anos e ser mãe de uma menina de 10 anos e um menino de 8 era irrelevante. Ram Vilas, sempre sereno, não aceitaria. Não era seu estilo, e, sobretudo, causaria sofrimento a seu pai, a sua madrasta, a seu avô e ao irmão mais velho. Além disso, Ram Vilas acreditava sinceramente na manutenção do decoro numa família extensa.

Priya detestava viver naquele tipo de família. Nunca tinha vivido assim até vir morar com os Goyal de Shahi Darvaza. Isso aconteceu porque o pai dela, Lakshimi Narayan Agarwal, único filho a sobreviver até a idade adulta, havia tido, por sua vez, uma única filha. Quando a esposa dele morreu, ele adotou, abalado, o voto de abstinência sexual ao estilo de Gandhi. Era um homem de hábitos espartanos. Embora fosse ministro do Interior, residia em dois quartos num alojamento para membros da Assembleia Legislativa.

"Os primeiros anos da vida de casada são os mais difíceis — são os que exigem mais adaptação." Foi isso que disseram a Priya; mas à medida que o tempo ia passando, aquela vida parecia ficar, em certos aspectos, cada vez mais intolerável. Ao contrário de Veena, Priya não dispunha de um lar paterno, e principalmente materno, adequado, para o qual pudesse fugir com os filhos por no mínimo um mês por ano — a prerrogativa de qualquer mulher casada. Até mesmo os avôs, com os quais havia passado uns tempos enquanto o pai estava na cadeia, agora estavam mortos. O pai a amava muito, pois ela era sua única filha; em certo sentido tinha sido o amor dele que a estragara para a vida restrita da grande família Goyal, pois ele lhe havia inculcado o espírito de independência; e agora ele próprio, vivendo em austeridade como vivia, não podia oferecer a ela nenhum refúgio.

Se o marido não fosse tão gentil, ela achava que teria enlouquecido. Ele não a entendia, mas mostrava tolerância. Tentava tornar a situação mais fácil para ela em pequenos aspectos, e nunca levantou a voz. Além disso, ela gostava do idoso Rai Bahadur, o pai de seu sogro. Havia um brilho diferente nele. O restante da família e principalmente as mulheres — a sogra, a irmã do marido e a mulher do irmão mais velho deste — tinham feito o possível para infernizar a vida de Priya quando estava recém-casada, e ela não as suportava. Mas todo dia, o tempo todo — exceto quando andava de um lado para o outro no terraço do telhado, onde não lhe permitiam fazer um jardim, sob a alegação de que iria atrair macacos —, era obrigada a fingir que gostava delas. A madrasta de Ram Vilas tinha até tentado fazê-la desistir de suas idas e vindas diárias ("Pense bem, Priya, que impressão isso vai dar aos vizinhos?"), mas ela se recusara a acatar. As cunhadas sobre cujas cabeças ela caminhava ao amanhecer denunciavam-na para a sogra. Mas talvez a bruxa velha tenha percebido que fizera a nora chegar até o limite, e não voltou a reclamar de forma direta. E Priya optou por não entender qualquer referência indireta ao assunto.

L. N. Agarwal veio vestido como sempre num *kurta-pyjama* imaculadamente engomado (mas sem enfeites), um *dhoti* e o barrete do Congresso. Sob o barrete via-se a meia-lua de cabelo grisalho e crespo, mas não a careca, coberta pelo gorro. Sempre que ele se aventurava por Shahi Darvaza mantinha à mão a bengala para espantar os macacos que frequentavam — alguns diriam dominavam — o bairro. O ministro dispensou o riquixá perto do mercado local e, deixando a rua principal, entrou num pequeno beco lateral que se abria numa praça. No meio dela, havia uma grande figueira-sagrada. A casa do *rai bahadur* ocupava um lado inteiro da praça.

Por causa dos macacos, a porta ao pé da escada era mantida trancada, e ele bateu nela com a bengala. Alguns rostos apareceram nas sacadas fechadas de ferro fundido dos andares de cima. O rosto da filha dele se iluminou ao vê-lo; ela recolheu depressa a cabeleira negra solta, que prendeu num coque, e desceu as escadas para abrir a porta. Recebeu um abraço do pai e subiram juntos.

— E para onde foi *vakil sahib*? — perguntou ele em híndi.

Ele gostava de se referir ao genro como o advogado, embora o epíteto fosse igualmente adequado ao pai e ao avô de Ram Vilas.

— Ele estava aqui há um minuto — respondeu Priya e se levantou para procurá-lo.

— Não se incomode — disse o pai em voz calorosa e relaxada. — Primeiro me dê um chá.

Por alguns minutos o ministro do Interior desfrutou do conforto doméstico: chá bem-preparado (não a bebida intragável que lhe davam no alojamento dos parlamentares); doces e *kachauris* feitos pelas mulheres da casa de sua filha (talvez pela própria filha); alguns minutos com o neto e a neta, que, no entanto, preferiam brincar com os amigos no calor do terraço ou na praça (a neta era boa jogadora de críquete); e algumas palavras com a filha, à qual ele via raramente e de quem sentia muita falta.

Ao contrário de muitos sogros, ele não sentia nenhum remorso em aceitar comidas, bebidas e hospitalidade na casa do genro. Conversava com a filha sobre a própria saúde; os netos; os estudos e o caráter deles; sobre *vakil sahib* estar trabalhando demais; sobre a mãe de Priya, rapidamente, o que sempre fazia seus olhos se entristecerem; e sobre as manias dos velhos empregados da casa dos Goyal.

Durante a conversa, outras pessoas passavam diante da porta aberta do quarto e entravam ao vê-los. Entre elas o pai de Ram Vilas, homem indefeso que vivia aterrorizado pela segunda esposa. Logo o clã inteiro dos Goyal tinha passado para cumprimentá-los, com exceção do Rai Bahadur, que não gostava de subir escadas.

— Mas por onde anda *vakil sahib*? — repetiu L. N. Agarwal.

— Ah, está lá embaixo conversando com o *rai bahadur* — informou alguém. — Ele sabe que o senhor está na casa e virá aqui assim que puder.

— Mas por que não desço agora mesmo para cumprimentar o Rai Bahadur? — disse L. N. Agarwal e se levantou.

No andar de baixo, o avô e o neto conversavam no grande salão que o *rai bahadur* tinha reservado para seu uso pessoal, principalmente porque fora tomado de afeição pelos maravilhosos azulejos com figuras de pavões que decoravam a lareira. Por ser de uma geração intermediária, L. N. Agarwal cumprimentou com deferência o avô do genro e, por sua vez, foi cumprimentado da mesma forma por Ram Vilas.

— O senhor naturalmente vai tomar um chá — disse o *rai bahadur*.

— Já tomei um pouco lá em cima.

— E desde quando os Líderes do Povo estabeleceram um limite ao próprio consumo de chá? — perguntou o *rai bahadur* em voz rouca e lúcida. A palavra que usou foi "neta-log", que tinha mais ou menos o mesmo nível de deferência da expressão "*vakil sahib*". — Agora me diga — continuou ele —, o que foi toda essa matança que o senhor esteve fazendo no Chowk?

A frase não tinha intenção de soar como soou, era apenas o estilo de alocução do velho *rai bahadur*, mas L. N. Agarwal dispensava um interrogatório direto. Provavelmente passaria por aquilo na segunda-feira, no plenário da Câmara. Ele preferia uma conversa tranquila com seu plácido genro, um desabafo de sua mente perturbada.

— Não é nada, isso vai passar — respondeu.

— Ouvi dizer que vinte muçulmanos foram mortos — disse o velho filosoficamente.

— Não, não foram tantos assim — disse L. N. Agarwal. — Só alguns. A situação está controlada. — Fez uma pausa, ruminando o fato de ter avaliado mal a situação, e continuou: — É uma cidade difícil de administrar. Quando não é a uma coisa, é outra. Somos um povo maldisciplinado. O cassetete e o revólver são as únicas coisas que nos ensinaram disciplina.

— No tempo dos ingleses a manutenção da ordem não era um problema tão grande — disse a voz decrépita.

O ministro do Interior não mordeu a isca. Na verdade, tinha dúvidas com relação à inocência do comentário.

— Mesmo assim, o problema existe — respondeu.

— A filha de Mahesh Kapoor esteve aqui outro dia — arriscou o *rai bahadur*.

Com certeza isso não podia ser um comentário inocente. Ou seria? Talvez o *rai bahadur* estivesse apenas seguindo uma linha de raciocínio.

— Sim, ela é uma boa moça — disse L. N. Agarwal, alisando pensativo o que ainda restava de sua cabeleira. Então, depois de fazer uma pausa, acrescentou calmamente: — Eu dou conta da cidade; não é a tensão que me perturba. Dez Misri Mandis e vinte Chowks não são nada. É a política, são os políticos.

O *rai bahadur* se permitiu um sorriso. Este também rangia um pouco, como se algumas placas compusessem seu rosto envelhecido e fossem gradualmente se reconfigurando com dificuldade.

L. N. Agarwal balançou a cabeça e prosseguiu:

— Até às duas da madrugada de hoje os parlamentares estavam me rodeando como pintinhos ao redor da galinha. Estavam em estado de pânico.

O chanceler sai da cidade por alguns dias e, na ausência dele, vejam o que acontece! O que dirá Sharmaji ao voltar? Que capital político a facção de Mahesh Kapoor vai extrair disso tudo? Em Misri Mandi vão enfatizar a sina dos intocáveis; no Chowk, a dos muçulmanos. Que efeito terá tudo isso sobre os votos dos intocáveis e dos muçulmanos? Faltam poucos meses para as eleições gerais. Será que os eleitores vão se afastar do Congresso? Caso eles se afastem, quantos votos seriam perdidos? Alguns cavalheiros até perguntaram se existe o risco de maiores conflagrações, embora essa normalmente seja a última das preocupações deles.

— E quando eles vêm correndo procurá-lo, o que o senhor lhes diz? — perguntou o *rai bahadur*. A nora dele, a arquibruxa, na demonologia de Priya, tinha acabado de trazer o chá. O topo de sua cabeça estava coberto pelo sári. Depois de servir o chá ela deu a eles um olhar cortante, trocou algumas palavras e saiu.

O fio da conversa tinha sido perdido, mas o *rai bahadur*, recordando as acareações que o tornaram famoso, conseguiu retomá-lo.

— Ah, não digo nada — disse o ministro com muita calma. — Só digo o suficiente para impedir que me façam perder o sono.

— Não diz nada?

— Não, nada de mais. Só digo que as coisas acabarão sendo esquecidas; que o feito está feito; que um pouco de disciplina nunca fez mal a um bairro; que as eleições gerais ainda estão bastante distantes. Esse tipo de coisa. — L. N. Agarwal deu um pequeno gole no chá antes de prosseguir: — A questão é que o país tem coisas muito mais importantes em que pensar. Comida é a principal. Bihar está praticamente passando fome. E, se tivermos monções fortes, nós também passaremos. Com os muçulmanos nos ameaçando dentro do país e do outro lado da fronteira nós podemos lidar. Se Nehru não tivesse o coração tão mole, teríamos lidado com eles adequadamente há alguns anos. E agora esses jatavs, esses... — a expressão dele comunicava repugnância diante das palavras — essas castas impuras estão se tornando um problema de novo. Mas vamos ver, vamos ver...

Durante todo o diálogo Ram Vilas Goyal permanecera sentado em silêncio. A certa altura franziu de leve a testa, outra vez concordou com um gesto da cabeça. "Isso é o que me agrada em meu genro", refletiu L. N. Agarwal, "ele não é tolo, mas não fala".

Mais uma vez ele achou que tinha feito a escolha acertada para a filha. Priya podia provocá-lo, mas o marido simplesmente não se deixaria ser provocado.

5.5

NESSE meio-tempo, no andar de cima, Priya estava conversando com Veena, que tinha vindo visitá-la. Porém, mais que uma visita social, tratava-se de uma emergência. Veena estava muito nervosa. Ao chegar em casa, encontrara o marido Kedarnath não só de olhos fechados, mas também com as mãos na cabeça, um quadro muito pior que seu estado geral de ansiedade otimista. Embora ele não tivesse querido falar sobre o assunto, ela acabou descobrindo que gravíssimos problemas financeiros o acometiam. Com a presença de piquetes e a polícia posicionada no Chowk, o mercado atacadista de calçados finalmente passara do ritmo lento à paralisação total. Agora os vencimentos de seus pré-datados ocorriam diariamente, e ele não tinha dinheiro para cobri-los. Seus devedores, principalmente duas grandes lojas de Bombaim, tinham adiado o pagamento por mercadorias já fornecidas porque achavam que ele não poderia garantir suprimentos futuros. Os artigos que ele recebia de gente como Jagat Ram já não bastavam. Para atender às encomendas que os compradores de todo o país lhe tinham feito, Kedarnath necessitava dos calçados dos vendedores da cesta, que no momento não se atreviam a vir a Misri Mandi.

Mas o problema imediato era o pagamento dos pré-datados vencidos. Ele não tinha a quem recorrer; todos os seus sócios também estavam sem dinheiro. Kedarnath nem cogitava a possibilidade de recorrer ao sogro. Estava desesperado. Tentaria falar de novo com os credores — os agiotas que tinham em seu poder os pré-datados e seus agentes comissionados que vinham procurá-lo para receber o pagamento na data devida. Tentaria persuadi-los de que não haveria nenhum benefício em colocá-lo contra a parede, assim como os outros que se encontram em situação idêntica, num arrocho de crédito. Tal situação com certeza não iria durar muito. Ele não estava insolvente, só não tinha liquidez. Mas no exato momento em que pensava no que falaria com eles, Kedarnath já sabia qual seria a resposta. Sabia que o dinheiro, ao contrário do trabalho, não estava sujeito a nenhum setor específico e podia migrar da indústria do calçado para, por exemplo, o de frigoríficos, sem necessidade de reciclagem, nem remorso, nem dúvida. O dinheiro só fazia duas perguntas: "Qual é o juro?" e "Qual é o risco?"

Veena não tinha vindo procurar Priya para obter ajuda financeira, mas sim para lhe perguntar qual seria a melhor maneira de vender as joias que havia ganhado da mãe quando se casara — e para chorar no ombro da amiga. Trouxera consigo as joias. Poucas haviam sobrado dos dias traumáticos depois da fuga da família de Lahore. Para ela, cada peça tinha tanto valor sentimental que, só de pensar em perdê-las, Veena começou a chorar. Só pedia duas coisas: que o marido não soubesse de nada até que a venda fosse concretizada e que, por algumas semanas, pelo menos o pai e a mãe dela não se inteirassem do fato.

As duas falavam depressa, porque não havia privacidade na casa e qualquer um poderia, a qualquer momento, entrar no quarto de Priya.

— Meu pai está aqui — disse ela. — Lá embaixo, falando de política.

— Nós sempre vamos ser amigas, não importa o que aconteça — disse Veena de repente e começou a chorar de novo.

Priya abraçou a amiga, pediu-lhe que fosse corajosa e sugeriu que dessem uma rápida volta pelo terraço.

— O quê? Nesse calor? Você enlouqueceu? — perguntou Veena.

— Por que não? É ter insolação ou ser interrompida por minha sogra. E eu sei o que prefiro.

— Eu tenho pavor de seus macacos — disse Veena, como uma segunda linha de argumentação. — Primeiro eles brigam no terraço da fábrica de *daal*, depois pulam para o terraço de sua casa. Shahi Darvaza deveria ser rebatizado de Hanuman Dwar.

— Você não tem medo de nada; não acredito no que está dizendo — disse Priya. — Na verdade, tenho inveja de você. Pode andar sozinha a qualquer momento. Olhe para mim. E olhe para essas grades na varanda. Os macacos não podem entrar e eu não posso sair.

— Ah, você não deveria ter inveja de mim.

Ficaram caladas por instantes.

— Como está Bhaskar? — perguntou Priya.

O rosto rechonchudo de Veena iluminou-se com um sorriso, ainda que melancólico.

— Ele está muito bem, aliás, tão bem quanto os seus dois filhos. Ele insistiu em vir comigo. Neste momento estão todos três jogando críquete na pracinha ali embaixo. A figueira-sagrada não parece incomodá-los... Para seu próprio bem, Priya, eu gostaria que você tivesse um irmão ou uma irmã — acrescentou Veena de repente, pensando na própria infância.

As duas amigas dirigiram-se para a sacada e olharam para baixo através do gradil de ferro fundido. Os três filhos delas, juntamente com duas outras crianças, estavam jogando críquete na pracinha. A filha de 10 anos de Priya era de longe a melhor jogadora. Era boa de arremesso e rebatia bem. Em geral conseguia evitar a figueira, que trazia problemas infinitos aos demais.

— Por que você não fica para almoçar? — convidou Priya.

— Não posso — disse Veena, pensando no marido e na sogra que estariam esperando por ela. — Amanhã talvez.

— Amanhã então.

Veena deixou a bolsinha de joias com Priya, que a trancou num armário de aço. Enquanto a amiga estava ao lado do armário, Veena observou:

— Você está ganhando peso.

— Eu sempre fui gorda e ganhei ainda mais peso porque não faço nada senão ficar sentada aqui o dia inteiro como um pássaro na gaiola.

— Você não é gorda nem nunca foi — disse Veena. — E desde quando parou de caminhar no terraço?

— Eu não parei, mas um dia vou me jogar daqui de cima — disse Priya.

— Puxa, se você ficar falando assim eu serei obrigada a ir embora agora mesmo — disse Veena e fez menção de sair.

— Não, não vá embora. Ver você me animou — disse Priya. — Espero que tenha muito azar, aí vai vir correndo me visitar o tempo todo. Se não fosse a Partição, você nunca teria voltado a Bhrampur.

Veena riu.

— Ora, vamos para terraço — continuou Priya. — Aqui eu realmente não posso conversar com você livremente. Sempre há gente perto da sacada e ouvindo tudo. Eu odeio isso aqui, e estou tão infeliz que se não me abrir com você vou explodir.

Ela riu e fez a amiga se levantar.

— Vou dizer a Bablu que nos traga um refresco gelado para evitar uma intermação.

Bablu era o estranho empregado cinquentão que tinha chegado à família ainda criança e que foi ficando cada vez mais excêntrico com o passar dos anos. Ultimamente pegara o costume de tomar os remédios de todo mundo.

Quando elas chegaram ao terraço, sentaram-se à sombra da caixa-d'água e começaram a rir como colegiais.

— Nós devíamos morar ao lado uma da outra — disse Priya, balançando os cabelos negros cor de azeviche, que tinha lavado e massageado com óleo naquela manhã. — Então, mesmo que eu me atirasse do meu terraço, iria cair no seu.

— Seria horrível se nós morássemos lado a lado — disse Veena, rindo. — Toda manhã a bruxa e o espantalho se juntariam para se queixar das noras: "Ah, ela enfeitiçou meu filho; eles ficam jogando *chaupar* no terraço o tempo todo, e ela o deixa ficar muito queimado de sol. E ela canta descaradamente do terraço para os vizinhos ouvirem. E prepara de propósito comida muito temperada para me deixar cheia de gases. Um dia eu vou explodir e ela vai dançar em cima dos meus ossos."

Priya deu uma risadinha.

— Seria sensacional. As duas cozinhas iam ficar frente a frente, e os legumes poderiam se juntar a nós nas queixas sobre nossa opressão: "Ó, amiga batata, o espantalho xátria está me cozinhando. Conte a todos que sofri de morte deprimente. Adeus, adeus, nunca se esqueçam de mim." "Ah, amiga abóbora, a bruxa vaishá me poupou a vida só por mais dois dias. Vou chorar por você, mas não poderei comparecer a seu *chautha*. Perdoe-me.

A risada de Veena fez-se ouvir de novo.

— Na verdade eu tenho muita pena do meu espantalho — declarou. — Durante a Partição ela passou um mau pedaço. Mas ainda em Lahore ela foi terrível comigo, até mesmo antes de meu filho nascer. Quando percebe que estou feliz, fica ainda mais infeliz. Quando formos sogras, Priya, alimentaremos nossas noras com *ghee* e açúcar todo dia.

— Eu certamente não tenho pena da minha bruxa — disse Priya, enojada. — E saiba que vou infernizar minha nora de manhã à noite, até esmagar totalmente o espírito dela. As mulheres parecem muito mais bonitas quando estão infelizes, você não acha?

Ela balançou a espessa cabeleira negra e olhou com ódio para as escadas

— Esta é uma casa infame — acrescentou. — Eu preferia ser um macaco e ficar brigando no terraço da fábrica de *daal* a ser uma nora na casa de *rai bahadur*. Eu correria para o mercado e roubaria bananas. Brigaria com os cachorros e daria dentadas nos morcegos. Iria para Tarbuz ka Bazaar beliscar o traseiro de todas as prostitutas bonitas. Eu iria... Você sabe o que os macacos fizeram aqui um dia desses?

— Não sei, conte-me.

— Pois é justamente o que eu ia fazer. Bablu, que está ficando mais doido a cada minuto, colocou no peitoril os despertadores do *rai bahadur*. Pois bem, quando nos demos conta havia três macacos na figueira que os examinavam fazendo "uh-uh-uh", "uh-uh-uh", em voz estridente, como se dissessem: "Bom, pegamos os relógios de vocês. E agora?" A bruxa foi lá para fora e, como não tínhamos os pacotinhos de biscoito com que normalmente os subornamos, ela pegou alguns limões, bananas e cenouras e procurou tentá-los a descer, dizendo: "Venham cá, venham cá, meus lindos macaquinhos, venham, venham, juro por Hanuman, o deus-macaco, que darei a vocês coisas gostosas para comer..." Eles desceram direitinho, um por um, com muita cautela, cada um com o despertador enfiado embaixo do braço. Então começaram a comer a comida, primeiro com uma das mãos, assim, depois, botando os relógios no chão com as duas mãos. Ora, mal os três despertadores estavam no chão, a bruxa pegou uma vara que trouxe escondida nas costas e, com ela, os ameaçou, usando uma linguagem tão obscena que fui forçada a admirá-la. Morde e assopra — não é assim que se diz? Então a história teve um final feliz. Mas os macacos de Shahu Darvaza são muito espertos. Eles sabem o que podem pedir como resgate e o que não podem.

Bablu tinha subido as escadas segurando com quatro dedos sujos de uma das mãos quatro copos de refresco de limão, cheios até quase transbordar.

— Peguem! — disse ele, pousando as bebidas. — Bebam! Se ficarem sentadas ao sol desse jeito, vão ter uma pneumonia.

Dito isso, desapareceu.

— Tudo como antes? — perguntou Veena.

— Tudo igual. Nada muda. Aqui o único dado constante e animador é que *vakil sahib* anda roncando tão alto quanto sempre roncou. Às vezes, quando a cama vibra à noite, me pergunto se ele vai desaparecer e só deixar o ronco para ser pranteado por mim. Mas nem posso contar para você algumas coisas que acontecem nesta casa —acrescentou, sombria. — Você tem sorte por não ter muito dinheiro, Veena, pois as coisas que as pessoas fazem por causa dele, eu nem te conto! E em que ele é aplicado? Nem em estudo, nem em arte ou música ou literatura. Não, vai tudo para a compra de joias. E as mulheres da casa têm que usar dez toneladas de joias no pescoço a cada casamento. E você precisava vê-las todas se medindo entre si. Ah, Veena — disse ela de repente ao se dar contas de sua insensibilidade —, eu tenho o hábito de falar o tempo todo. Você precisa me mandar calar a boca.

— Não, eu estou achando muito divertido — disse Veena. — Mas me diga uma coisa: quando o joalheiro vier à sua casa da próxima vez, será que você consegue obter um orçamento? Para as peças pequenas e, principalmente, para meu *navratan*? Você acha que conseguiria ficar alguns minutos sozinha com ele, para sua sogra não perceber? Se eu tivesse que procurar um joalheiro por minha conta, é quase certo que seria enganada. Mas você sabe tudo sobre esse assunto.

— Eu vou tentar — respondeu Priya. O navratan era um objeto maravilhoso; a última vez que o vira no pescoço da amiga fora no casamento de Pran e Savita. O colar se compunha de um arco com nove compartimentos quadrados feitos de ouro, e em cada um deles estava engastada uma pedra preciosa diferente, com um delicado trabalho de esmalte nas laterais e até mesmo no verso que não ficava visível. Topázio, safira branca, esmeralda, safira azul, rubi, diamante, pérola, crisoberilo e coral: em vez de parecer carregado e desordenado, o pesado colar tinha uma maravilhosa combinação de solidez tradicional e encanto. Para Veena, ele tinha mais que isso: de todos os presentes recebidos da mãe, aquele era o que ela mais gostava.

— Acho que nossos pais são loucos por se detestarem tanto — disse Priya a propósito de nada. — A quem importa qual será o próximo chanceler de Purva Pradesh?

Veena concordou com um gesto de cabeça enquanto bebia um gole de seu *nimbu pani*.

— Quais são as notícias de Maan? — perguntou Priya.

As duas continuaram a falar da vida alheia: Maan e Saeeda Bai; a filha do nababo *sahib* e se a situação dela no *purdah* era pior do que a de Priya; a gravidez de Savita e até a Sra. Rupa Mehra e sua tentativa de corromper as sogras ensinando-lhes o jogo de canastra. As amigas tinham se esquecido do mundo. Mas de repente a cabeça grande e os ombros arredondados de Bablu surgiram no topo da escada.

— Ai, meu Deus — disse Priya com um susto. — Meus deveres na cozinha! Desde que comecei a conversar com você, eles sumiram da minha lembrança. Minha sogra já deve ter acabado aquela lenga-lenga idiota de preparar a própria comida enrolada num *dhoti* molhado depois do banho e está me chamando aos berros. Preciso correr. Ela faz isso para que a comida fique pura, é o que alega, embora esteja pouco se importando de que haja baratas do tamanho de búfalos correndo pela casa afora e ratos que roem os cabelos da gente se não os lavarmos. Ah, Veena, fique para almoçar, eu nunca vejo você por aqui!

— Eu realmente não posso — desculpou-se Veena. — Meu marido gosta da comida feita do jeito dele. E tenho certeza de que o seu também.

— Ele não é tão exigente assim — disse Priya com uma careta. — Ele atura todas as minhas bobagens. Mas eu não posso sair, não posso sair, não posso ir a lugar algum, a não ser aos casamentos e, ocasionalmente, ao templo ou a um festival religioso, e você sabe o que eu penso dessas coisas. Se ele não fosse tão bondoso, eu teria enlouquecido de vez. Aqui no bairro é, até certo ponto, um esporte popular o marido bater na mulher; o homem não é considerado muito másculo se não der uns bofetões na mulher de vez em quando, mas Ram Vilas não bateria nem num tambor no festival de Dasara. E ele trata a bruxa com tanto respeito que me dá enjoos, embora ela seja apenas a madrasta dele. Dizem que ele é tão gentil com as testemunhas que elas dizem a verdade, apesar de estarem no tribunal! Bom, se você não pode ficar, precisa vir amanhã. Prometa de novo.

Veena prometeu, e as duas amigas desceram para o andar inferior. A filha e o filho de Priya, que estavam sentados na cama, informaram a Veena que Bhaskar tinha ido para casa.

— Mas como? Sozinho? — perguntou ela ansiosa.

— Ele tem 9 anos e mora a cinco minutos daqui — disse o garoto.

— Fale direito com os mais velhos!

— Acho melhor eu ir logo — disse Veena.

A caminho da saída, ela encontrou L. N. Agarwal, que vinha subindo. A escada era estreita e íngreme. Ela se posicionou junto à parede e disse namastê. Ele correspondeu ao cumprimento com um *Jeeti raho, beti* e continuou subindo.

Mas embora tivesse se dirigido a ela de maneira paternal, Veena sentiu que no momento em que ele a avistou havia se recordado de seu rival ministerial, de quem ela era filha de fato.

5.6

— O GOVERNO está ciente de que a polícia de Bhrampur lançou mão de seus *lathi* para perpetrar um ataque contra os membros da comunidade jatav na semana passada, quando estes fizeram uma manifestação diante do Govind Shoe Mart?

O ministro do Interior, *Shri* L. N. Agarwal, levantou-se e replicou:

— Não houve ataque com *lathi*.

— Um leve ataque, se o senhor preferir. O governo tem conhecimento do incidente a que estou me referindo?

O ministro do Interior olhou para o lado oposto da grande câmara circular e afirmou calmamente:

— Não houve um ataque com *lathi* no sentido habitual. Os policiais foram forçados a usar bastões leves, de 2,5 centímetros de espessura, contra uma multidão insubordinada que já havia apedrejado e ferido diversos civis e um policial, quando ficou evidente que a segurança do Govind Shoe Mart, da população e dos próprios policiais estava seriamente ameaçada.

Ele olhou fixamente para seu interrogador, Ram Dhan, um quarentão baixo, de pele escura e marcada pela varíola, que fazia suas perguntas em um híndi carregado de forte sotaque de Bhrampur e com os braços cruzados.

— É fato — prosseguiu o interrogador — que na mesma noite a polícia espancou um grande número de jatavs que estavam pacificamente tentando fazer piquete no vizinho Bhrampur Shoe Mart?

Shri Ram Dhan era um parlamentar independente oriundo da casta jatav, e enfatizou essa palavra em sua pergunta. De todos os lados da Assembleia ergueu-se uma espécie de murmúrio de indignação. O presidente exigiu ordem, e o ministro do Interior voltou a se levantar.

— Não é fato — afirmou ele, mantendo uniforme o tom da voz. — A polícia, fortemente pressionada por uma multidão enfurecida, se defendeu, e no decorrer da ação três pessoas ficaram feridas. Quanto à insinuação do nobre deputado de que os policiais atacaram, em meio à multidão, membros de uma casta específica, ou que foram especialmente severos porque a multidão era formada principalmente de membros dessa casta, eu o aconselharia a ser mais justo com a polícia. Posso lhe assegurar que a ação não teria sido diferente se fosse outra a composição dos revoltosos.

Inexorável, no entanto, *Shri* Ram Dhan prosseguiu:

— É fato que o nobre ministro do Interior ficou em constante contato com as autoridades locais de Bhrampur, em particular com o corregedor distrital e o superintendente de polícia?

— Sim.

Tendo pronunciado esse monossílabo, L. N. Agarwal olhou para cima como se buscasse paciência, em direção à grande cúpula de vidro fosco através da qual a luz do final da manhã se derramava sobre a Assembleia Legislativa.

— Antes de perpetrar o ataque com *lathi* contra a revolta desarmada, as autoridades distritais buscaram a sanção específica do ministro do Interior? Em caso positivo, em que momento? Caso contrário, por que não?

O ministro do Interior suspirou exasperado, mais do que cansado, quando se levantou novamente:

— Posso reiterar que não aceito o uso da expressão "ataque com *lathi*" nesse contexto. Tampouco a multidão estava desarmada, pois eles usaram pedras. No entanto, alegra-me o nobre deputado admitir que era uma revolta o que a polícia estava enfrentando. Na verdade, o fato de que ele esteja usando tais palavras numa pergunta deixa evidente que ele já sabia disso antes da presente data.

— Poderia o nobre ministro amavelmente responder a pergunta que lhe foi feita? — perguntou Ram Dhan enfurecido, abrindo os braços e fechando os punhos.

— Eu devia ter pensado que a resposta era óbvia — disse L. N. Agarwal. Depois de uma pausa, continuou, como se recitasse: — A situação que se registra no local é por vezes de tal ordem que se torna, com frequência, taticamente impossível prever o que acontecerá, e deve-se deixar certa flexibilidade às autoridades locais.

Mas Ram Dhan persistiu:

— Se, como admite o nobre ministro, não foi buscada nenhuma sanção específica desse teor, Vossa Excelência foi informada da ação a que se propunha a polícia? O nobre ministro ou o chanceler deu sua aprovação tácita?

Novamente o ministro do Interior se levantou. Fixou o olhar num ponto bem no centro do tapete verde-escuro que cobria o salão.

— A ação não foi premeditada. Teve que ser decidida imediatamente para fazer frente a uma situação grave que surgiu de repente. Não admitia nenhuma consulta prévia ao governo.

— E quanto ao chanceler? — gritou um parlamentar.

Trajado de *kurta-pyjama* e *dhoti*, o presidente da Câmara, homem instruído, mas normalmente não muito resoluto, que estava postado em seu alto púlpito sob o selo de Purva Pradesh, uma imensa figueira-sagrada, olhou para baixo e disse:

— As perguntas referentes a esse assunto devem ser dirigidas especificamente ao nobre ministro do Interior, e suas respostas devem ser consideradas suficientes.

Agora diversas vozes se elevaram. Uma delas, dominando as demais, ressoou:

— Já que o nobre chanceler está presente na Assembleia depois de suas viagens a outras regiões, talvez se digne a nos agraciar com uma resposta, mesmo que as ordens vigentes não o obriguem a fazê-lo. Acredito que a Assembleia agradeceria.

O chanceler *Shri* S. S. Sharma ergueu-se sem ajuda da bengala, debruçou-se sobre sua mesa de madeira escura, apoiado na mão esquerda, e olhou para os dois lados. Estava posicionado junto à parte mais curva do salão, quase exatamente entre L. N. Agarwal e Mahesh Kapoor. Dirigiu-se ao presidente da Câmara com sua voz nasalada, muito paternal, balançando gentil a cabeça enquanto dizia:

— Senhor presidente, não tenho objeção quanto a falar, mas nada tenho a acrescentar. A ação adotada, chamem-na pelo nome que os nobres deputados quiserem, foi adotada sob a égide de um ministro de governo responsável.

Houve uma pausa, durante a qual não ficou claro o que o chanceler iria acrescentar, se é que o faria.

— Ao qual naturalmente dou meu apoio — esclareceu.

Mal acabara de se sentar quando o inexorável Ram Dhan voltou à carga:

— Fico muito agradecido ao nobre chanceler, mas gostaria de um esclarecimento. Ao dizer que apoia o ministro do Interior, o chanceler quer dizer que aprova as diretrizes das autoridades distritais?

Antes que o chanceler pudesse responder, o ministro do Interior tornou a se levantar depressa.

— Espero que nos tenhamos feito entender claramente nesse ponto. Não se tratou de um caso de aprovação prévia. Um inquérito foi instaurado imediatamente depois do incidente. O corregedor distrital examinou a questão e constatou que foi usada a mínima força absolutamente inevitável. O governo lamenta que tal ocasião tenha se apresentado, mas está convencido de que a constatação do corregedor é procedente. Praticamente todos os envolvidos aceitaram o fato de que as autoridades enfrentaram com tato e com o devido comedimento uma situação séria.

Um deputado do Partido Socialista se levantou e perguntou:

— É verdade que foi por incitação de membros da comunidade mercantil bania, a qual ele pertence, que o nobre ministro do Interior... — Murmúrios indignados se elevaram da bancada governamental. — Deixem-me terminar. Que mais tarde o ministro postou tropas... quero dizer policiais... em todo o Misri Mandi?

— Eu desautorizo essa pergunta — disse o presidente da Câmara.

— Bom — continuou o deputado —, poderia o nobre ministro por gentileza nos informar a conselho de quem ele se decidiu pela colocação dessa ameaçadora força policial?

O ministro do Interior agarrou o pouco cabelo sob o gorro e disse:

— O governo tomou sua própria decisão, levando em consideração a totalidade da situação. Isso se provou eficaz. Finalmente reina a paz em Misri Mandi.

De todos os lados ergueu-se uma cacofonia de gritos indignados, falatório veemente e risadas ostensivas. Ouviram-se gritos de "Que paz?", "Mas que vergonha!", "Quem é o CD para julgar a questão?", "E a mesquita?", e assim por diante.

— Ordem! Ordem! — gritou o presidente da Câmara, olhando atônito quando mais um deputado se levantou e perguntou:

— Para a realização de inquéritos em tais casos o governo irá cogitar a conveniência de criar mecanismos que não sejam da competência das autoridades distritais interessadas?

— Eu não autorizo essa pergunta — disse o presidente, sacudindo a cabeça como um pardal. — Sob a ordem vigente não estão permitidas perguntas que sugiram ações ao governo, e não estou disposto a autorizá-las durante a arguição.

Esse foi o fim da entrevista do ministro do Interior sobre o incidente de Misri Mandi. Embora da folha impressa só constassem cinco perguntas, as questões suplementares tinham quase conferido à discussão o caráter de um rígido interrogatório. A intervenção do chanceler tinha sido mais perturbadora que tranquilizante para L. N. Agarwal. Estaria S. S. Sharma, de forma indireta e astuta, tentando repassar a seu imediato a plena responsabilidade pela ação? Transpirando levemente, L. N. Agarwal se sentou, mas sabia que teria de se levantar de novo imediatamente. Embora tivesse orgulho de manter a calma em circunstâncias difíceis, não se alegrava muito com o que seria obrigado a enfrentar agora.

5.7

A *BEGUM* Abida Khan levantou-se devagar. Estava vestida com um sári azul-escuro, quase negro, e seu rosto pálido e furioso fascinou o plenário antes mesmo que ela começasse a falar. Era a esposa do irmão mais novo do nababo *sahib* de Baitar e uma das lideranças do Partido Democrático, que procurava proteger os interesses dos proprietários de terra diante da iminente aprovação da lei que abolia as grandes propriedades rurais. Embora fosse xiita, tinha fama de ser uma agressiva defensora dos direitos de todos os muçulmanos na nova Índia independente e dividida. Seu marido, à semelhança do pai dele, tinha sido membro da Liga Muçulmana antes da Independência; pouco depois de esta ser proclamada, ele foi embora para o Paquistão. Ela, porém, malgrado a forte persuasão e a repreensão de muitos parentes, tinha preferido não ir.

— Lá eu seria inútil, sentada a fazer fofoca; aqui em Bhrampur pelo menos eu sei onde estou e o que posso fazer — declarara na época.

E naquela manhã ela sabia exatamente o que queria fazer. Olhando com firmeza para o homem que considerava uma das manifestações mais desagradáveis da humanidade, começou sua contestação a partir de sua lista de perguntas.

— O nobre ministro do Interior está ciente de que no tiroteio perto do Chowk, na sexta-feira passada, pelo menos cinco pessoas foram mortas pela polícia?

O ministro do Interior, que nos melhores momentos era incapaz de tolerá-la, replicou:

— De fato, eu não estava.

De sua parte, não se prolongar na resposta representava certo grau de obstrução, mas ele não tinha vontade de ser comunicativo diante dessa megera.

Mas *Begum* Abida Khan mudou o curso de seu roteiro.

— O nobre ministro gostaria de nos informar exatamente do que ele está ciente? — perguntou ela, cáustica.

— Eu não autorizo essa pergunta — murmurou o presidente da Câmara.

— Nobre ministro, para o senhor, qual foi o número de mortos no tiroteio do Chowk? — insistiu a *Begum* Abida Khan.

— Um.

A voz da *Begum* Abida Khan se encheu de incredulidade:

— Um? — gritou ela. — Um?

— Um — replicou o ministro do Interior, erguendo o indicador da mão direita como se o mostrasse a uma criança idiota que tivesse dificuldade com números ou deficiência auditiva, ou ambos.

— Se me permitem informar ao nobre ministro, foram no mínimo cinco, e desse fato eu tenho prova sólida — disse a *Begum* Abida Khan zangada. — Aqui estão as cópias dos atestados de óbito de quatro dos mortos. De fato, é provável que mais dois homens morram em breve...

— Eu levanto uma questão de ordem, senhor — disse L. N. Agarwal, sem fazer caso da adversária e dirigindo-se diretamente ao presidente da Câmara. — Segundo meu entendimento, o objetivo dessa arguição é obter informação dos ministros, não dar-lhes informação.

A voz da *Begum* Abida Khan prosseguiu, ignorando-o:

— Mais dois homens receberão em breve tais atestados de honra, graças aos capangas do nobre ministro. Eu gostaria de apresentar esses atestados, ou melhor, essas cópias, para apreciação.

— Infelizmente isso não é possível sob a ordem vigente... — protestou o presidente da Câmara.

A *Begum* Abida Khan balançou os documentos no ar e levantou ainda mais a voz:

— Se os jornais têm cópias desses atestados, por que a Assembleia não tem o direito de vê-los? Quando o sangue de homens inocentes, de simples meninos, está sendo brutalmente derramado...

— A nobre parlamentar não vai usar o tempo da arguição para fazer discurso — disse o presidente da Câmara, batendo um martelo.

A *Begum* Abida Khan se recompôs de repente e mais uma vez se dirigiu a L. N. Agarwal.

— O nobre ministro teria a gentileza de informar à casa com base em que informações chegou ao total de um morto?

— O relatório foi fornecido pelo corregedor distrital, que estava presente no momento dos acontecimentos.

— Quando o senhor diz "presente", quer dizer que ele ordenou o massacre desses indivíduos desafortunados, não é mesmo?

L. N. Agarwal fez uma pausa antes de responder:

— O corregedor distrital é um funcionário experiente, que adotou todas as medidas consideradas pertinentes à situação. Conforme a nobre deputada tem conhecimento, em breve será realizado um inquérito por um funcionário mais graduado, como acontece em todos os casos em que há ordem para atirar; e eu sugiro a ela esperarmos pelo momento em que o relatório for divulgado antes de darmos asas à especulação.

— Especulação? — explodiu a *Begum* Abida Khan. — Especulação? O senhor chama isso de especulação? O senhor, nobre ministro, devia ter... — Ela enfatizou a palavra *maananiya*, ou nobre. — O nobre ministro deveria se envergonhar de si mesmo. Eu vi com meus próprios olhos os cadáveres de dois homens. Não estou especulando. Se fosse o sangue de seus próprios correligionários que estivesse sendo derramado nas ruas, o nobre ministro não iria "esperar pelo momento". Sabemos do apoio declarado e tácito que ele dá àquela organização imunda, a Linga Rakshak Samiti, fundada expressamente para destruir a santidade de nossa mesquita...

Sob a retórica da deputada, inadequada ou não, a Assembleia estava ficando cada vez mais agitada. L. N. Agarwal agarrava a cunha de cabelos grisalhos com a mão direita, tensionada como uma garra, e, tendo jogado ao vento sua aparência calma, olhava furioso para sua oponente a cada desdenhoso "nobre" que ela dizia. O presidente da Câmara, de aspecto frágil, fez mais uma tentativa de conter o alvoroço:

— A nobre deputada talvez precise ser lembrada que, de acordo com minha lista de perguntas, restam-lhe apenas três.

— Eu agradeço, senhor — disse a *Begum* Abida Khan. — Chegarei a elas. De fato, farei imediatamente a próxima pergunta, aliás muito pertinente a esse assunto. O nobre ministro do Interior poderia nos informar, por gentileza, se antes dos disparos no Chowk foi lida uma advertência de que a multidão se dispersasse, segundo a seção 144 do Código de Processo Penal? Se sim, quando isso foi feito? Caso contrário, por que não?

Furioso, L. N. Agarwal replicou com grosseria:

— Não foi lido. Não podia ter sido. Não houve tempo para isso. Se as pessoas começam tumultos por motivos religiosos e tentam destruir templos, precisam aceitar as consequências. Ou mesquitas, obviamente...

Mas agora a *Begum* Abida Khan estava quase gritando:

— Tumultos? Tumultos? Como foi que o nobre ministro chegou à conclusão de que era essa a intenção da multidão? Era o horário da prece vespertina. Eles estavam indo para a mesquita...

— Com todos os informes, isso ficou evidente. Eles estavam correndo, gritando com seu fanatismo costumeiro e brandindo armas — retrucou o ministro do Interior.

Ergueu-se um pandemônio.

— O nobre ministro estava presente? — gritou um deputado do Partido Socialista.

— Ele não pode estar em toda parte — contestou um deputado do Partido do Congresso.

— Mas isso foi brutal — gritou alguém. — Eles atiraram à queima-roupa.

— Lembro aos nobres deputados que o ministro deve responder suas próprias perguntas — gritou o presidente da Câmara.

— Muito obrigado, senhor — começou o ministro do Interior. Mas para sua extrema surpresa e, na verdade, seu horror, um parlamentar muçulmano do Partido do Congresso, Abdus Salaam, que por acaso também era assessor parlamentar do ministro da Fazenda, agora se levantou para perguntar:

— Como uma medida tão grave quanto a ordem para atirar pôde ser tomada sem que fosse dada a devida advertência para que a multidão se dispersasse ou se tentasse averiguar suas intenções?

O fato de Abdus Salaam ter se levantado chocou o plenário. De certa forma não ficou claro a quem ele estava dirigindo a pergunta — olhava para um ponto indeterminado em algum lugar à direita do grande selo de Purva Pradesh, acima da cabeça do presidente da Câmara. Na verdade, ele parecia estar pensando em voz alta. Tratava-se de um jovem muito instruído, conhecido principalmente pelo excelente domínio da legislação de propriedade territorial, e era um dos principais arquitetos da lei de abolição das grandes propriedades rurais. O fato de apoiar o líder do Partido Democrático, composto por latifundiários, nessa questão surpreendeu os membros de todos os partidos. Diante da intervenção feita por seu assessor, o próprio Mahesh Kapoor ficou surpreso e se virou para trás, de cenho franzido, não muito satisfeito. O chanceler olhou de cara feia. L. N. Agarwal sentiu afronta e humilhação. Diversos parlamentares estavam de pé, acenando com a ordem do dia, e ninguém conseguia ser ouvido com clareza, nem mesmo o presidente da Câmara. A Assembleia estava se tornando uma arena de vale-tudo.

Quando uma falsa calmaria foi estabelecida, depois de várias batidas do martelo do presidente da Câmara, o ministro do Interior, embora ainda em estado de choque, levantou-se para perguntar:

— Senhor presidente, posso saber se o assessor parlamentar de um ministro está autorizado a fazer perguntas ao governo?

Olhando em torno espantado, surpreso diante do furor que causara inadvertidamente, Abdus Salaam disse:

— Eu retiro a pergunta.

Mas agora se ouviram gritos de "Não, não!", "Como pode fazer isso?" e "Se o senhor não perguntar, eu perguntarei."

O presidente, suspirando, determinou:

— No que diz respeito aos procedimentos, todos os membros têm a liberdade de fazer perguntas.

— Por que, então? — perguntou um deputado, enraivecido. — Por que isso não foi feito? O nobre ministro vai responder ou não?

— Eu não ouvi direito a pergunta — alegou L. N. Agarwal. — Acredito que foi retirada.

— Eu estou perguntando agora, como perguntou o outro deputado. Por que ninguém procurou descobrir o que a multidão queria? Como foi que o CD soube de sua predisposição à violência? — repetiu o deputado.

— Deveria haver uma moção de adiamento desta sessão — gritou outro.

— O presidente já tem consigo uma nota desse teor — gritou um terceiro.

Acima da balbúrdia elevou-se a voz penetrante da *Begum* Abida Khan:

— Foi tão brutal quanto a violência da Partição. Um rapaz que nem fazia parte da manifestação foi morto. O nobre ministro do Interior se importaria em explicar como isso aconteceu?

Ela se sentou com o olhar furioso.

— Manifestação? — perguntou L. N. Agarwal com uma expressão de triunfo jurídico.

— Ou melhor, multidão — disse a combativa *begum*, pondo-se de pé novamente num salto e escapando ao ataque viperino do ministro. — Certamente o senhor não vai negar que era a hora da prece. A manifestação sim, a manifestação de grosseira desumanidade, pois foi disso que se tratou, foi da parte da polícia. Agora, não vá o nobre ministro se refugiar na semântica. Trate de lidar com os fatos.

Quando viu a execrável mulher se levantar de novo, o ministro do Interior sentiu uma punhalada de ódio no coração. Ela era um espinho na carne dele, e o havia insultado e humilhado diante do plenário. Naquele momento ele tomou a decisão de se vingar dela e de sua casa, a família do nababo *sahib* de Baitar, a qualquer custo. Eram todos uns fanáticos, esses muçulmanos; eles pareciam não entender que estavam ali no país para sofrer. Uma dose de lei bem-aplicada lhes faria bem.

— Só consigo responder uma pergunta de cada vez — declarou o ministro num rosnado perigoso.

— As perguntas complementares da nobre deputada terão precedência — disse o presidente.

A *Begum* Abida Khan deu um sorriso cruel.

— Nós precisamos esperar até que o relatório seja publicado — disse o ministro do interior. — O governo não tem ciência de que um jovem inocente tivesse sido alvejado, e menos ainda ferido ou morto.

Agora Abdus Salaam se levantou de novo. Da Assembleia inteira partiram gritos ofendidos: "Sente-se, sente-se", "Que vergonha!", "Por que o senhor está atacando seu próprio lado?"

"Por que ele deveria se sentar?", "O que o senhor tem a esconder?", "O senhor é um congressista, deveria ter mais juízo."

Mas a situação era tão inusitada que até quem se opunha à intervenção do assessor estava curioso.

Quando os gritos tinham se reduzido a uma espécie de murmúrio volátil, Abdus Salaam perguntou, ainda parecendo muito desconfiado:

— O que me deixou intrigado no decorrer dessa discussão é... Ora, por que razão não foi mantida no templo uma força policial dissuasória, ou talvez apenas uma força policial adequada? Assim não teria havido necessidade de atirar dessa maneira descontrolada.

O ministro do Interior respirou fundo. Todos estão olhando para mim, pensou. Preciso controlar minha expressão.

— Essa pergunta está sendo dirigida ao nobre ministro? — perguntou o presidente.

— Está sim, senhor — respondeu Abdus Salaam, com súbita determinação. — Não vou retirá-la. Poderia o nobre ministro nos informar por que não foi mantida uma força policial suficiente e dissuasória no *kotwali* ou no próprio local do templo? Por que havia apenas uma dúzia de policiais para manter a ordem nessa área conturbada, principalmente depois que o conteúdo do sermão de sexta-feira na Mesquita de Alamgiri se tornou conhecido das autoridades?

Esta era a pergunta que L. N. Agarwal temia, e ele ficou horrorizado e enfurecido por ela ter sido feita por um deputado do próprio partido dele, que também era assessor parlamentar. Sentiu-se indefeso. Seria isso um complô de Mahesh Kapoor para destruí-lo? Olhou para o chanceler, que aguardava a resposta dele com uma expressão indecifrável. De repente L. N. Agarwal percebeu que tinha ficado em pé por muito tempo e sentiu uma súbita vontade de urinar. E de sair dali assim que possível. Começou a se refugiar no discurso evasivo que o chanceler usava com frequência; sua eficácia, no entanto, ficou aquém da obtida por aquele mestre da evasão parlamentar. Mas isso pouco lhe importou naquele momento. Estava convencido de que este era um complô elaborado por muçulmanos e pelos chamados hindus seculares para atacá-lo — e que seu próprio partido tinha sido infectado pela traição.

Olhando com ódio calmo primeiro para Abdus Salaam, depois para *Begum* Abida Khan, ele disse:

— Posso apenas reiterar: esperem pelo relatório.

— Por que tantos policiais foram alocados para Misri Mandi, numa demonstração de força totalmente desnecessária, quando eles eram realmente úteis no Chowk? — perguntou um deputado.

— Aguardem o relatório — repetiu o ministro do Interior, encarando a Assembleia com raiva, como se desafiasse os parlamentares a torturá-lo ainda mais.

A *Begum* Abida Khan se levantou e perguntou:

— O governo empreendeu alguma ação contra o corregedor distrital responsável por esses disparos não provocados?

— A pergunta não procede.

— Se o tão aguardado relatório mostrar que a ordem de atirar foi descabida e irregular, o governo planeja adotar alguma medida a esse respeito?

— Isso será decidido no momento apropriado. Eu diria que é possível que sim.

— Que medidas o governo tem intenção de adotar?

— Medidas corretas e adequadas.

— O governo já tomou alguma dessas medidas em situações semelhantes no passado?

— Sim.

— Quais?

— As medidas que foram consideradas razoáveis e adequadas.

A *Begum* Abida Khan olhou para ele como teria olhado para uma serpente ferida que ainda movia a cabeça de um lado para outro, tentando evitar o golpe final. Muito bem, ela ainda não tinha encerrado o assunto com ele.

— Poderia o nobre ministro citar os bairros ou regiões administrativas em que agora foram impostas restrições no que diz respeito à posse de armas brancas? Essas decisões foram adotadas como consequência do tiroteio recente? Em caso afirmativo, por que não foram adotadas mais cedo?

O ministro do Interior olhou para a figueira-sagrada no grande emblema do estado.

— O governo supõe que, com a expressão "arma branca", a nobre parlamentar queira dizer objetos tais como espadas, adagas, machados e similares — disse ele.

— Facas de cozinha também foram arrancadas de donas de casa pela polícia — disse a *Begum* Abida Khan, mais em tom de escárnio do que de afirmação. — Pois bem, quais foram os bairros?

— Chowk, Hazrat Mahal e Capitainganj — respondeu L. N. Agarwal.

— Não em Misri Mandi?

— Não.

— Mesmo que este tenha sido o local de maior presença policial? — insistiu a *Begum* Abida Khan.

— Os policiais precisaram ser alocados em grande número para as verdadeiras áreas de conflito... — começou L. N. Agarwal.

Interrompeu-se abruptamente, percebendo demasiado tarde que havia se exposto com aquela frase.

— Então o nobre ministro admite... — começou a *Begum* Abida Khan, os olhos cintilantes de triunfo.

— O governo não admite nada. O relatório vai detalhar tudo — declarou o ministro do Interior, apavorado pela confissão que aquela mulher tinha arrancado dele.

A *Begum* Abida Khan sorriu com desprezo e concluiu que o valentão reacionário, violento e antimuçulmano acabara de se condenar o suficiente para tornar pouco produtivas as alfinetadas adicionais. Ela deixou suas perguntas se desvanecerem no ar.

— Por que foram impostas essas restrições às armas brancas?

— Para evitar crimes e incidentes violentos.

— Incidentes?

— Tais como badernas promovidas por multidões inflamadas.

— Por quanto tempo essas restrições continuarão? — perguntou a *Begum* Abida Khan, praticamente rindo.

— Até serem abolidas.

— E quando o governo se propõe a aboli-las?

— Assim que situação permitir.

A *Begum* Abida Khan se sentou educadamente.

Seguiu-se uma proposta de recesso da Assembleia para que esta discutisse apenas a questão do tiroteio, mas o presidente a descartou sem demora. As moções de recesso eram atendidas nos casos mais excepcionais de crise ou de emergência cujas discussões não comportavam adiamento; sua concessão ficava inteiramente a critério do presidente da Câmara. Ainda que a questão dos tiros disparados pela polícia tivesse sido um desses casos — o que, a seu ver, não era — já havia sido suficientemente esclarecida. As perguntas daquela mulher notável, embora irredutível, haviam virtualmente se transformado no debate em si.

O presidente passou aos itens seguintes da ordem do dia: primeiro, o anúncio de leis aprovadas pela legislatura estadual que tinham sido sancionadas pelo governador do estado ou pelo presidente da Índia; a seguir, a questão mais importante da pauta: o debate permanente do projeto de lei de abolição das grandes propriedades rurais.

Mas L. N. Agarwal não ficou para ouvir as discussões sobre o projeto de lei. Assim que a moção de recesso foi rejeitada pelo presidente da Câmara, ele fugiu — não diretamente até a porta de saída principal, mas seguindo por uma passagem lateral que levava até uma galeria que circundava o salão e contornando a parede revestida de painéis de madeira escura. Sua tensão e animosidade eram palpáveis em seu modo de andar. Ele amassava inconscientemente na mão a folha da ordem do dia. Diversos parlamentares tentaram falar com ele, oferecendo solidariedade, mas ele os afastou. Caminhou cegamente para a saída e foi direto ao banheiro.

5.8

L. N. AGARWAL desabotoou a calça e ficou parado na frente do mictório. Mas estava tão furioso que ficou algum tempo sem conseguir urinar.

Olhava fixamente para a longa parede revestida de azulejos brancos e via sobre ela uma imagem da Câmara lotada, o rosto desafiador de *Begum* Abida Khan, a sisuda expressão acadêmica de Abdus Salaam, a intraduzível carranca de Mahesh Kapoor, o olhar paciente, mas condescendente, no rosto do chanceler enquanto ele tateava lamentavelmente pelo pântano venenoso do inquérito parlamentar.

Não havia ninguém nos lavatórios, exceto dois faxineiros, e eles estavam conversando. Algumas palavras do diálogo penetraram a fúria de L. N. Agarwal. Os dois se queixavam das dificuldades de obter cereais até mesmo nos mercados subsidiados pelo governo por conta do racionamento de alimentos. Falavam casualmente, sem prestar atenção ao poderoso ministro do Interior e ao próprio serviço. Enquanto continuavam a conversar, uma sensação de irrealidade se abateu sobre L.N. Agarwal. Ele foi retirado de seu próprio mundo, de suas paixões, ambições, códigos e ideais e tomou consciência de outras vidas urgentes que não a dele. Chegou a sentir um pouco de vergonha de si.

Agora os faxineiros discutiam um filme que um deles tinha visto. Por coincidência tratava-se de *Deedar*.

— Mas foi o papel de Daleep Kumar... Ah, ele me deixou com lágrimas nos olhos! Ele sempre tem aquele sorriso sereno nos lábios, mesmo quando está cantando as canções mais tristes. Que homem bondoso! Ele próprio cego, e, no entanto, divertindo o mundo inteiro...

Começou a cantarolar uma das canções de sucesso do filme:

— Não esqueça os dias de infância...

O outro, que ainda não tinha visto o filme, o acompanhou, cantando em coro a mesma música, que desde a estreia estava nos lábios de quase todos.

Ele agora dizia:

— Nargis estava tão bonita no cartaz que eu pensei em ver o filme ontem à noite, mas assim que eu recebo o pagamento minha mulher toma meu dinheiro todo.

— Se ela deixar o dinheiro na sua mão, só vai ver envelopes vazios e garrafas vazias. — observou o primeiro com uma risada.

O segundo homem continuou melancólico, tentando conjurar as imagens divinas de sua heroína:

— Então me diga, como ela estava? Como ela representou? Que contraste... Aquela dançarina vulgar, Nimmi ou Pimmi, ou seja lá que nome tem, e Nargis, tão cheia de classe, tão delicada.

— O tempo todo eu prefiro a Nimmi; eu viveria com ela, em vez de com a Nargis, que é magra demais, e presunçosa demais — resmungou o primeiro homem. — Aliás, não há diferença de classe entre as duas. Ela também é uma daquelas...

O segundo homem pareceu chocado.

— A Nargis?

— Sim, ela mesma, a sua Nargis. Como você acha que ela teve a primeira chance no cinema?

Deu uma risada e começou de novo a cantarolar consigo. O outro ficou calado e voltou a esfregar o chão.

Os pensamentos de L. N. Agarwal, enquanto ele ouvia a conversa dos faxineiros, passou de Nargis para outra "daquelas" — Saeeda Bai — e para a fofoca, agora muito disseminada, sobre a relação dela com o filho de Mahesh Kapoor. Ótimo!, pensou. Mahesh Kapoor pode engomar suas túnicas delicadamente bordadas até ficarem rígidas, mas o filho dele se deita com prostitutas.

Embora menos dominado pela raiva, ele tinha novamente entrado em seu próprio mundo trivial de política e rivalidades. Foi andando pelo corredor curvo que levava a seu gabinete. Sabia, no entanto, que tão logo entrasse ali, seria assaltado por seus ansiosos correligionários. Toda a serenidade que tinha adquirido nos últimos minutos seria destruída.

— Não, irei para a biblioteca, em vez de ao escritório — murmurou consigo.

No andar de cima, nas instalações arejadas e tranquilas da biblioteca da Assembleia Legislativa, ele se sentou, tirou o barrete e apoiou o queixo nas mãos. Alguns parlamentares estavam sentados às longas mesas de madeira, lendo. Ergueram a vista, cumprimentaram-no e continuaram seu trabalho. L. N. Agarwal fechou os olhos e tentou esvaziar a mente. Precisava restabelecer sua equanimidade antes de enfrentar os legisladores no andar de baixo. Mas a imagem que lhe veio à cabeça não foi o espaço vazio que buscava, mas a vacuidade espúria da parede do mictório. Seus pensamentos se voltaram mais uma vez para a virulenta *Begum* Abida Khan, e novamente ele precisou lutar contra a raiva e a humilhação. Essa mulher despudorada e exibicionista, que fumava em particular e gritava em público, que nem sequer tinha acompanhado o marido quando este se mudou para o Paquistão e que permaneceu em Purva Pradesh indecentemente descasada para provocar tumulto, tinha pouquíssimo em comum com a falecida esposa dele, a mãe de Priya, que trouxera doçura à sua vida graças aos anos em que lhe dedicara cuidados abnegados e amor.

Imagino se alguma parte da Baitar House poderia ser caracterizada como propriedade abandonada, pensou L. N. Agarwal, agora que o marido daquela mulher está vivendo no Paquistão. Uma palavrinha com o superintendente, uma ordem policial e vamos ver o que o consigo fazer.

Após dez minutos de reflexão ele se levantou, cumprimentou com a cabeça os dois parlamentares e desceu para seu escritório.

Alguns deputados encontravam-se sentados ali quando ele chegou, e muitos outros, ao saberem que ele estava despachando em seu gabinete, reuniram-se no local em poucos minutos. Imperturbável, até sorrindo de leve consigo mesmo, L. N. Agarwal agora arengava como estava habituado a fazer. Acalmou os agitados correligionários, colocou as questões em perspectiva, mapeou estratégias. A um dos deputados, que havia mostrado comiseração a seu líder por ele ter sido atingido simultaneamente pela dupla desgraça de Misri Mandi e do Chowk, L. N. Agarwal retrucou:

— Você é justamente a prova de que um bom sujeito nem sempre dá um bom político. Pense bem: se você precisasse tomar uma série de atitudes agressivas, gostaria de que o público se esquecesse ou se lembrasse delas?

Obviamente a resposta era "se esquecesse delas", e essa foi a resposta do deputado.

— No menor tempo possível? — perguntou L. N. Agarwal.

— No menor tempo possível, senhor ministro.

— Então a solução, caso tenha que tomar uma série de atitudes agressivas, é tomá-las simultaneamente. As pessoas vão dispersar as reclamações, em vez de concentrá-las. Quando a poeira baixar, pelo menos duas ou três das cinco batalhas serão vitórias suas. E o público tem memória curta. Quanto ao tiroteio no Chowk e aos manifestantes mortos, dentro de uma semana serão notícias velhas. — O deputado parecia discordar, mas assentiu com a cabeça. — Uma lição aqui, outra ali, nunca fez mal a ninguém — prosseguiu o ministro. — Ou você manda, ou você não manda. Os ingleses sabiam que às vezes precisavam dar um exemplo, e foi por isso que atiraram de canhão nos amotinados em 1857. De toda forma, as pessoas estão sempre morrendo, e eu preferiria morrer com um tiro do que morrer de fome.

Desnecessário dizer, essa não era uma escolha que o ministro tivesse de enfrentar, mas ele estava num clima filosófico.

— Nossos problemas são muito simples, como você sabe — prosseguiu ele. — Na verdade, eles se reduzem a duas coisas: falta de comida e falta de princípios morais. E as diretrizes de nossos governantes em Nova Delhi... Que posso dizer? Elas também não ajudam muito.

— Agora que Sardar Patel está morto, ninguém consegue controlar Panditji — observou um deputado jovem, porém muito conservador.

— Mesmo antes da morte de Patel, a quem Nehru escutava? — disse L. N. Agarwal desdenhoso. — Apenas, naturalmente, seu grande amigo muçulmano Maulana Azad.

Ele agarrou seus parcos cabelos grisalhos, depois se voltou para o assistente pessoal:

— Chame o superintendente ao telefone.

— O superintendente... de Propriedades Inimigas, senhor? — perguntou o AP.

Muito calma e lentamente, olhando-o na cara, o ministro do Interior respondeu a seu dispersivo AP:

— Não estamos em guerra. Use toda a inteligência que Deus lhe deu. Eu gostaria de falar com o superintendente de Propriedades Evacuadas. Quero falar com ele em 15 minutos.

Passado um momento, L. N. Agarwal continuou:

— Veja nossa situação atual: nós mendigamos comida aos Estados Unidos, somos obrigados a comprar o que podemos obter da China e da Rússia, há fome no estado vizinho. No ano passado, lavradores sem-terra estavam se vendendo a 5 rupias por cabeça. Em vez de dar aos fazendeiros e aos mercadores carta branca para que pudessem produzir mais, estocar melhor a produção e distribuí-la com eficiência, Nova Delhi nos forçou a impor controle de preços, estoques reguladores, racionamento e todas as medidas populistas e inusitadas possíveis. Não só os corações deles são moles, os miolos também são.

— Panditji tem boas intenções — disse alguém.

— Boas intenções, boas intenções... — L. N. Agarwal suspirou. — Ele tinha boas intenções quando entregou o Paquistão. Tinha boas intenções quando entregou metade da Caxemira. Se não fosse por Patel, não teríamos o país que temos. Jawaharlal Nehru construiu sua carreira toda apoiado em boas intenções. Gandhiji o amava por suas boas intenções. E o povo pobre e idiota o amava porque ele tinha boas intenções. Deus nos livre de gente bem-intencionada. E essas cartas bem-intencionadas que todo mês ele escreve aos chanceleres? Por que ele se dá o trabalho de escrevê-las? Eles não estão satisfeitos em lê-las. — Sacudiu a cabeça e continuou: — Você sabe o que elas contêm? Longos sermões sobre a Coreia e a destituição do general MacArthur. O que significa para nós, esse general? No entanto, nosso primeiro-ministro é tão nobre e sensível que considera seus todos os males do mundo. Ele tem boas intenções em relação ao Nepal e ao Egito, e Deus sabe mais em relação a quê, e espera que nós também tenhamos boas intenções. Ele não faz a menor ideia do que seja administrar um país, mas fala sobre o tipo de comitês de abastecimento que deveríamos criar. Ele tampouco entende nossa sociedade e nossas escrituras sagradas; no entanto, quer subverter nossa vida familiar e os valores morais de nossas famílias por meio de seu maravilhoso projeto de lei do Código Hindu...

L. N. Agarwal teria continuado o sermão por bastante tempo se seu AP não tivesse dito:

— Senhor ministro, o superintendente está na linha.

— Pois muito bem — disse L. N. Agarwal com um ligeiro aceno de mão, conhecido pelos outros como um sinal para que se retirassem. — Eu os verei no refeitório.

Deixado sozinho, o ministro do Interior passou dez minutos falando ao telefone com o superintendente de Propriedades Evacuadas. A discussão foi precisa e fria. Por mais alguns minutos o ministro ficou sentado à sua mesa, imaginando se teria deixado vago ou vulnerável algum aspecto da questão. Concluiu que não.

Então se levantou e, muito cansado, dirigiu-se ao refeitório da Câmara. Nos velhos tempos, a esposa costumava lhe enviar o almoço em marmitas que continham sua comida simples e preparada exatamente do jeito que ele gostava. Agora, ficava à mercê de cozinheiros indiferentes e de sua culinária institucional. Até mesmo para o ascetismo havia um limite.

Enquanto percorria o corredor curvo, ele foi lembrado da presença da câmara central que era circunscrita pelos corredores — o enorme salão abobadado cuja altura e elegância majestosa tornavam quase triviais os procedimentos frenéticos e sectários que ocorriam ali. Mas sua percepção subjetiva só logrou afastar momentaneamente a imaginação dele dos acontecimentos da manhã e do ressentimento que lhe tinham provocado, e não conseguiu fazê-lo se arrepender do que estivera planejando e preparando alguns minutos antes.

5.9

EMBORA menos de cinco minutos tivessem se passado desde que ele enviara um subordinado para buscar seu assessor parlamentar, Mahesh Kapoor esperava com muita impaciência no escritório do Departamento Jurídico. Ele estava sozinho, pois havia despachado às pressas os ocupantes regulares do local para que procurassem vários periódicos e livros jurídicos.

— Ah, *huzoor*, finalmente deu o ar de sua graça! — disse ele ao ver Abdus Salaam.

Abdus Salaam fez uma reverência respeitosa — ou teria sido irônica? — e perguntou o que poderia fazer.

— Chegarei a isso num instante. A questão é o que você já fez.

— Já fiz? — perguntou Abdus Salaam impassível.

— Hoje de manhã. No plenário da Câmara. Fazendo *kebab* de nosso nobre ministro do Interior.

— Eu só perguntei...

— O que você perguntou eu sei, Salaam — disse o ministro com um sorriso. — Minha pergunta é: por que você fez isso?

— Eu fiquei imaginando se a polícia...

— Meu bom tolo — disse Mahesh Kapoor carinhosamente —, você não entende que Lakshimi Narayana Agarwal acha que fui eu que mandei você perguntar aquilo?

— O senhor?

— Sim, eu mesmo! — Mahesh Kapoor estava de bom humor, pensando nos acontecimentos daquela manhã e na extrema mortificação do rival. — É exatamente o que ele faria; portanto, imagina o mesmo de mim. Diga-me: ele foi almoçar no refeitório?

— Sim.

— E o chanceler estava lá? O que ele tinha a dizer?

— Não, Sharma *Sahib* não estava lá.

A imagem de S. S. Sharma almoçando em casa, sentado no chão conforme a tradição, o tronco nu exceto pelo cordão sagrado, passou diante dos olhos de Mahesh Kapoor.

— Não, suponho que não — disse Mahesh Kapoor, como que lamentando um pouco. — E então, como ele parecia estar?

— O senhor quer dizer Agarwal *Sahib*? Bastante bem, eu acho. Muito composto.

— Puxa, você é inútil como informante — constatou Mahesh Kapoor impaciente. — De todo modo, estive pensando um pouco no assunto. É melhor você ter cuidado com o que diz ou tornará a situação difícil tanto para mim quanto para Agarwal. Procure pelo menos se conter até que seja aprovada a lei dos latifúndios. Para isso é necessária a cooperação de todos.

— Tudo bem, ministro *sahib*.

— Aliás, por falar nisso, por que o pessoal ainda não voltou? — perguntou Mahesh Kapoor, os olhos percorrendo o escritório do Departamento Jurídico. — Faz uma hora que os despachei. — Aquilo não era exatamente verdadeiro. — Neste país todo mundo está sempre atrasado e ninguém valoriza o tempo. É nosso problema principal... Pois não, de que se trata? — disse ele após ouvir uma leve batida à porta. — Pode entrar, pode entrar.

Era um empregado com o almoço do ministro, que normalmente fazia a refeição bem tarde.

Abrindo a marmita, Mahesh Kapoor concedeu um breve pensamento à esposa, que, apesar das próprias indisposições, se preocupava tanto com ele. O mês de abril em Bhrampur era quase insuportável para ela por causa da alergia às flores de *neem*, problema que se tornou cada vez mais agudo com o passar dos anos. Às vezes, quando aquelas árvores estavam floridas, ela ficava reduzida a uma falta de ar que se assemelhava superficialmente à asma de Pran.

Atualmente ela estava muito perturbada com o romance do filho mais novo com Saeeda Bai. Até agora o próprio Mahesh Kapoor não havia considerado a questão com a seriedade que lhe teria atribuído se houvesse captado o grau de fascinação de Maan. Demasiado ocupado com questões que afetavam as vidas de milhões, o pai não tinha tempo suficiente para penetrar nas regiões mais problemáticas de sua própria vida familiar. Cedo ou tarde Maan precisaria de um puxão de orelha, pensou ele, mas no momento havia outras tarefas a cumprir.

— Coma um pouco disso aqui: acho que retirei você de seu almoço — disse Mahesh Kapoor a seu assessor parlamentar.

— Não, muito obrigado, ministro *sahib*, quando foram me chamar; eu já tinha acabado. E então: o senhor acha que tudo está indo bem com o projeto de lei?

— Sim, basicamente. Pelo menos no plenário, o que você acha? Agora que ele voltou do Conselho Legislativo com apenas pequenas mudanças, não deve ser difícil conseguir que seja aprovado pela Assembleia Legislativa após ser emendado. Naturalmente, nada é certo.

O ministro examinou o interior da marmita. Passado um momento, prosseguiu:

— Ah, que bom, picles de couve-flor... O que realmente me preocupa é o que acontecerá posteriormente com a lei, supondo que seja aprovada.

— Bom, desafios jurídicos não deverão constituir grande problema — disse Abdus Salaam. — O texto foi bem-redigido, e eu acho que deve estar à altura.

— Você acha que sim, não é, Salaam? E o que pensa da lei contra o *zamindari* em Bihar ter sido derrubada pelo Tribunal Superior de Patna? — perguntou Mahesh Kapoor.

— Acho que todos estão mais preocupados do que o necessário, ministro *sahib*. Conforme o senhor sabe, o Tribunal Superior de Bhrampur não precisa seguir o Tribunal Superior de Patna. Ele só está legalmente submetido aos julgamentos do Supremo Tribunal em Nova Delhi.

— Isso pode ser verdadeiro em tese — disse Mahesh Kapoor, franzindo a testa. — Na prática, julgamentos anteriores estabelecem precedentes psicológicos. Nós precisamos encontrar um jeito, mesmo nesse estágio tardio da aprovação da lei, de introduzir emendas, deixando-a menos vulnerável à impugnação jurídica, principalmente nessa questão da igualdade de proteção.

Houve uma pausa prolongada. O ministro tinha muita consideração por seu jovem e erudito colega, mas não esperava que ele tivesse alguma ideia brilhante no curto prazo. No entanto, respeitava a experiência dele nessa área específica e sabia que sua capacidade intelectual era o melhor com que podia contar.

— Há alguns dias eu tive uma ideia — disse o secretário após um minuto. — Deixe-me pensar mais no assunto, ministro *sahib*. Eu poderei ter algumas ideias proveitosas.

O ministro da Fazenda olhou para seu assessor parlamentar com uma expressão que parecia divertida.

— Forneça-me hoje à noite um esboço de suas ideias.

— Hoje à noite? — perguntou Abdus Salaam espantado.

— Sim — disse Mahesh Kapoor. — O projeto de lei está passando por sua segunda leitura. Se for para fazer alguma coisa, isso deve ser feito agora.

— Bom, então é melhor eu ir logo para a biblioteca — disse o outro com um ar de estupefação no rosto. Ao chegar à porta, ele se voltou. — Talvez o senhor possa pedir ao jurídico que me envie hoje à tarde uns dois funcionários da equipe de redação de minutas. O senhor não precisará de mim hoje à tarde no plenário, enquanto o projeto estiver sendo discutido?

— Não, isso é muito mais importante — respondeu o ministro, levantando-se para lavar as mãos. — Além disso, acho que você já causou bastante tumulto na tribuna da Assembleia em um dia.

Enquanto lavava as mãos, Mahesh Kapoor pensou em seu velho amigo, o nababo *sahib* de Baitar. Ele seria um dos mais profundamente atingidos pela aprovação da lei de abolição do latifúndio. Suas terras ao redor de Baitar, no município de Rudhia, das quais ele provavelmente extraía dois terços de sua renda, seriam transferidas para o estado de Purva Pradesh, caso a lei entrasse em efeito. Ele não receberia muito em termos de indenização. Os arrendatários teriam o direito de comprar a terra que cultivavam e, até que o fizessem, o tributo pago iria diretamente para o Departamento de Receita do governo estadual, e não para os cofres do nababo *sahib*. Mahesh Kapoor acreditava, no entanto, que estava fazendo o que era certo. Embora seu eleitorado fosse urbano, ele tinha vivido em sua própria fazenda no distrito de Rudhia por tempo suficiente para ver os efeitos do empobrecimento econômico causado pelo sistema latifundiário na zona rural em torno da propriedade. Vira com os próprios olhos a falta de produtividade e a fome daí decorrentes, a ausência de investimentos em melhoria da terra, as piores formas de arrogância feudal e subserviência, a opressão arbitrária dos fracos e miseráveis pelos agentes e capangas do típico dono de terras. Se o estilo de vida de alguns homens decentes como o nababo *sahib* devia ser sacrificado para o bem maior de milhões de arrendatários, esse era um custo que precisava ser tolerado.

Depois de lavar as mãos, Mahesh Kapoor secou-as cuidadosamente, deixou um bilhete para o procurador jurídico e se dirigiu ao prédio do legislativo.

5.10

A ANCESTRAL Baitar House, em que viviam o nababo *sahib* e seus filhos, era uma das residências mais bonitas de Bhrampur. Uma fachada longa pintada de amarelo-claro, janelas com venezianas verdes-escuras, colunatas, pé-direito alto, espelhos monumentais, mobília de madeira escura imensamente pesada, pinturas a óleo retratando aristocráticos moradores antigos e fotografias emolduradas distribuídas pelos corredores, ilustrando as visitas de vários dos altos funcionários britânicos: a maioria dos visitantes da imensa propriedade, ao visitar os arredores da mansão, sucumbia a uma espécie de assombro melancólico, reforçado recentemente pela aparência empoeirada e descuidada daquelas grandes alas do imóvel cujos ocupantes anteriores haviam partido para o Paquistão.

Em certa época a *Begum* Abida Khan também tinha vivido ali na companhia do marido, o irmão mais novo do nababo *sahib*. Passara anos de exasperação dentro do harém até persuadi-lo a lhe permitir um acesso mais direto ao mundo exterior. Ela havia se mostrado mais eficiente que ele em causas políticas e sociais. Quando ocorreu a Partição, o marido, firme defensor da divisão do território, percebendo a vulnerabilidade de sua posição em Bhrampur, resolveu ir embora dali. Primeiro mudou-se para Karachi. Depois, em parte por não ter certeza do efeito potencial de seu traslado ao Paquistão sobre sua propriedade indiana e a fortuna da esposa, em parte por ser inquieto e em parte por ser religioso, viajou ao Iraque em visita aos diversos santuários xiitas e decidiu morar no país por alguns anos. Três anos haviam se passado desde sua última visita à Índia, e ninguém sabia o que ele planejava fazer. Já que o casal não tinha filhos, isso talvez não importasse muito.

Toda a questão dos direitos de propriedade estava pendente. Baitar não era — como Marh — um estado principesco sujeito a primogenituras, e sim uma grande propriedade cujos terrenos estavam situados no interior da Índia britânica e sujeita à lei muçulmana da herança. Em caso de morte ou de dissolução da família, era possível dividir a propriedade, mas ao longo das gerações não houve uma divisão verdadeira, e quase todos tinham continuado a morar na mesma casa espaçosa de Brahmpur ou em Baitar Fort, na zona rural, se não de forma amigável, pelo menos sem litígios. E por causa da constante movimentação, das visitas, dos festivais e das celebrações nas alas dos homens e das mulheres, a casa tinha uma maravilhosa atmosfera de energia e vida.

Com a Partição, as coisas mudaram. A casa deixou de ser a grande comunidade que tinha sido. Tornou-se, em muitos aspectos, solitária. Tios e primos haviam se dispersado, indo para Karachi ou Lahore. Dos três irmãos, um tinha morrido, outro fora para longe, e só ficou ali aquele viúvo amável, o nababo *sahib*. Ele foi passando cada vez mais tempo em sua biblioteca, lendo poesia persa ou história romana ou qualquer tema que o atraísse em determinado dia. Deixou a cargo de seu *munshi* a maior parte da administração da propriedade rural em Baitar — a principal fonte de renda. Aquele homem astuto, mistura de administrador e secretário, não o estimulava a dedicar muito tempo ao exame dos próprios negócios. Para questões não relacionadas à propriedade, o nababo *sahib* mantinha um secretário particular.

Com a morte da esposa e o avanço da idade, o milionário foi ficando cada vez menos sociável e mais consciente da proximidade da morte. Ele queria passar mais tempo com os filhos, mas estes estavam agora na casa dos 20 anos e propensos a tratar o pai com carinhosa distância. A advocacia de Firoz, a medicina de Imtiaz, o círculo deles de jovens amigos, os casos amorosos dos dois (dos quais o pai pouco sabia), tudo isso arrastava os filhos para fora da órbita de Baitar House. E sua querida filha Zainab só o visitava raramente — uma vez a cada tantos meses —, quando o marido dela permitia a vinda da esposa e dos dois netos do nababo sahib a Bhrampur.

Às vezes ele chegava a sentir saudade da presença tempestuosa de Abida, mulher cuja falta de recato e atrevimento ele reprovava instintivamente. A *Begum* Abida Khan, deputada, tinha se recusado a acatar a rigidez da *zenana* e as restrições de uma mansão, e morava agora numa casinha mais próxima da Assembleia Legislativa. Ela acreditava na agressividade e em abrir mão do recato, se necessário, para lutar por causas que considerava justas ou proveitosas, e considerava o nababo *sahib* extremamente inepto. De fato, a *begum* não tinha uma opinião muito positiva do próprio marido, que a seu ver havia "fugido" de Bhrampur, tomado de pânico, na época da Partição, e agora se arrastava pelo Oriente Médio num estado de senilidade religiosa. Em razão da visita da sobrinha Zainab — de quem ela gostava — Abida também foi a Baitar House, mas enfureceu-se com a reclusão aos aposentos femininos que era esperada de sua parte e também com a inevitável crítica que enfrentou a seu estilo de vida por parte das mulheres idosas da *zenana*.

Mas, afinal de contas, quem eram essas idosas — o repositório da tradição, da velha afeição e da história familiar? Somente duas velhas tias do nababo *sahib* e a viúva de seu outro irmão — daquela inteira e azafamada *zenana* já não restava mais ninguém. As únicas crianças em Baitar House eram os visitantes, os netos de 6 e 3 anos do nababo *sahib*. Eles adoravam visitar a mansão de Bhrampur porque consideravam aquela casa velha bastante estimulante, pois podiam ver mangustos deslizando sob as portas dos quartos trancados e desertos e eram mimados por todos, de Firoz *Mamu* e Imtiaz *Mamu* aos "velhos" cozinheiros. E porque ali a mãe deles parecia muito mais feliz do que em casa.

O nababo *sahib* não gostava nem um pouco de ser perturbado quando estava lendo, porém abria muitas exceções para os netos. Hassan e Abbas eram deixados em total liberdade dentro da casa. Qualquer que fosse o estado de ânimo do avô, as crianças o revigoravam; e, mesmo quando mergulhado no conforto impessoal da história, ele se alegrava de ser trazido de volta ao mundo presente, desde que fosse por intermédio deles. Tal qual o restante da casa, a biblioteca também estava ficando decadente. A coleção magnífica, construída pelo pai e que incorporava obras adicionadas pelos três irmãos — cada um com seu gosto pessoal —, estava alojada num salão igualmente magnífico, com nichos e janelas altas. Nessa manhã o nababo *sahib*, vestido num *kurta-pyjama* recém-engomado com alguns buraquinhos quadrados que pareciam roídos por traças (mas qual traça roeria tão quadrado assim?), estava sentado a uma mesa redonda, lendo o livro *The Marginal Notes of Lord Macaulay*, seleção feita pelo sobrinho do autor, G. O. Trevelyan.

Os comentários sobre Shakespeare, Platão e Cícero eram tão incisivos quanto discriminatórios, e o editor evidentemente acreditava que as anotações à margem feitas por seu distinto tio valiam a pena ser publicadas. Os comentários do sobrinho eram de franca admiração: "Até a poesia de Cícero mereceu de Macaulay o respeito suficiente para distinguir cuidadosamente entre a ruim e a menos ruim" foi uma frase que provocou no nababo *sahib* um leve sorriso.

Mas, afinal de contas, pensou o nababo *sahib*, o que vale a pena fazer e o que não vale? Para alguém como eu, pelo menos as coisas estão em declínio, e eu não acho que valha a pena desperdiçar o resto de minha vida brigando com políticos, ou com arrendatários, ou com as traças, ou com meu genro, ou com Abida, para preservar e manter mundos cuja preservação considero exaustiva. Cada um de nós vive num pequeno domínio e volta para o nada. Imagino que se eu tivesse um tio ilustre, talvez passasse um ou dois anos organizando e mandando imprimir suas notas marginais.

E ele se pôs a imaginar como Baitar House acabaria por mergulhar na decadência com a abolição dos latifúndios e a exaustão dos recursos da propriedade. De acordo com o secretário, já estava ficando difícil extrair dos arrendatários a renda padrão. Eles alegavam dificuldades financeiras, mas por baixo das alegações havia a sensação de que a equações política que envolvia propriedade e dependência estava mudando inexoravelmente. Entre aqueles que eram mais eloquentes contra o nababo *sahib* estavam alguns entre os quais, no passado, ele havia tratado com excepcional leniência e até generosidade, e que achavam difícil perdoá-lo por isso.

O que iria sobreviver a ele? Embora a maior parte da vida ele tivesse lido poesia urdu, nunca havia escrito um só poema, um só dístico que fosse permanecer na lembrança de todos. Os que não vivem em Bhrampur menosprezam os versos de Mast, pensou ele, mas são capazes de completar dormindo muitos dos gazais compostos pelo poeta. Com um sobressalto ele se deu conta de que nunca fora feita uma edição verdadeiramente erudita dos poemas de Mast, e começou a observar as manchas dos raios de luz solar que caíam sobre a mesa.

"Talvez seja essa a tarefa para a qual estou mais bem-preparado no estágio atual", disse consigo. De qualquer forma, é provavelmente o que eu mais gostaria de fazer.

Continuou a ler, saboreando a intuição com que Macaulay analisava generosamente o caráter de Cícero, um homem dominado pela aristocracia pela qual havia sido adotado, hipócrita, devorado pela vaidade e pelo ódio, contudo indubitavelmente "grandioso". O nababo *sahib*, que na época pensava muito na morte, ficou surpreso com a observação de Macaulay: "Eu realmente acho que ele recebeu dos triúnviros pouco mais que seus desertos."

Apesar do fato de o livro ter sido polvilhado com um inseticida branco, uma traça surgiu da lombada e atravessou a faixa de luz solar sobre a mesa redonda. O nababo *sahib* olhou para ela por um instante e ficou imaginando que fim teria levado o rapaz que parecera tão entusiasmado com o ofício de se encarregar de sua biblioteca. O jovem havia prometido se mudar para Baitar House, e esta fora a última notícia que o nababo tivera a seu respeito — e isso devia fazer, no mínimo, um mês. Ele fechou livro e o sacudiu; tornou a abri-lo numa página aleatória e continuou a ler como se o novo parágrafo tivesse sucedido ao anterior:

O documento que ele mais admirava na coleção inteira de correspondências era a resposta de César à mensagem de Cícero de gratidão pela humanidade que o conquistador tinha demonstrado aos adversários políticos submetidos ao seu poder na rendição de Corfinium. Dela constava (assim Macaulay costumava dizer) a frase mais elegante que já fora escrita:
"Sinto triunfo e júbilo de que minha ação tenha obtido sua aprovação; tampouco fico perturbado ao ouvir dizer que aqueles que mandei embora vivos e em liberdade vão novamente levantar armas contra mim; pois não há nada que eu ambicione mais que parecer comigo próprio, e que eles se pareçam consigo próprios."

O nababo leu a frase diversas vezes. Em certa ocasião tinha contratado um professor particular de latim, mas não avançara muito no estudo do idioma. Agora ele tentava encaixar as sonoras frases do inglês nas que deveriam ter sido as frases ainda mais sonoras do original. Ficou sentado em devaneio por uns bons dez minutos, meditando sobre o conteúdo e a forma da sentença, e teria continuado a fazê-lo se não tivesse sentido um puxão na perna da calça.

5.11

QUEM o estava puxando com as duas mãos era o neto mais novo, Abbas. O nababo *sahib*, que não o tinha visto entrar, olhou para ele com prazerosa surpresa. Pouco atrás de Abbas veio Hassan, seu irmão de 6 anos. E atrás de Hassan um velho criado, Ghulam Rusool.

O empregado anunciou que o almoço estava esperando pelo nababo *sahib* e sua filha na saleta contígua aos aposentos das mulheres. Ele também se desculpou por ter deixado os meninos entrarem na biblioteca quando o patrão estava lendo.

— Mas, *sahib*, eles insistiram e não quiseram atender à razão.

Com um aceno de aprovação o nababo *sahib* deixou Macaulay e Cícero e se voltou satisfeito para Hassan e Abbas.

— Hoje nós vamos comer no chão ou na mesa, *nana-jaan*? — perguntou Hassan.

— Já que estamos somente nós, vamos comer lá dentro, em cima do tapete — explicou o avô.

— Que bom — disse Hassan, que ficava nervoso quando não estava com os pés no chão.

— O que há naquele quarto, *nana-jaan*? — perguntou o pequeno Abbas, de 3 anos, quando eles passaram pelo corredor diante de um quarto com um grande cadeado de bronze.

— Fuinhas, naturalmente — disse o irmão mais novo, sabiamente.

— Não, eu quero dizer dentro do quarto — insistiu Abbas.

— Acho que temos alguns tapetes guardados lá dentro — respondeu o avô. Voltando-se para Ghulam Rusool, perguntou: — O que guardamos aí?

— *Sahib*, dizem que faz dois anos que esse quarto foi trancado. Está tudo numa lista, de posse de Murtaza Ali. Vou perguntar a ele e informarei ao senhor.

— Não, não é preciso — disse o nababo *sahib* alisando a barba e tentando se lembrar, pois para sua surpresa lhe fugira à memória quem costumava usar aquele quarto específico. — Desde que esteja na lista...

— *Nana-jaan*, conte para nós uma história de fantasma — pediu Hassan, puxando a mão direita do avô.

— Sim, sim — disse Abbas, que concordava prontamente com a maioria das sugestões do irmão mais velho, mesmo quando não entendia o que estava sendo sugerido. — Conte para nós uma história de fantasma.

— Não, todas as histórias de fantasma que eu conheço são muito apavorantes — disse o nababo *sahib* —, e se eu contar uma delas vocês não vão conseguir almoçar direito, de tão assustados.

— Nós não vamos ficar assustados — garantiu Hassan.

— Assustados, não — reiterou Abbas.

Chegaram à saleta em que o almoço estava esperando por eles. O nababo *sahib* sorriu ao ver a filha, e depois de lavar as próprias mãos e as dos netos num pequeno lavatório, com água fria de uma jarra próxima, os fez sentar, cada um diante de um pequeno *thali* no qual a comida já estava servida.

— Você sabe o que seus dois filhos estão me pedindo? — perguntou o nababo *sahib*.

Zainab voltou-se para os meninos e ralhou com eles:

— Eu disse a vocês que não fossem perturbar seu *nana-jaan* na biblioteca, mas no momento em que dou as costas vocês fazem o que bem entendem. E então, o que eles estiveram pedindo ao senhor?

— Nada — disse Hassan, muito emburrado.

— Nada — repetiu Abbas, candidamente.

Zainab olhou o pai com carinho e pensou no tempo em que ela se pendurava nas mãos dele e fazia suas próprias exigências inoportunas, usando frequentemente a indulgência do pai para contornar a rigidez materna. Ele estava sentado em um tapete diante de seu *thali* de prata, com a mesma postura ereta que ela recordava da infância remota, mas a magreza das faces e os furinhos quadrados onde as traças lhe haviam roído a túnica imaculadamente bem-passada encheram-na de repentina ternura. Havia dez anos que a mãe dela tinha morrido — os próprios filhos de Zainab só conheciam a avó por fotografias e histórias —, e aquele período de viuvez envelhecera o pai como vinte anos o teriam envelhecido no decurso normal do tempo.

— O que eles estão pedindo, *abba-jaan*? — perguntou Zainab sorrindo.

— Querem uma história de fantasma, exatamente como você quando criança.

— Mas eu nunca pedi histórias de fantasma na hora do almoço — lembrou Zainab. Aos meninos ela disse: — Nada de história de fantasma. Abbas, pare de brincar com a comida. Se vocês forem muito bonzinhos talvez consigam uma história à noite, antes de dormir.

— Não, agora! Agora! — disse Hassan.

— Hassan — disse a mãe em advertência.

— Agora! Agora! — Hassan começou a gritar e a chorar.

O nababo *sahib* ficou muito perturbado com a insubordinação das crianças à mãe, e lhes disse que não falassem assim. Meninos bonzinhos não faziam isso, esclareceu.

— Espero que pelo menos eles escutem o pai — disse o avô, em leve recriminação.

Para seu horror, viu uma lágrima rolar pela face da filha. Passando o braço sobre os ombros dela, perguntou:

— Está tudo bem? Está tudo bem por lá?

Era a pergunta instintiva a ser feita, mas, assim que ele a fez, se deu conta de que talvez devesse ter esperado até os netos terminarem de comer e ele ficar sozinho com a filha. Tinha ouvido rumores de que nem tudo ia bem no casamento dela.

— Está sim, *abba-jaan*. Só me sinto um pouco cansada.

Ele manteve o braço em torno dela até as lágrimas cessarem. As crianças pareciam perplexas. Porém, logo esqueceram a tristeza da mãe, pois alguns de seus pratos favoritos haviam sido preparados. De fato, a mãe também ficou muito envolvida em alimentá-los, principalmente o mais novinho, que não estava conseguindo partir o *naan*. Até o nababo *sahib*, vendo a imagem composta pelos três reunidos, sentiu uma corrente de dolorosa felicidade. Zainab era baixinha, como fora a mãe dela, e muitos de seus gestos de carinho ou de recriminação lembravam ao pai os gestos da esposa, quando ela tentava fazer Firoz e Imtiaz se alimentarem.

Como que em resposta aos pensamentos dele, Firoz entrou na saleta. Zainab e as crianças ficaram encantados ao vê-lo.

— Firoz *Mamu*, Firoz *Mamu*! — disseram os meninos. — Por que não veio almoçar com a gente?

Firoz parecia impaciente e perturbado. Pousou a mão sobre a cabeça de Hassan.

— *Abba-jaan*, seu *munshi* veio de Baitar e quer conversar com o senhor — disse ele.

— Ora! — exclamou o nababo *sahib* contrariado, pois preferia passar o tempo conversando com a filha.

— Ele quer que o senhor vá hoje à fazenda. Parece que há algum tipo de crise lá.

— Como assim? — perguntou o nababo *sahib*. A perspectiva de viajar três horas de jipe sob o sol de abril não o entusiasmava.

— É melhor o senhor conversar com ele — disse Firoz. — O senhor sabe o que penso em relação ao seu secretário. Se o senhor achar que eu devo acompanhá-lo a Baitar ou que devo ir em seu lugar, por mim tudo bem. Não tenho nada para fazer hoje à tarde. Ah, sim, tenho uma reunião com um cliente, mas posso adiá-la, pois o caso dele ainda levará algum tempo até ir a julgamento.

O nababo *sahib* se levantou com um suspiro e lavou as mãos.

Quando chegou à antessala onde o secretário o aguardava, perguntou bruscamente qual era o problema. Pelo visto havia dois problemas, ambos fermentando simultaneamente. O principal era a dificuldade perene de se extrair dos camponeses o pagamento pela terra arrendada. O nababo *sahib* não aprovava os métodos violentos que o secretário estava inclinado a empregar: o uso de capangas para lidar com os devedores. Em consequência disso, a arrecadação tinha diminuído e o *munshi* agora achava que a presença do nababo em Baitar Fort por alguns dias, além de uma conversa em particular com alguns políticos locais, seria de extrema ajuda para a questão. Normalmente, o ardiloso secretário não se inclinaria a envolver o patrão na administração da propriedade, mas esta era uma exceção. Ele até tinha trazido consigo um pequeno proprietário local para confirmar que a questão estava complicada e que exigia a presença imediata do nababo *sahib* na região, não só em seu próprio interesse, mas também para ajudar os outros proprietários rurais.

Depois de uma breve discussão (os outros problemas envolviam complicações no madraçal), o nababo *sahib* disse:

— Tenho algumas coisas a fazer hoje à tarde. Mas vou discutir essas questões com meu filho. Por favor, espere aqui.

Firoz disse que achava que o pai deveria ir, nem que fosse para verificar se o *munshi* não o estaria roubando descaradamente. O filho o acompanharia para examinar as contas. Talvez tivessem que passar uma ou duas noites em Baitar, e ele não queria que o pai ficasse sozinho. Zainab, a quem o nababo estava relutante em deixar "sozinha na casa" conforme ele expressou, foi pragmática em relação à partida dele, embora a lamentasse.

— Mas, *abba-jaan*, o senhor voltará amanhã ou depois, e eu estarei aqui por mais uma semana. Aliás, não é amanhã que Imtiaz volta? Por favor, não se preocupe comigo: eu morei nesta casa a maior parte de minha vida. — Ela sorriu. — Só porque agora sou uma mulher casada, isso não quer dizer que sou menos capaz de cuidar de mim mesma. Vou passar o tempo fazendo fofoca na *zenana*, e até mesmo assumirei seu compromisso de contar aos meninos uma história de assombração.

Ainda que um pouco apreensivo — em relação a que, exatamente, ele não seria capaz de dizer —, o pai aquiesceu ao que obviamente era um sábio conselho. Despediu-se carinhosamente da filha, e só se privou de beijar os netos porque estes estavam fazendo a sesta da tarde. Uma hora depois ele deixou Bhrampur e dirigiu-se a Baitar.

5.12

A NOITE começava a cair. Baitar House tinha um aspecto deserto. Metade da casa estava desocupada, e ao crepúsculo os serviçais já não caminhavam pelos cômodos acendendo velas, ou lâmpadas, ou a luz elétrica. Nessa noite em especial, até os aposentos do nababo *sahib*, de seus filhos e dos hóspedes, ocasionalmente ocupados, estavam às escuras, e quem olhasse da rua teria a impressão de que já não morava mais ninguém no imóvel. Toda atividade, conversa, azáfama e movimentação estava acontecendo nos aposentos femininos, que não davam para a rua.

Ainda não havia escurecido totalmente. As crianças dormiam. Distraí-las do fato de que o avô não estava presente para contar a prometida história de assombração tinha sido mais fácil do que a mãe esperava. Os dois meninos estavam cansados da viagem do dia anterior até Bhrampur, embora na noite passada tivessem insistido em ficar acordados até às dez.

Zainab teria gostado de se sentar para ler um livro, mas resolveu dedicar o serão a conversar com a tia e as tias-avós. Essas mulheres, que ela conhecia desde a infância, tinham passado a vida inteira, desde os 15 anos, em regime de *purdah* — na casa do pai ou na casa do marido. Zainab também o fizera, mas, em virtude da educação recebida, considerava-se dotada de uma visão mais ampla do mundo. As restrições da *zenana*, o mundo feminino que quase tinha enlouquecido Abida Khan — o círculo estreito de conversas, a religiosidade, as rédeas impostas à ousadia ou a não ortodoxia de qualquer espécie —, eram vistos por essas mulheres sob uma luz inteiramente diversa. O mundo delas não se ocupava das grandes preocupações do Estado, mas era essencialmente humano. Comidas, festivais, relações familiares, objetos de uso e de beleza; esses — principalmente para o bem, mas às vezes para o mal — formavam a base, mas não a totalidade, de seus interesses. Não que elas ignorassem o grande universo lá fora; ele era mais visto através do filtro dos interesses familiares e dos amigos do que o seria por um residente temporário que vivenciasse o mundo de forma mais direta. As pistas que elas recebiam eram mais indiretas, requeriam interpretação mais sensível; e assim também eram as pistas que elas forneciam. Para Zainab, que considerava a elegância, a sutileza, as boas maneiras e a cultura familiar como qualidades a serem valorizadas em si mesmas, o mundo da *zenana* era completo, ainda que restrito. Ela não acreditava que, por não terem conhecido desde meninas outros homens que não os da família e por terem estado em poucos aposentos que não os próprios, as tias fossem pouco perspicazes em relação ao mundo, ou pobres de compreensão da natureza humana. Zainab gostava delas, gostava de conversar com elas e sabia quanta alegria derivava das visitas ocasionais da sobrinha. Mas, nessa visita específica à casa paterna, ela estava relutante em se sentar e falar da vida alheia, pois as tias quase com certeza tocariam em assuntos que iriam magoá-la. Qualquer menção ao marido lhe recordaria mais uma vez as infidelidades de que só recentemente tivera notícia e que lhe causaram tamanha ansiedade e preocupação. Zainab teria que fingir para as tias que tudo estava bem com ela e até se permitir brincadeiras leves sobre as intimidades de sua vida doméstica.

Havia alguns minutos que elas estavam sentadas conversando quando duas jovens empregadas entraram apavoradas no recinto e, sem sequer fazer a saudação habitual, disseram ofegantes:

— A polícia! A polícia está aqui.

Em seguida caíram no choro e falavam com tal incoerência que era impossível entender o que diziam.

Zainab conseguiu acalmar um pouco uma delas, e lhe perguntou o que os policiais queriam.

— Eles vieram confiscar a casa — disse a moça com um novo ataque de choro.

Todas olharam horrorizadas para a moça inconsolável, que enxugava os olhos na manga.

— Ai, ai, ai! — gritou uma das tias em deplorável angústia e começou a chorar. — O que nós vamos fazer? Não há ninguém na casa.

Embora chocada diante da súbita reviravolta dos acontecimentos, Zainab pensou no que sua mãe teria feito caso ninguém — ou seja, nenhum homem — estivesse em casa.

Depois de se recobrar parcialmente do choque, ela fez à empregada algumas perguntas rápidas:

— Onde eles estão? Estão mesmo dentro da casa? O que os empregados estão fazendo? E onde está Murtaza Ali? Por que eles querem confiscar a casa? Munni, sente-se e pare de soluçar; eu não consigo entender o que você está dizendo.

Zainab tremia e consolava moça ao mesmo tempo.

Só conseguiu apurar que o jovem Murtaza Ali, o secretário particular do pai, parado no final do gramado diante de Baitar House, tentava fazer a polícia desistir de cumprir as ordens. A criada estava particularmente aterrorizada porque o grupo de policiais era chefiado por um oficial sique.

— Munni, escute — disse Zainab —, eu quero falar com Murtaza.

— Mas...

— Agora vá dizer a Ghulam Rusool ou a algum outro empregado que avise a Murtaza Ali que quero falar com ele imediatamente.

As tias olharam para ela horrorizadas.

— E, sim, leve este bilhete a Rusool para entregá-lo ao inspetor ou a quem quer que esteja chefiando os policiais. Faça com que chegue até ele.

Zainab escreveu em inglês um bilhete curto que dizia:

Prezado inspetor *sahib*,

Meu pai, o nababo *sahib* de Baitar, não se encontra em casa e, já que nenhuma ação legítima poderá ser levada a cabo sem intimá-lo primeiramente, devo pedir ao senhor que não prossiga com a ação. Eu gostaria de falar imediatamente com Murtaza Ali, o secretário particular de meu pai, e solicito ao senhor que o libere. Também gostaria de lhe pedir que observe que este é o horário da oração vespertina e que qualquer incursão à nossa casa ancestral no horário em que os ocupantes estejam em prece será profundamente insultuosa a todas as pessoas de boa-fé.

Sinceramente,
Zainab Khan

Munni pegou o bilhete e saiu do quarto, ainda choramingando, mas já refeita do pânico. Zainab evitou os olhares das tias e recomendou à outra empregada, que também havia se acalmado um pouco, que cuidasse de que Hassan e Abbas não fossem acordados pela comoção.

5.13

QUANDO o assistente do superintendente de polícia à frente do contingente que tinha vindo confiscar a Baitar House leu o bilhete, ele se ruborizou, deu de ombros, trocou umas palavras com o secretário particular do nababo *sahib* e, dando uma rápida olhada no relógio, disse:

— Tudo bem, então mais meia hora.

Seu dever era claro e não havia como adiá-lo; mas ele acreditava mais na firmeza do que na violência, e meia hora de atraso era aceitável.

Zainab tinha pedido a uma das duas jovens empregadas que abrisse o corredor que ligava os aposentos femininos aos masculinos e estendesse um lençol entre os dois ambientes. Depois, apesar das interjeições de incredulidade e de outras exclamações piedosas das tias, ela mandou Munni pedir a um criado que instruísse o secretário a se postar atrás do lençol. Vermelho de constrangimento e humilhação, o rapaz parou ao lado da porta da qual nunca na vida tinha imaginado que se aproximaria.

— Murtaza *Sahib*, eu devo pedir desculpas por seu constrangimento e pelo meu próprio — disse Zainab delicadamente, em urdu elegante e sem adornos. — Sei que o senhor é um homem recatado e compreendo seus escrúpulos. Por favor, me perdoe. Eu também lamento ter sido obrigada a utilizar esse recurso. Mas esta é uma emergência extrema, e sei que não será mal-interpretada.

Ela empregou inconscientemente a primeira pessoa do plural no urdu, em vez do singular habitual. As duas formas eram aceitáveis na linguagem coloquial, mas, como o plural não admitia flexão de gênero, ele atenuava um pouco a tensão em torno da linha divisória entre os aposentos masculinos e femininos, cuja violação tanto havia chocado as tias de Zainab. Além disso, no plural estava implícito um leve sentido de comando, e este ajudava a estabelecer um tom que permitia não só uma troca de constrangimentos — o que era inevitável — mas também de informação.

Em urdu igualmente culto, porém ligeiramente mais elaborado, o jovem Murtaza Ali replicou:

— Creia-me, *begum sahiba*, não há nada a perdoar. Eu só lamento ter sido destinado a portar tais notícias.

— Então deixe-me pedir-lhe que me conte o mais rápido possível o que aconteceu. O que a polícia está fazendo aqui na casa de meu pai? E é verdade que eles desejam confiscar esta casa? Com base em quê?

— *Begum sahiba*, eu não sei por onde começar. Eles estão aqui com a intenção de confiscar esta casa assim que for possível. Eles iam entrar imediatamente, mas o ASP, o assistente do superintendente de polícia, leu o bilhete da senhora e nos concedeu meia hora de indulto. Ele traz uma ordem do superintendente de Propriedades Evacuadas e do ministro do Interior para tomar posse de todas as partes da casa que não estejam habitadas, em vista do fato de que, em sua maioria, os antigos moradores agora estabeleceram residência no Paquistão.

— A ordem inclui entrar na *zenana*? — perguntou Zainab com toda a calma possível.

— Não sei o que está incluído, *begum sahiba*. Ele disse "todas as áreas desocupadas".

— Como ele sabe que tantas partes da casa estão desocupadas?

— Infelizmente, *begum sahiba*, isso é óbvio. Em parte, naturalmente, é de conhecimento público. Tentei convencê-lo de que há gente morando aqui, mas ele apontou para as janelas escuras. Nem mesmo o nababo *sahib* está aqui no momento. Nem os *nawabzadas*.

Zainab ficou em silêncio por um momento. Depois disse:

— Murtaza *Sahib*, não entregarei em meia hora o que tem pertencido à minha família por gerações. Mas temos que tentar imediatamente fazer contato com Abida *Chachi*. A propriedade dela também está em perigo. E com Kapoor *Sahib*, o ministro da Fazenda, que é um velho amigo da família. O senhor terá que fazer isso, pois não há telefone na *zenana*.

— Farei isso imediatamente. Rezo para conseguir completar a ligação.

— Infelizmente o senhor terá de abrir mão de suas preces regulares esta noite — disse Zainab com um sorriso que podia ser percebido em sua voz.

— Acho que terei — replicou Murtaza Ali, surpreso de ver que também ele era capaz de sorrir num momento tão infeliz. — Acho que eu devo ir agora mesmo tentar falar com o ministro da Fazenda.

— Mande o carro para buscá-lo. Não, espere — disse Zainab. — Ele pode ser necessário. Cuide para que fique preparado.

Ela pensou por um minuto. Murtaza Ali sentia os segundos se esvaírem.

— Quem está com as chaves da casa? — perguntou Zainab. — Quero dizer, as dos cômodos vazios?

— As chaves na ala feminina estão com...

— Não, esses cômodos não podem ser vistos da rua, eles não são importantes. Quero dizer os cômodos da ala masculina.

— Algumas delas estão comigo, outras com Ghulam Rusool, e algumas, eu acredito, foram levadas pelo nababo *sahib* para Baitar.

— Pois é isto que você deve fazer — disse ela em voz baixa. — Nós temos pouquíssimo tempo. Ordene a todos os criados e as criadas da casa que tragam velas, lanternas, lamparinas e qualquer tipo de chama que tivermos em casa e que iluminem um pouco cada um dos cômodos que têm janelas para a rua. Mesmo que isso signifique entrar em cômodos nos quais normalmente é preciso ter permissão para tanto, e mesmo que seja necessário arrombar uma fechadura ou porta aqui e ali. O senhor entende?

O fato de não ter protestado e de ter aceitado o mero bom-senso — ainda que desesperado — de semelhante providência tornava evidente a inteligência do secretário.

— Pelo lado de fora deve parecer que a casa está habitada, ainda que o ASP tenha motivos para acreditar que não está. Ainda que não consigamos fazê-lo acreditar nisso, deve ser oferecida a ele uma desculpa para se retirar, caso esteja disposto a tanto.

— Sim, *begum sahiba*.

Murtaza estava cheio de admiração por essa mulher de voz amável que ele nunca vira e nunca veria.

— Conheço esta casa como a palma da minha mão — continuou Zainab. — Ao contrário das minhas tias, eu nasci aqui. Mesmo estando agora confinada a este setor, conheço muito bem todos os outros, dos dias de infância, e sei que em termos de estrutura a casa não mudou muito. Como temos pouquíssimo tempo, eu estou planejando ajudar pessoalmente a iluminar os quartos. Sei que meu pai vai compreender minha atitude, e não me importo se ninguém mais a entender.

— Peço-lhe encarecidamente, *begum sahiba* — disse o secretário particular do pai dela, com sofrimento e horror perceptíveis na voz —, eu imploro que não faça isso. Organize tudo na *zenana* e apronte o máximo de lamparinas que conseguir, a fim de que elas sejam passadas a nós do lado de cá. Mas, por favor, fique onde a senhora está. Cuidarei de que tudo seja cumprido de acordo com suas ordens. Agora preciso ir, mas dentro de 15 minutos mandarei dizer como as coisas estão. Que Deus proteja sempre sua família e esta casa.

Dito isso, ele foi embora.

Zainab manteve Munni ao seu lado e disse à outra moça que ajudasse a trazer as lamparinas, a acendê-las e a levá-las para o outro lado da casa. Depois retornou a seu quarto e foi olhar Hassan e Abbas, que ainda estavam dormindo. É a história, a herança e também o mundo de vocês que eu estou protegendo, pensou, passando a mão pelos cabelos do caçula. Hassan, normalmente tão emburrado, estava sorrindo, com os braços em torno do irmão mais novo. No quarto vizinho as tias de Zainab rezavam em voz alta.

Zainab fechou os olhos, recitou a *Fatiha* e, exaurida, sentou-se. Então lembrou-se de algo que o pai lhe dissera certa vez, refletiu por alguns segundos sobre a importância daquelas palavras e começou o rascunho de outro bilhete.

Ordenou a Munni que acordasse os meninos e os vestiu rapidamente em seus melhores trajes formais — um pequeno *kurta-pyjama* branco para Abbas e uma *angarkha* branca para o mais velho. Na cabeça os dois usavam barretes bordados.

Quinze minutos depois, como Zainab não recebeu notícias de Murtaza Ali, mandou buscá-lo. Quando ele chegou, ela lhe perguntou:

— Está tudo feito?

— Está, *begum sahiba*. A casa parece iluminada. Em todas as janelas externas há alguma luz visível.

— E Kapoor *Sahib*?

— Infelizmente não consegui falar com ele por telefone, embora a Sra. Mahesh Kapoor tenha mandado procurá-lo. Ele talvez esteja trabalhando até mais tarde em algum lugar da secretaria da Câmara. Mas no gabinete dele ninguém atende ao telefone.

— Abida *Chachi*?

— O telefone dela parece estar com defeito, e eu só escrevi um bilhete a ela. Peço perdão pela ineficiência.

— Murtaza Ali, o senhor já fez muito mais do que me parecia possível. Agora ouça o conteúdo desse bilhete e me ajude a melhorá-lo.

Eles leram às pressas o rascunho do bilhete. Escrito em inglês, o texto tinha sete ou oito linhas. Murtaza Ali pediu algumas explicações e fez algumas sugestões; Zainab incorporou-as e fez uma cópia legível.

— Hassan e Abbas, agora vocês devem acompanhar Murtaza Ali e fazer tudo o que ele disser — ordenou ela aos filhos, cujos olhos ainda estavam cheios de sono e espanto diante desse jogo inesperado. — Quando seu avô chegar, vai ficar muito contente com vocês, e eu também. E Imtiaz *Mamu* e Firoz *Mamu* também.

Depois de beijar cada filho, ela os fez passar ao outro lado do lençol, onde Murtaza Ali os tomou a seu cuidado.

— São os meninos que devem entregar o bilhete — recomendou Zainab. — Leve o carro; diga ao inspetor, quero dizer, ao ASP, para onde vocês estão indo, e vão logo. Não sei como agradecer por sua ajuda. Se o senhor não estivesse aqui, nós com certeza já estaríamos perdidos.

— *Begum sahiba*, eu não tenho como retribuir a bondade de seu pai — disse Murtaza Ali. — Cuidarei de que os filhos da senhora estejam de volta dentro de uma hora.

Saiu andando pelo corredor com um garoto preso em cada mão. No começo, Murtaza estava amedrontado demais para dizer alguma coisa a eles, mas depois de terem caminhado um minuto em direção ao final do gramado, onde os policiais estavam parados, disse aos meninos:

— Hassan, Abbas, cumprimentem o ASP *sahib*.

— *Adaab arz*, ASP *sahib* — disse Hassan em saudação.

Abbas ergueu os olhos para o irmão e repetiu as palavras dele, mas o final soou como "sapê *sahib*".

— Estes são os netos do nababo *sahib* de Baitar — explicou o secretário particular.

O assistente do superintendente de polícia sorriu cauteloso.

— Lamento, mas meu prazo terminou e o seu também. A casa talvez pareça habitada, mas nossa informação nos diz o contrário, e nós precisaremos investigar. Temos que cumprir nosso dever. O próprio ministro do Interior nos instruiu a fazê-lo.

— Eu compreendo, ASP *sahib* — disse Murtaza Ali. — Mas eu poderia implorar por um pouco mais de tempo? Esses dois meninos estão levando uma carta que deve ser entregue antes que seja iniciada qualquer ação.

O ASP balançou a cabeça e levantou a mão para indicar que já bastava.

— Agarwalji me disse pessoalmente que não vai aceitar nenhuma petição a respeito desse assunto e que nós não devemos tolerar nenhum atraso. Mais tarde será possível contestar ou apelar da decisão.

— Esta carta é dirigida ao chanceler.

O policial se retesou ligeiramente.

— O que significa isso? — perguntou em voz ao mesmo tempo irritada e surpresa. — O que diz a carta? O que espera conseguir com ela?

Murtaza Ali respondeu com ar solene:

— Não se pode esperar que eu conheça o conteúdo de uma carta particular e urgente da filha do nababo *sahib* de Baitar ao chanceler do estado de Purva Pradesh. É óbvio que trata da questão da casa, mas seria impertinência de minha parte especular sobre o que ela diz. Mas o carro já está pronto e eu tenho que escoltar esses pequenos mensageiros até a casa de Sharmaji, antes que eles percam a própria casa. ASP *sahib*, tomara que o senhor aguarde a minha volta antes de agir precipitadamente.

Momentaneamente frustrado, o ASP nada replicou. Sabia que seria obrigado a esperar.

Murtaza Ali se despediu, reuniu seus protegidos e partiu no carro do nababo *sahib*.

Entretanto, o carro parou de repente cerca de 50 metros depois dos portões de Baitar House e o motor não funcionou mais. Murtaza Ali disse ao motorista que esperasse, voltou com Abbas até a casa, deixou-o com um criado, pegou a bicicleta e voltou ao carro. Depois sentou à sua dianteira um Hassan surpreendentemente cordato e saiu pedalando com ele de bicicleta noite adentro.

5.14

QUINZE minutos depois, quando chegaram à casa do chanceler, este os admitiu imediatamente ao seu gabinete, pois estava trabalhando até mais tarde.

Após as saudações habituais, foram convidados a se sentar. Murtaza Ali estava suando — tinha pedalado com a máxima velocidade possível, tendo em conta a segurança de sua carga. Mas Hassan, em sua elegante *angarkha* branca, parecia calmo e viçoso, ainda que um pouco sonolento.

— E então, a que devo o prazer da visita?

O chanceler olhava do menino de 6 anos ao secretário de 30 anos do nababo *sahib* enquanto balançava ligeiramente a cabeça de um lado para outro, como fazia às vezes, quando estava cansado.

Murtaza Ali nunca havia encontrado pessoalmente o chanceler. Como não tinha ideia da melhor maneira de abordar a questão, limitou-se a dizer:

— Chanceler *sahib*, esta carta dirá tudo ao senhor.

O chanceler leu a carta uma só vez, mas lentamente. Depois, em voz zangada e decidida, que mesmo anasalada mostrava um tom inconfundível de autoridade, exclamou:

— Ponham Agarwal ao telefone para mim!

Enquanto a chamada estava sendo providenciada, o chanceler repreendeu Murtaza Ali por ter trazido consigo "o pobre menino", pois já passava muito do horário de uma criança estar dormindo. Mas a presença do garoto evidentemente causou um efeito sobre seus sentimentos. Provavelmente, pensou Murtaza Ali, ele teria dito palavras mais ásperas se eu tivesse trazido Abbas também.

Quando a ligação foi feita, o chanceler teve uma breve conversa com o ministro do Interior. Não havia como ignorar a irritação em sua voz.

— Agarwal, o que significa esse negócio da Baitar House? — inquiriu o chanceler. Passado um minuto ele continuou: — Não, nada disso me interessa. Tenho uma boa noção do que seja o trabalho do superintendente. Não posso permitir que esse tipo de coisa aconteça embaixo do meu nariz. Mande cancelar isso agora mesmo. — Segundos depois retorquiu ainda mais exasperado: — Não, isso não será resolvido amanhã de manhã. Ordene à polícia que saia imediatamente. Se for preciso, ponha nisso minha assinatura. — Quase colocando o telefone no gancho, ele acrescentou: — Ligue para mim dentro de meia hora.

Depois de desligar o telefone o chanceler leu novamente a carta de Zainab. Então se voltou para Hassan e disse, balançando um pouco a cabeça:

— Agora vá para casa; tudo vai ficar bem.

5.15

BEGUM *ABIDA KHAN* (*Partido Democrático*): Eu não entendo o que está dizendo o nobre parlamentar. Ele alega que nós deveríamos aceitar a palavra do governo em relação a isso, como também em outras questões? O nobre parlamentar não sabe o que aconteceu outro dia nesta cidade, mais precisamente na Baitar House, onde por ordens deste governo uma gangue de policiais armados até os dentes teria atacado os membros indefesos de uma *zenana* desprotegida se não tivesse sido a graça de Deus...

O nobre presidente da Câmara: A nobre deputada deve ser lembrada de que isso não é pertinente à votação da lei contra o latifúndio que está sendo discutida. Devo lembrá-la das regras do debate e lhe pedir que se abstenha de introduzir em seus discursos assuntos extrínsecos.

Begum *Abida Khan*: Sou profundamente grata ao nobre presidente. Esta casa tem suas próprias regras, mas Deus também está nos julgando lá do alto e, se me permitem dizê-lo, sem desrespeito a esta casa, Deus também tem suas próprias regras e nós veremos quais prevalecerão. Como podem os latifundiários contar com a justiça deste governo quando mesmo nesta cidade, sob as vistas desta honrada casa, a honra de outras casas honradas está sendo violentada?

O nobre presidente da Câmara: Não tornarei a lembrar à nobre deputada. Se houver mais digressões desse teor, pedirei a ela que volte a seu assento.

Begum *Abida Khan*: O nobre presidente tem sido muito tolerante comigo, e não tenho intenção de perturbar ainda mais esta casa com minha voz impotente. Mas eu direi que toda a conduta, todo o processo pelo qual esse projeto de lei foi criado, emendado, aprovado pela Câmara Alta, trazido a esta Câmara Baixa, e submetido mais uma vez a drásticas emendas promovidas pelo próprio governo mostra uma falta de fé e uma falta de responsabilidade e até de integridade com relação a sua alegada intenção original, e o povo deste estado não perdoará o governo por isso. Este usou sua esmagadora maioria para forçar a aprovação de emendas que são flagrantemente de má-fé. O que vimos quando o projeto de lei, já emendado pelo Conselho Legislativo, estava passando por sua segunda leitura nessa Assembleia foi algo tão chocante que até eu, que já vivenciei muitos acontecimentos chocantes em minha vida, fiquei horrorizada. Chegou-se a um acordo de que proprietários de terra deveriam receber uma indenização. Era o mínimo que se poderia esperar em termos de justiça, já que eles seriam privados de seus meios ancestrais de sobrevivência. Mas a quantia que está sendo paga é uma ninharia, e o que se espera, ou melhor, que se impõe, é aceitarmos que metade dela seja paga em títulos do governo sem data para recebimento!

Um parlamentar: A senhora não precisa aceitá-la. O Tesouro ficará feliz em manter esse dinheiro guardado para a senhora.

Begum *Abida Khan*: E mesmo essa ninharia em títulos do governo obedece a uma escala graduada, de forma que os maiores proprietários — muitos dos quais têm estabelecimentos de que dependem centenas de pessoas —, administradores, parentes, agregados, músicos...

Um parlamentar: Brigões, capangas, cortesãs, perdulários...

Begum *Abida Khan*: ...não serão remunerados em proporção à terra que por direito lhes pertence. E o que farão essas pobres criaturas? Para onde irão? O governo não se importa. Ele acha que essa lei será popular e está de olho nas eleições gerais que se realizarão em apenas alguns meses. Essa é a verdade da questão. Essa é a real verdade, e eu não aceito nenhum desmentido da parte do ministro da Fazenda ou de seu assessor parlamentar, ou do chanceler, ou de quem quer que seja. Eles temiam que o Tribunal Superior de Bhrampur fosse derrubar a escala de pagamento que eles propunham. Portanto, o que fizeram ontem num estágio avançado dos procedimentos, no próprio final da segunda leitura? Fizeram algo tão traiçoeiro, tão vergonhoso, porém tão transparente que até uma criança seria capaz de discernir. Eles dividiram a indenização em duas partes — uma chamada indenização não graduada e outra chamada de reabilitação graduada para os latifúndios — e aprovaram no final do dia uma emenda para validar esse novo sistema de pagamento. Será que estão mesmo achando que o tribunal vai aceitar que a indenização é um "tratamento igual" para todos quando, por simples malabarismo, o ministro da Fazenda e seu assessor parlamentar transformaram três quartos do dinheiro da indenização em outra coisa, de nome comprido e hipócrita, algo caracterizado por um tratamento flagrantemente desigual para os grandes proprietários? Podem ter certeza de que lutaremos contra essa injustiça enquanto houver alento em nossos corpos...

Um parlamentar: Ou voz em nossos pulmões.

O nobre presidente da Câmara: Eu devo pedir aos parlamentares que não interrompam sem necessidade os discursos dos outros deputados.

Begum *Abida Khan*: Mas que sentido tem eu soltar a voz clamando por justiça numa casa em que só recebemos escárnio e ignorância? Somos chamados de degenerados e perdulários, mas são os filhos de ministros — podem crer no que afirmo — os verdadeiros peritos em devassidão. A classe dos que preservaram a cultura, a música e as boas maneiras desta província deve ser atirada às ruas para mendigar o pão. Mas nós suportaremos nossas vicissitudes com a dignidade que é a herança da aristocracia. Essa Assembleia pode apoiar a aprovação na lei. A Câmara Alta pode fazer outra leitura superficial no documento e pôr seu carimbo de aprovação. O presidente pode assiná-lo cegamente. Mas os tribunais nos vingarão. Qual ocorreu em nosso estado-irmão de Bihar, essa legislação perniciosa será derrubada. E nós vamos lutar por justiça, sim, à frente da bancada, na imprensa e nos palanques da campanha eleitoral enquanto houver alento em nossos corpos. E, sim, enquanto houver voz em nossos pulmões.

Shri *Devakinandan Rai (Partido Socialista):* Foi muito esclarecedora essa intervenção da nobre deputada. Devo confessar que não vejo possibilidade de que ela venha a mendigar o pão pelos becos de Bhrampur. O bolo, até poderia ser, mas disso também duvido. Se eu conseguisse meu intento, ela não iria mendigar o pão, mas com certeza teria que trabalhar para ganhá-lo — ela e os de sua classe. É isso que exige a simples justiça, e também a saúde financeira desta província. Eu e os membros do Partido Socialista concordamos com a nobre deputada quando ela declara que esse projeto de lei é um artifício eleitoral de que lançaram mão o Partido do Congresso e o governo. Mas nossa crença se baseia no fato de que esta é uma lei inócua, ineficaz e conciliatória. Não chega nem perto do que seria necessário para uma completa reformulação das relações agrícolas nesta província.

Indenização para os latifundiários! O quê?! Compensação pelo sangue que eles já sugaram dos braços e pernas de camponeses indefesos e oprimidos? A compensação pelos direitos divinos deles — eu observo que a nobre deputada tem o hábito de invocar Deus sempre que a ajuda divina se faz necessária para fortalecer os argumentos fracos apresentados por ela —, os direitos divinos de continuar a cevar, a si próprios e a seu séquito inútil de parentes desempregados, neste estado, enquanto o agricultor pobre, o arrendatário pobre, o trabalhador braçal pobre e o operário pobre mal conseguem pagar um gole de leite para seus filhos famintos? Por que o Tesouro está sendo dilapidado? Por que estamos contraindo dívidas para nós e nossos filhos por causa desses títulos governamentais prometidos, quando essa classe ociosa e depravada de *zamindars* e *taluqdars* e senhorios de toda espécie deveria ser sumariamente desapropriada — sem se cogitar o ressarcimento — das terras em que está e em que esteve estabelecida por gerações, pela simples razão de terem traído o país na época da Revolta dos Sipais, sendo ricamente recompensados pelos britânicos por sua traição? É justo, senhor, é lógico que devam ser premiados com essa indenização? O dinheiro que este governo, em sua culpável generosidade, está despejando no colo desses opressores hereditários deveria ir para estradas e escolas, para moradia dos sem-terra e recuperação de terras, para clínicas e centros de pesquisa agrícola, e não para a opulenta gastança que é só o que a aristocracia está acostumada a fazer ou é capaz de fazer.

Mirza *Amanat Hussain Khan (Partido Democrático):* Quero trazer uma questão à tona, senhor presidente. É permitido ao nobre parlamentar se desviar do assunto e ocupar o tempo da Assembleia com irrelevâncias?

O nobre presidente da Câmara: Acho que esse tópico não é irrelevante. Está falando sobre a questão geral das relações entre os arrendatários, os proprietários rurais e o governo. Essa questão tem se apresentado diante de nós, e qualquer observação que o nobre deputado ofereça agora a tal respeito não é irrelevante. Eu posso gostar ou não, o senhor pode gostar ou não, mas não é injustificada.

Shri *Devakinandan Rai*: Muito obrigado, senhor presidente. Lá está o camponês sem roupa ao sol quente, e aqui estamos nós sentados em nossos frescos salões de debates, discutindo o que é ou não relevante e criando leis que não melhoram sua vida, que o privam da esperança, que fazem o papel da classe capitalista, opressora, exploradora. Por que o camponês deveria pagar pela terra que é dele por direito, por direito do esforço, por direito de sofrimento, por direito de natureza, por direito, digamos assim, divino? A única razão pela qual esperamos que o camponês pague ao Tesouro esse preço de compra indecoroso é o financiamento da indenização exorbitante do proprietário rural. Acabem com a indenização e não haverá necessidade de estabelecer um preço de compra. Neguem-se a aceitar o conceito de preço de compra da terra, e qualquer indenização se torna financeiramente impossível. Eu venho argumentando isso desde os primórdios do projeto de lei, há dois anos, e durante a segunda leitura, na semana passada. Mas, no estágio atual dos procedimentos, o que posso fazer? Agora é tarde demais. Que posso fazer senão dizer ao Tesouro: os senhores estabeleceram uma aliança infernal com os proprietários rurais e estão tentando destruir o espírito de nosso povo. Mas veremos o que acontecerá quando o povo perceber como foi enganado. As eleições gerais expulsarão este governo covarde e desonrado, e o substituirão por um governo que mereça tal nome: um governo que se origine no povo, que trabalhe pelo povo e que não dê apoio aos inimigos do povo.

5.16

O NABABO *SAHIB* entrou no recinto durante a parte inicial desse último discurso. Sentou-se na galeria dos visitantes, mas, se assim desejasse, o teriam recebido bem na galeria do governador. Havia voltado de Baitar no dia anterior, em resposta a uma mensagem urgente de Bhrampur. Ficou chocado e amargurado com o que aconteceu, horrorizado com o fato de que a filha tenha sido forçada a enfrentar praticamente sozinha semelhante situação. A preocupação com ela foi tão mais flagrante que o orgulho pelo seu feito que Zainab teve que sorrir. Por longo tempo ele ficou abraçado a ela e aos dois netos, com as lágrimas escorrendo pelo rosto. Hassan se espantou, mas o pequeno Abbas aceitou a situação como algo muito natural e se sentiu contente — ele podia ver que o avô estava bem feliz por encontrá-los. Firoz tinha ficado branco de raiva, e Imtiaz perdera todo o bom humor quando chegou, ao final da tarde, para acalmar a família.

O nababo *sahib* estava quase tão zangado com L. N. Agarwal quanto com Abida Khan, sua cunhada encrenqueira. Ele sabia que fora ela quem atraíra para eles tamanha aflição. Depois, passado o pior, ela fizera pouco caso da ação policial e fora quase desdenhosa ao saber que Zainab mostrara tanta coragem ao lidar com a situação. Quanto a L. N. Agarwal, o nababo *sahib* olhou de cima da galeria e o avistou conversando muito educadamente com o ministro da Fazenda, que havia se dirigido à mesa dele e dialogava sobre alguma questão, provavelmente de gestão da tribuna com relação à votação iminente e crítica que teria lugar naquela mesma tarde.

O nababo *sahib* não havia tido a oportunidade de falar com seu amigo Mahesh Kapoor desde que voltara, nem de levar ao chanceler seu agradecimento sincero. Resolveu fazê-lo depois de terminada a sessão de hoje. Mas outra razão para ele ter comparecido à Assembleia naquele dia foi a percepção — que muitos outros também tiveram, já que as galerias da imprensa e do público estavam abarrotadas — de que se tratava de uma ocasião histórica. A votação iminente, caso não fosse barrada pelos tribunais, significaria para ele — e para outros como ele — um rápido e precipitado declínio.

Bom, pensou, fatalista, o nababo *sahib*, mais cedo ou mais tarde isso iria acontecer. Não tinha ilusões de que sua classe fosse especialmente meritória. Entre aqueles que a constituíam se incluía um bom número de homens decentes, mas também uma grande quantidade de homens violentos e um número ainda maior de idiotas. Ele recordou a petição que a Associação de Proprietários Rurais havia submetido ao governador 12 anos antes: dos signatários, um terço havia assinado com a impressão digital.

Se o Paquistão não tivesse sido criado, talvez os ruralistas houvessem conseguido negociar uma saída para a autopreservação: numa Índia unida, porém instável, cada bloco de poder talvez tivesse lançado mão de sua força crítica para manter o status quo. Os estados principescos também poderiam ter entrado no jogo, e homens como o rajá de Marh poderiam ter continuado a ser rajás de fato, como em seus títulos. As incertezas e os revezes da história, pensou o nababo *sahib*, formam uma dieta insubstancial, senão intoxicante.

Desde a anexação de Bhrampur pelos britânicos no começo da década de 1850, os nababos de Baitar e outros cortesãos da outrora casa real de Bhrampur não tinham sequer tido a satisfação psicológica de servir ao estado, uma satisfação reivindicada por numerosas aristocracias muito distantes entre si no tempo e no espaço. Os britânicos ficaram satisfeitos em deixar os latifundiários arrecadarem a renda de uso da terra (e na prática se contentaram em permitir que eles retivessem tudo que obtivessem acima da parcela estipulada ao império), mas, para a administração do estado, só tinham confiado nos funcionários públicos de sua própria raça, selecionados e parcialmente treinados na Inglaterra, de onde eram importados. Ou, mais adiante, em seus equivalentes de pele mais morena, tão parecidos em educação e ética que não representavam uma diferença perceptível.

E na verdade, afora a desconfiança racial, o nababo *sahib* era forçado a admitir que havia uma questão de competência. A maioria dos grandes proprietários — ele próprio, infelizmente, talvez estivesse incluído nisso — mal conseguia gerir as próprias propriedades e eram esfolados por seus *munshis* e agiotas. Para a maioria dos latifundiários, a principal questão administrativa não era de fato como fazer render o dinheiro, mas sim como gastá-lo. Pouquíssimos investiam na indústria ou em propriedades urbanas. Alguns, certamente, gastaram o dinheiro com música, livros e artes plásticas. Outros, como o atual primeiro-ministro do Paquistão, Liaquat ali Khan, que tinha sido um bom amigo do pai do nababo *sahib*, o gastou na construção de sua rede de influência política. A maioria dos príncipes e proprietários rurais tinha desperdiçado o dinheiro com uma vida de luxos: caçadas, bebidas, mulheres, o vício em ópio. Sem que o desejasse, algumas imagens cruzaram sua mente de forma irresistível. Um príncipe sentia tamanha paixão por cães que toda sua vida revolvia em torno deles: sonhava, dormia, acordava, imaginava, nutria fantasias com eles. Tudo o que podia fazer, ele o fazia para maior glória desses animais. Outro, viciado em ópio, só ficava feliz quando algumas mulheres eram jogadas em seu colo, e mesmo assim nem sempre ele se animava — às vezes continuava a roncar.

Os pensamentos do nababo *sahib* continuaram a oscilar entre o debate no plenário da Assembleia e suas meditações pessoais. A certa altura houve uma breve intervenção de L. N. Agarwal, que teceu alguns comentários jocosos — diante dos quais até mesmo Mahesh Kapoor deu risada. O nababo *sahib* contemplava longamente a careca contornada pelos cabelos grisalhos e se perguntava que tipo de pensamentos devia fervilhar sob daquela camada de carne e osso. Como um homem daqueles podia causar deliberadamente, e, de fato, com alegria, tanto sofrimento a ele e aos que lhe eram queridos? Que satisfação ele podia ter extraído do fato de os parentes de uma pessoa que o havia derrotado em um debate serem espoliados da casa na qual tinham passado a maior parte de suas vidas?

Agora eram quatro e meia da tarde e restava menos de meia hora antes da votação. Os discursos finais prosseguiam, e o nababo *sahib* ouvia com uma expressão um pouco sarcástica enquanto sua cunhada envolvia num luminoso halo a instituição dos *zamindari*.

Begum *Abida Khan:* Há mais de uma hora estamos ouvindo um discurso atrás do outro da bancada governista, cheios da mais odiosa autocongratulação. Não achei que eu fosse querer falar de novo, mas agora sou obrigada a isso. Talvez fosse mais adequado que discursassem aqui aqueles sobre cujas mortes e enterros o senhor deseja deliberar — quero dizer, os donos de terras, os quais o senhor deseja privar de justiça, indenização e meios de subsistência. Durante essa hora ouvimos alguém tocar sempre o mesmo disco — quando não era o ministro da Fazenda, era algum peão dele que foi treinado para cantar a mesma canção: a voz do dono. E posso lhes dizer que a música não é muito agradável: é monótona, mas não nos acalma. Não é a voz da razão nem do bom-senso, mas sim a voz do poder e da hipocrisia da maioria. Mas é inútil continuar falando disso.

Tenho pena deste governo que perdeu o rumo e está tentando encontrar uma saída para escapar ao atoladouro de suas próprias políticas. Ele não tem visão de longo prazo e não pode, não ousa, olhar para o futuro. Diz-se que devemos "ter cautela com os dias vindouros", e da mesma forma eu digo à presidência desta Câmara: "Tenham cautela com o tempo que vocês estão prestes a trazer para si e este país." Há três anos conseguimos a Independência, mas vejam os pobres do campo: eles não têm comida para comer, nem roupas para vestir, nem abrigo para se protegerem. Vocês prometeram o paraíso e jardins viçosos sob os quais os rios correm, enganaram o povo para que ele acreditasse que o sistema dos *zamindari* era a causa da condição deplorável em que se encontrava. Pois bem, esse sistema se acabará, mas, quando se revelarem falsas as promessas de jardins viçosos que vocês fizeram, vamos ver então o que o povo dirá a seu respeito e o que ele fará. Vocês estão desapropriando 800 mil pessoas e atraindo abertamente o comunismo. Em breve o povo descobrirá quem vocês são.

O que vocês estão fazendo que nós não tenhamos feito? Vocês não estão dando a eles a terra, estão arrendando-a, exatamente como nós fizemos. Mas vocês se importam com eles? Nós convivemos com eles por gerações, somos como pais e avós para eles, que nos amam, e nós os amamos; nós conhecemos a personalidade deles e eles conhecem a nossa. Os camponeses se contentavam com qualquer coisa que lhes déssemos, e nós nos contentávamos com qualquer coisa que eles nos dessem. Vocês se interpuseram e destruíram o que foi santificado pelos vínculos do sentimento ancestral. E quanto aos crimes e à opressão de que vocês nos acusam, que prova tem esse pobre povo de que vocês serão melhores que nós? Eles terão que recorrer a funcionários corruptos e à gananciosa Seção Subdivisional, e serão sugados até o osso. Nós nunca fomos assim. Vocês separaram a unha da carne, e estão felizes com o resultado...

Quanto à indenização, eu já disse o suficiente. Mas isso é decente, é uma provisão justa chegar a uma loja e dizer ao comerciante "Me dê isso, e aquilo, a tal e tal preço", e, se ele não concordar em vender, vocês o tomarem a mesma forma? Então quando ele lhes implora para receber pelo menos o que foi prometido, vocês lhe dão as costas e dizem: "Aqui está 1 rupia agora, e o resto você receberá em prestações durante 25 anos"?

Vocês podem nos chamar de todo tipo de nomes e inventar toda forma de tormentos para nós, mas o fato é que somos nós, os *zamindari*, que tornamos essa província o que ela é, que a tornamos forte, que damos a ela seu sabor especial. Em cada setor vital nós fizemos nossa contribuição, uma contribuição que sobreviverá a nós por longo tempo e que vocês não poderão apagar. As universidades, as faculdades, as tradições da música clássica, as escolas, a própria cultura deste lugar foram estabelecidas por nós. Quando os estrangeiros e os visitantes de outros estados de nosso país chegam a esta província, o que eles veem? O que eles admiram? O Barsaat Mahal, o Shahi Darvaza, os Imambaras, os jardins e as mansões que foram legadas por nós a vocês. Essas coisas que, para o mundo, são perfumadas, vocês alegam que estão repletas do cheiro da exploração, do cheiro de cadáveres em putrefação. Vocês não se envergonham quando falam dessa maneira? Quando amaldiçoam os que criaram esse esplendor e essa beleza? Quando não dão a eles a indenização suficiente nem mesmo para passar uma mão de cal nos edifícios que são a herança desta cidade e deste estado? Esta é a pior forma de mesquinhez, esta é a atitude gananciosa do comerciante de aldeia, do *baneane* que fica sorrindo enquanto sufoca sem misericórdia...

O nobre ministro do Interior (Shri *L. N. Agarwal):* Espero que a nobre deputada não esteja lançando acusações sobre minha comunidade. Isso tem se tornado um esporte comum nesta casa.

Begum *Abida Khan*: O senhor entende muito bem o que estou dizendo, mestre que é em deturpar as palavras e manipular a lei. Mas não vou desperdiçar meu tempo discutindo com o senhor. Hoje o senhor adotou uma causa em comum com o ministro da Fazenda numa exploração vergonhosa de uma classe que foi escolhida como bode expiatório, mas o amanhã lhe mostrará de que valem essas amizades de conveniência, e, quando o senhor olhar em torno em busca de amigos, todos terão lhe virado a cara. Então recordará este dia e minhas palavras, e o senhor e seu governo vão desejar terem se comportado com mais justiça e humanidade.

Seguiu-se um discurso extremamente prolixo de um membro do Partido Socialista; depois o chanceler S. S. Sharma falou por cinco minutos, agradecendo a diversas pessoas pelo papel que tiveram na elaboração dessa legislação — principalmente Mahesh Kapoor, o ministro da Fazenda, e Abdus Salaam, seu assessor parlamentar. Ele recomendou aos proprietários rurais que vivessem em harmonia com seus antigos arrendatários quando ocorresse a alienação de suas propriedades. Eles deveriam viver juntos como irmãos, afirmou o ministro em voz suave e anasalada. Para os latifundiários seria uma oportunidade de mostrar que tinham bom coração. Eles deveriam pensar nos ensinamentos de Gandhiji e devotar suas vidas ao serviço do próximo. Finalmente Mahesh Kapoor, o principal arquiteto do projeto de lei, teve a chance de encerrar o debate da casa. Mas o tempo foi demasiado curto para que dissesse mais que algumas palavras:

O nobre ministro da Fazenda (Shri *Mahesh Kapoor*): Senhor presidente, eu esperava que meu amigo da bancada socialista, que falou de forma tão comovente sobre igualdade e uma sociedade sem classes e que repreendeu o governo por ter produzido uma lei impotente e injusta, fosse ele próprio um homem justo e me concedesse alguma igualdade de direitos. Este é o final do último dia. Se ele tivesse demorado um pouco menos em seu discurso, eu teria tido um pouco mais de tempo. Nessas circunstâncias, agora eu mal tenho dois minutos para falar. Ele alegou que minha lei era uma medida criada com a mera intenção de evitar uma revolução que ele acredita ser desejável. Se é assim, tenho interesse em ver por qual caminho ele e seu partido irão votar dentro de alguns minutos. Depois das palavras de agradecimento e advertência do nobre chanceler — advertência que espero sinceramente que seja levada a sério pelos proprietários rurais —, eu nada tenho a acrescentar, exceto mais algumas palavras de agradecimento — a meus colegas desta seção da Assembleia e, sim, também aos da seção anterior que possibilitou a aprovação deste projeto de lei, e aos funcionários do Departamento da Receita, do Departamento de Imprensa, e do Departamento Jurídico, principalmente a Divisão de Redação e o Gabinete da Procuradoria. Agradeço a todos eles pelos meses e anos de assistência e orientação, e espero falar em nome do povo de Purva Pradesh ao dizer que meus agradecimentos não são meramente pessoais.

O nobre presidente da Câmara: A questão apresentada à Assembleia é a Lei de Abolição das Grandes Propriedades Rurais de Purva Pradesh, datada originalmente de 1948, com projeto de lei aprovado pela Assembleia Legislativa, emendado pelo Conselho Legislativo e novamente emendado pela Assembleia Legislativa.

A moção foi apresentada e a Assembleia aprovou a lei por ampla maioria, constituída principalmente pelo Partido do Congresso, cujos membros eram a maioria na casa. Embora relutasse, o Partido Socialista teve que votar a favor da lei, com base no princípio de que a metade de um pão é melhor do que nenhum e apesar do fato de que ele de certo modo diminuía o apetite que teria permitido à legenda florescer. Se tivessem votado contra, os socialistas nunca mais conseguiriam se redimir. Conforme também se esperava, o Partido Democrático votou contra por unanimidade. Os partidos menores e os independentes votaram predominantemente a favor da lei.

Begum *Abida Khan*: Com a permissão do presidente eu gostaria de um minuto para dizer uma coisa.

O nobre presidente da Câmara: Eu lhe concedo um minuto.

Begum *Abida Khan*: Eu gostaria de dizer em meu nome e no do Partido Democrático que o conselho dado aos proprietários rurais pelo nobre e piedoso chanceler — de que eles deveriam manter boas relações com seus arrendatários — é muito valioso, e agradeço a ele por isso. Mas nós teríamos mantido essas excelentes relações de qualquer forma, independentemente de seu excelente conselho, e apesar da aprovação desta lei — esta lei que irá forçar tanta gente a viver na pobreza e no desemprego, que destruirá em grau extremo a economia e a cultura desta província e, ao mesmo tempo, não irá garantir sequer um benefício mínimo para aqueles que...

O nobre ministro da Fazenda (Shri *Mahesh Kapoor*): Senhor presidente, que tipo de ocasião é esta para se fazer um discurso?

O nobre presidente da Câmara: Eu só dei a ela permissão para fazer uma declaração curta. Eu pediria à nobre deputada...

Begum *Abida Khan*: Como resultado da injusta aprovação da lei por uma maioria irracional, a essa altura somos deixados sem outro meio constitucional de expressar nosso desagrado e senso de injustiça que não seja abandonar este plenário, o que é um recurso constitucional. Assim, eu convoco os membros de meu partido a realizar uma retirada em massa como forma de protesto.

Os membros do Partido Democrático se retiraram da Assembleia. Houve alguns assobios e gritos de "Que vexame!", mas a maior parte do plenário ficou em silêncio. Era o final do dia; portanto, o gesto era mais simbólico que eficaz. Depois de alguns momentos o presidente convocou um recesso da casa até às onze horas da manhã seguinte. Mahesh Kapoor reuniu seus papéis, ergueu os olhos para a cúpula leitosa, suspirou e deixou seu olhar vagar pelo recinto da Câmara que se esvaziava aos poucos. Olhou para a galeria em frente e seu olhar se encontrou com o do nababo *sahib*. Cumprimentaram-se com um gesto de cabeça que era quase inteiramente amistoso, embora o constrangimento da situação — não exatamente irônica — não escapasse a nenhum dos dois. Nenhum deles desejava falar com o outro naquele momento, e ambos compreenderam isso. Portanto, Mahesh Kapoor continuou a organizar seus papéis, e o nababo *sahib*, alisando a barba, pensativo, deixou a galeria e foi procurar o chanceler.

Parte Seis

6.1

AO chegar ao Haridas College Of Music, *ustad* Majeed Khan cumprimentou distraidamente outros professores de música, fez uma careta de desagrado em direção a duas dançarinas de *kathak* que estavam carregando suas chacoalhantes tornozeleiras para uma sala de ensaios vizinha, no andar térreo, e chegou à porta fechada de seu gabinete. No lado de fora da sala, em desordem casual, havia três pares de chinelos de dedo e um par de sapatos. Percebendo que aquilo significava que ele estava 45 minutos atrasado, *ustad* Majeed Khan suspirou um "Ya Allah" em parte irritado, em parte exausto, descalçou seus próprios chinelos de Peshawar e entrou na sala.

O cômodo em que tinha entrado era simples, retangular, de pé-direito alto, semelhante a uma caixa, na qual não penetrava muita luz natural. Os poucos raios vindos do exterior eram fornecidos por uma pequena claraboia colocada no alto da parede ao fundo. À esquerda havia um longo armário com uma prateleira na qual descansavam algumas tamburas. No chão havia um tapete de algodão azul-claro sem estampas; este havia sido muito difícil de conseguir, já que a maioria dos tapetes disponíveis no mercado tinha figuras florais ou outros tipos de padronagem. Mas ele tinha insistido em ter um tapete liso, para não ser distraído em sua música, e surpreendentemente as autoridades haviam concordado em lhe conseguir um desses. No tapete, de frente para ele, estava sentado um rapaz baixo e gordo que ele nunca tinha visto; o jovem se levantou à sua entrada. Sentados de perfil estavam um rapaz e duas moças. Quando a porta se abriu, eles se voltaram, levantando-se imediatamente em atitude respeitosa para cumprimentá-lo quando o reconheceram. Uma das mulheres — Malati Trivedi — até se abaixou para lhe tocar os pés. *Ustad* Majeed Khan ficou satisfeito. Quando ela se levantou, ele disse, reprovador:

— Então a senhora resolveu reaparecer, hein? Agora que a universidade está fechada, imagino que minhas aulas se encherão novamente. Todos falam da própria devoção pela música, mas na época das provas os alunos desaparecem como coelhos que entraram na toca.

O *ustad* voltou-se então para o estranho. Este era Motu Chand, o rechonchudo tocador de tabla que geralmente acompanhava Saeeda Bai.

Surpreso ao ver, em lugar de seu tocador de tabla habitual, alguém a quem não reconheceu imediatamente, *ustad* Majeed Khan olhou para ele com severidade e o interpelou:

— Sim?

Sorrindo amistosamente, Motu Chand disse:

— Perdoe-me, *ustad sahib*, por minha presunção. Seu tocador de tabla habitual, o amigo do marido da irmã de minha esposa, não está passando bem e me pediu que o substituísse hoje.

— Você tem um nome?

— Bom, eles me chamam de Motu Chand, mas na verdade...

— Hmmpf! — resmungou *ustad* Majeed Khan; ele apanhou sua tambura na prateleira, sentou-se e começou a afinar o instrumento. Seus alunos também se sentaram, mas Motu Chand continuava de pé.

— Vamos lá, sente-se — disse irritado *ustad* Majeed Khan, sem se dignar a olhar para o músico.

Enquanto afinava a tambura, *ustad* Majeed Khan levantou os olhos, imaginando a qual dos alunos concederia os primeiros 15 minutos. Estritamente falando, o horário pertencia ao rapaz, mas, como por coincidência, um raio luminoso vindo da claraboia caiu sobre o rosto alegre de Malati, ele decidiu num capricho pedir a ela que começasse. Ela se levantou, apanhou uma das tamburas menores e começou a afiná-la. Motu Chand ajustou devidamente o tom de sua tabla.

— Muito bem, qual era o raga que eu estava lhe ensinando? Bhairava? — perguntou o professor.

— Não, *ustad sahib*, era Ramkali — disse Malati, tangendo com delicadeza as cordas do instrumento que havia deitado à sua frente sobre o tapete.

— Hmmm! — disse *ustad* Majeed Khan. Começou a cantar algumas frases lentas do raga que a moça foi repetindo com ele. Os outros alunos ouviam com atenção. Das notas graves do raga o *ustad* avançou gradualmente para as mais agudas, e depois, com uma indicação a Motu Chand de que começasse a tocar a tabla no ciclo rítmico de 16 batidas, ele começou a cantar a composição que Malati estava aprendendo. Embora fizesse um esforço para se concentrar, a moça se distraiu com a entrada de mais duas alunas, que fizeram uma reverência a *ustad* Majeed Khan antes de se sentarem.

Evidentemente o *ustad* estava outra vez de bom humor; a certa altura parou de cantar para comentar:

— Então a senhorita realmente quer ser médica? — Virando o rosto para o outro lado, ele acrescentou irônico: — Com uma voz dessas, ela vai causar mais dor de cotovelo do que será capaz de curar, mas se quiser ser uma boa musicista não poderá dar ao instrumento um lugar secundário em sua vida. — Depois, voltando-se de novo para Malati, disse: — A música exige tanta concentração quanto uma cirurgia. Ninguém pode desaparecer durante um mês, no meio de uma operação, e voltar para continuá-la quando quiser.

— Sim, *ustad sahib* — disse Malati Trivedi com um levíssimo sorriso.

— Uma mulher médica! — disse *ustad* Majeed Khan pensativo. — Tudo bem, vamos continuar. Em que parte da composição nós estávamos?

A pergunta dele foi interrompida por uma prolongada série de pancadas surdas provenientes da sala do andar de cima, onde as dançarinas de *bharatnatyam* tinham começado sua aula. Ao contrário das dançarinas de *kathak*, que no vestíbulo tinham recebido um olhar furioso do professor, elas não usavam tornozeleiras para sua sessão de prática. Mas o que perdiam com o tilintar do acessório, as dançarinas compensavam bastante com o vigor com que batiam os calcanhares e as solas dos pés no chão diretamente acima deles. As sobrancelhas de *ustad* Majeed Khan se franziram e ele encerrou de forma abrupta a lição dirigida a Malati.

O aluno seguinte foi o rapaz. Tinha uma boa voz e se dedicara muito às lições, mas por alguma razão *ustad* Majeed Khan o tratou muito bruscamente. Talvez estivesse irritado com a dança que se fazia ouvir de vez em quando no andar de cima. Terminada a aula, o rapaz foi embora.

Enquanto isso, Veena Tandon entrou, sentou-se e começou a ouvir. Ela parecia perturbada. Sentou-se ao lado de Malati, que conhecia tanto como colega das aulas de música e quanto como amiga de Lata. Motu Chand, que estava de frente para as duas enquanto tocava, pensou que compunham um contraste interessante: Malati, de pele clara e traços finos, cabelos castanhos e olhos verdes levemente bem-humorados, e Veena, de pele morena e traços mais torneados, cabelos negros e olhos escuros, animados, porém ansiosos.

Depois do rapaz foi a vez de uma mulher bengalesa alegre, porém tímida, de meia-idade, cujo sotaque o professor se divertia em imitar. Ela normalmente vinha à noite, e ele estava lhe ensinando o raga Malkauns, que a aluna às vezes chamava de "Malkosh", para divertimento do professor.

— Então hoje a senhora veio de manhã — disse *ustad* Majeed Khan. — Como eu posso lhe ensinar "Malkosh" de manhã? É uma peça a ser executada à noite.

— Meu marido diz que eu devo vir de manhã — respondeu a bengalesa.

— Então a senhora está querendo sacrificar sua arte por seu casamento?

— Não inteiramente — respondeu a mulher, mantendo os olhos baixos. Tinha três filhos aos quais dava uma boa educação, mas ainda era muito tímida, principalmente quando se tornava alvo de críticas por parte de seu *ustad*.

— O que a senhora quer dizer com "não inteiramente"?

— Ora, meu marido iria preferir que eu não cantasse música clássica, e sim *Rabindrasangeet*.

— Humpf! — disse *ustad* Majeed Khan. O fato de as melosas canções de Rabindranath Tagore serem mais atraentes aos ouvidos de qualquer homem do que a beleza da música clássica evidentemente tornava esse homem um idiota. Num tom de desprezo tolerante, o *ustad* disse à bengalesa: — Então eu espero que em breve ele vá pedir a senhora que lhe cante um "gojol".

Diante da cruel pronúncia deturpada, a bengalesa se recolheu a um silêncio confuso, mas Malati e Veena se entreolharam, divertidas.

A propósito do aluno anterior, *ustad* Majeed Khan disse:

— O rapaz tem boa voz e é muito dedicado, mas canta como se estivesse na igreja. Deve ser consequência de seu estudo prévio em música ocidental. É uma boa tradição, de certa forma — continuou, tolerante. Depois de uma pausa, acrescentou: — Mas não se pode desaprendê-la. A voz vibra demais, de um modo inadequado. — Ele se voltou para a bengalesa: — Afine a tambura para a nota "ma"; eu posso perfeitamente lhe ensinar seu "Malkosh". Não se deve deixar pela metade o ensino de um raga, mesmo que seja a hora errada do dia para cantá-lo. Por outro lado, imagino que seja possível preparar o iogurte de manhã e comê-lo à noite.

Apesar do nervosismo, a bengalesa se saiu bem. O professor deixou-a improvisar um pouco por conta própria e em dois momentos chegou até a dizer um encorajador "Longa vida à senhora!". Na verdade, para a bengalesa a música importava muito mais do que o marido e os três filhos bem-educados, mas diante das restrições de sua vida, era impossível dar prioridade à música. Encantado com o desempenho da aluna, o *ustad* lhe dedicou mais tempo de aula que o habitual. Finda a lição, sentou-se em silêncio para ouvir o que viria em seguida.

O que veio em seguida foi a lição de Veena.

Ela cantaria um raga Bhairava, para a qual deveria afinar a tambura no tom "pa". Mas as numerosas preocupações com o marido e o filho deixaram-na tão distraída que ela começou imediatamente a tanger as cordas do instrumento.

— Que tipo de raga a senhora está estudando? — perguntou *ustad* Majeed Khan, ligeiramente confuso. — Não é Bhairava?

— Sim, *guruji* — respondeu Veena, um tanto perplexa ela própria.

— *Guruji*?! — estranhou o professor, em um tom de voz que teria sido de indignação se não fosse de perplexidade. Veena era uma de suas alunas preferidas, e ele não conseguia imaginar o que tinha dado nela.

— *Ustad sahib* — corrigiu-se Veena. Ela também estava surpresa por ter se dirigindo a seu professor muçulmano com o título devido a um professor hindu.

— E se a senhora está cantando Bhairava não acha que seria uma boa ideia afinar de novo a tambura?

— Ah, sim — disse Veena, baixando os olhos surpresa para a tambura, como se esta fosse, de alguma forma, culpada pela sua distração.

Depois que Veena afinou o instrumento, o *ustad* cantou algumas frases de um prólogo lento para que ela o imitasse, mas seu desempenho foi tão insatisfatório que a certa altura ele lhe disse num rompante:

— Ouça. Ouça primeiro. Ouça primeiro e depois cante. Ouvir corresponde a 15 *annas* de 1 rupia. Reproduzir o que ouviu é 1 *anna*, é tarefa de papagaio. A senhora está preocupada com alguma coisa?

Veena achou que não era correto falar das próprias angústias diante do professor, e este continuou:

— Que tal tocar a tambura para eu ouvir? A senhora deveria comer amêndoas no café da manhã, isso lhe aumentaria o vigor. Tudo bem, vamos passar à composição. Jaago Mohan Pyaare — disse ele impaciente.

Motu Chand iniciou o ciclo rítmico na tabla e eles começaram a cantar. As palavras da conhecida composição emprestaram estabilidade aos pensamentos instáveis de Veena, e a crescente confiança e vivacidade de seu canto agradaram *ustad* Majeed Khan. Passado um tempo, Malati primeiro, e depois a bengalesa, se levantaram para ir embora. A palavra "gojol" passou num relâmpago pela mente do *ustad*, e finalmente lhe veio a lembrança de onde ele tinha ouvido falar anteriormente de Motu Chand. Não era aquele o tocador de tabla que acompanhava os gazais de Saeeda Bai, aquela profanadora do santuário sagrado da música, a cortesã que servia ao famoso rajá de Marh? Um pensamento levou a outro, e ele se voltou abruptamente em direção a Veena dizendo:

— Se seu pai, o ministro, está decidido a destruir nosso meio de subsistência, pelo menos ele pode proteger nossa religião.

Veena parou de cantar e olhou para ele num silêncio estupefato. Entendeu que a expressão "meio de subsistência" aludia ao patrocínio dos senhores rurais, cujas terras a lei de abolição das grandes propriedades estava tentando arrebatar. No entanto, o que *ustad sahib* queria dizer com relação à religião, ela não conseguia absolutamente entender.

— Diga isso a ele — continuou *ustad* Majeed Khan.

— Eu direi, *ustad sahib* — prometeu Veena em voz contida.

— Os poderosos do Congresso vão acabar com Nehru e Maulana Azad e Rafi Sahib. E mais cedo ou mais tarde nossos valiosos chanceler e ministro do Interior também irão suprimir o pai da senhora. Mas, enquanto ele tiver alguma vida política, poderá fazer alguma coisa para ajudar aqueles de nós que dependem de gente como ele para sua proteção. Uma vez que eles comecem a cantar seus *bhajans* lá no templo, enquanto nós estivermos em prece, as coisas só poderão terminar mal.

Veena entendeu que *ustad* Majeed Khan se referia ao Templo de Shiva, que estava sendo construído no Chowk, a poucas ruas de distância da casa do professor de música.

Depois de cantarolar consigo por alguns segundos, o *ustad* fez uma pausa, pigarreou e disse, quase para si mesmo:

— Nossa área está se tornando um lugar impossível de viver. À parte a loucura de Marh, há toda essa questão de Misri Mandi. É impressionante, a região toda está em greve, ninguém nunca trabalha e eles só ficam gritando palavras de ordem e ameaças. Os sapateiros de pequeno porte passam fome e gritam, os comerciantes apertam o cinto e esbravejam, e não há sapatos nas lojas, não há empregos no setor inteiro. Os interesses de todos foram prejudicados, porém ninguém cede. Este é o homem que Deus criou de um coágulo de sangue e ao qual ele deu discernimento e juízo.

O *ustad* terminou o comentário com um aceno desdenhoso, gesto que implicava a confirmação de tudo que ele sempre pensara sobre a natureza humana.

Ao perceber que Veena parecia ainda mais transtornada, o professor mostrou no rosto uma expressão preocupada.

— Por que eu estou lhe dizendo isso? — perguntou ele, quase se recriminando. — Seu marido sabe de tudo isso muito melhor do que eu. Então é por isso que a senhora está tão distraída. Naturalmente, naturalmente.

Por mais comovida que a deixasse essa expressão de solidariedade do professor, que normalmente era pouco solidário, Veena ficou em silêncio e continuou a tanger a tambura. Eles retomaram de onde haviam parado, mas era óbvio que a mente dela não estava na composição ou nos padrões rítmicos — os *taans* — que se seguiram. A certa altura o professor a advertiu:

— A senhora está entoando a palavra "ga", "ga", "ga", mas será que está realmente cantando a nota "ga"? Acho que está com muita coisa na cabeça. Ao entrar nesta sala a senhora deveria deixar essas coisas lá fora, juntamente com seus sapatos.

Ele começou a cantar uma série complexa de *taans*, e Motu Chand, transportado pelo prazer da música, começou a improvisar na tabla uma agradável filigrana de acompanhamento rítmico. O *ustad* se interrompeu subitamente. Voltou-se para Motu Chand com irônica deferência:

— Por favor, prossiga, *guruji*.

O tocador de tabla sorriu constrangido.

— Não, faça o favor de continuar, nós estamos gostando muito de seu solo — continuou *ustad* Majeed Khan.

O sorriso de Motu Chand ficou ainda mais desconsolado.

— O senhor sabe tocar um ciclo rítmico simples, sem ornamentos? Ou o senhor está num círculo do Paraíso elevado demais para isso?

Motu Chand deu um olhar suplicante ao *ustad* Majeed Khan e disse:

— Foi a beleza de seu canto que me distraiu, *ustad sahib*. Mas não deixarei acontecer de novo.

Ustad Majeed Khan o olhou incisivamente, mas no outro não havia intenção de impertinência.

Terminada a aula de Veena, esta se levantou para sair. Normalmente ela ficava o máximo de tempo permitido, mas hoje não era possível: Bhaskar estava com febre e precisava de sua atenção; Kedarnath precisava de apoio; e a sogra dela, naquela mesma manhã, fizera comentários ferinos sobre todo o tempo que a nora passava no Haridas College of Music.

O *ustad* deu uma olhada no relógio. Ainda faltava uma hora para a prece do meio-dia. Pensou no chamado à oração que ouvia toda manhã, primeiro vindo de sua mesquita local e depois, a intervalos ligeiramente variados, de outras mesquitas pela cidade afora. O que lhe agradava especialmente no chamado matinal à prece era o versículo cantado duas vezes, que não aparecia no *azaan* no restante do dia: "A oração é melhor que o sono."

Para ele a música também era prece, e em certas manhãs ele se levantava muito antes da alvorada para cantar Lalit ou outro raga do amanhecer. Então as primeiras palavras do *azaan* "Allahu Akbar" — Deus é grande — vibravam por cima dos telhados no ar frio, e os ouvidos dele ficavam à espreita da frase que advertia aqueles que tentassem continuar dormindo. Ao ouvi-la, ele sorria: era um dos prazeres de seu dia.

Se o novo Templo de Shiva fosse construído, o som do grito matinal do muezim seria desafiado pelo som da concha. Tal pensamento era insuportável. Com certeza algo devia ser feito para evitá-lo. Com certeza o poderoso ministro Mahesh Kapoor — menosprezado por alguns de seus correligionários por ser, qual o primeiro-ministro Jawaharlal Nehru, quase um muçulmano honorário — poderia fazer algo a respeito. O *ustad* começou a cantar baixinho, meditativo, as palavras da composição que, momentos antes, ele estivera ensinando à filha do ministro — Jaago Mohan Pyaare. Cantarolando a melodia, esqueceu-se de si. Esqueceu-se da sala onde se encontrava e os alunos que ainda aguardavam suas aulas. Estava muito distante de sua lembrança o fato de que aquelas palavras eram dirigidas a Krishna, o deus escuro, como um pedido para que ele acordasse com a chegada da manhã; ou que "Bhairava" — o nome do raga que estava cantando — era um epíteto do próprio Shiva, o grande deus.

6.2

ISHAQ KHAN, o tocador de sarangi de Saeeda Bai, tinha passado vários dias tentando ajudar o marido da irmã — que também tocava o instrumento — a conseguir transferência da emissora All India Radio Lucknow, da qual ele era "músico do quadro efetivo de funcionários", para a All India Radio Bhrampur.

Naquele próprio dia, pela manhã, Ishaq também tinha ido aos escritórios da AIR e tentado a sorte, falando com um assistente do produtor musical, mas em vão. Ficou muito decepcionado ao ver que não lhe permitiriam nem defender adequadamente sua petição diante do diretor da emissora. No entanto, expôs seu caso com veemência a alguns amigos músicos que encontrou ali. O sol estava quente e eles se sentaram sob uma alta e frondosa árvore de *neem*, que se erguia no gramado diante dos edifícios. Olhando as canas-da-índia, eles falavam de assuntos variados. Um deles tinha consigo um rádio — do tipo moderno, operado a pilha — e sintonizaram a única estação com recepção clara, que era aquela em que trabalhavam.

A voz inconfundível de *ustad* Majeed Khan cantando o raga Miya-ki-Todi invadiu seus ouvidos. Ele tinha acabado de começar a canção e se fazia acompanhar apenas de uma tabla e sua própria tambura.

A música era gloriosa: imponente, majestosa, triste, cheia de uma profunda sensação de calma. Os músicos pararam de conversar e ficaram ouvindo. Até uma poupa de crista alaranjada parou por um minuto de debicar num canteiro.

Como sempre acontecia com *ustad* Majeed Khan, o desdobrar do raga ocorria por intermédio de uma seção rítmica muito lenta, em vez de um prelúdio sem ritmo. Depois de uns 15 minutos ele passou para uma composição mais acelerada, e em seguida, demasiado cedo, o raga Todi terminou e um programa infantil entrou no ar.

Ishaq Khan desligou o rádio e ficou sentado e imóvel, mergulhado em um transe, mais que em pensamentos.

Passado algum tempo eles se levantaram e foram para o refeitório dos funcionários da AIR. Os amigos de Ishaq, como o cunhado deste, eram artistas do corpo de funcionários, com horário fixo e salário garantido. Ishaq, que só havia acompanhado outros músicos no ar algumas vezes, caía na categoria de "artista temporário".

O pequeno refeitório estava apinhado de músicos, roteiristas, administradores e garçons. Alguns serviçais estavam encostados na parede. O ambiente todo era confuso, barulhento e acolhedor. O refeitório era famoso pelo chá forte e pelas deliciosas *samosas*. Uma tabuleta em frente à entrada proclamava que não se vendia fiado; mas isso sempre acontecia, já que os músicos estavam eternamente com pouco dinheiro.

Todas as mesas estavam ocupadas, com exceção de uma. *Ustad* Majeed Khan estava sentado sozinho à cabeceira da mesa junto à parede do fundo, devaneando e mexendo seu chá. Talvez por deferência a ele, considerado melhor até que um artista classe A, ninguém se atrevera a se sentar à sua mesa. Apesar da manifesta camaradagem e democracia, havia distinções no refeitório. Os artistas classe B, por exemplo, em geral não se sentavam com os superiores, tais como B+ ou A — exceto, é claro, se calhassem de ser seus alunos —, e normalmente os respeitavam até no modo de falar.

Ishaq Khan olhou em torno, e vendo cinco cadeiras vazias dispostas ao longo da mesa retangular de *ustad* Majeed Khan, encaminhou-se para esta. Os dois amigos o seguiram um pouco hesitantes.

Enquanto se aproximavam, os ocupantes de outra mesa se levantaram, talvez porque sua apresentação fosse ao ar em seguida. Mas Ishaq Khan preferiu ignorar o fato e ir direto à mesa de *ustad* Majeed Khan.

— Podemos nos sentar aqui? — perguntou educadamente.

Como o grande músico estava perdido em algum outro mundo, Ishaq e seus amigos se sentaram nas três cadeiras do lado oposto. Ainda havia duas cadeiras vazias, uma a cada lado de Majeed Khan. Este parecia não registrar a presença dos recém-chegados, e, embora fizesse calor, ele estava tomando o chá, as mãos em concha envolvendo a xícara.

Ishaq sentara-se diante dele, e observava aquele rosto nobre e arrogante, que parecia suavizado por alguma lembrança ou pensamento fugaz, e não pelas marcas permanentes do fim da meia-idade.

Tão profundo tinha sido o efeito de sua breve interpretação do raga Todi sobre Ishaq que este desejou desesperadamente expressar a admiração que sentia. *Ustad* Majeed Khan não era alto, mas com sua longa túnica negra — tão apertada no pescoço pelo botão que parecia capaz de lhe sufocar a voz —, sentado num palco ou mesmo a uma mesa tomando chá, comunicava por sua postura ereta e rígida uma presença imperiosa; e, de fato, até uma ilusão de altura. Naquele momento ele parecia quase inabordável.

Se ele falasse alguma coisa, pensou Ishaq, eu lhe diria o que senti em relação à sua apresentação. Ele deve saber que estamos sentados aqui. E ele conheceu meu pai. Muitas coisas relativas ao homem mais velho desagradavam o mais jovem, porém a música que ele e seus amigos tinham acabado de ouvir colocava-as em sua perspectiva trivial.

Os três pediram chá. Embora o refeitório fosse parte de uma organização governamental, o serviço ali era ágil. Os três amigos começaram a conversar entre si. Calado e absorto, *ustad* Majeed Khan continuou a tomar seu chá.

Malgrado seu temperamento levemente irônico, Ishaq era muito popular e tinha muitos bons amigos. Estava sempre disposto a tomar para si as tarefas e encargos dos demais. Depois da morte do pai, ele e duas irmãs foram obrigados a sustentar os três irmãos mais novos. Essa era uma das razões pelas quais era importante que a família da irmã dele se mudasse de Lucknow para Bhrampur.

Um dos dois amigos de Ishaq, um tocador de tabla, agora sugeriu que o cunhado dele trocasse de lugar com outro tocador de *sarangi*, Rafiq, que desejava se mudar para Lucknow.

— Mas Rafiq é um artista B+. Qual é o grau de seu cunhado?

— É B.

— O diretor da rádio não vai querer substituir um artista B+ por um B. Mesmo assim, você pode tentar.

Ishaq apanhou a xícara, estremecendo ligeiramente ao fazê-lo, e tomou um gole de chá.

— A não ser que ele consiga subir de graduação — continuou o amigo. — Concordo que é um sistema bobo esse de graduar alguém em Nova Delhi com base numa mera gravação em fita de uma apresentação, mas é o sistema que nós temos.

— Bom — disse Ishaq, recordando o pai, que nos últimos anos de vida tinha ascendido ao nível A —, não é um sistema ruim. É imparcial e garante certo nível de competência.

— Competência! — Isso foi *ustad* Majeed Khan falando. Os três amigos olharam surpresos para ele. A palavra foi pronunciada com um desprezo que parecia subir dos níveis mais profundos de seu ser. — Não vale a pena ser meramente competente.

Agitado, Ishaq encarou *ustad* Majeed Khan. A lembrança do pai lhe deu coragem suficiente para falar.

— Khan *Sahib*, para alguém como o senhor a competência não está em questão. Mas para o restante de nós... — Sua voz foi se extinguindo.

Ustad Majeed Khan ficou calado e apertou os lábios, irritado pela contestação, ainda que de leve. Parecia estar organizando os pensamentos. Depois de um momento falou:

— O senhor não deveria ter problemas. Para um *sarangi-wallah* não se exige grande musicalidade. Não é preciso ser um mestre de um estilo. Seja qual for o estilo do solista, o senhor se limita a segui-lo. Em termos musicais é de fato um passatempo. — E continuou em voz indiferente: — Se quiser minha ajuda, posso falar dele com o diretor da emissora. Ele sabe que sou imparcial. Não preciso de *sarangi-wallahs*, nem tenho uso para eles. Rafiq ou o marido de sua irmã, pouco importa quem está em qual lugar.

O rosto de Ishaq ficou branco. Sem pensar no que estava fazendo ou onde se encontrava, Ishaq olhou firme para Majeed Khan e disse em tom amargo e cortante:

— Não tenho objeção quanto a ser chamado de mero *sarangi-wallah*, em vez de *sarangiya*, por um grande homem. E me considero abençoado por ele ter se dignado a notar minha presença. Mas essas são questões das quais Khan *Sahib* tem conhecimento pessoal. Talvez ele possa discorrer sobre a inutilidade do instrumento.

Não era segredo que *ustad* Majeed Khan se originava de uma família de tocadores hereditários de sarangi. Seu empenho artístico estava dolorosamente vinculados a outros esforços: a tentativa de se dissociar da tradição degradante do sarangi e sua conexão histórica com cortesãs e prostitutas e de associar seu filho e sua filha às chamadas famílias *kalawant*, de músicos de casta mais elevada.

Mas o estigma do sarangi era demasiado forte, e nenhuma família *kalawant* queria se ligar pelo casamento com a de Majeed Khan. Esta era uma das decepções dilacerantes de sua vida. Outra delas era o fato de que sua música terminaria nele mesmo, pois nunca havia encontrado um discípulo a quem considerasse digno de sua arte. Seu próprio filho tinha a voz e a musicalidade de um sapo. Quanto à filha, tinha bastante inclinação para música, mas tudo o que o pai não queria era vê-la cultivar a voz e se tornar cantora.

Ustad Majeed Khan pigarreou, mas nada disse.

Pensar na traição do grande artista, no desprezo com que Majeed Khan, apesar de seu indiscutível talento, tinha tratado a tradição de suas origens continuava a enfurecer Ishaq.

— Por que razão Khan *Sahib* não nos contempla com uma resposta? — prosseguiu ele, insensível às tentativas dos amigos de contê-lo. — Por mais que esteja hoje distanciado de certos assuntos, Khan *Sahib* poderia esclarecer nosso entendimento em relação a eles. Quem mais teria os antecedentes para isso? Nós já ouvimos falar de seu ilustre pai e de seu ilustre avô.

— Ishaq, eu conheci seu pai e conheci seu avô. Eles foram homens que entendiam o significado do respeito e do discernimento.

— Eles olhavam os sulcos desgastados de suas próprias unhas sem se sentirem desonrados — retorquiu Ishaq.

Os ocupantes das mesas próximas tinham parado de falar e estavam prestando atenção ao diálogo entre o jovem e o mais velho. O fato de Ishaq, antes atormentado, estar agora infligindo o tormento, tentando ferir e humilhar *ustad* Majeed Khan, era doloroso e óbvio. A cena era horrível, mas todos pareciam presos na imobilidade.

Ustad Majeed Khan disse em voz vagarosa e impassível:

— Mas, acredite em mim, eles teriam se sentido desonrados se estivessem vivos para ver o filho deles flertando com a irmã de uma patroa cujo corpo ele ajuda a vender com seu arco. — Ele olhou o relógio e se levantou. Dentro de dez minutos teria outra apresentação. Quase para si e com extrema simplicidade e sinceridade, acrescentou: — A música não é um espetáculo barato, nem entretenimento de bordel. É como uma oração.

Antes que Ishaq pudesse responder, Majeed Khan começou a caminhar em direção à porta. Ishaq se levantou e praticamente se atirou sobre ele. Dominava-o um incontrolável espasmo de dor e fúria, e os dois amigos foram obrigados a forçá-lo fisicamente a se sentar na cadeira. Outras pessoas se aproximaram, pois ele era muito querido e tinha que ser impedido de fazer um estrago ainda maior.

— Ishaq *Bhai*, você já falou demais.

— Ouça, Ishaq, é preciso engolir o que os idosos dizem, por mais amargo que seja.

— Não acabe com sua carreira; pense em seus irmãos. Se ele falar com o diretor *sahib*...

— Ishaq *Bhai*, eu lhe recomendei tanto que segurasse a língua!

— Você precisa ir pedir desculpas a ele agora mesmo.

— Nunca, nunca... eu nunca vou pedir desculpas... sobre o túmulo de meu pai... por aquilo... pensar que um homem desses que ofende a memória de seus ancestrais e dos meus... todo mundo fica rastejando atrás dele! Sim, Khan *Sahib*, o senhor pode ficar com o intervalo de 25 minutos; sim, sim, Khan *Sahib*, o senhor decide qual é o raga que vai cantar... ah, meu Deus! Se Miya Tansen estivesse vivo, teria chorado ao ouvi-lo cantar hoje o raga de sua autoria! Que Deus tenha dado a ele semelhante talento...

— Já chega, Ishaq, já chega — disse um velho tocador de cítara.

Ishaq se voltou para ele com lágrimas de dor e de raiva:

— O senhor casaria seu filho com a filha dele? Ou sua filha com o filho dele? Quem é ele para ter o rei na barriga? Ele fala como um mulá sobre prece e devoção; este homem que passou metade da juventude em Tarbuz ka Bazaar...

Os circunstantes começaram a se afastar de Ishaq, constrangidos e pesarosos. Muitos de seus amigos saíram do refeitório e foram tentar tranquilizar o maestro insultado, que estava a ponto de agitar as ondas radiofônicas com sua própria e intensa agitação.

— Khan *Sahib*, o rapaz não sabia o que estava dizendo.

Ustad Majeed Khan, que estava quase chegando à porta do estúdio, não disse nada.

— Khan *Sahib*, os mais velhos sempre trataram os mais jovens com tolerância, como crianças. O senhor não deve levar a sério o que ele disse. Nada disso é verdade.

Ustad Majeed Khan olhou para o intercessor e disse:

— Se um cão urina em minha túnica, isso me transforma em árvore?

O citarista fez que não.

— Sei que ele não poderia ter escolhido um momento pior, *ustad sahib*, com o senhor quase na hora de se apresentar...

Mas *ustad* Majeed Khan saiu dali e cantou um Hindol de beleza serena e incomparável.

6.3

JÁ fazia alguns dias que Saeeda Bai tinha salvado Maan do suicídio, conforme ele descrevia o episódio. Naturalmente era extremamente improvável — e seu amigo Firoz o dissera quando ele se queixou de suas desditas amorosas — que o rapaz despreocupado e folgazão tivesse feito qualquer tentativa até mesmo de se cortar ao fazer a barba, de modo a provar sua paixão pela amada. Mas Maan sabia que, embora teimosa, Saeeda Bai era compassiva, pelo menos em relação a ele; e, mesmo ciente de que ela não acreditava que poria em risco a vida dele caso se recusasse a amá-lo, também sabia que ela veria o fato como mais que um discurso lisonjeiro. O modo de se expressar é essencial, e Maan, embora dizendo que sem ela não podia continuar a viver neste mundo cruel, tinha sido tão fervoroso quando lhe era possível ser. Por um momento todos os amores passados desapareceram do coração dele. Uma dezena ou mais de "garotas de boa família" de Bhrampur pelas quais ele havia se apaixonado e que, em geral, haviam correspondido à sua paixão, deixou de existir. Pelo menos no presente Saeeda Bai se tornou tudo para ele.

E, depois que eles fizeram amor, ela se tornou mais que tudo para ele. Quanto mais Saeeda Bai o satisfazia, mais aguçada tornava-se sua fome. Porém, muito mais que isso era sua *nakhra* — a arte de fingir mágoa ou desafeição, que ela havia aprendido com a mãe e com outras cortesãs nos dias passados em Tarbuz ka Bazaar. Saeeda Bai praticava essa arte com tão curioso comedimento que se tornava infinitamente mais digna de crédito. Uma lágrima, um comentário que talvez desse a entender — talvez, só talvez — que alguma palavra ou ação dele a ofendera, e Maan se compadecia dela. Não importava a que custo, ele a protegeria do mundo cruel e reprovador. Às vezes ele se inclinava por minutos sobre o ombro dela e lhe beijava o pescoço, de vez em quando dirigindo um olhar ao rosto da amada na esperança de lhe erguer o ânimo. E, quando isso acontecia e ele via aquele mesmo sorriso radiante e triste que o havia conquistado quando ela cantou no Holi em Prem Nivas, o moço era tomado por um frenesi de desejo sexual. Saeeda Bai parecia consciente disso, e só o agraciava com um sorriso quando ela própria estava inclinada a satisfazê-lo.

Ela havia mandado emoldurar uma das pinturas do álbum de poemas de Ghalib com que a presenteara. Embora tivesse tentado consertar a página que o rajá de Marh arrancara do volume, ela não se atrevia a exibir aquela ilustração específica por medo de incitar ainda mais a fúria do homem poderoso. A imagem que mandara emoldurar era "um idílio persa", que mostrava uma moça vestida de cor de laranja, ao lado de um portal arqueado, sentada sobre um tapete também em tom alaranjado, muito claro, segurando entre os dedos esguios um instrumento musical que lembrava uma cítara e olhando um misterioso jardim para além da arcada. Os traços da mulher eram nítidos e delicados, diferentes dos de Saeeda Bai, cujo rosto muito atraente, mas pouco clássico, talvez não fosse considerado nem mesmo bonito. E o instrumento musical que a mulher segurava, delicadamente afusado na ilustração estilizada, teria sido totalmente impossível de tocar, ao contrário do harmônio fornido e dócil de Saeeda Bai.

Maan não se importou com o fato de que o livro de cujas páginas aquela ilustração foi roubada talvez fosse, por isso, considerado danificado. Semelhante demonstração da estima dela pelo presente não poderia ter deixado o rapaz mais feliz. Deitado no quarto de Saeeda Bai, ele contemplava a pintura e se enchia de uma felicidade tão misteriosa quanto o jardim avistado através da arcada. Quer estivesse radiante com a lembrança imediata dos abraços dela ou mastigando satisfeito o delicado *paan* aromatizado com coco que ela lhe oferecia na ponta de um adornado espetinho de prata, Maan tinha a impressão de que ela, sua música e seu carinho haviam-no introduzido em um paraíso, extremamente incorpóreo, porém muito real.

— Nem dá para imaginar — disse o rapaz em voz alta e em tom sonhador — que nossos pais também devem ter... exatamente como nós...

O comentário pareceu de certo mau gosto a Saeeda Bai. Ela não desejada de forma alguma ter sua imaginação transportada para a vida amorosa de Mahesh Kapoor — ou de qualquer outro homem, aliás. Ela não sabia quem tinha sido seu pai, pois a mãe, Mohsina Bai, alegava não saber. Além disso, a domesticidade e suas preocupações habituais não eram para ela objeto de terna contemplação. Tinha sido acusada pelos mexeriqueiros de Bhrampur de destruir diversos casamentos sólidos ao lançar suas redes sobre homens infelizes. Um tanto ríspida, ela disse a Maan:

— É ótimo viver numa casa como a minha, onde não é preciso imaginar tais coisas.

Maan pareceu um pouco desmoralizado. Saeeda Bai, que a essa altura gostava muito dele e sabia que geralmente o rapaz falava sem refletir a primeira coisa que lhe vinha à cabeça, tentou animá-lo dizendo:

— Mas *dagh sahib* parece aflito. Será que ele estaria mais feliz se tivesse sido concebido sem pecado?

— Acho que sim — respondeu Maan. — Às vezes creio que seria mais feliz sem pai.

— É mesmo? — perguntou Saeeda Bai, que evidentemente não esperava por tal comentário.

— Ah, pois é, muitas vezes sinto que meu pai vê com desprezo tudo que eu faço. Quando abri a loja de tecidos em Benares, *baoji* me disse que seria um completo fracasso. Agora que eu consegui fazê-la prosperar, ele adotou a opinião de que eu deveria ficar na loja todos os dias de todos os meses de todos os anos de minha vida. Por que eu deveria fazê-lo?

Saeeda Bai não disse nada.

— E por que eu deveria me casar? — continuou Maan, abrindo os braços por toda a largura da cama e tocando com a mão esquerda a face de Saeeda Bai. — Por quê? Por quê? Por quê?

— Porque seu pai pode me chamar para cantar em seu casamento — respondeu ela com um sorriso. — E no nascimento de seus filhos. E na cerimônia de *mundan* deles. E no casamento deles, naturalmente. — Ela se calou por alguns segundos. — Mas não acredito que estarei viva para fazê-lo. De fato eu às vezes me pergunto o que você vê em uma velha como eu.

Maan ficou profundamente indignado. Erguendo a voz, protestou:

— Por que você diz essas coisas? Você faz isso só para me irritar? Até conhecê-la, ninguém nunca significou tanto para mim. Aquela moça de Benares que encontrei duas vezes sob uma pesada escolta é menos que nada para mim, e todos acham que eu devo me casar com ela só porque meu pai e minha mãe o determinaram.

Saeeda Bai se voltou para ele e enterrou o rosto em seu braço.

— Mas você deve se casar — disse ela. — Você não pode causar tanto sofrimento a seus pais.

— Ela não me atrai de jeito nenhum — retrucou ele zangado.

— Será só uma questão de tempo.

— E depois de casado eu não poderei visitar você — disse Maan.

— Verdade? — perguntou ela, de tal forma que a pergunta, em vez de suscitar uma resposta, implicava o fim da conversa.

6.4

PASSADO um tempo, eles se levantaram e foram para o outro cômodo. Saeeda Bai mandou buscar o periquito, ao qual se afeiçoara. Ishaq Khan trouxe a gaiola, e seguiu-se uma discussão sobre quando o animal aprenderia a falar. Saeeda Bai evidentemente pensava que alguns meses seriam suficientes, mas Ishaq tinha dúvidas.

— Meu avô teve um periquito que levou um ano inteiro para começar a falar e depois não parou mais pelo resto da vida — disse o músico.

— Nunca ouvi falar de algo assim — replicou Saeeda Bai, desdenhosa. — De qualquer forma, por que o senhor está segurando a gaiola desse jeito esquisito?

— Ah, não é nada. — Ele pousou a gaiola sobre a mesa e esfregou o pulso direito. — É só uma dor no pulso.

Na verdade o pulso, muito dolorido, tinha piorado no decorrer das semanas anteriores.

— O senhor parece estar tocando muito bem — disse a cantora, sem muita compaixão.

— Saeeda *Begum*, o que eu faria se não tocasse?

— Eu não sei — disse ela, fazendo cócegas no biquinho do periquito. — Provavelmente não há problema nenhum com sua mão. Não está planejando viajar por uns tempos para algum casamento na família, está? Ou abandonar a cidade até ser esquecida sua famosa explosão na estação de rádio?

Se essa dolorosa referência ou as suspeitas injustas o ofenderam, ele não demonstrou. Saeeda Bai lhe disse que fosse buscar Motu Chand, e os três começaram em breve a tocar músicas para agradar Maan. De vez em quando Ishaq mordia o lábio inferior enquanto passava o arco pelas cordas do instrumento, mas não disse nada.

Saeeda Bai estava sentada num tapete persa diante do harmônio. Com a cabeça coberta pelo sári, ela acariciava com um dedo da mão esquerda o duplo fio de pérolas que lhe pendia no pescoço. Depois, cantarolando para si e movendo a mão esquerda sobre os foles do harmônio, ela começou a tocar algumas notas do raga Pilu. Momentos depois, como se indecisa quanto a seu estado de espírito e o tipo de canção que desejava cantar, ela mudou para outros ragas.

— O que você gostaria de ouvir? — perguntou ela gentilmente ao rapaz.

Usou uma forma de "você" mais íntima que a usada até então — "tum" em lugar de "aap". Maan olhou-a sorridente.

— E então? — insistiu Saeeda Bai, depois de passado um minuto.

— Então o quê, Saeeda *Begum*? — disse Maan.

— O que você deseja ouvir?

Novamente usou "tum" em vez de "aap", e o mundo dele ficou rodopiando num clima de felicidade. Um dístico ouvido em algum lugar lhe veio à mente:

Entre os amantes o Saki traçou assim a linha distintiva, o domínio:
"Para o senhor"; "é seu" e "é vosso", ao entregar a taça de vinho.

— Ora, qualquer coisa — disse Maan. — Na verdade, tanto faz; qualquer coisa que você sinta que está em seu coração.

Maan ainda não tinha reunido a coragem de usar "tum" ou simplesmente "Saeeda", exceto quando estavam fazendo amor, ocasião em que ele mal sabia o que dizia. Talvez ela tenha usado essa forma comigo por distração e fique ofendida se eu retribuir, pensou.

Mas Saeeda Bai estava propensa a se ofender por outra razão.

— Estou lhe dando a chance de escolher a música e você está jogando o problema de volta para mim — observou ela. — Estou com vinte coisas diferentes em meu coração. Você não ouviu que eu fiquei mudando de um raga para outro? — Depois, voltando-se para Motu Chand, ela perguntou: — Então, Motu, o que deve ser cantado?

— O que a senhora desejar, Saeeda *Begum*.

— Seu tapado, eu estou lhe dando uma oportunidade que a maior parte de meu público se mataria para receber, e você só consegue ficar sorrindo para mim como um bebê imbecil e dizer: "o que a senhora desejar, Saeeda *Begum*". Qual gazal? Diga logo! Ou você deseja ouvir um *thumri* em vez de um gazal?

— O melhor será um gazal, Saeeda *Begum* — disse Motu Chand, e sugeriu: "É só um coração, não é tijolo nem pedra", de Ghalib.

Terminado o gazal, Saeeda Bai voltou-se para Maan.

— Você precisa escrever uma dedicatória em seu livro.

— Em inglês?

— O que me assombra é ver que o grande poeta *dagh* é analfabeto em sua própria língua — disse a cantora. — Precisamos fazer alguma coisa a esse respeito.

— Eu vou aprender urdu! — disse ele entusiasmado.

Motu Chand e Ishaq Khan se entreolharam. Evidentemente, achavam que Maan estava enlouquecendo em sua fascinação por Saeeda Bai.

— Você está falando sério? — perguntou a Maan com uma risada, provocadora. Então pediu a Ishaq que chamasse a empregada.

Por algum motivo, naquele dia Saeeda Bai estava irritada com a criada. Bibbo parecia consciente do fato, mas indiferente a ele. Entrou na sala com um riso irônico no rosto que reacendeu a irritação da patroa.

— Você está sorrindo só para me irritar — observou Saeeda Bai impaciente. — E se esqueceu de dizer à cozinheira que ontem o *daal* do periquito não ficou bastante macio. Está achando que ele tem as mandíbulas de um tigre? Deixe este sorriso idiota de lado, sua boba, e me diga: a que horas Abdur Rasheed virá dar aula de árabe a Tasneem?

Saeeda se sentia suficientemente segura com Maan para mencionar o nome da irmã na presença dele.

Bibbo assumiu uma expressão satisfatoriamente contrita.

— Mas ele já está aqui, como a senhora sabe, Saeeda Bai.

— Como eu sei? Como eu sei? — disse a patroa com renovada impaciência. — Eu não sei nada. E você também não — acrescentou. — Diga-lhe que venha aqui imediatamente.

Um minuto depois a empregada voltou, mas sozinha.

— E então? — perguntou a patroa.

— Ele não vai vir — disse Bibbo.

— Ele não vai vir? Ele sabe quem lhe paga para dar aula particular a Tasneem? Está achando que a honra dele vai ficar ameaçada se ele subir a este cômodo? Ou está sendo arrogante porque estuda na universidade?

— Não sei, *begum sahiba* — disse Bibbo.

— Pois então vá lá perguntar a ele o por quê. É o salário dele que eu quero aumentar, e não o meu.

Cinco minutos depois Bibbo voltou com um largo sorriso no rosto.

— Ele ficou muito zangado quando eu tornei a interromper. Estava ensinando a Tasneem um trecho complicado do *Quran Sharif* e me disse que a palavra de Deus teria que ter precedência sobre o lucro terreno dele. Mas vai vir quando a aula terminar.

— Na verdade, não tenho certeza se quero aprender urdu — disse Maan, que estava começando a lamentar seu entusiasmo repentino. Não queria ficar sobrecarregado. E não tinha contado com a possibilidade de a conversa tomar de repente um rumo prático. Ele estava sempre tomando decisões tais como "preciso aprender a jogar polo" (dito a Firoz, que gostava de apresentar aos amigos as preferências e alegrias de seu próprio estilo de vida nababesco); ou "preciso sossegar" (dito a Veena, única pessoa da família capaz de repreendê-lo até certo ponto); ou até "não vou ensinar baleia a nadar" (o que Pran considerava uma frivolidade imprudente). Mas tais decisões eram tomadas com a segurança da certeza de que cumpri-las era algo muito distante.

Nesse momento, no entanto, o jovem professor de árabe estava parado diante da porta, muito hesitante e com ar de leve desaprovação. Fez uma saudação a todos e aguardou um momento.

— Rasheed, você pode ensinar urdu ao meu jovem amigo aqui? — perguntou Saeeda Bai, indo direto ao assunto.

O jovem fez que sim um tanto relutante.

— O acordo será o mesmo feito com Tasneem — disse Saeeda Bai, que acreditava em resolver as questões práticas sem mais tardar.

— Tudo bem — disse o professor. Falava com certo laconismo, como se ainda ligeiramente ofendido pelas interrupções anteriores da aula de árabe. — E o nome do cavalheiro?

— Ah, claro, desculpe, — disse Saeeda Bai — este é *dagh sahib*, que o mundo até agora só conhece pelo nome de Maan Kapoor. Ele é filho de Mahesh Kapoor, o ministro. E seu irmão mais velho, Pran, é professor da universidade em que você estuda.

O jovem estava carrancudo, concentrado. Depois disse, fixando os olhos argutos em Maan:

— Será uma honra ensinar o filho de Mahesh Kapoor. Infelizmente já estou um pouco atrasado para minha próxima aula. Espero que quando eu vier amanhã nós possamos combinar um horário adequado para nossos encontros. Quando o senhor costuma estar livre?

— Ah, ele costuma estar livre tempo todo — disse Saeeda Bai com um sorriso carinhoso. — O tempo não é problema para *dagh sahib*.

6.5

UMA noite, exausto de corrigir provas, Pran estava dormindo profundamente quando foi acordado por um golpe. Tinha levado um chute. A esposa estava com os braços passados ao seu redor, porém dormia um sono ainda mais profundo.

— Savita, Savita, o bebê me chutou! — exclamou Pran, empolgado, sacudindo a esposa pelo ombro.

Savita abriu os olhos, relutante, sentiu junto a si o corpo esguio e reconfortante do marido e sorriu no escuro antes de mergulhar novamente no sono.

— Você está acordada? — perguntou Pran.

— Ãn... humm.

— Mas ele chutou mesmo! — disse o marido, descontente com a falta de reação da mulher.

— O que foi? — perguntou Savita, sonolenta.

— O bebê.

— Que bebê?

— O nosso.

— Nosso bebê fez o quê?

— Ele me chutou.

Savita se sentou cautelosa e beijou a testa do marido, quase como se ele próprio fosse um bebê.

— Não pode ter chutado. Você está sonhando. Vá dormir de novo; eu também vou dormir. O bebê também vai.

— Ele chutou sim — disse Pran, um tanto indignado.

— Ele não pode ter chutado — contestou Savita, voltando a se deitar. — Eu teria sentido.

— Bom, ele chutou e pronto. Você provavelmente nem sente mais quando ele chuta. Além disso, dorme profundamente. Mas que ele me chutou através de sua barriga, isso chutou sim, e chegou a me acordar — insistiu Pran.

— Ora, tudo bem, como você quiser. Acho que talvez ele tenha percebido que você estava tendo um pesadelo com quiasmas e ana... como é mesmo o nome?

— Anacoluto.

— Pois é, e eu estava em um sonho maravilhoso e ele não quis me perturbar.

— Que bebê bonzinho!

— É o nosso bebê — disse Savita. Pran ganhou mais um abraço.

Ficaram em silêncio algum tempo. Depois, quando Pran estava quase caindo no sono, ela observou:

— Parece que ele tem muita energia.

— É mesmo? — disse Pran, meio acordado.

Savita, agora totalmente desperta com seus pensamentos, não estava disposta a cortar a conversa.

— Você acha que ele vai ser como Maan? — perguntou ela.

— Ele?

— É, eu tenho a sensação de que é um menino — disse ela, com jeito decidido.

— Parecido com Maan em que sentido? — perguntou Pran, lembrando-se de repente de que a mãe havia lhe pedido que conversasse com o irmão sobre o rumo que a vida dele estava tomando e principalmente sobre Saeeda Bai, a quem a mãe se referia somente como *woh*, aquela mulher.

— Bonito... e namorador?

— Talvez — disse o marido, com a cabeça em outros assuntos.

— Ou um intelectual como o pai dele?

— Ora, por que não? — disse Pran, de novo envolvido na conversa. — Ele podia ter se saído bem pior. Mas espero que não sofra da asma do pai.

— Ou você acha que ele vai ter o gênio do meu avô?

— Não, não acho que tenha sido um chute raivoso. Só para me lembrar: "Estou aqui; são duas da madrugada e tudo está bem." Ou talvez ele estivesse interrompendo um pesadelo, como você disse.

— Talvez ele seja como Arun, muito elegante e sofisticado.

— Desculpe-me, Savita, mas se ele for como seu irmão, eu vou rejeitá-lo. Mas ele terá nos rejeitado muito antes disso. De fato, se ele for como Arun, provavelmente neste momento estará pensando: "Que péssimo serviço, neste quarto! Preciso falar com o gerente para receber meus nutrientes na hora certa. Eles deviam ajustar a temperatura do líquido amniótico dessa piscina, como fazem nos úteros cinco estrelas. Mas na Índia, que outra coisa pode se esperar? Neste maldito país nada funciona. O que os nativos precisam é de uma boa e enérgica dose de disciplina." Talvez seja por isso que ele me chutou.

Savita riu:

— Você não conhece Arun muito bem. — Foi a resposta dela.

Pran deu apenas um resmungo.

— De toda forma, talvez ele puxe as mulheres da família — prosseguiu Savita. — Talvez ele seja como sua mãe ou a minha. — O pensamento lhe agradou.

Pran franziu a testa, mas aquele último arroubo de imaginação da mulher era muito cansativo àquela hora da madrugada.

— Você quer beber alguma coisa? — perguntou ele.

— Não... humm... quero sim, um copo de água.

Pran se sentou, tossiu um pouco, voltou-se para a mesa de cabeceira, acendeu o abajur e serviu um copo de água fria.

— Tome querida — ofereceu, olhando-a com um ar carinhoso e ligeiramente contrito. Estava linda, e como seria maravilhoso fazer amor com ela.

— Você não parece estar muito bem, Pran.

Ele sorriu e passou a mão pela testa:

— Eu estou ótimo.

— Fico preocupada com você.

— Pois eu não — mentiu Pran.

— Você não pega ar fresco o suficiente; isso sobrecarrega demais os pulmões. Em vez de conferencista, eu gostaria que você fosse escritor.

Savita bebeu devagar, saboreando o frescor da água na noite quente.

— Muito obrigado pela preocupação, mas você também não faz exercícios físicos. Devia caminhar um pouco, mesmo durante a gravidez.

— Eu sei — concordou Savita, agora bocejando. — Estou lendo o livro que minha mãe me deu.

— Muito bem, querida, boa noite. Me dê o copo.

Ele apagou a luz e ficou deitado no escuro, de olhos ainda abertos. Nunca esperei ser tão feliz assim, disse consigo. Fico me perguntando se sou feliz, e isso não faz cessar a felicidade. Mas quanto tempo vai durar? Não me refiro somente a mim, mas também por minha esposa e meu filho, sobrecarregados por meus pulmões inúteis. Preciso me cuidar. Não devo trabalhar excessivamente. E preciso ir dormir depressa.

E em cinco minutos ele havia, de fato, pegado novamente no sono.

6.6

NA manhã seguinte chegou pelo correio uma carta de Calcutá. Estava escrita na caligrafia miúda e inimitável da Sra. Rupa Mehra, e dizia assim:

Queridos Savita e Pran,
    Acabei de receber ainda agora sua querida carta e nem preciso dizer como fiquei alegre em recebê-la. Eu não estava esperando uma carta sua, Pran, pois sei que você está trabalhando muito e dificilmente poderia ter tempo para escrever cartas; portanto, o prazer de recebê-las é ainda maior.
    Tenho certeza de que, apesar das dificuldades, querido Pran, seus sonhos no departamento irão se realizar. Você deve ter paciência, é uma lição que aprendi na vida. Devemos trabalhar muito, e todo o resto não está em nossas mãos. Sou abençoada por minha querida Savita ter um marido tão bom, mas ele precisa ter cuidado com a saúde.
    A essa altura o bebê deve estar chutando ainda mais, e as lágrimas me vêm aos olhos por não poder estar aí com você, Savita, para compartilhar sua alegria. Eu me lembro de quando você chutava na minha barriga: era um chute tão delicado, e Papai, abençoado seja ele, colocava as mãos na minha barriga e nem conseguia sentir o chute. Agora minha queridíssima S., você própria vai ser mãe. Você está muito presente em meus pensamentos. Às vezes Arun diz que "a senhora só se importa com Lata e Savita", mas não é verdade, eu me importo com meus filhos, todos os quatro, meninos ou meninas, e me interesso por tudo que fazem. Varun está tão enrolado este ano em seus estudos de matemática que eu fico muito preocupada com ele.

Aparna é muito querida e gosta muito da avó. Ela é frequentemente deixada comigo à noite. Arun e Meenakshi precisam sair e socializar, é importante para o trabalho dele, eu sei — e eu fico feliz de brincar com ela. Às vezes eu leio. Varun chega da faculdade muito tarde; antes ele costumava distraí-la e isso era bom, porque as crianças não devem passar o tempo todo com as empregadas, pode ser ruim para a educação delas. Então a tarefa agora recaiu sobre mim, e eu e Aparna ficamos muito ligadas uma a outra. Ontem ela disse à mãe que estava toda vestida para sair e jantar fora: "A senhora pode ir, eu não me importo; se *daadi* ficar aqui, eu não estou nem aí." Essas foram exatamente as palavras dela, e eu fiquei muito orgulhosa de que aos 3 anos ela conseguisse dizer tanta coisa. Estou ensinando a ela a não me chamar de *grandma*, e sim de *daadi*, mas Meenakshi acha que, se ela não aprender corretamente o inglês agora, quando irá aprender?

Meenakshi às vezes fica de mau humor, eu acho, e então fica me encarando. Nesses momentos, Savita querida, acho que não sou bem-vinda na casa. Eu quero encará-la também, mas às vezes começo a chorar. Não consigo evitar de jeito nenhum. E aí Arun me diz: "Mãe, não abre a torneira não, a senhora está sempre criando caso por nada." Então eu tento não chorar, mas quando penso na medalha de ouro de seu Papai as lágrimas aparecem.

Sua irmã tem passado muito tempo com a família de Meenakshi. O pai dela, o senhor juiz Chatterji, tem ótima opinião sobre Lata, eu acho, e a irmã de Meenakshi, Kakoli, também gosta muito dela. Também há os três rapazes, Amit, Dipankar e Tapan Chatterji, e todos parecem cada vez mais estranhos para mim. Amit diz que Lata deveria aprender o bengalês, é a única língua realmente civilizada da Índia. Ele próprio, como você sabe, escreve livros em inglês, portanto por que ele diz que só o bengalês é civilizado e o híndi não é? Não sei, mas os Chatterji são uma família esquisita. Eles têm piano, mas o pai usa um *dhoti* com bastante frequência à noite. Kakoli canta *Rabindrasangeet* e também música ocidental, mas a voz dela não me agrada e ela tem a reputação de ser moderna demais. Às vezes eu me pergunto por que meu Arun se casou com uma família assim, mas no final deu tudo certo, porque eu tenho minha Aparna.

Lata infelizmente estava muito zangada e magoada comigo quando nós chegamos a Calcutá, e também preocupada com os resultados dos exames dela. Ela estava muito estranha. Você deve mandar um telegrama com os resultados assim que eles saírem, não importa se bons ou ruins. Foi nada mais nada menos que aquele rapaz K., é óbvio, e ele era evidentemente uma má influência. Às vezes ela dirige a mim um comentário ressentido e às vezes só dá respostas mínimas para minhas perguntas, mas você consegue imaginar se eu tivesse deixado as coisas prosseguirem daquele jeito? Nesse problema eu não contei com a ajuda nem a solidariedade de Arun, mas agora eu disse a ele que apresentasse Lata a seus colegas com emprego fixo e outros amigos e vamos ver. Se eu conseguisse encontrar um marido como Pran para minha Lata, eu morreria contente. Se Papai tivesse visto você, Pran, ele teria sabido que a Savita dele estava em boas mãos.

Um dia eu fiquei tão magoada que disse a Lata: "era comum lançar mão da não cooperação no tempo de Gandhiji contra os britânicos, mas eu sou sua própria mãe, e é muita teimosia sua fazer isso." Fazer o quê?, ela perguntou, e foi tão indiferente que eu senti meu coração se partir. Querida Savita, rezo para que, se você tiver uma filha — embora na verdade seja hora de ter um neto na família —, que ela nunca seja tão fria com você. Mas em outras ocasiões ela se esquece de que está zangada comigo e então é muito afetuosa até se lembrar.

Que Deus Todo-Poderoso possa manter vocês saudáveis e felizes para que concretizem todos os seus planos. E, em breve, nas monções, eu verei vocês, se Deus quiser.

Muito amor para vocês dois. São os meus votos e os de Arun, Varun, Lata, Aparna e Meenakshi. Envio um grande abraço e um beijo também. Não se preocupe comigo, minha glicose está boa.

De sua sempre amorosa *Ma*.

P.S. Envio também saudações carinhosas a Maan, Veena, Kedarnath, Bhaskar, a mãe de Kedarnath, os pais Pran (espero que as floradas de *neem* estejam menos incômodas agora), meu pai e Parvati — e naturalmente para o Esperado Bebê. Também queiram dar meus *salaams* a Mansoor e Mateen e os outros empregados. Está muito quente em

Calcutá, mas deve estar pior em Bhrampur, e em sua condição, Savita, você deve ficar bem fresquinha e não pegar sol nem fazer esforço desnecessário. Você precisa fazer muito repouso. Quando em dúvida sobre o que fazer, lembre-se de não fazer nada. Depois do parto você vai ficar bastante ocupada, pode acreditar, minha querida Savita, e você deve guardar suas forças.

6.7

A REFERÊNCIA às flores de *neem* lembrou a Pran que havia dias que ele não visitava a mãe. Nesse ano, a Sra. Mahesh Kapoor havia sofrido mais do que nunca os efeitos do pólen das árvores. Havia dias em que ela mal conseguia respirar. Até o marido, que tratava todas as alergias como se fossem voluntariamente infligidas pelas vítimas a si mesmas, foi forçado a prestar alguma atenção à esposa. Pran, que conhecia por experiência própria a sensação de lutar para respirar, pensou na mãe com um sentimento de melancólica impotência — e com certa raiva do pai, que insistia na permanência dela na cidade para administrar a casa.

— Para onde ela iria? Para onde não houvesse pés de *neem*? — perguntava Mahesh Kapoor. — Para o estrangeiro?

— Bom, *baoji*, talvez para algum lugar do sul ou para a serra.

— Não seja pouco realista. Quem vai cuidar dela por lá? Ou você acha que eu deveria abandonar meu trabalho?

Não havia resposta óbvia para isso. Mahesh Kapoor sempre tinha se mostrado indiferente às doenças e dores físicas dos demais, e havia desaparecido da cidade cada vez que a mulher estava perto de dar à luz. Ele não conseguia suportar "a desordem, e o estardalhaço e tudo mais".

Ultimamente, a Sra. Mahesh Kapoor estava muito ansiosa por um assunto que parecia agravar sua condição. Era o envolvimento de Maan com Saeeda Bai e a vadiagem do filho em Bhrampur, já que ele tinha trabalho e outras obrigações em Benares. Quando a família da noiva dele fez uma sondagem indireta por meio de um parente sobre o estabelecimento de uma data para o casamento, a Sra. Mahesh Kapoor pedira a Pran que falasse com o filho mais novo. Pran dissera à mãe que tinha muito pouco controle sobre o irmão.

"Maan só dá ouvidos a Veena, e mesmo assim ele faz exatamente o que tem vontade." Mas a Sra. Mahesh Kapoor tinha parecido tão infeliz que ele concordou em falar com o irmão. No entanto, passou vários dias adiando a ocasião.

Muito bem, disse Pran consigo. Vou falar com ele hoje. E será uma boa oportunidade para visitar Prem Nivas.

Estava quente demais para ir a pé; logo, o casal tomou uma charrete. Savita se sentou sorrindo em silêncio e, na opinião de Pran, muito misteriosamente. De fato, ela estava apenas contente de ir visitar a sogra, de quem gostava e com quem lhe agradava conversar sobre árvores de *neem*, abutres, gramados e lírios.

Na chegada a Prem Nivas, eles descobriram que Maan ainda estava dormindo. Deixando Savita com a Sra. Mahesh Kapoor, que parecia um pouco melhor que antes, Pran foi acordar o irmão. Este estava deitado em seu quarto com o rosto enterrado no travesseiro. Um ventilador de teto girava o tempo todo, mas fazia muito calor no aposento.

— Levanta! Levanta! — disse Pran.

— Argh! — disse Maan, tentando evitar a luz do dia.

— Levanta daí, que eu preciso falar com você.

— Quê? Por quê? Tudo bem, deixe-me lavar o rosto.

Maan se levantou, balançou a cabeça várias vezes e examinou o rosto ao espelho com muito cuidado; fez uma respeitosa saudação a si mesmo enquanto o irmão não estava olhando e, depois de jogar no corpo um pouco de água, voltou à cama, em que se deitou de novo, mas agora de costas.

— Quem lhe pediu que falasse comigo? — perguntou Maan. Depois, recordando aquilo com que tinha sonhado, ele continuou, lamentoso: — Eu estava tendo um sonho maravilhoso. Estava caminhando perto do Barsat Mahal com uma moça; quer dizer, ela não era tão moça assim, mas seu rosto ainda não tinha rugas...

Pran começou a sorrir. Maan pareceu um pouco magoado.

— Você não está interessado? — perguntou.

— Não.

— Então, para que você veio, *bhai sahib*? Por que não se senta na cama? É muito mais confortável. Ah, sei, você veio falar comigo. — Ele se lembrou.

— Quem o convenceu a isso?

— Alguém precisa ter me convencido a isso?

— Sim, por princípio você nunca oferece conselhos fraternais, e eu posso ver em seu rosto que estou a ponto de receber aconselhamento. Tudo bem, manda ver. É sobre Saeeda Bai, imagino.

— Você está absolutamente certo.

— Bom, o que há para dizer? — disse Maan com um ar de vira-lata feliz. — Estou terrivelmente apaixonado por ela. Mas não sei se ela gosta de mim um pouquinho que seja.

— Ora, seu idiota — disse Pran carinhosamente.

— Não ria de mim. Não posso suportar. Estou me sentindo muito deprimido — retrucou Maan, gradualmente convencido de sua depressão romântica. — Mas ninguém acredita em mim. Até Firoz está dizendo...

— Ele tem toda razão. Você não está sentindo nada disso. Agora me diga, você realmente acha que esse tipo de pessoa é capaz de amar?

— Ora, por que não seria? — Maan recordou a última noite que tinha passado nos braços de Saeeda Bai e começou a se sentir difusamente romântico outra vez.

— Porque o trabalho dela é não amar — replicou Pran. — Apaixonar-se por você não seria nada bom para o trabalho ou a reputação dela! Portanto, ela não vai se apaixonar. É demasiado obstinada. Qualquer um que tenha boa visão pode ver isso, e eu já a vi por três Holis seguidos.

— É que você não a conhece, Pran — disse o irmão, entusiástico.

Era a segunda vez em algumas horas que alguém lhe dizia que ele não entendia uma outra pessoa, e Pran reagiu com impaciência.

— Agora, escute, Maan, você está fazendo papel de bobo. Mulheres como ela são treinadas para fingir que estão apaixonadas por homens crédulos, para deixar o coração deles mais leve, e a carteira mais leve ainda. Você sabe que Saeeda Bai é famosa por esse tipo de coisa.

Maan se limitou a virar de bruços e enfiar a cara no travesseiro.

Pran achava muito difícil ser moralista com o idiota do irmão. Bom, eu cumpri meu dever, pensou. Se eu disser mais alguma coisa, vou causar exatamente a reação contrária à desejada por *ammaji*.

— Maan, você está com problema de dinheiro? — disse Pran, bagunçando os cabelos do irmão.

— Ora, não é fácil, você sabe — replicou Maan, a voz ligeiramente abafada pelo travesseiro. Não sou um cliente nem nada assim, mas não posso chegar lá de mãos abanando. Então, bom, eu dei a ela alguns presentes. Você sabe como é.

Pran ficou calado. Ele não sabia.

— Você não anda gastando o dinheiro que trouxe para fazer negócios em Bhrampur, não é? — perguntou ele. — Você sabe como *baoji* reagiria se ficasse sabendo disso.

— Não — respondeu o outro, fechando a cara. Ele tinha se virado de novo e agora encarava o ventilador. — Como você sabe, outro dia *baoji* me disse palavras ásperas, mas tenho certeza de que ele realmente não se importa nem um pouco com Saeeda Bai. Afinal de contas, ele próprio teve uma juventude aventurosa e, em diversas ocasiões, a convidou para cantar em Prem Nivas.

Pran não disse nada. Tinha quase certeza de que o pai estava muito desgostoso.

Maan prosseguiu:

— E há poucos dias eu pedi dinheiro a ele "para uma coisa e outra", e ele me deu uma quantia bem generosa. — Pran lembrou-se de que o pai detestava ser incomodado toda vez que se ocupava de tarefas legislativas ou qualquer outro projeto, e quase pagava aos demais para que o deixassem prosseguir com o trabalho em questão. — Portanto, daí você pode ver que não há nenhum problema — continuou Maan. Após ter feito o problema desaparecer, ele prosseguiu: — Mas onde está minha linda *bhabhi*? Eu prefiro ser repreendido por ela.

— Está lá embaixo.

— Ela também está zangada comigo?

— Eu não estou exatamente zangado com você, Maan. Tudo bem, prepare-se para descer; ela está ansiosa para vê-lo.

— O que está acontecendo com seu trabalho?

Com a mão direita Pran fez um gesto de indiferença.

— Ah, sim, e o professor Mishra ainda está furioso com você?

— Ele não é o tipo de homem que esquece pequenas gentilezas como a sua — respondeu Pran emburrado. Sabe, se você fosse um estudante e fizesse o que fez no Holi, eu, na qualidade de membro do comitê de bem-estar estudantil, podia ter sido obrigado a recomendar sua expulsão.

— Seus alunos parecem um grupo animado — disse Maan em tom de aprovação. Depois de um tempo, acrescentou, com um sorriso no rosto: — Você sabe que ela me chama de *dagh sahib*?

— É mesmo? Encantador! — disse Pran. — A gente se encontra lá embaixo, daqui a uns minutos.

6.8

UMA noite, depois de um longo dia no tribunal, Firoz estava a caminho do posto militar para praticar um pouco de polo e equitação quando avistou o secretário do pai, Murtaza Ali, pedalando a bicicleta pela rua com um envelope branco na mão. Mandando parar o carro, chamou o secretário, que se deteve.

— Aonde você vai? — perguntou Firoz.

— A lugar nenhum, só aqui por Pasand Bagh.

— Para quem é o envelope?

— Para Saeeda Bai, Firozabadi — respondeu Murtaza Ali, com muita relutância.

— Pois é bem no meu caminho. Eu o entregarei — disse Firoz e olhou o relógio. — Não me causaria nenhum atraso.

Estendeu o braço pela janela para pegar o pacote, mas Murtaza Ali não o largou.

— Não é nenhum incômodo, *chhoté sahib* — disse ele sorrindo. — Não devo transferir minhas obrigações para os outros. O senhor está muito elegante nessa nova calça de montaria.

— Para mim não é nenhuma obrigação. Pode me dar. — E Firoz tornou a fazer o gesto de pegar o pacote. Raciocinou que o envelope daria a ele os meios inocentes de rever aquela linda moça, Tasneem.

— Desculpe-me, *chhoté sahib*, mas o *nababo sahib* recomendou explicitamente que eu o levasse até lá.

— Isso a meu ver não faz sentido — disse Firoz, agora falando em tom levemente aristocrático. — Já entreguei o envelope antes. Você me deixou levá-lo, para se poupar trabalho, quando eu estava indo na direção da casa de Saeeda Bai, e sou capaz de levá-lo novamente.

— *Chhoté sahib*, isso não tem a menor importância, por favor, deixe para lá.

— Ora, meu rapaz, pode me entregar o pacote.

— Eu não posso.

— Não pode? — A voz de Firoz se tornou imperiosamente reservada.

— Veja bem, *chhoté sahib*, a última vez em que fiz isso o *nababo sahib* ficou extremamente irritado. Ele me disse com muita firmeza que não deveria se repetir. Tenho que pedir perdão ao senhor pela indelicadeza, mas seu pai foi tão veemente que eu não me atrevo novamente a correr o risco de desagradá-lo.

— Entendi.

Firoz estava perplexo. Não conseguia compreender a exagerada irritação do pai por essa questão inofensiva. Ele vinha aguardando com animação a hora do jogo, mas agora ficou desanimado. Por que o pai estava se comportando dessa forma excessivamente puritana? Firoz sabia que não era de bom-tom se misturar socialmente com cantoras, mas que mal havia em simplesmente entregar uma carta? Talvez aquele não fosse o verdadeiro problema.

— Deixe-me entender a situação — prosseguiu ele depois de pensar um momento. — Meu pai se zangou porque você não entregou o pacote ou porque eu o entreguei?

— Isso eu não saberia informar, *chhoté sahib*. Eu mesmo gostaria de ter entendido.

Murtaza Ali continuou educadamente parado junto à bicicleta, segurando o envelope com firmeza em uma das mãos, como se estivesse temeroso de que Firoz pudesse por fim arrebatá-lo num súbito impulso.

— Tudo bem — disse Firoz e, com um aceno brusco para o secretário, seguiu caminho para o posto militar.

O dia estava levemente encoberto. Embora ainda fosse o início da noite, o tempo estava fresco. Nos dois lados da Kitchener Road havia flamboyants altos em plena floração cor de laranja. O aroma característico das flores, menos doce que o dos gerânios, mas igualmente evocativo, pesava no ar, e as leves pétalas em feitio de leque estavam espalhadas dos dois lados da rua. Firoz decidiu falar com o pai quando voltasse a Baitar House, e essa decisão o ajudou a se esquecer do incidente.

Ele recordou a primeira visão que tivera de Tasneem e a súbita e perturbadora atração que sentira por ela — uma sensação de tê-la visto antes em algum lugar "se não nesta vida, então em alguma anterior". Mas depois de um momento, à medida que se aproximava dos campos de pólo, sentia o cheiro familiar de esterco de cavalo, passava pelos edifícios de sempre e acenava para gente conhecida, o jogo se reafirmou em sua mente e a moça também se desvaneceu naquele cenário.

Firoz tinha prometido ensinar a Maan um pouco de polo naquela noite, e agora olhou em torno à procura dele no clube. Na verdade, seria mais exato dizer que ele tinha coagido um relutante Maan a aprender um pouco sobre o jogo.

— É o melhor jogo do mundo — dissera. — Daqui a pouco vai estar viciado. E você tem muito tempo livre. — Firoz agarrara as mãos do amigo. — De tanto serem mimadas, elas estão ficando macias demais.

Mas nesse momento, sem ver Maan em parte alguma, Firoz olhou o relógio com um pouco de impaciência à medida que luz que diminuía.

6.9

MINUTOS depois, Maan veio cavalgando em sua direção, tirou o boné de jóquei num gesto jovial de saudação e se apeou do cavalo.

— Por onde você andava? — indagou Firoz. — Aqui todos são muito rigorosos com os horários, e se nós não chegarmos ao cavalo de treino de madeira nos dez minutos iniciais do horário da reserva, outra pessoa irá ocupá-lo. Aliás, como você conseguiu convencê-los a lhe permitir montar um dos cavalos sem estar acompanhado por um sócio?

— Ah, sei lá — disse Maan —, eu só cheguei e fiquei conversando uns minutos com um dos cavalariços, e ele selou esse baio para mim.

Firoz refletiu que não devia ter ficado surpreso: o amigo tinha o talento de improvisar em todo tipo de situação duvidosa, graças à sua atitude despreocupada. O cavalariço devia ter presumido que Maan era sócio pleno do clube.

Com o amigo incomodamente montado no cavalo de madeira, Firoz começou a educá-lo. Um leve taco de bambu foi posto na mão direita de Maan, e o rapaz foi orientado a apontar com ele e também a balançá-lo algumas vezes.

— Mas isso não é nada divertido — reclamou Maan depois de uns cinco minutos.

— Nada é divertido nos cinco primeiros minutos — replicou Firoz calmamente. — Não, não segure o taco desse jeito, mantenha o braço em linha reta, mas não, completamente esticado. Assim. Isso, agora balance o taco, só metade do arco. Muito bem! Seu braço deve funcionar como extensão do próprio taco.

— Eu consigo pensar em pelo menos uma coisa que seja divertida nos cinco primeiros minutos — disse Maan com uma risadinha ligeiramente idiota, fazendo girar o taco e perdendo um pouco o equilíbrio.

Firoz avaliou friamente a postura do amigo e retrucou:

— Estou falando de coisas que exigem habilidade e prática.

— Aquilo exige muita habilidade e prática.

— Não seja petulante — disse Firoz, que levava a sério seu esporte. Agora fique exatamente onde está e olhe para mim. Observe que a linha entre meus ombros é paralela à coluna dorsal do cavalo. Tente adotar essa posição.

Maan tentou, mas achou a postura ainda mais desconfortável.

— Você realmente acha que tudo que exige habilidade é doloroso no começo? — perguntou ele. — Meu professor de urdu parece adotar exatamente a mesma opinião.

Apoiando o taco de polo entre as pernas, ele enxugou a testa com o dorso da mão direita.

— Francamente, Maan, você não pode dizer que está cansado depois de apenas cinco minutos de exercício. Vamos tentar com a bola agora.

— Estou realmente muito cansado — disse Maan. — Meu pulso está doendo um pouco. E o cotovelo e o ombro também.

Firoz deu um sorriso encorajador ao amigo e colocou a bola no chão. Maan balançou o taco em direção a ela e não acertou. Tornou a tentar e errou outra vez.

— Quer saber? Não estou com ânimo algum para isso. Preferia estar em outro lugar.

Sem fazer caso dele, Firoz o instruiu:

— Não olhe para nada, só para a bola, para nada mais. Nem para mim, nem para onde a bola está indo, nem mesmo para uma imagem distante de Saeeda Bai.

O comentário final, em vez de fazer o rapaz perder inteiramente o equilíbrio, de fato resultou num pequeno impacto, quando o taco roçou o topo da bola.

— As coisas não estão indo muito bem com Saeeda Bai, Firoz. Ontem ela ficou muito zangada comigo e eu não sei o que foi que fiz.

— O que provocou a reação? — perguntou Firoz, não muito solidário.

— A irmã dela entrou enquanto nós estávamos conversando e disse alguma coisa sobre o papagaio estar cansado. Na verdade, trata-se de um periquito, mas isso é uma espécie de papagaio, não é? Aí eu sorri para ela e mencionei nosso professor de urdu, dizendo que nós dois tínhamos algo em comum. Tasneem e eu, foi o que eu quis dizer, eu naturalmente. Saeeda Bai teve um repentino ataque de raiva e levou meia hora para voltar a me tratar com carinho.

Maan parecia tão absorto quanto lhe era possível.

— Hum — disse Firoz, pensando na maneira rude com que ela havia tratado a moça quando ele visitou a casa para entregar um envelope.

— Quase dava a impressão de que estava com ciúmes — prosseguiu Maan depois de uma pausa e mais algumas tacadas. — Mas por que alguém tão maravilhosamente linda quanto ela precisaria ter ciúme de outra pessoa? Principalmente da irmã?

Firoz refletiu que nunca teria usado a expressão "maravilhosamente linda" ao se referir a Saeeda Bai. Fora a irmã quem o havia maravilhado com sua beleza. Ele bem podia imaginar que Saeeda Bai talvez lhe invejasse o viço e a juventude.

— Veja, eu não tomaria isso como um mau sinal — disse ele a Maan, com um sorriso brincando em seus próprios traços viçosos e juvenis. — Não vejo por que está deprimido com isso. A essa altura já devia saber que as mulheres são assim.

— Então você considera o ciúme saudável? — perguntou Maan, ele próprio muito propenso ao ciúme. — Mas é preciso haver alguma coisa que o justifique, você não acha? Já viu a irmã mais nova? Como ela poderia se comparar a Saeeda Bai?

Firoz não disse nada por instantes, mas depois fez um breve comentário:

— Sim, eu a vi. É uma moça bonita.

Não disse mais nada.

No entanto, Maan tinha a mente concentrada em Saeeda Bai enquanto batia ineficazmente no topo da bola.

— Às vezes acho que ela se importa mais com o periquito do que comigo — disse, de cenho franzido. — Ela nunca se zanga com ele. Não posso continuar assim, estou exausto.

A última frase não se referia ao coração, mas sim ao braço. Maan estava gastando muita energia nas tacadas, e Firoz parecia se divertir ao ver que o esforço deixava o amigo um tanto arquejante.

— O que você sentiu no braço quando deu essa última tacada?

— Senti um puxão forte. Por quanto tempo mais você vai querer que eu jogue?

— Ora, até eu sentir que você praticou bastante. É muito encorajador; você está cometendo todos os erros do típico principiante. Você acabou de bater no topo da bola. Não faça isso. Mire um ponto na base da bola e ela vai subir que é uma beleza. Se mirar o topo, toda a força do impacto será absorvida pelo solo. A bola não irá longe; além disso, você vai sentir um leve puxão no braço, como acabou de acontecer.

— Firoz, como você e Imtiaz aprenderam o urdu? Não foi muito difícil? Eu estou achando possível com todos aqueles pontos e rabiscos.

— Um velho *maulvi* vinha à nossa casa especialmente para nos ensinar — disse Firoz. — Minha mãe tinha grande interesse em que também aprendêssemos o persa e o árabe, mas Zainab foi a única a progredir nessas línguas.

— Como ela está? — perguntou Maan. Lembrou-se de que, mesmo tendo sido um de seus favoritos na infância, agora havia anos que ele não a encontrava, desde que ela desaparecera no mundo do *purdah*. Zainab era seis anos mais velha que ele, que a adorava. De fato, certa vez ela lhe salvou a vida num acidente durante a aula de natação, quando Maan tinha seis anos. Duvido que volte a vê-la algum dia, pensou ele consigo. Que coisa terrível e estranha.

— Não use força, use vigor — disse Firoz. — Ou será que sua instrutora não lhe ensinou isso?

Maan fingiu um leve golpe do taco na direção do amigo.

Àquela altura restavam apenas dez minutos de luz do dia, e Firoz via que Maan não estava feliz em montar num mero cavalo de madeira.

— Bom, uma última tacada.

Maan apontou para a bola, deu uma rápida meia tacada e, com um movimento suave, completo e circular do braço e do pulso, acertou a bola bem no centro. Poc! A bola emitiu o maravilhoso som de um objeto batendo na madeira e saiu voando numa bela parábola baixa, passando por cima da rede no alto do fosso.

Os dois amigos ficaram surpresos.

— Belo lance! — exclamou Maan, satisfeito consigo.

— Sim, foi um belo lance — concordou o outro. — Sorte de principiante. Amanhã veremos se você consegue fazer isto de forma constante. Mas agora vou fazê-lo cavalgar um cavalo de verdade por alguns minutos para ver se consegue controlar as rédeas só com a mão esquerda.

— Talvez amanhã — disse Maan. Seus ombros estavam rígidos e as costas pareciam torcidas, como se ele já tivesse praticado mais que suficiente. — Que tal dar uma volta a cavalo, em vez disso?

— Já vejo que, como seu professor de urdu, eu serei obrigado a lhe ensinar disciplina antes de conseguir entrar no assunto principal — disse Firoz. — Cavalgar com uma das mãos não é difícil. Não mais difícil que aprender a cavalgar, para começo de conversa, ou que aprender o alfabeto. Se você aprender agora, amanhã estará numa posição melhor.

— Mas não estou muito empolgado com a ideia de tentar hoje — protestou Maan. — Além disso, já escureceu e não vai ser nada divertido. Ah, tudo bem, seja como você quiser, Firoz: você é quem manda.

Desmontou e passou o braço pelo ombro do amigo e os dois saíram caminhando na direção dos estábulos.

— O problema do meu professor de urdu — continuou Maan, sem nenhum propósito imediato — é que ele só quer me ensinar os detalhes refinados da caligrafia e da pronúncia, mas eu só quero aprender a ler poemas de amor.

— O problema é com seu professor? — perguntou Firoz, segurando o taco na mão do amigo para evitar represália. Ele estava começando a se sentir animado outra vez. A companhia de Maan invariavelmente lhe causava esse efeito.

— Você não acha que eu deveria ter voz nesta questão? — perguntou Maan.

— Talvez... se eu achasse que você sabe o que é melhor para você.

6.10

CHEGANDO em casa, Firoz resolveu ter uma conversa com o pai. Estava bem menos irritado do que logo após o diálogo com Murtaza Ali, mas tão atônito quanto antes. Suspeitara de que o secretário particular do pai tivesse interpretado mal, ou no mínimo exagerado, as palavras do nababo *sahib*. Com que propósito o pai teria dado uma instrução tão curiosa? Será que ela também se aplicava a Imtiaz? Nesse caso, por que o pai estava sendo tão protetor com os dois? O que ele achava que os filhos poderiam fazer? Talvez, pensou Firoz, ele devesse tranquilizá-lo.

Quando não encontrou o pai no quarto, Firoz presumiu que tivesse ido à *zenana* conversar com Zainab, e resolveu não segui-lo. Ainda bem que não o fez, porque o nababo *sahib* estava conversando com ela sobre uma questão tão pessoal que a presença de qualquer outra pessoa, ainda que de um irmão amado, teria posto um fim abrupto à conversa deles.

Zainab, que havia demonstrado tanta coragem quando a Baitar House se achou sitiada pela polícia, agora estava sentada junto ao pai soluçando baixinho de infelicidade. O pai tinha passado o braço em torno dela e assumira uma expressão de grande amargura.

— Sim, ouvi dizer que ele sai com mulheres — dizia o pai, em voz baixa —, mas não se deve acreditar em tudo que comentam por aí.

Zainab ficou em silêncio por instantes. Depois, cobrindo o rosto com as mãos, afirmou:

— *Abba-jaan*, eu sei que é verdade.

O nababo *sahib* alisava os cabelos da filha, carinhoso, lembrando-se do tempo em que ela, aos 4 anos, vinha se sentar no colo dele sempre que alguma coisa a perturbava. Para ele, era uma amargura insuportável que o genro a tivesse magoado tanto com sua infidelidade. Ele pensou no próprio casamento e na mulher prática e carinhosa que por tantos anos ele mal conhecera, e que, mais tarde na vida conjugal e muito depois do nascimento dos três filhos do casal, lhe conquistara totalmente o coração. Só conseguiu recomendar à filha:

— Seja paciente como foi sua mãe. Um dia ele se emendará.

Zainab não levantou o olhar, mas estranhava que o pai tivesse invocado a memória da mãe. Depois ele acrescentou, quase para si mesmo:

— Só muito tarde eu vim a entender o valor de sua mãe. Que Deus dê repouso a sua alma.

Já fazia muitos anos que o nababo visitava com a maior frequência possível o túmulo da esposa para ler a *fatiha* junto a ele. E de fato a velha *begum sahiba* tinha sido uma mulher notável. Ela havia tolerado o que conhecia da juventude irrequieta do marido, tinha administrado com eficácia, de trás das paredes de seu confinamento, grande parte da propriedade, aturara as fases posteriores de religiosidade do marido (felizmente não tão exageradas quanto foram as do irmão caçula dele), educara os filhos e ajudara a educar sobrinhos e sobrinhas com disciplina e cultura. Sua influência na *zenana* tinha sido difusa e poderosa. Ela se dedicara a ler, mas também a refletir sobre o que lera.

De fato, os livros que emprestara à cunhada Abida tinham provavelmente lançado algumas sementes de rebeldia naquele coração encolerizado e inquieto. Somente sua presença tornara o ambiente suportável para a cunhada, embora ela própria nunca tivesse pensado em sair da *zenana*. Quando a mãe de Zainab morreu, Abida coagiu o marido — e o irmão mais velho dele, o próprio nababo *sahib* — por meio de argumentação, lisonja e ameaças de suicídio (que, eles sabiam, ela tinha total intenção de cumprir) — a deixá-la fugir ao que havia se tornado para ela uma servidão intolerável. Abida, a agitadora da lei, tinha pouco respeito pelo nababo, a quem considerava fraco e apático, e que (novamente, na visão dela) tinha matado na esposa todo e qualquer desejo de um dia emergir do confinamento. Mas Abida tinha grande afeição pelos filhos dele: por Zainab, porque seu temperamento lembrava o da mãe; por Imtiaz, porque o riso e muitas das expressões dele eram semelhantes às maternas; e por Firoz, cuja cabeça alongada e feições nítidas e formosas traziam as características do rosto da mãe.

Os meninos foram trazidos pela empregada, e a mãe lhes deu um choroso beijo de boa-noite. Hassan, parecendo subitamente emburrado, perguntou à mãe:

— Quem está fazendo a senhora chorar, *ammi-jaan*?

A mãe, sorrindo, o abraçou.

— Ninguém, meu querido, ninguém.

Hassan então exigiu do avô que contasse a história de assombração prometida noites antes, e este cumpriu a promessa. Enquanto ia narrando sua história excitante e muito sangrenta, para evidente satisfação dos meninos, até mesmo do menorzinho, o avô refletiu sobre as numerosas histórias de fantasmas ligadas àquela mesma casa, e que lhe haviam sido contadas na infância pelos próprios empregados e parentes. A casa e todas as suas lembranças tinham sido ameaçadas de destruição poucas noites antes. Ninguém fora capaz de prevenir a agressão, e ela só fora evitada por uma simples questão de graça, ou de sorte, ou de fatalidade. Cada um de nós está sozinho, pensou o nababo *sahib*; por sorte, quase nunca o percebemos.

Seu velho amigo Mahesh Kapoor lhe veio à memória, e ele constatou que aqueles que estavam dispostos a ajudar em momentos de perigo nem sempre o conseguiam. Talvez um motivo ou outro os impedisse; ou as circunstâncias, ou alguma necessidade maior os mantinha à distância por motivos menos involuntários.

6.11

MAHESH KAPOOR também estivera pensando no velho amigo, e com um sentimento de culpa. Não havia recebido a mensagem de emergência da Baitar House na noite em que L.N. Agarwal enviou a polícia para tomar posse do imóvel. O empregado que a Sra. Mahesh Kapoor enviou para procurá-lo não tinha conseguido encontrá-lo.

Ao contrário das propriedades rurais (agora ameaçadas pela perspectiva da abolição dos *zamindari*), as edificações urbanas não estavam absolutamente ameaçadas de apropriação — exceto quando caíam nas mãos do superintendente de Propriedades Evacuadas. Mahesh Kapoor não considerara provável que Baitar House, uma das grandes mansões de Brahmpur — de fatos, um dos marcos arquitetônicos da cidade —, pudesse estar ameaçada. O nababo *sahib* continuava a morar ali, sua cunhada *Begum* Abida Khan era uma voz poderosa na Assembleia Legislativa e os terrenos e jardins diante da casa eram bem-cuidados, ainda que muitos dos cômodos — ou a maioria deles — no interior da casa estivessem agora desocupados e sem uso. Ele lamentava que o excesso de preocupações o tivesse impedido de aconselhar o amigo a prover cada aposento da casa com pelo menos uma aparência de ocupação. Sentia-se muito mal por, na noite da crise, não ter sido capaz de interceder junto ao chanceler para ajudar.

Como se constatou mais tarde, a intercessão de Zainab tinha alcançado tudo o que Mahesh Kapoor poderia ter almejado. Ela conseguiu tocar o coração de S. S. Sharma, e tinha sido genuína sua indignação contra o ministro do Interior.

A carta que Zainab tinha escrito ao chanceler mencionava uma circunstância que o nababo *sahib* havia narrado a ela havia anos, e a história permanecera na lembrança. S. S. Sharma — o ex-primeiro-ministro das Províncias do Protetorado (como o chanceler de Purva Pradesh era chamado antes da Independência) tinha ficado detido e praticamente incomunicável numa prisão britânica durante o movimento de desobediência civil de 1942, o Quit India Movement, e podia fazer tão pouco pela própria família quanto esta podia fazer por ele. Naquela época tinha chegado ao conhecimento do pai do nababo *sahib* o fato de que a esposa de Sharma estava doente, e ele a procurou para ajudá-la. Tratou-se de uma simples questão de médico, remédios e algumas visitas, mas na ocasião não eram muitos os que, confiantes ou não no governo britânico, desejavam ser associados às famílias dos subversivos. Sharma fora primeiro-ministro quando da aprovação da lei do arrendamento de terras de 1938 — uma lei que o pai do nababo tinha considerado, corretamente, a ponta afiada da foice que abria caminho a uma reforma agrária mais abrangente. Apesar disso, a inspiração para essa ajuda crucial tinha sido a simples humanidade e até um sentimento de admiração pelo inimigo. Sharma ficara profundamente grato pela gentileza que sua família recebeu num momento de necessidade, e quando Hassan, o neto de 6 anos do homem que o havia ajudado, veio procurá-lo com uma carta solicitando seu auxílio e proteção, foi grande a comoção que sentiu.

Mahesh Kapoor não sabia dessas circunstâncias, pois nenhum dos envolvidos tinha desejado que elas fossem conhecidas, e ficou surpreso ao se inteirar da resposta instantânea e inequívoca do chanceler. Aquilo o fez sentir ainda mais intensamente o quanto ele próprio fora ineficiente. E quando, depois da aprovação da lei fundiária na Assembleia, ele tinha surpreendido o olhar do nababo *sahib*, alguma coisa o impediu de ir procurar o amigo para se solidarizar, se explicar e se desculpar. Sentira vergonha de sua inação, ou aquilo era o evidente e imediato constrangimento diante do fato de que a legislação que acabara de aprovar na Assembleia com tanto sucesso iria prejudicar, embora sem que essa fosse sua intenção, os interesses do nababo *sahib* de modo tão inexorável quanto a ação policial do ministro do Interior?

Agora, depois de passado ainda mais tempo, a questão continuava a lhe atormentar a consciência. Preciso visitar Baitar House hoje à noite, disse ele consigo. Não posso continuar adiando.

6.12

MAS enquanto isso, naquela manhã, havia trabalho a ser feito. Muitos de seus eleitores da velha Brahmpur e de outras origens tinham se reunido nas varandas de Prem Nivas. Alguns estavam circulando pelo pátio e entrando no jardim. O secretário particular e os assistentes pessoais de Mahesh Kapoor faziam o possível para controlar a multidão e regular o fluxo de visitantes que entravam no pequeno escritório que o ministro da Fazenda mantinha em sua casa.

Mahesh Kapoor sentou-se a uma mesa num recanto do escritório. Os dois bancos estreitos que se alinhavam ao longo das paredes estavam ocupados por pessoas de descrições variadas: fazendeiros, comerciantes, políticos de menor importância, suplicantes de um tipo ou outro. Um velho professor estava sentado na cadeira do outro lado da mesa do ministro. Apesar de mais novo, ele parecia mais velho. Tinha sido consumido por uma vida de preocupações. Era um velho ativista que tinha passado muitos anos na prisão durante o governo britânico e que vira a família reduzida à pobreza. Tornara-se bacharel em 1921, e na época, munido dessa qualificação, poderia ter chegado a se aposentar nos níveis mais altos do governo. Mas, no final dos anos 1920, deixara tudo para seguir Gandhi, e seu impulso idealista lhe custou muito caro. Quando ele estava na prisão, a esposa, sem ter quem a sustentasse, morrera de tuberculose, e os filhos, reduzidos a comer migalhas da comida alheia, tinham sofrido de subnutrição quase fatal. Com a Independência, ele tinha esperado que seu sacrifício fosse resultar em uma realidade mais próxima dos ideais pelos quais tinha lutado, porém sofreu uma amarga decepção. Viu a corrupção que começou a devorar o sistema de racionamento e o de contratos governamentais com uma voracidade que superava tudo que havia conhecido sob o regime britânico. A polícia também tinha passado a extorquir mais explicitamente. O pior é que os políticos locais, os membros dos comitês locais do Congresso, com frequência estavam associados aos funcionários corruptos de baixo escalão. Mas quando ele tinha procurado o chanceler S.S. Sharma em prol da população de seu bairro, para lhe pedir que agisse contra políticos específicos, aquela grande figura só deu um sorriso cansado e disse:

— *Masterji*, o seu trabalho, o ensino, é uma ocupação sagrada. A política é como a venda de carvão: se as pessoas sujarem um pouco as mãos e o rosto, como podemos condená-las?

Agora o velho estava conversando com Mahesh Kapoor, tentando persuadi-lo de que o Partido do Congresso tinha se tornado tão vergonhosamente opressivo e defensor dos próprios interesses quanto os ingleses tinham sido outrora.

— O que o senhor, Kapoor *Sahib*, dentre tantos, está fazendo neste partido, eu não sei — disse ele em híndi com um sotaque que era mais de Alahabad que de Brahmpur. — O senhor já devia ter saído dele há muito tempo.

O velho sabia que todos os presentes podiam ouvir o que ele estava dizendo, mas não se importou. Mahesh Kapoor o encarou:

— *Masterji*, os tempos de Gandhi acabaram. Eu o vi no apogeu, e o vi perder completamente o controle, a ponto de não conseguir evitar que este país fosse dividido. Ele, no entanto, teve sabedoria suficiente para aceitar que seu poder e sua inspiração não eram absolutos. Certa vez ele disse que a magia não estava nele, e sim na situação.

O velho ficou calado por alguns segundos. Depois, falando ligeiramente pelos cantos da boca, ele disse:

— Ministro *sahib*, o que o senhor está me dizendo?

A mudança na maneira de se dirigir não passou despercebida a Mahesh Kapoor, que se sentia levemente envergonhado de sua própria evasiva.

— *Masterji*, eu posso ter sofrido no passado, mas não tanto quanto o senhor — prosseguiu. — Não que eu esteja desencantado com o que vejo a meu redor; mas temo ser menos útil fora do partido que dentro dele.

— Gandhi estava certo quando previu o que iria acontecer se o Partido do Congresso continuasse a ser o partido do governo depois da Independência — retrucou o velho, mais para si mesmo. — É por isso que disse que ele devia ser dispersado, e seus militantes deveriam se dedicar ao trabalho social.

Mahesh Kapoor não mediu palavras na resposta, limitando-se a dizer:

— Se todos nós tivéssemos feito isso, teria havido uma anarquia no país. Aqueles de nós que tiveram alguma experiência nos governos provincianos durante o final dos anos 1930 tinham o dever de tentar pelo menos manter a administração em funcionamento. O senhor tem razão quando descreve o que está acontecendo ao nosso redor. Mas, se as pessoas como o senhor, *masterji*, e eu lavarmos as mãos e não nos metermos nesse comércio de carvão, já podemos imaginar que tipo de gente assumiria o comando. Antes, a política não era lucrativa. Você apodrecia na prisão, seus filhos passavam fome. Agora que ela se tornou lucrativa, as pessoas que estão interessadas em ganhar dinheiro naturalmente desejam entrar no jogo. A questão é muito simples: se nós sairmos, eles vão entrar. Veja só essa multidão circulando por aqui — prosseguiu, em um tom de voz que mal chegava aos ouvidos do homem, fazendo um gesto amplo das mãos que abrangia a sala, as varandas e o gramado. — Nem posso lhe dizer quantos estão me implorando que eu os ponha na lista de candidatos do Partido do Congresso para as próximas eleições. Nós dois sabemos muito bem que no tempo dos britânicos eles teriam preferido correr 100 quilômetros a aceitar semelhante distinção!

— Eu não estava lhe sugerindo, Kapoor *Sahib*, que deixasse a política; só que ajudasse a formar outro partido — disse o velho. — Todo mundo sabe que com frequência *pandit* Nehru acha que o Congresso não é o lugar certo para ele. Todo mundo sabe da insatisfação dele em relação a Tandonji se tornar presidente do Congresso por meios questionáveis. Todo mundo sabe que *Panditji* praticamente já perdeu o controle do próprio partido. Todo mundo sabe que ele respeita o senhor, e eu acredito que é seu dever ir a Nova Delhi ajudar a persuadi-lo a sair. Com a saída de *pandit* Nehru e dos membros menos satisfeitos do Congresso, o novo partido que eles formariam teria uma boa chance de ganhar as próximas eleições. Eu acredito nisso; de fato, se não acreditasse, estaria desesperado.

Mahesh Kapoor assentiu com a cabeça.

— Vou pensar muito em suas palavras, *masterji*. Não pretendo enganá-lo e fazê-lo crer que eu já não pensei nessas questões. Mas existem uma lógica nos acontecimentos e um método no momento certo, e eu vou pedir ao senhor que deixe as coisas como estão.

O velho fez que sim, levantou-se e foi embora com uma expressão de indisfarçada decepção no rosto.

6.13

INDIVIDUALMENTE, ou aos pares, ou em grupos, e até no que se poderia considerar uma multidão, outras pessoas falaram com o ministro durante a manhã e o começo da tarde. Xícaras de chá vieram da cozinha e retornaram vazias. A hora do almoço chegou e passou e, mesmo sem ter se alimentado, o ministro *sahib* continuou cheio de energia. A Sra. Mahesh Kapoor mandou avisá-lo da refeição por intermédio do criado, que ele despachou com um gesto de impaciência. Ela jamais teria cogitado almoçar antes do marido, mas sua principal preocupação não era a fome que sentia, e sim o fato de que ele precisava comer e não sabia disso.

Mahesh Kapoor concedeu audiência a todos os que vieram até ele com a máxima paciência que lhe foi possível. Havia todo tipo de postulantes a candidatos e a favores, políticos de várias nuances de honestidade e opinião, consultores, fomentadores de fofocas, agentes, assistentes, lobistas, parlamentares e outros colegas e associados, comerciantes locais vestidos apenas de *dhoti* (embora estes valessem centenas de milhares de rupias) em busca de contratos ou informações ou simplesmente a possibilidade de dizer às pessoas que tinham sido recebidos pelo ministro da Fazenda, gente boa, gente comum, gente feliz, gente infeliz (mais ainda desse último tipo), gente que tinha vindo só fazer uma visita porque se encontrava na cidade, gente que bocejava e não escutava nada do que ele estava dizendo, gente que queria puxá-lo para a direita, gente que queria empurrá-lo ainda mais para a esquerda, congressistas, socialistas, comunistas, revivalistas hindus, antigos membros da Liga Muçulmana que queriam ser admitidos no Congresso, participantes indignados de uma delegação de Rudhia que estava se queixando de alguma decisão tomada pelo funcionário da subdivisão local. Conforme escreveu um governador sobre sua experiência com governos provincianos eleitos pelo voto popular no final da década de 1930: "Nada era tão insignificante, tão local, tão palpavelmente infundado" que não justificasse o apelo dos pequenos líderes locais aos políticos, passando por cima da administração distrital.

Mahesh Kapoor escutou, explicou, deu conselhos, solucionou questões, desenredou outras, fez anotações, deu instruções, falou alto, falou baixo, examinou cópias de listas de registros de eleitores que estavam sendo revisadas para as próximas eleições gerais, zangou-se e foi extremamente ríspido com uma pessoa, sorriu ironicamente para outra, bocejou diante de uma terceira, levantou-se à entrada de um famoso advogado e pediu que a este servissem o chá numa louça mais elegante.

Às nove horas, ele estava explicando o que entendera das provisões da Lei do Código Hindu a produtores rurais preocupados e ressentidos de que o direito dos filhos à terra deles fosse compartilhado pelas filhas (e portanto pelos genros), sob as leis da sucessão *ab intestado*, ou sem testamento, que o Parlamento estava cogitando aprovar em Nova Delhi.

Às dez horas, ele estava dizendo a um velho colega advogado:

— Quanto àquele canalha, você acha que ele vai conseguir o que quer comigo? Ele entrou no meu gabinete com um bolo de dinheiro, tentando conseguir que eu abrandasse uma provisão da lei fundiária, e eu fiquei tentado a mandar prendê-lo, com ou sem título! Ele pode até ter sido o governante de Marh, mas é melhor que aprenda que outros homens governam Purva Pradesh. É claro que eu vi que ele e sua classe vão contestar a lei nos tribunais. Acha que nós não vamos nos preparar? E é por isso que eu queria consultar você.

Às onze horas, ele estava dizendo:

— O problema básico para mim, pessoalmente, não é o templo ou a mesquita. O problema básico é como as duas religiões vão conviver em Brahmpur. *Maulvi sahib*, o senhor conhece minha opinião a respeito. Vivi aqui a maior parte da minha vida. Naturalmente existe desconfiança: a questão é como superá-la. O senhor sabe como é isso. Com exceção das lideranças, os congressistas se opõem aos antigos participantes da Liga Muçulmana que desejam entrar para o Congresso. Ora, isso era de esperar. Mas o Congresso tem uma longa tradição de colaboração entre hindus e muçulmanos, e, creia-me, é o partido óbvio a se aderir. No que diz respeito às candidaturas, estou lhe dando minha palavra: haverá uma representação justa para os muçulmanos. O senhor não vai lamentar o fato de não termos assentos reservados ou eleitorados separados. Sim, os muçulmanos nacionalistas, que apoiaram nosso partido ao longo de toda a carreira deles, receberão a preferência nesse assunto, mas em minha opinião também haverá espaço para outros.

Ao meio-dia ele estava dizendo:

— Damodarji, que anel bonito o senhor tem no dedo! Quanto vale? Mil e duzentas rupias? Não, não, tenho muito prazer em vê-lo, mas como pode ver... — ele apontou com uma das mãos os papéis empilhados sobre a escrivaninha, e com outra fez um gesto em direção à multidão que o aguardava — ... eu tenho muito menos tempo para conversar com meus velhos amigos do que gostaria...

À uma da tarde ele dizia:

— Você está me dizendo que o uso de *lathi* foi necessário? Já viu como esse povo vive? E você ainda tem o desplante de dizer que deveria haver mais ações punitivas? Pois então vá conversar com o ministro do Interior, aí você encontrará um ouvido mais receptivo. Desculpe-me, você pode ver quanta gente está esperando...

Às duas da tarde, ele estava dizendo:

— Imagino que eu tenha um pouco de influência. Vou ver o que posso fazer. Diga ao rapaz que venha me procurar na semana que vem. Obviamente, muito vai depender dos resultados do exame dele. Não, não me agradeça, não antecipadamente.

Às três da tarde ele estava dizendo baixinho:

— Veja bem, Agarwal tem na mão uma centena de parlamentares. Eu devo ter uns oitenta. Os outros não estão comprometidos e irão para o lado que sentirem que vai ganhar. Mas eu não vou pensar em disputar com Sharmaji. A questão da liderança só surgirá se *Panditji* chamá-lo para participar do Gabinete Central em Nova Delhi. Mesmo assim eu concordo que não há mal em manter o tema em discussão. É necessário que ele continue nas vistas do público.

Eram três e quinze quando a Sra. Mahesh Kapoor entrou na sala, repreendeu gentilmente os assistentes pessoais e suplicou ao marido que viesse almoçar e se deitar um pouco. Ela própria estava evidentemente sofrendo dos efeitos da floradas de *neem*, e ainda ofegava um pouco por causa da alergia. Mahesh Kapoor não reagiu com irritação, como fazia com frequência. Ele cedeu e se retirou. O público se afastou aos poucos, relutante, e depois de um intervalo Prem Nivas mais uma vez transformou-se de cenário político, clínica e parque de diversões para residência particular.

Depois de almoçar, Mahesh Kapoor se deitou para uma breve sesta, e finalmente a esposa pôde fazer sua refeição.

6.14

DEPOIS do almoço, o ministro pediu à Sra. Mahesh Kapoor que lesse para ele os *Anais do Conselho Legislativo de Purva Pradesh*, nos quais estava registrado o debate sobre a Lei das Propriedades Rurais quando o documento tinha ido pela primeira vez da Assembleia para a Câmara Alta. Como a lei estava novamente sendo encaminhada para lá com suas novas emendas, ele queria rever possíveis obstáculos que o texto talvez enfrentasse na Câmara.

O próprio Mahesh Kapoor achava muito complicada a leitura dos debates legislativos dos anos recentes. Alguns parlamentares sentiam um orgulho especial em elaborar seus discursos num híndi altamente influenciado pelo sânscrito, idioma que nenhuma pessoa sensata conseguia entender. Aquele, porém, não era o problema principal. A verdadeira dificuldade era que Mahesh Kapoor não estava muito familiarizado com o híndi nem com a escrita devanágari. Tinha sido educado numa época em que ensinavam os meninos a ler e escrever na escrita urdu ou na arábica. Nas edições da década de 1930 dos *Anais da Assembleia Legislativa das Províncias do Protetorado*, todos os discursos eram impressos em inglês, urdu e híndi, dependendo da língua falada ou escrita pelo autor do pronunciamento. Os discursos de Mahesh Kapoor, por exemplo, assim como os de muitos outros, eram impressos em urdu. Os discursos em inglês ele naturalmente conseguia ler sem dificuldade, mas sua tendência era evitar os falados em híndi, porque lhe exigiam esforço. Agora, depois da Independência, os anais eram impressos inteiramente na língua oficial do estado, que era o híndi; os discursos de Mahesh Kapoor também eram impressos nesse idioma, e o inglês só podia ser falado com a permissão expressa do presidente da casa e ainda assim em raras ocasiões. Por esse motivo, Mahesh Kapoor frequentemente pedia à esposa que lesse os debates para ele. Como tantas mulheres de sua época, ela havia sido alfabetizada sob a influência da organização revivalista hindu, a Arya Samaj, e a escrita que haviam lhe ensinado era, naturalmente, a dos antigos textos em sânscrito — além do híndi moderno.

Talvez também houvesse uma questão de vaidade ou de prudência no fato de ele pedir à esposa, e não aos assistentes pessoais, que lesse para ele os debates. O ministro não queria que chegasse ao conhecimento geral sua incapacidade de ler em híndi. O fato é que os APs conheciam a deficiência dele, mas eram bastante discretos, e a notícia não se espalhou.

A Sra. Mahesh Kapoor lia em voz muito monótona, quase como se estivesse recitando as Escrituras. Com a ponta do sári a lhe cobrir a cabeça e parte do rosto, ela não olhava diretamente para o marido. Ela andava sofrendo de um pouco de falta de ar; portanto, de vez em quando era obrigada a parar, o que deixava o marido muito impaciente. "Prossiga, prossiga!", dizia ele sempre que havia uma pausa mais longa, e ela, mulher paciente, prosseguia sem se queixar.

De vez em quando, normalmente entre um debate e outro, ou quando estava prestes a começar um novo volume, ela mencionava alguma coisa inteiramente alheia à esfera política, algum assunto que tivera em mente. Como o marido estava sempre ocupado, essa era uma das poucas oportunidades que tinha para conversar com ele. Um desses assuntos era que Mahesh Kapoor estava há tempos sem se encontrar com seu velho amigo e parceiro de bridge, o Dr. Kishen Chand Seth.

— Sim, já sei, já sei — dizia o marido impaciente. — Vamos, prossiga a partir da página 303.

A Sra. Mahesh Kapoor, tendo testado a água e achado que estava quente demais, silenciava por algum tempo.

Na segunda brecha que encontrou, ela mencionou que gostaria de ter em sua casa uma recitação do *Ram Charitmanas* em algum dia no futuro próximo. Seria benéfico para a casa e a família em geral: para o trabalho e a saúde de Pran, para Maan, para Veena, Kedarnath e Bhaskar, para o bebê de Savita que estava prestes a nascer. A ocasião ideal, as nove noites que antecediam e incluíam o aniversário de Rama, já haviam passado, e ela e as duas cossogras ficaram decepcionadas por ela não ter conseguido convencer o marido a permitir a recitação. Naquela ocasião ela entendeu que ele estava preocupado com muitas coisas, mas com certeza agora...

Foi interrompida abruptamente. Mahesh Kapoor, apontando para o livro de debates, exclamou:

— Oh, afortunada — (ou seja, afortunada por ter se casado com ele) —, primeiro recite o que lhe pedi que recitasse.

— Mas você prometeu que...

— Já chega. Vocês, as três cossogras, podem conspirar o quanto quiserem, mas eu não posso permitir isso em Prem Nivas. Tenho uma imagem secular. Em uma cidade como esta, em que todo mundo está bradando sua religião em alto e bom som, eu não vou colaborar tocando a *shehnai*. Aliás, não acredito nessas ladainhas e hipocrisias, nem em todos esses heróis vestidos em túnicas cor de açafrão que querem proibir o abate das vacas e restaurar o templo Somnath e o Templo de Shiva e deus sabe lá o que mais.

— O próprio presidente da Índia vai a Somnath ajudar a inaugurar o novo templo...

— Que o presidente da Índia faça o que lhe der vontade — disse Mahesh Kapoor, cortante. — Rajendra *Babu* não precisa ganhar uma eleição nem enfrentar a Assembleia. Eu preciso.

A Sra. Mahesh Kapoor esperou o próximo intervalo nos debates para se aventurar:

— Eu sei que as nove noites de Ram Navami já passaram, mas as nove noites de Dussehra ainda vão chegar. Se você acha que em outubro...

Na ansiedade de convencer o marido, ela havia começado a arfar.

— Calma, calma — disse Mahesh Kapoor, tornando-se um pouco mais brando. — No devido tempo nós veremos tudo isso.

Mesmo que a porta não tenha sido deixada exatamente entreaberta, refletiu a Sra. Mahesh Kapoor, ela também não tinha sido fechada. Deixou o assunto de lado com a sensação de que algo, ainda que tênue, tinha sido obtido. Ela acreditava, embora não o mencionasse em voz alta, que o marido estava muito errado em se despojar dos ritos e das cerimônias religiosas que davam significado à vida e envergar as vestes monótonas de sua nova religião do secularismo.

Na pausa seguinte, a Sra. Mahesh Kapoor murmurou com hesitação:

— Eu recebi uma carta.

Mahesh Kapoor estalou a língua com impaciência, arrastado novamente de seus próprios pensamentos para dentro dos vórtices triviais da vida doméstica.

— Pois bem, do que você quer falar? De quem é a carta? Que desastre espera por mim?

Ele estava habituado ao fato de a mulher conduzir essas conversas fragmentadas passo a passo e assunto após assunto, partindo do mais inócuo para o mais perturbador.

— É do pessoal de Benares.

— Hummm... — gemeu Mahesh Kapoor.

— Eles mandam lembranças para todos — disse a Sra. Mahesh Kapoor.

— Está bem, vá direto ao assunto. Sem dúvida eles acham que nosso filho é bom demais para a filha deles e querem desfazer o compromisso.

Às vezes a sabedoria reside em não receber com ironia um comentário irônico. A Sra. Mahesh Kapoor respondeu:

— Não, é exatamente o contrário. Eles querem marcar a data o mais rápido possível, e eu não sei o que responder. Se você ler nas entrelinhas, tenho a impressão de que eles até já sabem sobre... ora, sobre "aquilo". Por que outro motivo estariam tão preocupados?

— Ai meu Deus, eu sou obrigado a ouvir todo mundo comentando sobre esse assunto? — disse Mahesh Kapoor impaciente. — É na cantina da Assembleia, é no meu gabinete, em toda parte eu ouço falar sobre Maan e sua estupidez! Hoje de manhã duas ou três pessoas tocaram no assunto. Não há nada mais importante no mundo para se comentar?

Mas a Sra. Mahesh Kapoor insistiu.

— É muito importante para nossa família — disse ela. — Como vamos andar de cabeça erguida diante das pessoas se isso continuar? E para Maan não é bom gastar assim todo esse tempo e dinheiro. Ele devia ter vindo aqui a negócios e não fez nada nesse sentido. Por favor, fale com ele.

— Fale você com ele — disse Mahesh Kapoor grosseiramente. — A vida toda você o estragou com mimos.

A Sra. Mahesh Kapoor ficou calada, mas uma lágrima lhe correu pela face. Então ela se recobrou e prosseguiu:

— Isso é bom para sua imagem pública? Um filho que não faz nada senão desperdiçar o tempo com esse tipo de gente? E, no restante dele, fica deitado na cama olhando para o ventilador. Ele deveria fazer alguma coisa, alguma coisa séria. Eu não tenho coragem de dizer nada a ele. Afinal de contas, o que uma mãe pode dizer?

— Está bem, está bem — disse Mahesh Kapoor e fechou os olhos.

Ele pensou que, sob os cuidados de um assistente competente, a loja de tecidos em Benares estava prosperando mais na ausência do filho do que quando ele estava na cidade. Então, o que deveria ser feito com Maan?

Por volta das oito da noite, Mahesh Kapoor estava a ponto de entrar no carro para visitar Baitar House quando ordenou ao motorista que esperasse.

Então mandou um empregado ver se o filho se encontrava em casa. Quando este relatou que Maan estava dormindo, o pai ordenou:

— Acorde aquele vagabundo e lhe diga que se vista e desça imediatamente. Nós vamos visitar o nababo *sahib* de Baitar.

Maan desceu parecendo bastante infeliz. Mais cedo naquele dia ele estivera se exercitando, treinando polo num cavalo de madeira, e agora sentia-se ansioso para visitar Saeeda Bai e exercitar a inteligência, entre outras coisas.

— *Baoji*? — disse ele, curioso.

— Entre no carro. Nós vamos a Baitar House.

— O senhor quer que eu vá junto?

— Quero sim.

— Pois não.

Maan entrou no carro; logo compreendeu que não havia como evitar o sequestro.

— Estou partindo do princípio de que você não tem nada melhor para fazer — disse o pai.

— Não, na verdade não tenho.

— Então deveria se acostumar de novo à companhia de adultos — retrucou o Sr. Mahesh Kapoor severamente.

Na verdade, ele também gostava da jovialidade de Maan e achou que seria bom levá-la consigo como apoio moral, quando fosse se desculpar com seu velho amigo, o nababo *sahib*. Mas no momento Maan não estava muito jovial: pensava em Saeeda Bai. Ela ficaria à sua espera, mas ele não poderia nem mandar um recado avisando da impossibilidade de comparecer.

6.15

QUANDO entraram nos jardins da mansão, entretanto, ele se animou um pouco com a ideia de que talvez encontrasse Firoz. No treino de polo, o amigo não tinha mencionado que sairia para jantar.

Os dois sentaram-se no saguão por alguns minutos. O velho criado disse que o nababo *sahib* estava na biblioteca e que seria informado da chegada do ministro. Passados dez minutos ou mais, Mahesh Kapoor se levantou do velho sofá de couro e começou a andar de um lado para outro. Estava cansado de ficar rodando os polegares e olhando para fotografias de homens brancos com tigres mortos a seus pés.

Alguns minutos depois, sua paciência se esgotou. Dizendo ao filho que o acompanhasse, atravessou os salões de teto alto e corredores um tanto mal-iluminados a caminho da biblioteca. Ghulam Rusool fez tentativas infrutíferas de dissuadi-lo, mas não conseguiu. Murtaza Ali, que estava nas imediações, também foi empurrado de lado. O ministro da Fazenda, com o filho a reboque, chegou à porta da biblioteca e a escancarou.

A iluminação profusa o cegou momentaneamente. Estavam acesas não só as luzes de leitura, mais suaves, como também o imenso lustre no centro do recinto. E abaixo dele, na grande mesa redonda — com papéis espalhados ao redor e até alguns livros jurídicos encadernados em couro amarelo-claro abertos à frente deles —, estavam sentados outros três pares de pai e filho: o nababo *sahib* de Baitar e Firoz; o rajá de Marh e seu filho, o *rajkumar*; e dois Esqueléticos Causídicos Bannerji (como eram conhecidos em Brahmpur os membros daquela famosa família de advogados).

Difícil dizer quem ficou mais constrangido com a súbita intrusão.

— É só falar no diabo... — vociferou o grosseiro Marh.

Firoz, embora considerasse a situação incômoda, alegrou-se de ver Maan, e foi imediatamente a seu encontro para lhe apertar a mão. Maan envolveu com o braço esquerdo os ombros do amigo dizendo:

— Não aperte minha mão direita, você a deixou imprestável.

O *rajkumar* de Marh, que estava mais interessado em rapazes do que no jargão da lei fundiária, olhou com franca aprovação para o formoso par.

O Bannerji mais velho ("P. N.") olhou rapidamente para seu filho ("S. N.") como se dissesse: "Eu disse que nós deveríamos ter feito a reunião em uma de nossas salas."

O nababo *sahib* sentiu-se apanhado com a boca na botija, conspirando contra o projeto de lei de Mahesh Kapoor com um homem cuja companhia teria normalmente evitado.

E Mahesh Kapoor percebeu no ato que ele era o intruso menos bem-vindo que se possa imaginar a essa reunião de trabalho — pois era ele o inimigo, o expropriador, o governo, a fonte de injustiça, o outro lado.

No entanto, foi ele quem quebrou o gelo no círculo dos mais velhos ao se dirigir ao nababo e lhe tomar a mão. Ele não disse nada, mas inclinou levemente a cabeça. Não foram necessárias palavras de compaixão ou desculpas. O nababo *sahib* soube imediatamente que, quando a mansão foi cercada pela polícia, o amigo teria feito qualquer coisa a seu alcance para ajudá-lo, caso houvesse tido conhecimento da crise.

O rajá de Marh rompeu o silêncio com uma gargalhada:

— Então o senhor veio nos espionar! Estamos envaidecidos! Não veio nenhum subordinado, e sim o próprio ministro.

— Como não fui ofuscado pela visão das placas de ouro de seu carro lá fora, eu não poderia saber que o senhor estava aqui — retrucou Mahesh Kapoor. — Supostamente, o senhor veio de riquixá.

— Terei que contar as placas antes de ir embora — continuou o rajá.

— Se precisar de ajuda, deixe-me enviar consigo o meu filho: ele sabe contar até dois — disse Mahesh Kapoor.

O rajá de Marh ficou enrubescido e quis saber do anfitrião se aquilo fora planejado. Pensou que poderia perfeitamente ser uma trama elaborada por muçulmanos e seus simpatizantes para humilhá-lo.

O nababo *sahib* recuperou a voz:

— Não, Sua Alteza, não se trata disso. E eu peço desculpas a todos, especialmente ao senhor, Sr. Bannerji. Eu não devia ter insistido em que nos reuníssemos aqui.

Como o interesse comum no processo judicial o colocara no mesmo barco que o rajá de Marh, o nababo *sahib* esperara que, ao convidá-lo para sua própria casa, talvez tivesse a chance de conversar um pouco com ele sobre o Templo de Shiva no Chowk — ou pelo menos de criar a possibilidade de uma conversa posterior. A situação entre os hindus e os muçulmanos em Brahmpur era tão inquietante que o nababo tinha engolido a própria raiva e um pouco do orgulho para ajudar a resolver o problema. Agora o tiro havia saído pela culatra.

O mais velho dos Esqueléticos Causídicos, horrorizado com o que acontecera, agora disse numa voz muito melindrosa:

— Acho que já discutimos as linhas principais do tema, e podemos fazer um recesso. Eu vou informar a meu pai, em uma carta, o que foi dito por todas as partes, e espero que possamos persuadi-lo a nos representar nesse assunto, se e quando for necessário.

Ele estava se referindo ao grande G. N. Bannerji, um advogado lendário em termos de fama, sagacidade e cobiça. Se o projeto de lei com suas emendas, como era agora praticamente inevitável, fosse aprovado na Câmara Alta, obtivesse a assinatura do presidente da Índia e se transformasse em lei, certamente seria contestado no Tribunal Superior de Brahmpur. Se G. N. Bannerji pudesse ser persuadido a comparecer em juízo a favor dos proprietários de terras, aquilo aumentaria expressivamente as chances de que a lei fosse declarada inconstitucional e, portanto, nula e sem efeito.

Os Bannerji se despediram. O mais jovem, embora não muito mais velho que Firoz, já tinha uma clientela próspera Era inteligente, trabalhador, e os velhos clientes da família empurravam-lhe os casos para defender. Ele achava Firoz um pouco lânguido demais para a vida de advogado. Firoz lhe admirava a inteligência, mas o considerava pedante, um pouco no gênero de seu melindroso pai. O avô, no entanto, o grande G. N. Bannerji, não tinha nada de melindroso. Aos 70 e tantos anos ele era tão vigoroso no tribunal quanto na cama. Os enormes — alguns diriam inescrupulosos — honorários que insistia em receber para aceitar um caso eram usados no sustento de um harém disperso; mas ele ainda conseguia gastar mais do que possuía.

O *rajkumar* de Marh, um jovem decente e razoavelmente bonito, mas um tanto fraco, era tiranizado pelo pai. Firoz abominava o grosseiro rajá, "negro da cor do carvão, com seus botões e brincos de diamantes", espancador de muçulmanos. Com seu senso de honra e de família, Firoz também mantinha distancia do filho do rajá, o *rajkumar*. Maan não fazia o mesmo, pois as pessoas quase sempre lhe agradavam, a não ser que se tornassem detestáveis. O *rajkumar*, muito atraído por Maan, ao descobrir que este andava atualmente de rédea solta, sugeriu algumas coisas que poderiam fazer juntos, e combinaram de se encontrar naquela mesma semana.

Enquanto isso, o rajá de Marh, o nababo *sahib* e Mahesh Kapoor estavam de pé junto à mesa sob a luz intensa do lustre. O olhar do ministro caiu sobre os papéis espalhados na mesa, mas em seguida ele o desviou depressa, recordando-se do protesto inicial do rajá.

— Não, ministro *sahib*, por favor, fique à vontade — zombou o rajá. — Pode ler. E em troca me diga exatamente quando o senhor planeja conferir a propriedade de nossas terras a seu próprio bolso.

— Meu próprio bolso?

Uma traça cruzou depressa a mesa. O rajá a esmagou com o polegar.

— Eu quero dizer, naturalmente, o Departamento da Receita do grande estado de Purva Pradesh.

— No devido tempo.

— Agora o senhor está falando como seu grande amigo Agarwal falou na Assembleia.

Mahesh Kapoor não respondeu.

— Que tal passarmos à sala de estar? — sugeriu o nababo *sahib*.

O rajá não fez menção de se mexer. Ele se dirigiu ao mesmo tempo para o nababo e o ministro da Fazenda:

— Eu lhe fiz essa pergunta por motivos simplesmente altruístas. Estou apoiando os outros proprietários de terras só porque não me importo com a atitude do governo ou de insetos políticos como o senhor. Não tenho nada a perder pessoalmente: minhas terras estão protegidas de suas leis.

— É mesmo? — disse Mahesh Kapoor. — Uma lei para os homens e outra para os macacos?

— Se o senhor ainda se considera um hindu — disse o rajá —, talvez se lembre de que foi o exército dos macacos que derrotou o dos demônios.

— E com que milagre o senhor está contando desta vez? — Mahesh Kapoor não pôde deixar de perguntar.

— Com o artigo 362 da Constituição — respondeu rajá de Marh, cuspindo triunfante. — Essas são nossas propriedades privadas, ministro *sahib*, nossas próprias terras, e pelos contratos de fusão que nós, os governantes, celebramos para fazer parte de sua Índia, a lei não pode saqueá-las e os tribunais não podem tocar nelas.

Era fato bem conhecido que o rajá, bêbado e balbuciante, tinha ido procurar o austero ministro do Interior da Índia, Sardar Patel, para assinar um Instrumento de Acesso pelo qual entregou seu estado à União Indiana, chegando a manchar a assinatura com suas lágrimas, criando assim um singular documento histórico.

— Veremos — disse Mahesh Kapoor. — Veremos. Sem dúvida G. N. Bannerji defenderá Sua Alteza no futuro tão habilmente quanto ele defendeu sua baixeza no passado.

Qualquer que fosse a história por trás dessa provocação, causou um efeito notável.

Com um rugido, o rajá de Marh fez um súbito e violento movimento de ataque em direção a Mahesh Kapoor. Por sorte tropeçou numa cadeira e tombou para a esquerda, caindo sobre a mesa. Confuso, levantou o rosto de cima dos livros jurídicos e dos papéis espalhados. Uma página de um deles ficou rasgada.

Por um segundo, olhando fixamente a página rota, o rajá pareceu confuso, como se não tivesse certeza de onde se encontrava. Aproveitando-se de sua desorientação, Firoz rapidamente se aproximou dele e, com a mão firme, o conduziu na direção da sala de estar. Tudo estava acabado em alguns segundos. O *rajkumar* acompanhou o pai.

O nababo olhou para Mahesh Kapoor e levantou ligeiramente a mão, como se lhe dissesse que deixasse para lá.

— Eu lamento, lamento muito — disse Mahesh Kapoor, mas tanto ele quanto o amigo sabiam que ele se referia mais à demora em chegar a Baitar House do que ao incidente imediato.

Depois de um tempo, o ministro disse ao filho:

— Vamos embora, Maan.

A caminho da saída, os dois repararam no grande automóvel Lancia negro do rajá, à espreita no acesso à garagem, com sua placa semelhante a uma barra de ouro maciço estampada com os caracteres "M A R H 1".

No carro, voltando a Prem Nivas, cada um ia perdido nos próprios pensamentos. Mahesh Kapoor estava pensando que, apesar de ter escolhido um momento bombástico, alegrava-se de não ter esperado mais tempo para se solidarizar com o amigo. Ao apertar a mão do nababo *sahib*, tinha percebido o quanto este havia ficado abalado.

Mahesh Kapoor esperava que o amigo telefonasse para ele no dia seguinte e se desculpasse pelo ocorrido, mas não oferecesse maiores explicações. O caso todo era muito constrangedor: havia algo estranho e inexplicável naqueles acontecimentos. E era perturbador o fato de que estivesse se formando uma coalizão de inimigos — por mais volátil que fosse — ditada pelo interesse pessoal ou pela autopreservação contra a legislação a que ele se dedicara por tanto tempo. Ele teria gostado muito de saber quais eram as deficiências jurídicas encontradas pelos advogados em seu projeto de lei, se é que havia alguma.

Maan pensava em sua satisfação por ter encontrado novamente o amigo. Tinha dito a este que provavelmente ficaria preso ao pai a noite inteira, e

Firoz prometeu mandar um recado a Saeeda Bai — e se necessário o levaria pessoalmente — para informá-la de que *dagh sahib* tinha ficado retido.

6.16

— NÃO, preste atenção; pense.

A voz era ligeiramente irônica, mas não despreocupada. Parecia se importar com que a tarefa fosse bem-feita — que a página cuidadosamente pautada não se tornasse um registro de vergonha e desproporção. De certo modo, parecia se importar igualmente com o que se passava com o aluno. Maan franziu a testa e tornou a escrever o caractere *meem*. Parecia um espermatozoide curvo.

— Sua mente não está na ponta da pena — disse Rasheed. — Se você quer dispor do meu tempo, e estou aqui a seu serviço, por que não se concentra no que está fazendo?

— Está bem, está bem — disse Maan abruptamente, e por um segundo tornou-se singularmente parecido com o pai. Ele tentou de novo. O alfabeto urdu parecia difícil, multiforme, detalhista, fugidio, ao contrário da sólida escrita do híndi ou do inglês.

— Não consigo fazer isso. Parece bonito na página impressa, mas para escrevê-lo...

— Tente outra vez. Não seja impaciente.

Rasheed pegou a pena de bambu da mão dele, mergulhou-a no tinteiro e escreveu um perfeito caractere *meem* em azul-escuro. Depois escreveu outro embaixo do primeiro: as letras eram idênticas, como duas letras raramente são.

— De toda forma, o que importa? — perguntou Maan levantando os olhos da escrivaninha junto à qual se sentara de pernas cruzadas, no chão. — Eu quero ler e escrever em urdu, e não treinar caligrafia. Preciso mesmo fazer isso?

Refletiu que estava pedindo permissão como costumava fazer na infância. Rasheed não era mais velho que ele, mas em seu papel de professor tinha assumido controle completo sobre Maan.

— Bom, você se colocou em minhas mãos, e não quero que comece sobre alicerces frágeis. Então, o que você gostaria de ler agora? — perguntou

Rasheed com um leve sorriso, na esperança de que a resposta do aluno não fosse novamente a previsível.

— Gazais — disse Maan sem hesitação. — Mir, Ghalib, Dagh...

— Sim, mas... — Rasheed não disse nada no momento. Em seus olhos havia tensão ante a ideia de ser obrigado a ensinar gazais a Maan pouco antes de repassar com Tasneem trechos do livro sagrado.

— Então o que você diz? Por que não começamos hoje? — perguntou Maan.

— Isto seria como ensinar um bebê a correr uma maratona — respondeu Rasheed depois de alguns segundos, tendo encontrado uma analogia suficientemente ridícula que expressasse sua consternação. — Depois de algum tempo, você naturalmente conseguirá fazê-lo. Mas por enquanto basta tentar o meem novamente.

Maan pousou a pena e se levantou. Sabia que Saeeda Bai estava pagando Rasheed e que este precisava do dinheiro. Ele não tinha nada contra o professor; de certa forma lhe agradava sua atitude consciencosa. Mas se rebelava contra sua tentativa de impor a ele uma nova infância. O que Rasheed estava lhe indicando era o primeiro passo de uma estrada infindável e intoleravelmente tediosa; nesse ritmo levaria anos para ser capaz de ler até mesmo os gazais que sabia de cor. E décadas para poder escrever as cartas de amor que ansiava escrever. No entanto, Saeeda Bai tinha feito da meia hora diária de aula compulsória com Rasheed "o pequeno aperitivo amargo" que aguçaria seu apetite para a companhia dela.

No entanto, pensou Maan, a situação toda era cruelmente instável. Às vezes ela o recebia, outras, não — só quando convinha a ela. Ele não tinha noção do que esperar, o que prejudicava sua concentração. E ali estava ele, obrigado a se sentar num aposento frio do térreo da casa de sua amada, curvado sobre um bloco de rascunho com sessenta *alifs* e quarenta *zals* e vinte *meems* deformados, enquanto de vez em quando algumas notas mágicas do harmônio, uma frase do sarangi e uma melodia de um *thumri* desciam flutuando da sacada interna e se infiltravam pela porta para frustrá-lo e a sua aula.

Maan nunca havia gostado de ficar inteiramente sozinho. Se naquelas tardes, quando a aula terminava, chegasse por intermédio de Biba ou Ishaq o recado de que Saeeda Bai preferia ficar sozinha, ele se sentia enlouquecido de infelicidade e frustração. Então, se Firoz e Imtiaz não estivessem em casa, e se a vida doméstica parecesse, como normalmente acontecia, insuportavelmente monótona e tensa e sem sentido, Maan se juntava com seus recém-conhecidos, o *rajkumar* de Marh e seu séquito, e deixava a tristeza e o dinheiro no jogo e nas bebidas.

— Veja bem, se hoje você não está com vontade de ter aula... — A voz de Rasheed era mais amável do que Maan tinha esperado, embora houvesse uma expressão muito sagaz em seu rosto lupino.

— Não, está tudo bem. Vamos continuar. É só uma questão de autocontrole. — Maan se sentou novamente.

— Realmente é isso — disse Rasheed, voltando a seu tom anterior de voz. Teve uma súbita percepção de que Maan necessitava mais de autocontrole do que de caracteres perfeitamente desenhados. "Por que você acabou aprisionado a um lugar como este?", ele queria perguntar ao aluno. "Não é deplorável estar sacrificando sua dignidade a favor de uma pessoa da profissão de Saeeda *Begum*?"

Talvez tudo isso estivesse presente em suas três palavras diretas. Seja como for, Maan de repente sentiu o impulso de se abrir com ele.

— Você vê, a questão é a seguinte — começou Maan. — Eu não tenho muita força de vontade, e quando caio em más companhias...

Ele se interrompeu. Que diabo estava dizendo? E como Rasheed saberia do que ele estava falando? E, mesmo que soubesse, por que iria se importar?

Mas Rasheed pareceu entender.

— Eu agora me considero verdadeiramente sóbrio, mas quando eu era mais novo passava o tempo espancando as pessoas. Meu avô costumava fazer isso em nossa aldeia, e era um homem muito respeitado; daí eu achei que espancar as pessoas era o que lhe garantia o respeito. Nosso grupo era de cinco ou seis rapazes, e cada um instigava os demais. Nós costumávamos chegar para algum colega que talvez estivesse caminhando inocentemente por ali e o esbofeteávamos no rosto com toda força. O que eu nunca me atreveria a fazer sozinho, eu fazia sem hesitação quando acompanhado. Mas eu já não faço mais isso. Aprendi a seguir outra voz, a ficar sozinho e a compreender as coisas, e talvez ser malcompreendido.

Para Maan, aquilo pareceu o conselho de um anjo bom; ou talvez de um anjo reerguido. Em sua imaginação, ele viu o *rajkumar* e Rasheed disputando sua alma. Um tentava atraí-lo para o inferno com cinco cartas de pôquer; o outro o empurrava para o paraíso a golpes de uma pena de bambu. Ele estragou mais um caractere *meem* antes de perguntar:

— E seu avô ainda está vivo?

— Está sim — respondeu Rasheed, de cara amarrada. — Ele passa o dia todo sentado em um catre à sombra, lendo o *Quran Sharif* e botando para correr as crianças da aldeia quando elas o perturbam. Em breve vai tentar botar para correr os oficiais de justiça, porque não gosta dos planos de seu pai.

— Então vocês são donos de terra? — perguntou Maan surpreso.

Rasheed refletiu antes de responder:

— Meu avô, sim, antes de dividir a fortuna entre os filhos. Meu pai também é, assim como o meu tio. Quanto a mim... — Ele fez uma pausa, pareceu examinar a página na qual Maan escrevia e depois continuou, sem terminar a frase anterior: — Ora, quem sou eu para me meter a julgar essas questões? Eles estão muito felizes, naturalmente, mantendo as coisas do jeito que estão. Mas eu vivi na aldeia praticamente a vida toda e observei o sistema inteiro. Eu sei como funciona. Os *zamindars* só tiram seu sustento da pobreza alheia, e minha família não é tão extraordinária a ponto de ser uma exceção a isso. Eles tentam forçar os filhos a se ajustar ao mesmo modelo imoral que adotam. — Aqui Rasheed fez uma pausa e apertou os cantos da boca. — Se os filhos quiserem fazer outra coisa, esses grandes latifundiários também procurarão infernizar a vida deles. Os donos de terra falam muito sobre a honra da família, mas seu único senso de honra é a gratificação das promessas de prazer que fizeram a si próprios. — Ficou calado alguns segundos, como se estivesse hesitando; depois prosseguiu: — Alguns dos proprietários mais respeitados são tão mesquinhos que nem mesmo sustentam a palavra dada. Talvez você ache isso difícil de acreditar, mas fui virtualmente convidado para um trabalho aqui em Brahmpur como curador da biblioteca de um desses grandes homens, mas quando cheguei à imponente mansão me disseram... Bom, de toda forma, tudo isso é irrelevante. A questão principal é que o sistema regido pelos proprietários rurais não é bom para os aldeões, não é bom para a zona rural como um todo, não é bom para o país, e enquanto continuar...

A frase ficou sem terminar. Rasheed apertava as pontas dos dedos na testa, como se estivesse afligido por uma dor.

Isso estava muito distante do *meem*, porém Maan escutou solidário o jovem professor particular, que parecia falar movido por alguma terrível pressão, e não simplesmente pelas circunstâncias. Apenas alguns minutos antes ele estivera aconselhando cautela, concentração e moderação ao aluno.

Ouviu-se uma batida na porta e Rasheed se endireitou depressa. Ishaq Khan e Motu Chand entraram.

— Queira nos desculpar, Kapoor *Sahib*.

— Não, não, vocês estão certos em entrar — disse Maan. — Terminou o horário da minha aula e estou privando a irmã da *begum sahiba* de sua aula de árabe.

Ele se levantou.

— Nós nos veremos amanhã, e meus caracteres serão inigualáveis — prometeu impetuosamente a Rasheed. E inclinando-se cordialmente na direção dos músicos: — A sentença é de vida ou de morte?

Pela expressão desanimada de Motu Chand ele adivinhou as palavras de Ishaq.

— Kapoor *Sahib*, infelizmente hoje à noite... Quer dizer, a *begum sahiba* me encarregou de informar...

— Tudo bem, tudo bem — cortou Maan, zangado e ferido. — Ótimo. Meu profundo respeito à *begum sahiba*. Então, até amanhã.

— É só que ela está indisposta. — Ishaq não gostava de mentir e era péssimo nisso.

— Sim, e espero que ela se recupere depressa — disse Maan, que teria ficado muito mais preocupado se houvesse acreditado na indisposição dela. Ao chegar à porta, voltou-se e acrescentou: — Se eu acreditasse que ela se sentiria melhor, prescreveria uma série de *meems*, para serem tomados um a cada hora e vários antes de dormir.

Motu Chand olhou para Ishaq buscando uma explicação, mas o rosto deste refletia a própria perplexidade.

— É nada mais, nada menos do que ela me receitou — completou Maan.
— E, como vocês podem ver, o resultado é que estou florescendo. Minha alma, pelo menos, tem evitado a indisposição com tanto sucesso quanto ela anda me evitando.

6.17

RASHEED recolhia os livros quando Ishaq, que estava parado junto à porta, anunciou de súbito:

— E Tasneem também está indisposta.

Motu Chand deu um rápido olhar ao amigo. As costas de Rasheed estavam voltadas para eles, mas se contraíram. Ele tinha escutado a desculpa dada por Ishaq a Maan; o fato de o tocador de sarangi, no papel de emissário de Saeeda Bai, ter agido de forma tão mesquinha não havia aumentado seu respeito por ele. Será que agora ele estaria agindo também como emissário de Tasneem?

— O que lhe dá essa impressão? — perguntou Rasheed, voltando-se lentamente.

Ishaq enrubesceu diante da manifesta descrença na voz do professor.

— Ora, seja qual for o estado em que ela se encontra agora, depois de sua aula estará indisposta — retrucou ele, desafiador. De fato, era verdade. Com frequência Tasneem ficava chorando depois da aula com Rasheed.

— Ela tende a chorar muito — disse o professor, parecendo mais áspero do que tinha pretendido. — Mas não é desprovida de inteligência e está fazendo um bom progresso. Se houver algum problema com meu ensino, a guardiã dela poderá me informar pessoalmente ou por escrito.

— Será que não poderia ser um pouco menos rigoroso com ela, professor? — perguntou Ishaq, inflamado. — Ela é uma moça delicada; não está sendo treinada para se tornar um mulá. Ou um *haafiz*.

No entanto, com lágrimas ou sem lágrimas, refletiu Ishaq dolorosamente, nesses dias a moça andava passando tanto de seu tempo livre estudando árabe que quase já não se dedicava a outras coisas. As aulas pareciam tê-la desviado até dos livros de romance. Ishaq realmente desejava que o jovem professor começasse a se comportar com gentileza em relação à aluna?

Rasheed havia reunido seus papéis e livros. Ele agora falou quase para si:

— Não sou mais rigoroso com ela do que sou com... — Ele esteve a ponto de dizer "comigo mesmo". — ... Com outras pessoas. As emoções do indivíduo são uma questão de autocontrole. Nada é indolor — acrescentou, um pouco ressentido.

Os olhos de Ishaq faiscaram. Motu Chand pousou a mão apaziguadora no ombro do amigo.

— E, aliás — continuou Rasheed —, Tasneem tende a ser indolente.

— Parece que ela tende a muitas coisas, professor.

— E isso é exacerbado por aquele periquito idiota que a faz interromper o trabalho a toda hora para alimentá-lo ou mimá-lo — acrescentou Rasheed, carrancudo. — Não é nada agradável ouvir fragmentos do livro de Deus sendo lacerados no bico de uma ave sacrílega.

Ishaq ficou demasiado surpreso para dizer alguma coisa. Rasheed passou por ele e saiu da sala.

— O que o leva a provocá-lo desse jeito, Ishaq *Bhai*? — perguntou Motu Chand depois de alguns segundos.

— Provocá-lo? Ora essa, foi ele que me provocou. Sua última observação...

— Ele não tinha como saber que foi você quem deu o periquito a ela.

— Como não? Todo mundo sabe.

— Ele provavelmente não sabe. Ele não se interessa por esse tipo de coisa, o escrupuloso Rasheed. Que bicho mordeu você? Por que anda provocando todo mundo ultimamente?

A referência a *ustad* Majeed Khan não passou despercebida a Ishaq, mas era um desses assuntos em que Ishaq mal suportava pensar.

— Então aquele livro das corujas foi uma provocação, não foi? — perguntou ele. — Já experimentou uma das receitas? Quantas mulheres ele aliciou para seu poder, Motu? E o que sua esposa tem a dizer sobre sua recém-descoberta valentia?

— Você sabe o que quero dizer — retrucou o outro, imperturbável. — Escute aqui, Ishaq, você não tem nada a ganhar quando irrita os outros. Agora há pouco...

— São essas minhas malditas mãos — gritou Ishaq, erguendo as mãos e olhando para elas como se as odiasse. — Essas malditas mãos. Esta última hora, lá em cima, foi uma tortura.

— Mas você estava tocando tão bem!...

— O que vai acontecer comigo? Com meus irmãos mais novos? Não posso conseguir emprego com base na minha inteligência brilhante. E agora nem meu cunhado conseguirá vir para Brahmpur nos ajudar. Como vou aparecer na emissora de rádio, como vou pedir transferência para ele?

— As coisas vão melhorar, Ishaq *Bhai*. Não fique estressado desse jeito. Eu o ajudarei...

Isso naturalmente era impossível. Motu Chand tinha quatro filhos pequenos.

— Agora até a música significa uma agonia para mim — disse Ishaq para si, balançando a cabeça. — Até a música. Não suporto ouvi-la mesmo quando não estou de serviço. Essa mão acompanha sozinha a melodia e se contrai de dor. Se meu pai ainda vivesse, o que teria dito ao me ouvir falar assim?

6.18

— A *BEGUM SAHIBA* foi muito explícita — disse o vigia. — Hoje à noite ela não recebe ninguém.

— Por quê? — Maan exigiu saber.

— Não sei — respondeu o vigia.

— Por favor, descubra o motivo — disse Maan, deslizando uma nota de 2 rupias para a mão do homem.

O vigia pegou a nota e disse:

— Ela não está se sentindo bem.

— Ora, você já sabia disso — retrucou Maan, um pouco ofendido. — Quer dizer que eu devo ir vê-la. Ela vai querer me ver.

— Não, ela não vai querer ver o senhor — insistiu o vigia postando-se diante do portão.

Sua atitude pareceu decididamente hostil a Maan.

— Olhe, você precisa me deixar entrar.

Ele tentou usar o ombro para forçar a entrada, mas o vigia resistiu e houve luta corporal.

Ouviram-se vozes vindas de dentro, e Bibbo apareceu. Quando ela viu o que estava acontecendo, levou a mão à boca, assustada. Depois falou arquejante:

— Phool Singh, pare com isso! *Dagh sahib*, por favor, o que a *begum sahiba* vai dizer?

Tal pensamento fez Maan recobrar o bom-senso, e ele alisou a túnica com a mão, parecendo muito envergonhado. Nem ele nem o vigia se machucaram. O vigia assumiu um ar inteiramente pragmático em relação ao incidente.

— Bibbo, ela está muito doente? — perguntou Maan, sofrendo.

— Doente? Quem está doente?

— Saeeda Bai, é claro.

— Ela não está doente de jeito nenhum — disse a criada rindo. Em seguida, seu olhar encontrou o do vigia e ela acrescentou: — Pelo menos não estava doente até meia hora atrás, quando sentiu uma forte dor perto do coração. Ela não pode ver o senhor, nem ninguém.

— Quem está com ela? — inquiriu Maan.

— Ninguém, quer dizer... bom, é como eu falei: ninguém.

— Alguém está com ela — disse Maan agressivo, sentindo uma aguda punhalada de ciúme.

— *Dagh sahib* — disse Bibbo, não sem compaixão —, não é do seu feitio se comportar assim.

— Assim como?

— Com ciúme. *Begum sahiba* tem seus velhos admiradores, e ela não pode expulsá-los. Esta casa depende da generosidade deles.

— Ela está zangada comigo?

— Zangada? Por quê? — perguntou a criada sem entender.

— Porque eu não vim naquele dia como tinha prometido — disse Maan. — Eu tentei, mas não consegui vir.

— Acho que ela não ficou zangada o senhor — informou Bibbo —, mas com certeza se zangou com seu mensageiro.

— Com Firoz? — estranhou Maan.

— Sim, com o *nawabzada*.

— Ele trouxe um bilhete? — perguntou Maan. Lembrou-se, com um pouco de inveja, de que Firoz, sabendo ler e escrever em urdu, podia assim se comunicar por escrito com Saeeda Bai.

— Acho que sim — disse Bibbo, um tanto vagamente.

— E por que ela se zangou?

— Eu não sei — respondeu a criada com um riso leve. — Agora preciso entrar.

E deixou Maan parado na calçada, com um ar muito agitado.

De fato, Saeeda Bai tinha ficado muito insatisfeita ao ver Firoz e irritada com Maan por tê-lo enviado. No entanto, quando recebeu o recado de Maan dizendo que não podia comparecer ao encontro daquela noite, não pôde deixar de se sentir decepcionada e triste. Esse fato também a irritou. Não podia se dar ao luxo de se apegar emocionalmente àquele moço de coração despreocupado, cabeça desmiolada e provavelmente pés desaforados. Tinha uma profissão a manter, e Maan, sem dúvida, por mais agradável que fosse, não passava de uma distração. E, assim, ela começou a entender que talvez fosse melhor que ele se afastasse por uns tempos. Como naquela noite receberia um cliente, dera instruções ao vigia para manter todos à distância, principalmente Maan.

Quando, mais tarde, a criada lhe comunicou o que havia acontecido, a reação de Saeeda Bai foi de irritação com algo que ela considerou uma interferência dele na vida profissional dela. Maan não tinha direito a dispor do tempo dela, nem a lhe dizer o que fazer com este. Porém, mais tarde ainda, falando com o periquito, ela repetiu: "*Dagh sahib, dagh sahib*" por diversas vezes, com uma expressão que passou da paixão sexual ao flerte e deste à ternura, à indiferença, à irritação e à raiva. Em termos de costumes mundanos, o periquito estava recebendo uma educação mais elaborada que a da maioria de seus semelhantes.

Maan saiu perambulando por aí, imaginando o que fazer com seu tempo; ele não conseguia tirar a cantora da cabeça, mas sentia falta de alguma atividade, qualquer uma, que pudesse distraí-lo, pelo menos momentaneamente. Lembrou-se de ter prometido visitar o *rajkumar* de Marh, e por isso se encaminhou aos alojamentos, não muito distantes da universidade, que o *rajkumar* havia alugado com seis ou sete outros estudantes, quatro dos quais ainda estavam em Brahmpur no começo das férias de verão. A esses rapazes não faltava dinheiro — dois deles eram herdeiros de outros pequenos principados, e um era filho de um grande proprietário de terras. A maioria recebia umas centenas de rúpias por mês para gastar como quisesse. Essa quantia era quase igual ao salário mensal de Pran, e aqueles jovens olhavam com despreocupado desprezo seus professores desafortunados.

O *rajkumar* e seus amigos comiam juntos, jogavam baralho juntos e passavam muito tempo na companhia uns dos outros. Cada um deles destinava 15 rupias por mês a despesas de alimentação (tinham seu próprio cozinheiro) e mais 20 rupias por mês no que chamavam "taxa da garota". Essa verba se destinava a sustentar uma dançarina muito bonita de 19 anos que vivia com a mãe numa rua perto da universidade. Rupvati recebia com bastante frequência o grupo de amigos, e no final um deles sempre ficava para trás. Dessa forma, cada qual tinha sua chance a cada duas semanas, seguindo um rodízio. Nas outras noites, a dançarina tinha a liberdade de receber qualquer um deles ou de tirar a noite de folga, mas o acordo é que ela não teria nenhum outro cliente. A mãe recebia os rapazes com muito carinho; ficava muito contente em vê-los, e muitas vezes dizia que, se não fosse a gentileza deles, não sabia o que ela e a filha teriam feito.

Meia hora depois de encontrar o *rajkumar* de Marh e beber uma boa quantidade de uísque, Maan já havia despejado todos os seus problemas no ombro do amigo. O *rajkumar* mencionou Rupvati e sugeriu uma visita a ela. Com isso Maan se animou um pouco e, levando consigo a garrafa, eles começaram a andar na direção da casa da moça. Mas de repente o *rajkumar* se lembrou de que essa era uma das noites da folga dela e que eles não seriam muito bem-recebidos ali.

— Já sei; em vez disso vamos visitar Tarbuz ka Bazaar — propôs ele, fazendo parar uma charrete e puxando Maan para dentro dela. Este não estava com disposição para resistir à sugestão.

Mas quando o *rajkumar*, que lhe havia pousado uma amistosa mão na coxa, moveu-a muito para cima, Maan a repeliu com uma risada.

O *rajkumar* não se ofendeu com a rejeição, e em mais alguns minutos, com a garrafa passando entre deles, começaram a conversar com a mesma desenvoltura de antes.

— É um grande risco para mim — disse o *rajkumar* —, mas estou fazendo isso por causa de nossa grande amizade.

Maan começou a rir e o advertiu:

— Pois não faça de novo, que eu sinto cócegas.

Agora foi a vez de o *rajkumar* começar a rir.

— Não era a isso que eu me referia, mas sim a levá-lo a Tarbuz ka Bazaar: é um risco para mim.

— Em que sentido?

— Porque "qualquer estudante que seja visto num local indesejável está sujeito à imediata expulsão".

O *rajkumar* estava citando uma das curiosas e detalhadas normas de conduta promulgadas para os estudantes da Universidade de Brahmpur. Essa norma específica parecia tão imprecisa e ao mesmo tempo tão deliciosamente draconiana que o *rajkumar* e seus amigos tinham-na decorado e costumavam declamá-la em coro, na cadência do mantra Gayatri, sempre que saíam para se divertir com o jogo, a bebida ou as prostitutas.

6.19

EM breve chegaram à velha Brahmpur e andaram pelas ruas estreitas em direção a Tarbuz ka Bazaar. Maan estava começando a se arrepender da decisão.

— Por que não em outra noite? — começou ele.

— Ah, neste lugar eles servem um ótimo *biryani* — respondeu o *rajkumar*.

— Onde?

— Na casa de Tahmina Bai. Já estive lá uma ou duas vezes quando era dia de folga de Rupvati.

A cabeça de Maan tombou sobre o peito e ele caiu no sono. Quando chegaram a Tarbuz ka Bazaar, o *rajkumar* o despertou.

— A partir daqui teremos de caminhar.

— É longe?

— Não, não é longe. A casa de Tahmina Bai é logo ali na esquina.

Eles apearam, pagaram ao cocheiro e, de mãos dadas, entraram numa ruazinha lateral. O *rajkumar* galgou uma escada estreita e íngreme, puxando atrás de si um Maan ligeiramente embriagado.

Mas quando chegaram ao topo da escada ouviram um barulho confuso, e depois de darem alguns passos pelo corredor se depararam com uma cena curiosa.

Rechonchuda e com ar sonhador, a bela Tahmina Bai estava dando risadinhas deliciadas enquanto um homem de meia-idade, olhar drogado de ópio, expressão vazia, língua vermelha, corpo avantajado — um funcionário da Receita — tamborilava numa tabla e cantava com voz fina uma canção obscena. Dois desmazelados funcionários de baixo escalão estavam deitados por ali, um deles com a cabeça no colo dela. Tentavam cantar em coro.

O *rajkumar* e Maan estavam a ponto de ir embora quando a cafetina do estabelecimento os avistou e se precipitou em direção a eles pelo corredor. Ela sabia quem era o *rajkumar* e se apressou a lhe garantir que os outros seriam dispensados em alguns minutos.

Os dois amigos ficaram fazendo hora em um quiosque de *paan* por alguns minutos, depois subiram de novo as escadas. Tahmina Bai, sozinha e com um sorriso beatífico no rosto, estava pronta a entretê-los.

Primeiro ela cantou um *thumri*; depois, percebendo que o tempo estava passando, ficou amuada.

— Cante para nós — disse o *rajkumar*, cutucando Maan para que ele também acalmasse Tahmina Bai.

— Si-im — disse Maan.

— Não, não vou cantar, vocês não gostam da minha voz.

Ela baixou os olhos e fez beicinho.

— Pelo menos, brinde-nos com uns poemas — pediu o *rajkumar*.

O pedido provocou um ataque de riso na moça. Suas bochechas formosas se sacudiam, e ela resfolegava de deleite. O *rajkumar* estava perplexo. Depois de tomar outro gole da garrafa ele olhou para ela com assombro.

— Ah, é muito... ha ha ha...brinde-nos com uns... ha ha há... poemas!

Tahmina Bai não estava mais de mau humor, e sim rindo descontroladamente. Guinchava e colocava as mãos nas laterais do corpo e se engasgava, as lágrimas escorrendo pelo rosto.

Quando finalmente conseguiu falar, contou a eles uma anedota.

— O poeta Akbar Allahabadi estava em Benares quando foi conduzido por amigos para uma rua como a nossa. Ele tinha bebido muito, exatamente como vocês, e se encostou a uma parede para urinar. E aí, o que aconteceu? Uma cortesã, debruçada na janela acima dele, o reconheceu de um de seus recitais de poesia e... e ela disse... — Tahmina Bai deu umas risadinhas, depois começou de novo a dar grandes risadas, sacudindo-se toda. — Ela disse: "Akbar *Sahib* está nos brindando com sua poesia!"

Tahmina Bai recaiu num riso descontrolado, e Maan descobriu, para sua confusa surpresa, que ele também estava rindo.

Mas Tahmina Bai ainda não tinha acabado a história e prosseguiu:

— Portanto, o poeta, quando a ouviu, fez esse comentário, na inspiração no momento:

"Ai de mim! Que poesia medíocre Akbar pode escrever
se a pena está na mão e o tinteiro a alguns andares do chão?"

Isso foi acompanhado de novos guinchos e risadas. Depois Tahmina Bai disse a Maan que ela queria lhe mostrar uma coisa em outro quarto, e o conduziu para lá, enquanto o *rajkumar* tomava mais uns tragos.

Minutos depois ela emergiu, e Maan parecia desgrenhado e repugnado. Mas Tahmina Bai fazia beicinho com ar angelical e disse ao *rajkumar*:

— Agora eu tenho uma coisa para mostrar a você.

— Não, não — disse ele. — Eu já... não, não estou a fim. Vamos, Maan, vamos embora.

Tahmina Bai parecia afrontada e disse:

— Vocês dois são... são muito parecidos! Para que precisam de mim?

O *rajkumar* tinha se levantado. Passou o braço em torno de Maan e caminharam com esforço em direção à porta. Enquanto percorriam o corredor ouviram-na dizer:

— Pelo menos comam um pouco de *biryani* antes de sair. Vai ficar pronto em alguns minutos... — Quando não ouviu resposta da parte deles, a moça completou em um tom de voz mais alto: — Talvez os deixasse mais vigorosos. Nenhum de vocês dois conseguiu me brindar com sua poesia!

Ela começou a rir e a se sacudir, e suas gargalhadas os seguiram pela escada abaixo até a rua.

6.20

MESMO não tendo feito nada com Tahmina Bai, Maan estava sentindo tanto remorso por ter visitado uma cantora tão baixa quanto ela que desejou voltar imediatamente à casa de Saeeda Bai e lhe pedir perdão. O *rajkumar* o convenceu, em vez disso, a ir para casa. E o levou até o portão de Prem Nivas, onde o deixou.

A Sra. Mahesh Kapoor estava acordada. Quando viu Maan tão bêbado e cambaleante, ficou muito transtornada. Mesmo sem dizer nada, temia pelo filho. Se o pai o tivesse visto naquele estado, teria tido um ataque.

Maan, guiado até seu quarto, tombou na cama e pegou no sono.

Na manhã seguinte, contrito, visitou Saeeda Bai, que se alegrou em vê-lo. Passaram juntos o começo da noite. Mas ela avisou ao rapaz que estaria ocupada nos dois dias seguintes, e que ele não deveria levá-la a mal.

Maan fez justamente o contrário. Teve um agudo ataque de ciúme e de desejo contrariados, e se perguntou o que teria feito de errado. Mesmo que tivesse podido visitá-la todas as noites, seus dias teriam se esvaído devagar, gota a gota. Agora não apenas os dias, mas também as noites se estendiam negras e vazias, interminavelmente, diante dele.

Maan praticava um pouco de polo com Firoz, mas este estava ocupado durante o dia e às vezes até durante a noite com os processos e outras tarefas. Ao contrário do jovem Causídico Bannerji, Firoz não tratava como desperdício o tempo que passava jogando polo ou escolhendo uma bengala; considerava essas atividades próprias do filho de um nababo. Comparado com Maan, entretanto, Firoz era viciado em seu trabalho.

Maan tentou seguir o exemplo — comprar algumas mercadorias e tratar de obter algumas encomendas para a loja de tecidos em Benares —, mas achou as tarefas tediosas demais. Fez umas visitas ao irmão Pran e à irmã Veena, mas a própria domesticidade e objetividade das vidas deles era uma repreensão à vida de Maan. Veena o recriminou diretamente, perguntando que exemplo ele acreditava estar dando ao menino Bhaskar; e a velha Sra. Tandon olhou-o com mais desconfiança e desaprovação que antes. Kedarnath, porém, deu-lhe um tapinha no ombro, como se quisesse compensar a frieza demonstrada pela mãe.

Tendo esgotado todas as outras possibilidades a seu alcance, Maan começou a frequentar o grupo do *rajkumar* de Marh (embora não voltasse a visitar o Tarbuz ka Bazaar), a beber e a jogar apostando dinheiro, perdendo a maior parte da verba que tinha sido reservada ao seu negócio. Os jogos — em geral flush, mas às vezes até pôquer, que havia se tornado uma moda recente entre os estudantes mais assumidamente dissolutos em Brahmpur — aconteciam em quartos estudantis, mas às vezes em rodas informais de apostas, em residências em vários pontos da cidade. Bebiam invariavelmente uísque escocês. Maan passava o tempo todo pensando em Saeeda Bai e declinou uma visita até mesmo à bela Rupvati. Por isso foi alvo de zombaria de todos os novos companheiros, que o advertiram da perda potencial e permanente de suas habilidades por falta de prática.

Um dia Maan, separado dos companheiros e envolto numa neblina de paixão, estava caminhando para cima e para baixo em Nabiganj quando esbarrou em uma antiga namorada. Ela estava casada, mas continuava a ter muito carinho por ele. Maan também continuava a gostar muito dela. O marido da moça — que tinha o improvável apelido de Pombo — convidou-o a tomar um café com eles no Red Fox. Mas Maan, que normalmente teria aceitado o convite com muita alegria, desviou o olhar, desanimado, e disse que precisava ir embora.

— Por que seu antigo admirador está se comportando de forma tão estranha? — perguntou o marido a ela com um sorriso.

— Sei lá — respondeu a moça, confusa.

— Com certeza ele não se desapegou de você.

— Isso é possível, mas improvável: como regra, Maan Kapoor não se desapega de ninguém.

Deixaram a questão de lado e entraram no café.

6.21

MAAN não era o único alvo da desconfiança da velha Sra. Tandon. Ultimamente a idosa, que mantinha controle sobre tudo, havia começado a reparar que a nora não usava mais certas peças da caixa de joias: embora continuasse a usar as peças dadas pelos sogros, ela havia parado de usar as presenteadas pelos pais. Um dia a mãe relatou a questão ao filho.

Kedarnath não lhe deu atenção. A mãe continuou a insistir, até que ele acabou concordando em pedir à esposa que usasse o *navratan*.

Veena ficou ruborizada.

— Eu emprestei a Priya, que quer copiar o modelo — justificou. — Quando o usei no casamento de Pran, ela o viu e gostou do colar.

Mas Veena pareceu tão infeliz com a mentira que a verdade acabou aparecendo. Kedarnath descobriu que as despesas da casa eram muito mais altas do que a esposa havia lhe declarado; ele não havia reparado nelas porque tinha pouca noção da realidade doméstica e se ausentava com frequência. A esposa, no intuito de reduzir a pressão financeira nos negócios do marido, pedia a ele menos dinheiro para o orçamento. Mas agora ele percebia que ela havia tomado medidas para empenhar ou vender as joias que possuía.

Kedarnath também ficou sabendo que o dinheiro para a escola e os livros de Bhaskar estava saindo do orçamento doméstico da Sra. Mahesh Kapoor, que era parcialmente repassado para a filha.

— Não podemos aceitar isso — disse Kedarnath. — Há três anos seu pai nos ajudou bastante.

— Por que não? — contestou Veena. — Com certeza a avó de Bhaskar pode dar isso ao menino. Por que não? Até parece que ela está nos suprindo de rações...

— Hoje alguma coisa está desafinada em minha Veena* — disse o marido, dando um sorriso meio triste.

Veena não se deixou abrandar.

— Você nunca me conta coisa alguma e eu sempre o surpreendo de mãos na cabeça e olhos fechados por minutos a fio. O que devo pensar? E você está sempre ausente. Às vezes, quando não está em casa, eu choro sozinha a noite toda; teria sido melhor ter um bêbado como marido, desde que dormisse aqui toda noite.

— Agora se acalme. Onde estão aquelas joias?

— Estão com Priya. Ela prometeu conseguir uma avaliação.

— Então elas ainda não foram vendidas?

— Não.

— Vá buscá-las de volta.

— Não vou.

— Vá buscá-las de volta, Veena. Como você pode fazer isso com o *navratan* de sua mãe?

— Como você pode ficar jogando *chaupar* com o futuro de Bhaskar?

Kedarnath fechou os olhos por alguns segundos.

— Você não entende nada de negócios — disse ele.

— Entendo o suficiente para saber que você não pode continuar "postergando a dívida".

— Postergar a dívida é só adiá-la: todas as grandes fortunas se apoiam em débitos.

---

* Além de nome próprio feminino, a palavra também designa a vina, instrumento de cordas indiano, da família do alaúde e da cítara (*N. da T.*)

— Mas eu sei que nós nunca mais voltaremos a ter uma grande fortuna — replicou Veena inflamada. — Aqui não é Lahore. Por que não podemos guardar o pouco que temos?

Kedarnath se calou por instantes. Depois disse:

— Vá buscar as joias. Está tudo bem, de verdade. O acerto que Haresh fez para os sapatos sociais masculinos vai ser confirmado a qualquer momento, e nossos problemas de longo prazo serão resolvidos.

Veena olhou para o marido com ar de dúvida.

— Tudo que é bom está sempre prestes a acontecer a qualquer momento, mas tudo o que é ruim sempre acontece.

— Ora, isso não é verdade. Pelo menos no curto prazo aconteceu uma coisa boa: as lojas de Bombaim finalmente pagaram. Garanto a você que isso é verdade. Sei que sou péssimo mentiroso, então eu nem tento mentir. Agora vá buscar o *navratan*.

— Primeiro me mostre o dinheiro!

Kedarnath caiu na risada. Veena caiu no choro.

— Por onde anda Bhaskar? — perguntou ele depois que ela, tendo soluçado um pouco, ficou em silêncio.

— Na casa do Dr. Durrani.

— Perfeito. Espero que ele fique por lá mais algumas horas. Vamos jogar um pouco de *chaupar*, você e eu.

Veena enxugou os olhos com um lenço.

— Está fazendo muito calor no telhado. Sua mãe não vai querer que o amado filho dela acabe ficando preto como nanquim.

— Então vamos jogar aqui mesmo neste quarto — disse ele, decidido.

Veena trouxe as joias de volta naquela mesma tarde. Priya não tinha conseguido um orçamento; com a bruxa da sogra rondando o joalheiro fuxiqueiro a cada minuto de sua visita anterior, ela decidiu priorizar a discrição, em detrimento da urgência.

Veena ficou contemplando o colar, olhando com saudade uma pedra de cada vez.

Um pouco mais cedo naquela mesma noite, o marido foi procurar o sogro, a quem pediu que guardasse a joia sob sua responsabilidade em Prem Nivas.

— Por que motivo? — perguntou Mahesh Kapoor. — Por que vocês estão me incomodando com essas quinquilharias?

— *Baoji*, ele pertence a Veena, e eu quero ter certeza de que ela não vai se desfazer dele. Se ele ficar lá em casa, ela talvez seja subitamente acometida por ideias nobres e resolva empenhá-lo.

— Empenhá-lo?

— Empenhá-lo ou vendê-lo.

— Que insensatez! O que está acontecendo? Todos os meus filhos perderam a cabeça?

Depois de ouvir um breve relato do incidente do *navratan*, Mahesh Kapoor perguntou:

— E como vão seus negócios, agora que finalmente terminou a greve?

— Não posso dizer que estejam indo bem... mas ainda estão de pé.

— Kedarnath, venha administrar minha fazenda. Deixe seu negócio de lado.

— Não, mas muito obrigado, *baoji*. Agora eu preciso ir. O mercado já deve estar aberto. — Mais um pensamento lhe ocorreu: — Além disso, *baoji*, se eu resolver ir embora de Misri Mandi, quem vai cuidar de seu eleitorado?

— É verdade. Tudo bem. É bom que você tenha que ir agora, porque eu preciso ler estes dossiês até amanhã de manhã — disse Mahesh Kapoor, de forma pouco hospitaleira. — Vou trabalhar a noite inteira. Ponha isso aí em algum lugar.

— Onde? Em cima das pastas?

Não havia nenhum outro lugar onde colocar o *navratan*.

— E onde mais, então? Pendurado no meu pescoço? Sim, é isso, em cima daquela pasta cor-de-rosa em que está escrito "Pedidos do governo estadual para as propostas de avaliação". Não fique tão ansioso, Kedarnath, isso não vai desaparecer novamente. Vou providenciar para que a mãe de Veena guarde esse colar idiota em algum lugar.

6.22

MAIS tarde naquela noite, na casa onde moravam o *rajkumar* e seus amigos, Maan perdeu mais de 200 rupias jogando pôquer. Normalmente ele ficava segurando as cartas por tempo demais antes de baixar o jogo ou pedir para vê-las. A previsibilidade de seu otimismo era fatal para suas chances de ganhar a partida. Além disso, ele era inteiramente desprovido de uma expressão impassível, e seus companheiros de mesa tinham uma ideia clara de suas cartas no momento em que ele as recolhia. Ele perdeu 10 rupias ou mais em cada rodada — e, quando teve três reis na mão, só conseguiu ganhar 4 rupias.

Quanto mais ele bebia, mais perdia; e vice-versa.

Todas as vezes que uma dama — ou *begum* — passava por sua mão, ele pensava com um aperto no coração em *begum sahiba*, a quem raramente tinha permissão para ver nos últimos dias. Maan sentia que mesmo quando estavam juntos, apesar da empolgação e do afeto recíproco, ela o achava cada vez menos interessante, enquanto os sentimentos dele se tornavam cada vez mais sérios.

Depois de ter sido despojado de todo o dinheiro, ele resmungou em voz enrolada que precisava ir embora.

— Se você quiser, pode passar a noite aqui. Vá para casa de manhã — sugeriu o *rajkumar*.

— Não, não — disse Maan e foi embora.

Saiu vagando até a casa de Saeeda Bai, recitando poemas no caminho e cantando de vez em quando.

Passava da meia-noite. O vigia, vendo o estado em que ele se encontrava, pediu-lhe que fosse para casa. Maan começou a cantar, chamando Saeeda Bai:

É só um coração, não é tijolo nem pedra, e sente dor — por que não?
Sim, eu vou chorar por mil vezes, por que você me tortura em vão?

— Kapoor *Sahib*, o senhor vai acordar a rua toda — avisou o vigia, pragmático. Ele não guardava nenhum rancor do rapaz pela briga na outra noite.

Bibbo saiu da casa e o censurou gentilmente:

— Tenha a gentileza de ir para casa, *dagh sahib*. Esta é uma casa respeitável. *Begum sahiba* perguntou quem estava cantando e, quando eu disse, ela ficou muito irritada. Eu acho que ela gosta do senhor, *dagh sahib*, mas não quer vê-lo hoje à noite e me pediu para lhe dizer que nunca o receberá nesse estado. Por favor, perdoe minha impertinência, mas só estou repetindo as palavras dela.

— É só um coração, não é tijolo nem pedra — cantou Maan.

— Venha, *sahib* — chamou o vigia, sereno, e o conduziu rua abaixo gentilmente, mas com firmeza, na direção de Prem Nivas.

— Tome aqui, isto é seu. Você é um homem bom — disse Maan, metendo a mão nos bolsos da túnica. Revirou-os pelo avesso, mas estavam vazios. — Ponha minha gorjeta em sua conta — sugeriu.

— Pois não, *sahib* — disse o vigia e voltou para a casa cor-de-rosa.

6.23

BÊBADO, sem dinheiro e nada satisfeito, Maan foi cambaleando de volta a Prem Nivas. Para sua surpresa e desfocada aflição, a mãe estava novamente esperando por ele. Quando o viu, lágrimas rolaram por suas faces. Ela já estava nervosa antes por causa da questão do *navratan*.

— Maan, meu querido filho, o que aconteceu com você? O que ela fez com o meu garoto? Você sabe o que andam dizendo por aí a seu respeito? À essa altura até o pessoal de Benares já está sabendo.

— Que pessoal de Benares? — perguntou ele com a curiosidade despertada.

— "Que pessoal de Benares?", ele pergunta — disse a Sra. Mahesh Kapoor e começou a chorar com mais intensidade. Havia um forte cheiro de uísque no hálito do filho.

Maan passou o braço pelos ombros da mãe, protetor, e recomendou que ela fosse dormir. A Sra. Mahesh Kapoor pediu que subisse ao quarto dele pela escada do jardim, para não incomodar o pai, que estava trabalhando até mais tarde em seu gabinete.

Mas Maan, que não tinha entendido essa última instrução, subiu cantarolando a escadaria principal para ir dormir.

— Quem está aí? Quem é? É o Maan? — Ouviu-se a voz zangada do pai.

— É sim, *baoji* — respondeu ele, e continuou a subir as escadas.

— Você me ouviu? — gritou o pai numa voz que reverberou por metade da casa.

— Sim, *baoji* — Maan parou.

— Então venha aqui agora mesmo.

— Sim, *baoji*.

Maan desceu cambaleando a escada e entrou no gabinete do pai. Sentou-se numa cadeira diante da mesinha à qual o pai estava sentado. No recinto só havia os dois e um par de lagartixas que ficaram correndo pelo teto durante a conversa deles.

— Levante-se. Eu lhe mandei sentar?

Maan tentou se levantar, mas não conseguiu. Fez uma nova tentativa e acabou inclinado sobre a mesa diante do pai. Tinha os olhos vidrados. Os papéis sobre a mesa e o copo de água ao lado da mão de Mahesh Kapoor pareciam apavorá-lo.

O pai levantou-se, a boca comprimida em uma linha reta, os olhos severos. Tinha uma pasta na mão direita, a qual transferiu lentamente para a esquerda. Estava a ponto de dar uma forte bofetada no rosto do filho quando a Sra. Mahesh Kapoor se precipitou para dentro da sala e disse:

— Não faça... Não faça isso...

A voz e os olhos dela imploravam ao marido, e ele se abrandou. Enquanto isso, Maan fechou os olhos e desabou de novo na poltrona. Começou a cochilar novamente.

O pai, enfurecido, deu a volta na mesa e começou a sacudi-lo como se quisesse agitar todos os ossos do corpo dele.

— *Baoji*! — exclamou Maan despertado pela sensação, e começou a rir.

Mahesh Kapoor levantou de novo o braço direito e com o dorso da mão deu uma bofetada no rosto do filho de 25 anos. Maan engasgou, olhou fixo para o pai e levantou a mão para tocar na bochecha.

A Sra. Mahesh Kapoor se sentou em um dos bancos ao longo da parede. Estava chorando.

— Agora escute bem, Maan, a não ser que você queira levar outra dessas — disse o pai, ainda mais furioso ao ver que a esposa estava chorando por causa do que ele fizera. — Pouco me importa do que você vai se lembrar amanhã de manhã, mas não vou esperar até você ficar sóbrio. Está entendendo? — Elevou a voz e repetiu: — Está entendendo?

Maan fez que sim, reprimindo o primeiro instinto, que era fechar os olhos de novo. Estava tão sonolento que só conseguiu ouvir algumas palavras vagando, entrando e saindo de sua consciência. Ele sentia uma espécie de dor latejante em algum lugar, mas onde?

— Você já se viu? Você tem uma ideia de como está sua aparência? O cabelo desgrenhado, os olhos vidrados, os bolsos virados do avesso, uma mancha de uísque de alto a baixo da sua túnica...

Maan balançou a cabeça, depois a deixou tombar suavemente sobre o peito. Só queria pôr fim ao que estava acontecendo fora de sua cabeça: aquele rosto furioso, a gritaria, o formigamento.

Deu um bocejo.

Mahesh Kapoor apanhou o copo e jogou a água no rosto de Maan. Uma parte caiu em cima de seus próprios documentos, mas ele sequer os olhou. Maan tossiu e se engasgou, sentou-se sobressaltado. A mãe cobriu os olhos com as mãos e se pôs a soluçar.

— O que você fez com o dinheiro? O que fez com ele? — perguntou Mahesh Kapoor.

— Que dinheiro? — perguntou Maan, observando a água escorrer pela frente de sua túnica, um filete tomando o caminho da mancha de uísque.

— O dinheiro dos negócios.

Maan deu de ombros e franziu a testa em concentração.

— E o dinheiro que lhe dei para despesas? — continuou o pai, ameaçador.

Maan franziu a testa em profunda concentração e tornou a dar de ombros.

— O que você fez com ele? Vou lhe dizer o que você fez com ele: você o gastou com aquela puta.

Mahesh Kapoor jamais teria se referido a Saeeda Bai em termos semelhantes se não tivesse sido levado além dos limites da compostura.

A Sra. Mahesh Kapoor cobriu os ouvidos com as mãos. O marido bufou; a mulher, pensou ele impaciente, estava se comportando como os três macaquinhos de Gandhi, mas combinados num só. Em seguida ela estaria cobrindo a boca com as mãos.

Maan olhou para o pai por um segundo e depois respondeu:

— Não. Eu só levei presentinhos para ela. Ela nunca pediu mais que isso...

Ele se perguntava para onde poderia ter ido o dinheiro.

— Então você deve ter bebido e apostado o dinheiro todo — disse o pai repugnado.

Ah, sim, foi isso mesmo, recordou Maan aliviado.

— Sim, é isso mesmo, Baoji. Foi bebido, jogado e perdido — confirmou ele com satisfação, seu tom de voz alto, como se depois de longo esforço o problema insolúvel tivesse sido subitamente resolvido. Então as implicações de sua última palavra o atingiram, e ele pareceu envergonhado.

— Sem-vergonha, sem-vergonha, seu comportamento é pior do que o de um proprietário rural depravado, e isto eu não vou aceitar — gritou Mahesh Kapoor. Bateu na pasta cor-de-rosa que tinha à sua frente. — Eu não vou aceitar isso, nem sua presença aqui por mais tempo. Saia da cidade, saia de Brahmpur. Vá embora daqui agora mesmo. Não vou aceitá-lo aqui. Você está arruinando a paz de espírito de sua mãe, sua própria vida, minha carreira política e a reputação de nossa família. Eu lhe dou dinheiro e o que você faz com ele? Vai jogar ou gastar com prostitutas ou com uísque. A devassidão é seu único talento? Nunca pensei que ficaria envergonhado de um filho meu. Se quiser ver alguém que passa verdadeiras dificuldades, veja seu cunhado. Ele nunca pede dinheiro para seu negócio, e menos ainda "para uma coisa e outra". E que dizer de sua noiva? Encontramos uma moça adequada de boa família, combinamos um bom casamento para você, e aí você sai correndo atrás da Saeeda Bai, uma mulher cuja vida e cuja história são um livro aberto.

— Mas eu a amo — disse Maan.

— Ama? — gritou o pai, com incredulidade misturada à raiva. — Vá imediatamente para a cama. Esta é sua última noite nesta casa. Quero que vá embora de manhã. Fora daqui! Vá para Benares ou qualquer outro lugar de sua escolha, mas saia de Brahmpur. Fora!

A Sra. Mahesh Kapoor implorou ao marido que revogasse a ordem drástica, mas foi em vão. Maan ficou observando as duas lagartixas correrem pelo teto, de um lado para outro. Então, de súbito, levantou-se sem ajuda, dizendo muito decidido:

— Muito bem, e boa noite! Boa noite! Boa noite! Eu vou embora! Vou-me embora desta casa amanhã mesmo.

E foi para a cama sem ajuda, chegando até a se lembrar de tirar os sapatos antes de cair no sono.

6.24

NA manhã seguinte, ele acordou com uma terrível dor de cabeça, que, no entanto, passou miraculosamente em algumas horas. Lembrava-se de ter discutido com o pai, e esperou até o ministro da Fazenda sair para a Assembleia antes de ir perguntar à mãe o que eles tinham dito um ao outro. A Sra. Mahesh Kapoor estava extremamente nervosa: na noite anterior o marido ficara tão furioso que passou várias horas sem dormir. Tampouco havia conseguido trabalhar, o que o deixara ainda mais furioso. Qualquer sugestão de reconciliação tinha sido recebida por ele com uma rejeição tão irada que era quase incoerente. Ela percebeu que para ele a questão era muito séria e que Maan teria que sair de casa. Abraçando o filho, recomendou:

— Volte para Benares, empenhe-se no trabalho, aja com responsabilidade, torne a conquistar o coração de seu pai.

Nenhuma dessas quatro propostas pareceu atrair especialmente o rapaz, que assegurou à mãe, no entanto, que não iria continuar a causar problemas em Prem Nivas. Ordenou a um empregado que arrumasse sua bagagem. Decidiu que iria ficar na casa de Firoz; se não, na casa de Pran; se não, com o *rajkumar*; se não, em algum outro lugar de Brahmpur. Ele não iria embora dessa linda cidade nem abriria mão da chance de encontrar a mulher que amava só porque isso havia sido determinado por seu hostil e seco pai.

— Você quer que eu peça ao assistente de seu pai que compre sua passagem para Benares? — perguntou a Sra. Kapoor.

— Não, se for preciso eu comprarei na estação.

Depois de se barbear e tomar banho, ele vestiu um *kurta-pyjama* branco e se encaminhou um pouco envergonhado à casa de Saeeda Bai. Se ele estava tão bêbado na noite anterior quanto a mãe parecia acreditar, imaginou que chegara nesse mesmo estado à casa de Saeeda Bai, para onde tinha a vaga sensação de ter se dirigido.

Chegando à casa da cantora, foi admitido; e, pelo visto, o esperavam.

Ao subir as escadas, olhou-se ao espelho. Ao contrário de antes, ele agora observou seu reflexo com um olhar bastante crítico. Um barrete branco com bordados lhe cobria a cabeça; ele o removeu e examinou as têmporas prematuramente calvas antes de colocá-lo de novo, pensando com irônica tristeza que sua calvície talvez fosse o que havia desagradado a ela. "Mas o que eu posso fazer em relação a isso?", pensou.

Ao ouvir os passos dele no corredor, Saeeda Bai o chamou em voz hospitaleira:

— Entre, *dagh sahib*, entre. Seus passos hoje parecem regulares. Esperemos que seu coração esteja batendo com a mesma regularidade.

Saeeda Bai tinha refletido sobre Maan e chegado à conclusão de que alguma coisa precisava ser feita. A cantora admitiu que ele era muito bom para ela, mas também estava ficando muito exigente em relação ao seu tempo e a sua energia, e era difícil lidar com o apego demasiado obsessivo que ele lhe dedicava.

Quando o rapaz lhe relatou a cena que tivera com o pai e o fato de ter sido expulso de casa, ela ficou muito agitada. Prem Nivas, onde ela cantava regularmente no Holi e onde certa vez se apresentara também na Dussehra, havia se tornado um compromisso regular de sua agenda anual. Ela precisava cogitar a questão de seus rendimentos e também não queria que seu jovem amigo ficasse brigado com o pai.

— Para onde você está planejando ir? — perguntou ela.

— Ora, para lugar nenhum! — exclamou Maan. — Meu pai tem delírio de grandeza: acha que só porque pode espoliar um milhão de proprietários rurais da herança deles também pode mandar no filho. Vou ficar em Brahmpur com amigos.

Um súbito pensamento lhe ocorreu e perguntou:

— Por que não aqui?

— *Toba! Toba!* — praguejou Saeeda Bai horrorizada, pondo as mãos sobre os ouvidos, em choque.

— Por que eu deveria ficar longe de você? Longe da cidade onde você mora? — Inclinando-se em direção a ela, começou a abraçá-la. — E sua cozinheira faz deliciosos *shami kebabs* — acrescentou.

Embora contente com o ardor de Maan, Saeeda começou a pensar depressa.

— Eu sei — disse ela, desvencilhando-se dele. — Eu sei o que você deve fazer.

— Ãh... — disse ele, tentando abraçá-la novamente.

— *Dagh sahib*, fique sentado quietinho e me escute — disse Saeeda Bai em voz sedutora. — Você quer ficar perto de mim, quer me entender, não é mesmo?

— Sim, naturalmente.

— Por que, *dagh sahib*?

— Por quê? — perguntou ele incrédulo.

— Sim, por quê? — insistiu Saeeda Bai.

— Porque eu te amo.

— O que é o amor? Essa coisa intratável que transforma até os amigos em inimigos?

Isso foi demais para Maan, que não estava disposto a se envolver em especulações abstratas. Um súbito e tenebroso pensamento lhe ocorreu:

— *Você* também quer que eu vá embora?

Saeeda Bai ficou calada e puxou de volta para a testa a ponta do sári, que havia escorregado um pouco para trás. Os olhos dela, contornados de lápis negro, pareciam penetrar nas profundezas da alma de Maan.

— *Dagh sahib, dagh sahib*! — recriminou ela.

Maan se arrependeu imediatamente e baixou a cabeça.

— Eu só temia que você talvez quisesse testar nosso amor pela distância.

— Isso causaria tanto sofrimento a mim quanto a você — disse ela com tristeza. — Mas eu estava pensando em algo muito diferente.

Ela ficou em silêncio, e depois de tocar algumas notas no harmônio explicou:

— Seu professor de urdu, Rasheed, viajará dentro de alguns dias para a aldeia dele. Vai ficar fora um mês. Na ausência dele, não sei como conseguir um professor de árabe para Tasneem ou um professor de urdu para o senhor. Mas acho que, para me compreender inteiramente, para apreciar minha arte, para ecoar minha paixão, tem que aprender minha língua, a língua da poesia que eu declamo, dos gazais que canto, dos próprios pensamentos que tenho.

— Sim, sim — concordou ele arrebatado.

— Portanto, você deve ir passar um tempo, um mês, na aldeia com seu professor de urdu.

— O quê? — gritou Maan, que teve a sensação de que outro copo d'água lhe tivesse sido lançado ao rosto.

Saeeda Bai parecia tão transtornada com a solução que ela própria encontrara para o problema — era a solução óbvia, murmurava ela, mordendo o lábio inferior, mas não sabia como aguentaria a separação, etc. — que dentro de poucos minutos era Maan quem a consolava, e não o contrário. Ele lhe assegurou que era a única saída para o problema: mesmo que não tivesse onde morar na aldeia, dormiria ao relento, falaria, pensaria e escreveria na língua da alma dela, lhe enviaria carta escritas no urdu digno de um anjo. Até o pai teria orgulho dele.

— Você me fez ver que não há outra saída — ela acabou por dizer depois de um tempo, deixando-se convencer gradualmente.

Maan reparou que o periquito, naquele mesmo recinto, lhe dirigia um olhar cínico. Ele franziu o cenho.

— Quando Rasheed vai viajar?

— Amanhã.

Maan empalideceu.

— Mas então só nos resta hoje à noite! — gritou, com o coração apertado. — Não, não posso ir; não posso deixar você.

— *Dagh sahib*, se você for infiel à sua própria lógica, como posso acreditar que será fiel a mim?

— Então eu preciso passar esta noite aqui. Será nossa última noite juntos em... em um mês.

Um mês? Quando pronunciou essas palavras, sua mente se revoltou novamente ante o pensamento que ele se recusava a aceitar.

— Hoje à noite não será possível — disse Saeeda Bai em tom prático, pensando em seus compromissos.

— Então eu não irei — gritou Maan. — Eu não posso. Como poderia? Aliás, nós não consultamos Rasheed.

— Rasheed ficará honrado em lhe oferecer hospitalidade. Ele respeita muito seu pai, sem dúvida por causa de sua habilidade de lenhador, e, naturalmente, o respeita muito também, sem dúvida por causa de seu talento de calígrafo.

— Eu tenho que vê-la hoje à noite — insistiu Maan. — Eu preciso. Que lenhador? — acrescentou ele, franzindo a testa.

Saeeda Bai suspirou.

— É muito difícil cortar uma figueira-sagrada, *dagh sahib*, principalmente uma que esteve enraizada por tanto tempo no solo desta província. Mas eu posso escutar o machado impaciente de seu pai nos derradeiros troncos da árvore. Em breve ela será arrancada da terra. As serpentes serão expulsas das raízes e os cupins serão queimados com sua madeira podre. Mas o que acontecerá aos pássaros e aos macacos que cantavam ou tagarelavam em seus ramos? Diga-me, *dagh sahib*. É assim que a situação se apresenta hoje diante de nós. — Depois, vendo que o rapaz parecia deprimido, acrescentou com mais um suspiro: — Venha à uma da madrugada. Direi a seu amigo, o vigia, que providencie uma entrada triunfal para Shahenshah.

Maan sentiu que ela talvez estivesse rindo à custa dele, mas o pensamento de vê-la naquela noite o alegrou instantaneamente, mesmo que ele soubesse que ela estava apenas dourando a pílula.

— É claro que não posso prometer nada — prosseguiu a cantora. — Se ele lhe disser que estou dormindo, você não deve criar nenhuma situação constrangedora nem acordar a vizinhança.

Agora foi ele quem suspirou:

— Se de Mir o sonoro pranto continuar a cair,
Como poderá seu vizinho continuar a dormir?

Mas tudo acabou dando certo. Abdur Rasheed concordou em acolher Maan em sua aldeia e a lhe ensinar urdu. Mahesh Kapoor, temeroso de que o filho talvez tentasse desafiá-lo permanecendo na cidade, não ficou inteiramente desagradado com o fato de ele não ir para Benares, pois sabia o que Maan desconhecia — sem ele, a loja de tecidos estava prosperando. A Sra. Mahesh Kapoor (embora fosse ter saudade do filho) se alegrou com a ideia de Maan estar sob a guarda de um professor severo e sóbrio, e também de ele se afastar "daquilo". Maan pelo menos recebeu o suborno do êxtase de uma última noite de paixão com Saeeda Bai. E esta, quando raiou o dia, soltou um suspiro de alívio só levemente tingido pelo remorso.

Algumas horas mais tarde, afligido e exasperado por estar sendo tão astutamente aprisionado entre as garras do pai e da amada, um taciturno Maan viajava ao lado de seu professor, este apenas consciente, naquele momento, do prazer de abandonar a congestionada Brahmpur pela amplidão da zona rural, a bordo de um trem de bitola estreita que se balançava, dolorosamente vagaroso e hesitante, rumo ao distrito de Rudhia e ao povoado em que vivia a família de Rasheed.

6.25

TASNEEM só percebeu o quanto gostava de suas aulas de árabe quando Rasheed foi embora. Afora as aulas, todas as suas tarefas eram relacionadas ao trabalho doméstico, o que não abria uma janela para um mundo mais amplo. Mas seu jovem e sério professor, ao insistir na importância da gramática e não aceitar sua tendência a fugir das dificuldades, lhe despertara a consciência de ter em seu íntimo uma desconhecida capacidade de perseverar. Ela também o admirava porque ele estava abrindo seu próprio caminho no mundo sem o apoio da família. E quando ele se recusou a atender o chamado da irmã dela porque estava explicando à aluna um trecho do Corão, ela aplaudiu calorosamente o senso de princípios do professor.

Toda essa admiração era silenciosa. Em nenhuma ocasião Rasheed indicou que estivesse interessado nela de outra forma que não como professor. As mãos deles nunca haviam se tocado acidentalmente por cima de um livro. O fato de tal não ter se sucedido mostrava cuidado da parte dele, pois, no decurso normal e inocente dos acontecimentos, isso provavelmente teria ocorrido por acaso, mesmo que depois eles tivessem recuado instantaneamente.

Agora ele estaria fora de Brahmpur durante um mês, e Tasneem descobriu que estava triste, um sentimento maior do que a pausa nas lições de árabe poderia justificar. Ishaq Khan, percebendo seu estado de ânimo e também a causa dele, tentou animá-la:

— Ouça, Tasneem.

— Pois não, Ishaq *Bhai* — retrucou ela, um tanto desanimada.

— Por que você insiste em me chamar de *bhai*?

Tasneem ficou calada.

— Tudo bem, pode me chamar de irmão se você quiser, mas saia desse estado tristonho.

— Não posso; estou me sentindo triste.

— Pobre Tasneem. Ele vai voltar — disse Ishaq, tentando parecer apenas solidário.

— Eu não estava pensando nele — reagiu Tasneem depressa. — Eu estava pensando que agora não terei nada de útil para fazer senão ler romances e cortar legumes. Nada de útil para aprender...

— Ora, você poderia ensinar, mesmo sem aprender — disse Ishaq Khan, tentando parecer animador.

— Ensinar?

— Sim, ensinar Miya Mitthu a falar. Os primeiros meses de vida são muito importantes na educação de um periquito.

Por um segundo Tasneem se entusiasmou.

— *Apa* se apropriou do meu periquito. A gaiola fica sempre no quarto dela, quase nunca no meu. — Ela deu um suspiro. — Parece que tudo que é meu se torna dela — acrescentou bem baixinho.

— Eu vou buscá-lo — propôs Ishaq Khan galante.

— Não, você não deve. — disse a moça — Suas mãos...

— Ora, não estou tão aleijado assim.

— Mas deve estar mal. Sempre que o vejo ensaiar, noto em seu rosto o quanto é doloroso.

— E daí que seja? Eu tenho que tocar e praticar.

— Por que você não vai a um médico?

— Ora, vai passar.

— Ainda assim, não há prejuízo em examiná-las.

— Pois muito bem, vou ao médico porque você está me pedindo — disse Ishaq com um sorriso.

Às vezes, quando acompanhava Saeeda Bai nos últimos dias, o músico mal conseguia sufocar um grito de dor. O problema havia piorado. O estranho é que agora afetava os dois pulsos, apesar de suas duas mãos executarem funções muito diversas: a direita sobre o arco e a esquerda sobre as cordas.

Ishaq estava extremamente angustiado, pois de suas mãos dependia a subsistência dele e dos irmãos mais novos, que ele sustentava. Quanto à transferência do cunhado, Ishaq não havia se atrevido a tentar conseguir uma entrevista com o diretor da emissora — que certamente teria ouvido falar do que acontecera na cantina e estaria pouco propenso a atender seu pedido, principalmente se o grande *ustad* tivesse feito questão de expressar pessoalmente seu descontentamento.

Ishaq Khan se lembrava do pai lhe dizer: "Pratique pelo menos quatro horas por dia. Os escreventes trabalham mais tempo que isso nos escritórios, e você não pode ofender sua arte lhe oferecendo menos que isso". Às vezes o pai de Ishaq pegava a mão esquerda do filho no meio de uma conversa e a examinava com atenção; se os sulcos produzidos pelas cordas nas unhas mostravam sinais de desgaste recente, ele dizia: "Muito bem." Caso contrário, continuava simplesmente a conversar, com uma decepção que não era visível, mas palpável. Ultimamente, por causa da dor às vezes insuportável nos tendões dos pulsos, Ishaq tinha ficado incapaz de praticar por mais de uma ou duas horas diárias. Mas no momento em que a dor cedia, ele aumentava o ritmo.

Às vezes era difícil se concentrar em outras questões. Qualquer ação — erguer uma gaiola, mexer a xícara de chá, abrir uma porta — lembrava-lhe as mãos. Ele não podia pedir ajuda a ninguém. Se ele revelasse a Saeeda Bai a dor que sentia quando tocava para acompanhá-la, principalmente nos trechos mais acelerados, poderia condená-la por procurar outro músico?

— Não é sensato praticar tanto. Você deveria descansar e usar um bálsamo — murmurou Tasneem.

— Você acha que eu não quero descansar? Acha que para mim é mais fácil praticar...

— Mas você precisa usar o remédio adequado; é uma grande imprudência não usá-lo — disse Tasneem.

— Então vá buscar um pouco para mim — disse Ishaq Khan com uma aspereza súbita e pouco característica. — Todo mundo sente pena, todo mundo dá conselhos, mas ninguém ajuda. Anda logo, vai lá...

Ele parou de repente e cobriu os olhos com a mão direita. Não queria abri-los.

Imaginou o rosto espantado da moça, seus olhos de gazela começando a ficar marejados. Se a dor me tornou tão egoísta, pensou, terei que descansar e me recuperar, mesmo que isso signifique arriscar o emprego.

Em voz alta, depois de se recompor, ele disse:

— Tasneem, você precisa me ajudar. Converse com sua irmã e diga a ela o que eu não posso dizer. — Ele suspirou. — Falarei com ela depois. Em meu atual estado não vou conseguir outro emprego. Ela vai ter que me manter empregado, mesmo que eu passe um tempo sem conseguir tocar.

— Sim — retrucou Tasneem. Sua voz traía o fato de que ela estava chorando em silêncio, conforme ele havia suspeitado.

— Por favor, não leve a mal o que eu disse — continuou Ishaq. — Perdi a cabeça. Vou descansar — disse, balançando a cabeça.

Tasneem pôs a mão em seu ombro. Ele ficou muito quieto e continuou assim, mesmo quando ela retirou a mão.

— Vou falar com *apa* — prometeu a moça. — Eu devo ir agora?

— Sim. Não, fique mais um pouco.

— Você quer falar sobre o quê? — perguntou Tasneem.

— Eu não quero falar — respondeu Ishaq.

Depois de uma pausa, ele ergueu os olhos e viu o rosto dela. Estava marcado por lágrimas.

— Posso usar essa pena? — pediu ele, baixando o olhar.

Tasneem lhe entregou a pena em madeira com sua larga ponta de bambu fendido que Rasheed a fazia usar na caligrafia. As letras que a pena escrevia eram grandes, quase infantis; os pontos acima delas pareciam pequenos losangos.

Ishaq Khan pensou um minuto enquanto ela o observava. Então, puxando para junto de si uma folha grande de papel pautado — que ela usava para fazer exercícios —, ele escreveu algumas linhas com um pouco de esforço e entregou a página a ela sem dizer nada, antes mesmo que a tinta secasse:

   Queridas mãos, que tanto me fazem penar,
   Quando poderei seu uso recobrar?

   Quando poderemos fazer as pazes?
   Perdoem-me, e novamente as tornarei capazes.

   Nunca mais, disciplinado e grosseiro,
   Eu as farei cumprir meu forçado roteiro,

   Sem levá-las em consideração
   Nos trabalhos de nossa obrigação,

Nem espasmos, nem tormentos lhes trarei,
Mas, gentil, sua confiança eu conquistarei.

Ishaq ficou a observá-la enquanto os olhos adoráveis e suaves da moça se moviam da direita para a esquerda, e ele reparou com uma espécie de doloroso prazer no rubor que subiu às faces dela quando seus olhos pousaram sobre o dístico final.

6.26

QUANDO Tasneem entrou no quarto da irmã, encontrou-a sentada diante do espelho aplicando rímel às pálpebras.

A maioria das pessoas tem uma expressão que usa exclusivamente para se olhar ao espelho. Algumas fazem beicinho, outras arqueiam as sobrancelhas, outras assumem um ar de superioridade, com o nariz empinado. Saeeda Bai tinha uma série completa dessas fisionomias ao espelho, da mesma forma que as palavras dirigidas ao periquito cobriam o espectro completo dos sentimentos, indo da paixão à irritação. Quando Tasneem entrou, ela estava movendo a cabeça lentamente de um lado a outro com ar sonhador. Teria sido difícil adivinhar que sua abundante cabeleira negra havia acabado de revelar um solitário fio de cabelo branco, e que ela estava procurando outros.

Um recipiente de prata para guardar *paans* repousava entre os frascos e ampolas de sua penteadeira, e Saeeda Bai mascava dois *paans* guarnecidos do tabaco perfumado e semissólido conhecido como *kimam*. Quando Tasneem surgiu no espelho e os olhos delas se encontraram, o primeiro pensamento que ocorreu à cantora foi que ela, Saeeda, estava envelhecendo e que dentro de cinco anos teria 40. Sua expressão se alterou para um ar de melancolia, e ela se voltou para seu rosto ao espelho, fitando a própria íris, primeiro de um olho, depois do outro. Então, lembrando-se do convidado que estava aguardando naquela noite, sorriu a si mesma em carinhosa hospitalidade.

— Qual é o problema, Tasneem, me diga — perguntou ela, um tanto vagamente por causa do *paan*.

— *Apa*, é sobre Ishaq — respondeu Tasneem.

— Ele tem aborrecido você? — disse a cantora com certa aspereza, interpretando mal o nervosismo da irmã. — Eu vou falar com ele. Mande-o vir aqui.

— Não, não, *apa*, é isso — disse Tasneem, entregando à irmã o poema de Ishaq.

Depois de lê-lo, Saeeda Bai o deixou de lado e começou a brincar com o único batom que havia sobre o toucador. Ela nunca usava batom, pois seus lábios tinham uma cor avermelhada natural que era realçada pelo uso do *paan*, mas o cosmético lhe fora dado de presente há muito tempo pelo convidado que viria esta noite e ao qual ela era sentimentalmente apegada, de uma forma sutil.

— O que você acha, *apa*? Diga alguma coisa.

— Está bem-expresso e mal-escrito — disse Saeeda Bai. — Mas o que significa? Ele não continua com aquela história das mãos, não é?

— Ele está sentindo muita dor. Tem medo de contar a você, e você pedir que ele vá embora.

Saeeda Bai, recordando com um sorriso a forma como havia conseguido que Maan fosse embora, ficou calada. Estava a ponto de aplicar uma gota de perfume no pulso quando Bibbo entrou com estardalhaço.

— E agora, o que foi? — perguntou Saeeda Bai. — Saia já daqui, sua infeliz! Então não posso ter um momento de tranquilidade? Você já deu de comer ao periquito?

— Sim, *begum sahiba* — respondeu a criada com impertinência. — Mas o que devo dizer à cozinheira para fazer hoje à noite, a fim de alimentar a senhora e seu convidado?

Saeeda Bai dirigiu-se severamente ao reflexo da criada no espelho:

— Sua infeliz, você nunca vai chegar a ser coisa alguma. Mesmo depois de passar tanto tempo em minha casa, você ainda não adquiriu boas maneiras nem discernimento.

Bibbo fez um ar de penitência pouco convincente. Saeeda Bai continuou:

— Vá ver o que nós temos na horta e volte aqui em cinco minutos.

Quando Bibbo desapareceu, Saeeda Bai disse a Tasneem:

— Ele mandou você aqui para falar comigo?

— Não, eu vim por minha conta. Achei que ele precisava de ajuda.

— Tem certeza de que ele não está se comportando mal?

Tasneem fez que sim.

— Talvez ele possa escrever uns gazais para eu cantar — disse Saeeda Bai depois de um intervalo. — Vou ter que botá-lo para fazer algum trabalho. Pelo menos em caráter provisório. — E depois de aplicar uma gota de perfume, acrescentou: — Imagino que as mãos dele estejam boas o suficiente para escrever.

— Estão sim — informou Tasneem com satisfação.

— Então vamos combinar assim.

Mas em sua mente ela pensava em uma substituição definitiva. Sabia que não poderia sustentar Ishaq eternamente — ou até algum momento indefinido em que suas mãos resolvessem voltar ao normal.

— Muito obrigada, *apa* — disse Tasneem sorridente.

— Não me agradeça — retrucou Saeeda Bai contrariada. — Estou habituada a carregar todos os problemas do mundo em minha cabeça. Agora vou ser obrigada a encontrar um tocador de sarangi até que seu Ishaq *Bhai* seja capaz de voltar a tocar o dele, e também tenho que encontrar alguém para lhe ensinar árabe...

— Não, você não precisa fazer isso. — Tasneem apressou-se a dizer.

— Eu não preciso fazer isso? — estranhou Saeeda Bai, virando-se para encarar a própria irmã, e não a imagem dela no espelho. — Pensei que você gostasse de suas aulas de árabe.

Bibbo apareceu de novo no quarto. Saeeda Bai olhou-a impaciente e gritou:

— Sim, Bibbo, e então? Eu disse a você que voltasse depois de cinco minutos.

— Mas eu já descobri o que está pronto para colher na horta — retrucou Bibbo entusiasmada.

— Tudo bem, que seja — disse Saeeda Bai derrotada. — Além de quiabo, o que mais nós temos? O melão-de-são-caetano já começou a nascer?

— Sim, *begum sahiba*, e tem até uma abóbora.

— Então diga à cozinheira para fazer *kebabs* como sempre, *shami kebabs*, e algum legume escolhido por ela, e que ela prepare carneiro com melão-de-são-caetano também.

Tasneem fez uma discreta careta, que não passou despercebida à irmã.

— Se você achar o melão-de-são-caetano amargo demais, não precisa comê-lo — disse Saaeda Bai com voz impaciente. — Ninguém a está obrigando. Eu faço das tripas coração para mantê-la no conforto, e você não reconhece isso. — Voltando-se para Bibbo: — Ah, sim, depois da refeição vamos comer um pouco de *phirni*.

— Mas sobrou pouco açúcar da nossa cota de racionamento — alertou a criada.

— Vá comprar no mercado negro — instruiu Saeeda Bai. — Bilgrami *Sahib* gosta muito de *phirni*.

E, despachando Tasneem e Bibbo, ela continuou a se arrumar em paz. Naquela noite esperava a visita de um velho amigo, um médico quase dez anos mais velho que ela, bonito e culto. Era solteiro e por diversas vezes a pedira em casamento. Embora a certa altura tivesse sido um cliente, agora era um amigo. Mesmo sem estar apaixonada por ele, sentia gratidão por ele estar sempre a seu lado nos momentos de necessidade. Havia três meses que não se encontravam, e por isso ela o convidara a sua casa essa noite. Provavelmente ele tornaria a pedi-la em casamento, o que a deixaria feliz. A recusa dela, por ser igualmente inevitável, não o deixaria abalado.

Ela olhou em torno, e seu olhar recaiu sobre a imagem emoldurada da mulher que olhava através de uma arcada para um misterioso jardim.

A essa altura, pensou ela, *dagh sahib* devia ter alcançado seu destino. Na verdade eu não queria mandá-lo embora, mas mandei. Na verdade ele não queria ir embora, mas foi. Bom, tudo visou ao bem de todos.

Dagh sahib, porém, não teria concordado com essa avaliação.

6.27

ISHAQ KHAN esperou por *ustad* Majeed Khan nas imediações da casa dele. Quando o professor saiu de sua residência levando uma sacola e caminhando com ar solene, Ishaq o seguiu à distância. O professor caminhou em direção a Tarbuz ka Bazaar, passou pela rua que levava à mesquita e depois entrou na área relativamente ampla da feira livre local. Foi andando de barraca em barraca para ver se havia alguma coisa que interessasse. Era bom ainda encontrar tomates em abundância e a um preço tolerável no final da safra. Eles faziam a feira parecer mais alegre. Infelizmente a safra do espinafre estava quase no fim; era uma de suas verduras favoritas. E cenoura, couve-flor, repolho, todos eles haviam praticamente terminado até o próximo inverno. Mesmo os poucos que estavam à venda eram ressecados, encardidos e caros, sem nenhum traço do sabor do auge da safra.

Ocupado naquela manhã com pensamentos desse teor, o maestro ouviu uma voz dizer respeitosamente:

— *Adaab arz, ustad sahib.*

Ustad Majeed Khan voltou-se e viu Ishaq. Uma só olhada ao jovem bastou para remover a descontração de suas meditações e lhe recordar os insultos que fora obrigado a suportar na cantina. A lembrança lhe anuviou o rosto. Apanhando dois ou três tomates do tabuleiro, ele perguntou o preço.

— Preciso lhe fazer um pedido.

Era Ishaq outra vez.

— Sim? — O desprezo na voz do grande músico era inconfundível. Conforme o professor se lembrava, foi depois de ter oferecido ajuda ao rapaz em alguma questão trivial que aquele diálogo havia ocorrido.

— Eu também tenho um pedido de desculpas a fazer.

— Por favor, não desperdice meu tempo.

— Eu segui o senhor de sua casa até aqui. Preciso de sua ajuda. Estou em dificuldades. Preciso trabalhar para sustentar a mim e meus irmãos mais novos, e não consegui trabalho. Depois daquele dia a emissora não me chamou para tocar lá nenhuma vez.

O maestro deu de ombros.

— *Ustad sahib*, eu lhe imploro: não importa o que ache de mim, não prejudique minha família. O senhor conheceu meu pai e meu avô. Perdoe algum erro que eu possa ter cometido por causa deles.

— Que você possa ter cometido?

— Que eu cometi. Não sei o que deu em mim.

— Eu não estou prejudicando você. Vá em paz.

— *Ustad sahib*, desde aquele dia eu não consigo trabalho, e o marido de minha irmã não teve mais notícias a respeito da transferência dele de Lucknow. Não me atrevo a ir falar com o diretor.

— Mas se atreve a me abordar. Você me segue de casa até aqui...

— Só para ter a chance de falar com o senhor. O senhor entende... uma vez que também é um colega músico. — O professor se encolheu. — E ultimamente minhas mãos têm me causado problemas. Já mostrei a um médico, mas...

— Ouvi falar — disse o maestro secamente, mas não mencionou onde.

— Minha patroa deixou claro para mim que não posso ser sustentado por mais tempo sem trabalhar.

— Sua patroa! — Quando estava a ponto de se afastar, enojado, o grande cantor acrescentou: — Vá agradecer a Deus por isso. Entregue-se à misericórdia Dele.

— Estou me entregando à sua misericórdia — disse Ishaq em desespero.

— Eu não disse nada contra você ou a seu favor ao diretor da emissora. Eu vou considerar o que aconteceu naquela manhã uma aberração em seu cérebro. Se seu trabalho desapareceu, não foi por obra minha. Em todo caso, com as mãos nesse estado, o que se propõe a fazer? Você se orgulha muito das longas horas de prática. Meu conselho é que pratique menos.

Aquele também tinha sido o conselho de Tasneem. Ishaq assentiu, desolado. Não havia esperança, e como seu orgulho já fora abalado pelo desespero, sentiu que não perderia nada em completar o pedido de desculpas. Estava convencido de que deveria fazê-lo.

— Há outra questão, se é que posso abusar um pouco mais de sua indulgência: por muito tempo desejei pedir perdão por aquilo que sei que é imperdoável. Naquela manhã, *ustad sahib*, a razão pela qual eu tive a ousadia de me sentar à sua mesa na cantina foi porque pouco antes eu tinha escutado seu Todi.

O maestro, que estivera examinando os legumes, voltou-se ligeiramente em direção a ele.

— Eu estava sentado embaixo da árvore de *neem* no jardim da emissora com uns amigos. — continuou Ishaq. — Um deles tinha um rádio. Nós ficamos em transe, ou pelo menos eu fiquei. Pensei em procurar um jeito de lhe dizer aquilo. Mas depois as coisas saíram dos eixos, e outros pensamentos me dominaram.

Ele não podia dizer mais nada para se desculpar sem trazer outras questões à tona, pensou, tal como a lembrança do próprio pai, que fora, em sua opinião, humilhado pelo grande cantor.

Ustad Majeed Khan inclinou a cabeça quase imperceptivelmente como uma forma de reconhecimento. Olhou para as mãos do jovem, reparou no sulco desgastado da unha e, por um segundo, também começou a pensar por que ele não tinha trazido uma sacola de casa para carregar as verduras.

— Então... você gostou do meu Todi — disse *ustad* Majeed Khan.

— Seu... ou de Deus — replicou Ishaq. — Senti que o grande Tansen, ele próprio, teria ouvido com arrebatamento aquela interpretação de seu raga. Mas a partir daquele dia não consegui mais ouvir o senhor cantar.

O maestro franziu a testa, mas não se dignou a perguntar a Ishaq o que este quis dizer com seu último comentário.

— Eu vou ensaiar o Todi hoje de manhã — informou *ustad* Majeed Khan. — Siga-me quando eu sair daqui.

O rosto de Ishaq expressou completa descrença: era como se o céu tivesse caído em suas mãos. Ele se esqueceu delas, do orgulho, do desespero e da falta de dinheiro que o havia forçado a falar com *ustad* Majeed Khan. Limitou-se a ficar ouvindo como em um sonho o diálogo do professor com o feirante:

— Quanto custam essas aqui?

— Duas *annas* e meia por *pao*.

— Se for além de Subzipur, é possível pagar por elas uma e meia.

— *Bhai sahib*, esses preços são do Chowk, e não de Subzipur.

— Esses seus preços estão muito altos.

— Ah, nós tivemos um filho o ano passado. Desde então meus preços subiram.

O vendedor de legumes, sentado calmamente no chão em cima de um pedaço de tapete de juta, levantou os olhos para o professor.

Ustad Majeed Khan não sorriu diante dos gracejos do vendedor.

— Duas *annas* por *pao* e ponto final — disse o músico.

— Eu preciso ganhar meu sustento do senhor, e não da caridade de um *gurudwara*.

— Tudo bem — disse *ustad* Majeed Khan, atirando-lhe um par de moedas.

Depois de comprar um pedaço de gengibre e algumas pimentas, o *ustad* resolveu comprar algumas abóboras.

— Trate de me dar das pequenas.

— Sim, é isso que estou fazendo.

— E esses tomates... estão moles.

— Moles, senhor?

— Estão sim, veja... — disse o *ustad*, retirando-os da balança. — Em vez deles, pode pesar estes aqui. — Ele revirou os frutos, selecionando alguns.

— Eles não ficariam moles nem em uma semana, mas seja como o senhor quiser.

— Pese direito — vociferou o *ustad*. — Se você continuar a colocar pesos em um dos pratos, eu vou continuar colocando tomates no outro. Meu prato devia estar mais baixo.

De repente a atenção do cantor foi atraída por dois pés de couve-flor que pareciam relativamente viçosos e não lembravam os mirrados precursores da safra. Mas, quando o verdureiro mencionou o preço, o *ustad* ficou escandalizado.

— Você não teme a Deus?

— Para o senhor eu fiz um preço especial.

— Para mim? O que quer dizer com isso? Tenho certeza de que esse valor é o que você está cobrando de todo mundo, seu trapaceiro. Preço especial...

— Ah, mas essa couve-flor é especial, o senhor nem precisa de óleo para fritá-la.

Ishaq sorriu de leve, mas o cantor limitou-se a dizer ao espertalhão:

— Ah, me dê essa.

— Deixe-me carregar para o senhor, *ustad sahib* — sugeriu Ishaq.

Ustad Majeed Khan entregou a sacola de compras para Ishaq, esquecendo-se do problema nas mãos dele. No trajeto para casa, não disse nada. Ishaq caminhava a seu lado em silêncio.

Ao chegar à porta de casa, *ustad* Majeed Khan disse em voz alta:

— Eu trouxe uma pessoa comigo.

Ouviu-se o som de vozes femininas alvoroçadas e, logo em seguida, o de pessoas saindo da sala. Eles entraram. A tambura estava em um canto. *Ustad* Majeed Khan disse a Ishaq que deixasse as compras e esperasse por ele. O músico ficou de pé, mas olhou em torno. A sala estava cheia de quinquilharias baratas e mobília de mau gosto. Não podia haver contraste mais forte com a imaculada sala de Saeeda Bai.

Depois de lavar o rosto e as mãos, *ustad* Majeed Khan voltou. Disse a Ishaq que se sentasse e afinasse a tambura por algum tempo. Finalmente, satisfeito, começou a praticar o raga Todi.

Não havia tocador de tabla, e *ustad* Majeed Khan iniciou seu caminho pelo raga de uma maneira mais livre, menos ritmada, porém da forma mais intensa que Ishaq Khan já o ouvira interpretar. Nas apresentações públicas ele sempre começava não com um *alaap* improvisado como esse, e sim com uma composição muito lenta num ciclo rítmico longo, o que lhe permitia uma liberdade quase comparável, mas não muito. Esses poucos minutos tinham um sabor tão surpreendentemente distinto do daquelas outras grandes interpretações que Ishaq ficou arrebatado. Fechou os olhos, e o ambiente ao redor deixou de existir; depois de um momento, o mesmo aconteceu com ele próprio e, finalmente, com o cantor.

Ele não sabia quanto tempo ficara sentado ali quando ouviu *ustad* Majeed Khan dizer:

— Agora, você toca a tambura.

Ishaq abriu os olhos. O maestro, sentado em posição ereta, indicou a tambura que estava no chão diante dele.

As mãos de Ishaq não lhe causaram nenhuma dor quando ele pegou o instrumento e começou a tanger as quatro cordas, afinadas perfeitamente para a combinação ampla e hipnótica de tônica e dominante. Supôs que o maestro fosse continuar a praticar.

— Agora, cante comigo. — E o professor cantou uma frase melódica.

Ishaq Khan estava atônito.

— Por que está demorando tanto? — perguntou severamente o professor, no tom bastante conhecido de seus alunos no Haridas College of Music.

Ishaq Khan cantou a frase.

O professor continuou a oferecê-las, no começo breves, em seguida cada vez mais longas e complexas. Ishaq Khan as repetia da melhor forma possível, a princípio com uma hesitação pouco musical, mas depois de um tempo completamente esquecido de si mesmo nas ondulações da música.

— Os *sarangi-wallahs* são peritos em copiar — disse ele pensativo. — Mas você tem algo que vai além.

Ishaq ficou tão surpreso que suas mãos pararam de tanger as cordas da tambura.

O *ustad* ficou calado algum tempo. O único som dentro da sala era o tique-taque de um relógio barato. *Ustad* Majeed Khan olhou o relógio como se visse o objeto pela primeira vez e depois desviou o olhar para Ishaq.

Ocorreu-lhe o pensamento de que talvez, apenas talvez, tivesse encontrado em Ishaq o discípulo que vinha procurando há anos — alguém a quem ele pudesse transmitir sua arte, alguém que, ao contrário de seu próprio filho, cuja voz era igual à de um sapo, amasse a música com paixão. Alguém que tivesse treinamento em apresentações públicas e cuja voz não fosse desagradável, que possuísse uma noção excepcional de afinação e ornamento, além de um elemento adicional: uma indefinível expressividade, mesmo ao copiar as frases dele, uma característica que era a alma da música. Mas originalidade em composição... ele a teria? Ou, pelo menos, o embrião de tal originalidade? Só o tempo diria — os meses ou talvez os anos.

— Volte amanhã, às sete da manhã — disse o *ustad*, dispensando-o. Ishaq Khan assentiu lentamente, então levantou-se e saiu.

Parte Sete

7.1

LATA viu o envelope na bandeja. Antes do café da manhã, o empregado de Arun tinha trazido a correspondência, a qual deixara sobre a mesa de jantar. Ao ver a carta ela respirou fundo, abruptamente. Chegou até a olhar em torno, mas ninguém ainda havia entrado na sala de jantar. Naquela casa o café da manhã era uma refeição de horário incerto.

Lata conhecia a caligrafia de Kabir do bilhete que ele havia escrito durante a reunião da Sociedade Literária de Brahmpur. Ela não esperara que ele lhe escrevesse e não imaginava como ele havia conseguido o endereço dela em Calcutá. Lata também não queria saber de Kabir. Não desejava receber notícias dele ou de qualquer pessoa sobre ele. Olhando para trás, ela constatou que tinha sido feliz antes de encontrá-lo; preocupava-se apenas com os exames e com algumas pequenas divergências com a mãe ou com uma amiga. Sentia-se incomodada com a conversa constante sobre encontrar um marido adequado para ela, mas não infeliz como estivera durante essas "férias" que a mãe a forçara a tirar.

Na bandeja, havia uma espátula de abrir cartas. Lata pegou-a, e depois ficou indecisa. A mãe podia entrar a qualquer momento e, como normalmente fazia, perguntaria à moça de quem era a carta e o que dizia. Baixou a espátula e pegou cartão envelope.

Arun entrou. Usava gravata listrada de vermelho e preto, camisa branca engomada, e trazia o paletó em uma das mãos e o jornal *Statesman* na outra. Pendurou o paletó na cadeira, dobrou o jornal de modo a ter conveniente acesso às palavras cruzadas, cumprimentou a irmã afetuosamente e examinou a correspondência.

Lata se dirigiu à pequena sala de estar ao lado da de jantar, pegou um volumoso livro de mitologia egípcia que ninguém nunca lia e inseriu nele o envelope. Depois voltou à sala de jantar e se sentou, cantarolando baixinho um raga Todi. Arun fez cara feia. Lata se calou. O empregado trouxe para ela um ovo frito.

Arun começou a assobiar para si a canção "Three Coins in a Fountain". Já havia resolvido parte das palavras cruzadas enquanto estava no banheiro, e resolveu mais algumas sentado à mesa do café. Então abriu uma parte da correspondência, que examinou de relance, e disse:

— Quando aquele maldito idiota vai me trazer a droga do ovo? Eu vou me atrasar!

Pegou uma torrada e passou manteiga.

Varun entrou. Estava usando o *kurta-pyjama* rasgado com que obviamente estivera dormindo.

— Bom dia, bom dia — disse ele. Parecia hesitante, quase culpado. Sentou-se, e quando Hanif, o criado e cozinheiro da casa, veio trazer o ovo para Arun, ele pediu o seu. Primeiro queria uma omelete, depois se decidiu por ovos mexidos. Enquanto isso, pegou na bandeja uma torrada, na qual passou manteiga.

— Você bem que poderia usar a faca de manteiga — vociferou Arun, sentado à cabeceira da mesa.

Varun tinha pegado um pouco de manteiga para passar na torrada usando a própria faca. Ele aceitou a repreensão calado.

— Você ouviu o que eu disse?

— Ouvi, Arun *Bhai*.

— Então deveria confirmar com uma palavra, ou pelo menos um aceno, que ouviu minha observação.

— Sim.

— Há um sentido, como você sabe, em adotar boas maneiras à mesa.

Varun fez uma careta. Lata olhou solidária em sua direção.

— Nem todo mundo gosta de ver a manteiga toda coberta das migalhas da sua torrada.

— Tá bom, tá bom — disse Varun, levado à impaciência. Foi um protesto fraco, mas recebido com uma reação imediata. Pondo sobre a mesa o garfo e a faca, Arun olhou para ele e esperou. — Tá bom, Arun *Bhai* — corrigiu Varun humildemente.

Indeciso quanto a passar geleia ou mel na torrada, ele acabou optando pela geleia, já que manipular a colher de servir mel lhe atrairia reprovação. Enquanto passava geleia, olhou de esguelha para Lata, e os dois trocaram sorrisos. O de Lata foi um meio sorriso, muito típico dela ultimamente. O de Varun foi um sorriso torto, como se ele não soubesse se estava feliz ou desesperado. Era do tipo que deixava o irmão mais velho fora de si e convencido de que o outro era um caso perdido. Varun tinha recentemente terminado a graduação. Ele formara-se em matemática, e ao anunciar isso à família, sorrira exatamente daquele jeito.

Pouco depois do fim do semestre letivo, em vez de conseguir um emprego e contribuir para as despesas, Varun havia adoecido, para irritação do irmão mais velho. Ele ainda estava um pouco fraco e se assustava com barulhos fortes. Arun disse a si mesmo que, na semana seguinte ou nas próximas, ele realmente precisaria ter uma conversa franca com o irmão caçula sobre o fato de que nada caía do céu e sobre o que o pai teria dito se estivesse vivo.

Meenakshi entrou com Aparna.

— Onde está *daadi*? — perguntou Aparna, percorrendo a mesa com o olhar à procura da Sra. Rupa Mehra.

— A vovó vai chegar daqui a pouco, Aparna querida — disse a mãe. — Provavelmente ela está recitando os Vedas — acrescentou vagamente.

A Sra. Rupa Mehra, que toda manhã bem cedo recitava um ou dois capítulos do *Gita*, estava de fato se vestindo.

Quando entrou, sorriu para todos à mesa. Mas o sorriso morreu em seus lábios quando ela notou em Aparna a corrente de ouro que Meenakshi, num momento de distração, havia pendurado ao pescoço da menina. A nora estava despreocupadamente alheia ao possível problema, mas a criança perguntou minutos depois:

— Por que a senhora parece tão triste, *daadi*?

A Sra. Rupa Mehra terminou de mastigar um pedaço de torrada com tomate frito e disse:

— Eu não estou triste, meu bem.

— A senhora está zangada comigo, *daadi*? — perguntou Aparna.

— Não, meu amor, com você não.

— Então com quem?

— Talvez comigo mesma — respondeu a avó. Ela não fitou diretamente a destruidora de medalhas, mas olhou de soslaio para Lata, que observava o jardinzinho pela janela. Naquela manhã, Lata estava mais calada do que o normal, e a Sra. Rupa Mehra disse consigo que precisava fazer aquela boba sair desse estado de ânimo. Bom, no dia seguinte, na casa dos Chatterji, haveria uma festa à qual a filha teria que ir, quer gostasse da ideia ou não.

Um carro buzinou alto lá fora, e Varun se encolheu.

— Eu deveria despedir esse maldito motorista — disse Arun. Depois acrescentou com um riso: — Mas com certeza ele me lembra a hora de sair para o escritório. Até mais tarde, querida. — Arun tomou o último gole de café e beijou a mulher. — Mandarei o carro de volta em meia hora. E até mais tarde, sua feiosa. — Deu um beijo na filhinha e esfregou a bochecha contra a dela. — Até logo mais, *ma*. Até logo para todos. Não se esqueçam, Basil Cox vai vir para o jantar.

Carregando o paletó dobrado sobre o braço e a pasta na outra mão, ele andou a passos largos para o pequeno Austin azul-celeste que o aguardava lá fora. Até o último minuto, nunca era possível saber se ele levaria o jornal consigo para o escritório; isso era parte da incerteza geral de se conviver com ele, exatamente como suas repentinas mudanças de humor, da raiva para o carinho, e deste para a cortesia. Hoje, para alívio geral, ele deixou o jornal.

Varun e Lata normalmente teriam se atirado sobre o periódico, mas hoje Varun ficou decepcionado quando a irmã não agiu assim. Depois da partida de Arun, o clima se desanuviou. Agora Aparna se transformou no foco da atenção. A mãe começou a dar o café da manhã à menina, mas depois chamou a Bruxa Desdentada para cuidar dela. Varun leu para a cunhada alguns trechos das notícias, as quais ela ouviu com cuidadosa simulação de compreensão e interesse.

Lata só conseguia pensar em quando e onde encontraria tempo e espaço para ler sua carta, nessa casa com dois quartos e meio e quase nenhuma privacidade. Estava aliviada por ter conseguido tomar posse daquilo que só a ela pertencia (embora a mãe tivesse julgado isso discutível). Mas enquanto olhava pela janela o gramado pequeno e intensamente verde, com seu rendilhado branco dos pés de lírio-aranha, pensava no possível conteúdo da carta com um misto de saudade e mau presságio.

7.2

ENQUANTO isso, havia preparativos a serem feitos para o jantar daquela noite. Basil Cox, que viria à casa deles com a esposa Patricia, era chefe do departamento de Arun na empresa Bentsen & Pryce. Hanif foi mandado ao Jagubazaar para buscar dois frangos, um peixe e hortaliças, enquanto Meenakshi — acompanhada por Lata e a Sra. Rupa Mehra — foi ao New Market no carro que tinha acabado de voltar do escritório de Arun.

Meenakshi fez suas compras quinzenais de mantimentos — farinha de trigo refinada, marmelada e geleia Chivers, xarope Lyle's Golden, manteiga

Anchor, chá, café, queijo, açúcar limpo ("não este produto imundo do racionamento") na Baboralley, dois pães de forma de uma loja em Middleton Row ("o pão do mercado é horrível, Luts"), um pouco de salaminho de uma loja de frios em Free School Street ("o que vendem no Keventers é terrivelmente insosso, eu resolvi nunca mais comprar lá") e meia dúzia de garrafas de cerveja Beck's na loja Shaw Brothers. Lata foi com ela a toda parte, embora a Sra. Rupa Mehra tivesse se recusado a entrar na loja de frios e na de bebidas. Ela se escandalizou com a extravagância da nora e com a natureza caprichosa de algumas de suas compras. ("É quase certo que Arun vai gostar disso, vou levar dois", dizia Meenakshi sempre que o vendedor sugeria algum artigo que, na sua opinião, agradaria a madame.) Todas as compras foram colocadas num grande cesto que um menino esfarrapado carregava na cabeça e finalmente levou até o carro. Sempre que era abordada por mendigos, Meenakshi os ignorava.

Lata quis visitar uma livraria em Park Street, onde ela passou cerca de 15 minutos enquanto Meenakshi ficava cada vez mais impaciente. Quando ela descobriu que Lata não tinha comprado nada, achou muito esquisito. A Sra. Rupa Mehra se contentou em ficar eternamente olhando os livros.

Quando chegaram em casa, Meenakshi encontrou o cozinheiro terrivelmente transtornado. Ele não tinha certeza das proporções exatas dos ingredientes para o suflê e, quanto ao peixe, ela teria que dar instruções sobre o fogo necessário à defumação. Aparna também estava emburrada por causa da ausência da mãe. Ela agora ameaçava fazer pirraça. Isso foi demais para Meenakshi, que estava ficando atrasada para a partida de canastra que jogava com um grupo de mulheres — The Shady Ladies — uma vez por semana e ao qual ela não gostava de faltar (com ou sem Basil Cox). Ela entrou em pânico e ficou aos gritos com Aparna, a Bruxa Desdentada e o cozinheiro. Varun se trancou em seu quartinho e cobriu a cabeça com um travesseiro.

— Você não deve perder a calma por causa de ninharias — disse a sogra inoportunamente.

— Isso ajuda muito, *ma* — replicou Meenakshi exasperada. — O que a senhora espera que eu faça? Que falte ao jogo de canastra?

— Não, você não vai faltar a seu jogo de canastra, Meenakshi, e não é isso que estou lhe pedindo que faça, e sim que não grite desse jeito com Aparna. Não é bom para ela.

Ouvindo isso, a menina se aproximou furtivamente da cadeira da avó. Meenakshi deu um muxoxo de impaciência.

De súbito ficou evidente para ela a terrível posição em que se encontrava. Esse cozinheiro era um verdadeiro incompetente. Arun ficaria terrivelmente zangado com ela se alguma coisa desse errado naquela noite. Era tão importante para o trabalho dele — e o que ela podia fazer? Cortar do cardápio o peixe defumado? Esse idiota do Hanif poderia pelo menos cuidar da galinha assada. Mas ele era um sujeito temperamental, às vezes nem fritava um ovo direito. Meenakshi olhou em volta, estressada.

— Pergunte a sua mãe se você pode pedir emprestado a ela o cozinheiro mongol — lembrou Lata, com uma súbita inspiração.

Meenakshi olhou-a admirada.

— Luts, você é o próprio Einstein! — disse ela, e imediatamente telefonou para a mãe. A Sra. Chatterji acorreu em socorro da filha. Ela tinha dois cozinheiros: um para culinária bengalesa, outro para culinária ocidental. O cozinheiro bengalês foi escalado para fazer o jantar naquela noite na casa dos Chatterji, e o cozinheiro mongol, que vinha de Chittagong e era excelente em culinária ocidental, seria despachado para Sunny Park dentro de meia hora. Enquanto isso, Meenakshi, que tinha saído para almoçar e jogar canastra, quase esquecera as atribulações da vida.

Ela voltou no meio da tarde e se viu às voltas com uma rebelião. A vitrola tocava a pleno volume e as galinhas cacarejavam alarmadas. O cozinheiro mongol lhe comunicou com máxima arrogância que não estava acostumado a ser terceirizado daquele jeito, que não tinha o hábito de trabalhar numa cozinha tão pequena, que o cozinheiro-copeiro de Meenakshi havia se comportado com insolência, que o peixe e as galinhas que tinham sido comprados não eram muito frescos e que para o suflê ele precisava de certo tipo de extrato de limão que ela não tivera a precaução de fornecer. Hanif, de sua parte, lançava olhares ressentidos e estava a ponto de pedir as contas. Segurando à sua frente uma galinha cacarejante, ele dizia:

— Pode apalpar o peito dela, *memsahib*, esta é uma galinha jovem e sadia. Por que eu deveria trabalhar sob as ordens deste homem? Quem é ele para mandar em mim na minha própria cozinha? Fica só repetindo: "Eu sou cozinheiro do senhor juiz Chatterji. Eu sou cozinheiro do senhor juiz Chatterji."

— Não, não, eu não preciso apalpar, acredito em você... — gritou Meenakshi, estremecendo e retraindo as mãos, cujas unhas estavam pintadas de vermelho, enquanto o cozinheiro afastava as penas da galinha e oferecia o peito da ave à avaliação da patroa.

Embora não estivesse descontente com o embaraço da nora, a Sra. Rupa Mehra não queria colocar em risco esse jantar oferecido ao chefe de seu filho querido. Ela era perita em promover a paz entre empregados rebeldes, e foi o que fez agora. Restaurada a harmonia, ela foi jogar paciência na sala de estar.

Varun tinha ligado o gramofone meia hora antes, e o aparelho tocava sem parar o mesmo disco arranhado de 78 rotações: era o tema do filme híndi *Two intoxicating eyes*. Depois da quinta repetição, ninguém conseguia mais tolerar a música, nem mesmo a sentimental Sra. Rupa Mehra. Varun estivera cantando consigo a letra da canção, melancólico e sonhador, antes da volta de Meenakshi. Quando ela chegou, ele parou de cantar, mas o gramofone continuou tocando, e ele começou a cantarolar baixinho para acompanhá-lo. Enquanto guardava as agulhas gastas, uma a uma, no pequeno compartimento acoplado à lateral do aparelho, ele refletia com ar sombrio sobre sua vida fugaz e sua inutilidade.

Lata apanhou na prateleira o livro de mitologia egípcia e estava a ponto de sair para o jardim com ele quando a mãe perguntou:

— Para onde você está indo?

— Vou me sentar no jardim, *ma*.

— Mas, Lata, está fazendo muito calor.

— Eu sei, *ma*, mas não consigo ler com essa música tocando.

— Vou dizer a ele que desligue. Esse sol todo é prejudicial a sua pele. Varun, desligue isso.

A mãe foi obrigada a repetir o pedido várias vezes antes que o filho escutasse o que ela estava dizendo.

Lata levou o livro para o quarto.

— Lata, venha se sentar aqui comigo, querida.

— *Ma*, por favor, me deixe sossegada.

— Você tem me ignorado há dias — reclamou a mãe. — Até quando eu lhe dei o resultado das provas finais, seu beijo foi indiferente.

— *Ma*, eu não tenho ignorado a senhora — defendeu-se a filha.

— Tem sim, você não pode negar. Eu sinto aqui. — A Sra. Rupa Mehra apontou para a região do coração.

— Está certo, *ma*, eu tenho ignorado a senhora. Agora me deixe ler, por favor.

— O que é isso que você está lendo? Deixe-me ver esse livro.

Lata devolveu o livro para a estante.

— Pois bem, *ma*, eu não vou ler, vou conversar com a senhora. Está satisfeita?

— Você quer conversar sobre o quê? — perguntou a mãe, carinhosamente.

— Eu não quero conversar. Quem quer é a senhora — frisou a filha.

— Pois vá ler esse seu livro idiota! — gritou a Sra. Rupa Mehra, perdendo de repente as estribeiras. — Eu sou obrigada a fazer tudo nessa casa e ninguém se importa comigo. Tudo sai errado e sou eu que tenho de promover as pazes. Dediquei toda a minha vida a vocês, e vocês nem se importam se eu estou viva ou morta. Vocês só vão reconhecer o meu valor quando eu for incinerada em uma pira.

As lágrimas começaram a rolar por suas faces, e ela colocou um nove preto sobre um dez vermelho no jogo de paciência.

Normalmente Lata teria feito alguma tentativa conciliatória de consolar a mãe, mas esta a deixara tão frustrada e irritada com a súbita chantagem emocional que ela não fez nada. Passado um momento, tirou novamente o livro da estante e o levou para o jardim.

— Vai chover e estragar o livro. Você não tem noção do valor do dinheiro.

Ótimo, pensou Lata, com rancor. Tomara que o livro e todo o seu conteúdo — e eu também — sejam arrastados pela água da chuva.

7.3

O JARDINZINHO verdejante estava vazio. O jardineiro de meio expediente tinha ido embora. Um corvo de ar inteligente grasnava em uma bananeira. Os delicados lírios-aranha estavam em flor. Lata se sentou no banco de ripas de madeira pintadas de verde, à sombra de um majestoso flamboyant. Tudo fora lavado pela chuva e limpo, ao contrário de Brahmpur, onde cada folha parecia empoeirada, e o gramado, ressecado.

Lata olhou para o envelope com sua caligrafia firme e o carimbo postal de Brahmpur. O nome dela vinha seguido imediatamente pelo endereço; não era "aos cuidados de" ninguém.

Com um grampo de cabelo, ela abriu o envelope. A carta só tinha uma página. Embora tivesse esperado que a carta de Kabir fosse efusiva e apologética, não foi exatamente assim.

Depois do endereço e da data vinha o texto:

Querida Lata,

Por que eu deveria repetir que a amo? Não vejo razão para você não crer em mim. Eu não deixo de acreditar em você. Por favor, me diga qual é o problema. Não quero que as coisas entre nós dois terminem assim.

Não consigo pensar em nada a não ser em você, mas me irrita ser obrigado a dizer isso. Não pude e não posso fugir com você para algum paraíso terrestre; mas como você poderia ter a expectativa de que eu o fizesse? Imagine se eu tivesse concordado com seu plano louco. Sei que você teria então descoberto vinte razões pelas quais seria impossível levá-lo adiante. Mas de toda forma eu talvez devesse ter concordado. Talvez você tivesse se sentido segura, pois eu teria provado o quanto gostava de você. Bom, eu não gosto de você a ponto de querer abdicar de minha inteligência. Eu não gosto nem de mim mesmo a esse ponto. Não é esse meu modo de ser — eu planejo um pouco o futuro.

Querida Lata, você é tão inteligente; por que não ver as coisas em perspectiva? Eu te amo. Você realmente me deve um pedido de desculpas.

Aliás, parabéns pelo resultado de suas provas finais. Você deve estar muito contente, mas isso não me surpreende muito. No futuro você não deve desperdiçar seu tempo chorando sentada num banco. Quem sabe quem pode querer socorrê-la? Sempre que sentir a tentação de fazê-lo, pense em mim voltando ao pavilhão e chorando cada vez que não consigo fazer uma centena de corridas no críquete.

Anteontem aluguei um barco e subiu o Ganges até o Barsaat Mahal. Mas, tal como o nababo Khushwaqt, eu estava tão triste que minha mente não se acalmou, e o lugar pareceu sórdido e sombrio. Por muito tempo não consegui esquecê-la, embora tivesse feito todo esforço possível. Senti uma forte identificação com ele, apesar de minhas lágrimas não terem caído tão rápidas e abundantes nas águas perfumadas.

    Meu pai, embora seja muito distraído, viu que alguma coisa estava me perturbando. Ontem ele disse: "Não foram os resultados. Então, o que é, Kabir? Acredito que seja uma garota ou alguma coisa." Eu também acredito que seja uma garota ou alguma coisa.

    Agora que você tem o endereço, por que não me escreve? Sinto-me infeliz desde que você foi embora e incapaz de me concentrar em alguma coisa. Eu sabia que você não podia me escrever, ainda que quisesse, pois não tinha meu endereço. Bom, agora você o tem, portanto escreva-me, por favor. Caso contrário, saberei o que pensar. E na próxima vez que eu for à casa do Sr. Nowrojee, terei que ler versos aflitos de minha autoria.

Com todo o meu amor, minha querida Lata,
Seu,
Kabir

7.4

LATA ficou sentada por um longo tempo numa espécie de devaneio. No princípio ela não releu a carta. Sentia muitas emoções diferentes, que a puxavam para direções conflitantes. Em circunstâncias normais a pressão de seus sentimentos talvez a tivesse levado a derramar algumas lágrimas sem perceber, mas algumas observações contidas na carta tornavam isso impossível. Sua primeira impressão foi a de ter sido enganada, espoliada de uma coisa com que havia contado. Kabir não pedia desculpas pelo sofrimento que ele devia saber ter causado a ela. Havia declarações de amor, mas não eram tão fervorosas nem isentas de ironia quanto ela tinha esperado. Talvez não tivesse dado a Kabir a oportunidade de se explicar no último encontro deles, mas, agora que ele estava lhe escrevendo, podia ter se explicado melhor. Ele não lidara com aquele assunto com seriedade, e Lata desejava que ele fizesse isso acima de tudo. Para ela fora uma questão de vida ou morte.

    Tampouco lhe havia fornecido muitas notícias — ou mesmo alguma — de si, e a moça ansiava por notícias. Queria saber tudo a respeito dele, inclusive se havia se saído bem nos exames. A julgar pela observação do pai, era provável que ele não tivesse se saído mal, mas essa não era a única interpretação para seu comentário. Talvez Kabir quisesse dizer que, mesmo que ele tivesse apenas passado raspando, a divulgação dos resultados dos exames finais havia descartado uma de suas áreas de incerteza como possível explicação para seu desânimo — ou talvez mera inquietação. E como ele conseguiu o endereço dela? Certamente não tinha sido com Pran e Savita. Com Malati, talvez? Mas, até onde ela sabia, Kabir nem mesmo conhecia Malati.

Ele não queria assumir nenhuma responsabilidade pelo sentimento dela, isso era evidente. De fato, era ela quem — de acordo com ele — deveria pedir desculpas. Em uma frase ele elogiava a inteligência dela; em outra, tratava-a como idiota. Lata teve a impressão de que ele estivera tentando animá-la sem assumir nenhum compromisso com ela além de "amor". E o que era o amor?

Muito mais que os beijos trocados, ela se lembrava da manhã em que o havia seguido até o campo de críquete e o observara praticar nas redes. Ela ficara em transe, hipnotizada. Ele tinha jogado a cabeça para trás e começado a rir de alguma coisa. Sua camisa estava aberta no colarinho; uma leve brisa soprava nos bambus; um casal de mainás estava discutindo; fazia calor.

Ela tornou a ler a carta. Apesar da imposição feita por ele de que ela não se sentasse chorando em bancos, as lágrimas formaram-se em seus olhos. Depois de ler a carta, Lata começou a ler, quase inconscientemente, um parágrafo do livro de mitologia egípcia. Mas as palavras não formavam nenhum sentido em sua mente.

Foi despertada pela voz de Varun, a uns 2 metros de distância.

— É melhor você entrar, Lata. *Ma* está ficando angustiada.

Lata se controlou e assentiu.

— Qual é o problema — perguntou ele, notando que ela estava, ou tinha estado, chorando. — Você brigou com ela?

Lata acenou em negativa.

Ao olhar para o livro, Varun avistou a carta e imediatamente entendeu quem era o remetente.

— Eu vou matá-lo — disse Varun, com medrosa ferocidade.

— Não há nada para matar — disse Lata, mais zangada que triste. — Mas, por favor, Varun *Bhai*, não conte nada a *ma*, pois só nos deixaria loucas.

7.5

QUANDO Arun voltou do trabalho naquele dia, estava de excelente humor. Havia tido um dia produtivo e sentia que a noite também ia correr bem. Com a crise doméstica resolvida, Meenakshi já não estava mais correndo de um lado para o outro nervosamente; de fato, estava tão elegantemente serena que o marido jamais teria adivinhado que ela estivera sequer agitada. Depois de beijá-lo na face e dar a ele o benefício de seu riso cristalino, ela foi trocar de roupa. Aparna estava encantada por ver o pai, no qual deu vários beijos, mas não conseguiu convencê-lo a resolver um quebra-cabeça com ela.

Arun achou que Lata parecia um pouco rabugenta, mas ultimamente era essa a atitude típica da irmã. *Ma*... bom, *ma*... Não havia como explicar seus estados de espírito. Ela parecia impaciente, provavelmente porque o chá não lhe fora servido na hora certa. Varun estava como sempre desarrumado e evasivo. Arun se perguntava por que o irmão tinha tão pouca força de vontade e iniciativa e por que sempre vestia conjuntos esfarrapados que davam a impressão de terem sido usados para dormir.

— Abaixe essa barulheira horrorosa — gritou ele ao entrar na sala de estar e receber o pleno impacto de "Two intoxicating eyes".

Varun, por mais intimidado que estivesse pelo irmão e sua sofisticada tirania, de vez em quando erguia a cabeça, em geral para ser brutalmente decapitado. Levava tempo para crescer outra cabeça no lugar, mas hoje isso havia acontecido. De fato, ele desligou a vitrola, contudo, seu ressentimento ficou latente. Por ter sido submetido à autoridade do irmão desde a infância, ele a odiava — e, de fato, odiava toda e qualquer autoridade. Certa vez, na St. George's College, em um ataque de anti-imperialismo e xenofobia, ele rabiscou em duas bíblias a palavra "porco" e foi energicamente espancado pelo diretor branco. Arun também o havia recriminado aos gritos depois do incidente, usando todas as possíveis referências ofensivas à deplorável infância e aos delitos passados do irmão, o que fizera Varun se encolher. Mas no mesmo momento em que se encolhera diante do ataque do robusto irmão mais velho e da expectativa de levar dele uma bofetada, Varun tinha pensado: ele só sabe puxar o saco dos ingleses e se arrastar atrás deles. Porco! Porco! Ele deveria ter controlado seus pensamentos, pois recebeu a bofetada que esperava.

Durante a guerra, Arun sempre ouvia no rádio os discursos de Churchill e dizia baixinho, como tinha ouvido os ingleses dizerem: "O bom e velho Winnie!" Churchill abominava os indianos e não fazia segredo disso, e falava com desprezo sobre Gandhi, um homem muito maior do que ele jamais poderia aspirar a ser. Varun via Churchill com um ódio visceral.

— E vá trocar essa roupa amassada. Basil Cox chegará dentro de uma hora e não quero que ele pense que eu dirijo um *dharam shala* de terceira classe.

— Vou vestir uma roupa mais limpa — disse Varun ressentido.

— Não vai não; você vai vestir roupas adequadas.

— Roupas adequadas! — resmungou Varun baixinho em tom de escárnio.

— O que você disse? — perguntou Arun devagar e em tom ameaçador.

— Nada — disse o irmão de cara feia.

— Por favor, não briguem desse jeito, não é bom para meus nervos — pediu a mãe.

— *Ma*, fique fora disso — disse Arun rispidamente. Ele apontou na direção do quartinho do irmão, mais um quartinho da bagunça do que de dormir: — Agora saia e vá mudar de roupa.

— Eu tinha mesmo planejado fazer isso — disse Varun, esgueirando-se porta afora.

— Maldito cretino — disse Arun consigo. Depois, carinhosamente voltou-se para Lata: — Então, algum problema? Por que você está tão desanimada?

Lata sorriu:

— Eu estou bem, Arun *Bhai*. Acho que também vou me arrumar.

Arun também entrou para se trocar. Uns 15 minutos antes da chegada de Basil Cox e sua esposa, ele voltou e encontrou todos arrumados e prontos, com exceção de Varun. Meenakshi emergiu da cozinha, onde estivera supervisionando algum detalhe de última hora. A mesa tinha sido arrumada para sete pessoas, com os melhores copos, pratos e talheres; o arranjo floral estava perfeito, os canapés tinham sido provados e aprovados; o uísque, o xerez, o campari, etc. tinham sido tirados do bar e Aparna fora posta para dormir.

— Onde ele está agora? — indagou Arun às três mulheres.

— Ainda não saiu. Deve estar no quarto dele — disse a Sra. Rupa Mehra.

— Eu gostaria que você não gritasse com seu irmão.

— Ele deveria aprender a se comportar numa casa civilizada. Isso aqui não é nenhum estabelecimento de revivalismo cultural. Roupas adequadas, sem dúvida!

Varun apareceu minutos depois. Estava usando um conjunto limpo de calça larga e túnica, não exatamente rasgado, mas à túnica faltava um botão. Ele havia se barbeado de forma rudimentar depois do banho. Acreditava estar apresentável.

Mas o irmão não achou o mesmo. Seu rosto ficou vermelho. Varun percebeu o rubor e, embora estivesse apavorado, também ficou deliciado.

Por um segundo Arun ficou tão furioso que mal podia falar. Depois explodiu:

— Seu imbecil! Quer nos fazer passar vexame, a todos nós? — rugiu ele.

Varun olhou para ele com ar diligente e perguntou:

— O que há de vergonhoso em usar roupas indianas? Não posso vestir o que tenho vontade? *Ma*, Lata e Meenakshi *Bhabhi* estão usando sáris, não vestidos. Ou sou obrigado a ficar imitando os brancos até em minha própria casa? Acho que não é boa ideia.

— Não me importa que diabos você acha. Em minha casa você vai fazer o que eu mandar. Agora ou você se troca e veste uma camisa e uma gravata ou... ou então...

— Ou então o quê, Arun *Bhai*? — disse Varun, encarando o irmão e desfrutando a raiva dele. — Ou então não jantarei com seu Colin Box? Na verdade, eu prefiro de todo modo jantar com meus próprios amigos a ficar fazendo mesuras diante desse Sr. Box e sua Sra. Box.

— Meenakshi, diga a Hanif que retire um lugar da mesa — disse Arun.

Meenakshi pareceu indecisa.

— Você me ouviu? — perguntou ele em voz ameaçadora.

Meenakshi se levantou para fazer o que o marido pediu.

— Agora saia daqui — berrou Arun. — Vá jantar com seus amigos bebedores de shamshu. E não quero vê-lo em nenhum lugar perto dessa casa até o fim da noite. E deixe-me dizer a você, aqui e agora, que não vou aturar de forma alguma esse tipo de atitude de sua parte. Se você morar nesta casa, vai obedecer às malditas regras daqui.

Varun olhou indeciso para a mãe em busca de apoio.

— Querido, por favor, faça como ele está dizendo. Você fica tão mais apresentável de calça e camisa! Além disso, está faltando um botão. Esses estrangeiros não entendem. Ele é o chefe de Arun, e nós precisamos causar uma boa impressão.

— Ele é incapaz de causar boa impressão, não importa o que esteja vestindo ou fazendo — tripudiou Arun. — Não quero que ele irrite Basil Cox, coisa que ele é perfeitamente capaz de fazer. Ora, *ma*, pode ir fechando a torneira. — Voltando-se de novo para o irmão, disse: — Está vendo, seu boçal? Você deixou todo mundo irritado!

Mas Varun já havia saído sorrateiramente.

7.6

EMBORA se sentisse mais irritado que calmo, Arun deu um sorriso corajoso, destinado a elevar o moral e chegou até a passar o braço pelos ombros da mãe. Meenakshi refletiu que a distribuição em torno da mesa oval parecia agora um pouco mais simétrica, embora fosse haver um desequilíbrio ainda maior entre homens e mulheres. Mas outros convivas não eram esperados — apenas o casal Cox e a família.

Basil Cox e sua esposa chegaram pontualmente, e Meenakshi se ocupou da conversa informal, intercalando comentários sobre o clima ("O tempo tem estado tão opressivo, tão insuportavelmente abafado nesses últimos dias... mas, também, Calcutá *é* assim mesmo") com seu riso melodioso. Ela pediu o xerez, que bebericou com um olhar distante. Cigarros foram oferecidos aos presentes; ela acendeu um, no que foi acompanhada pelo marido e pelo convidado.

Basil Cox tinha 30 e tantos anos e era rosado, astuto, responsável e usava óculos. Patricia Cox era uma mulher insossa de baixa estatura, um ótimo contraste para a glamorosa Meenakshi. Ela não fumava, entretanto, bebia rápido, com uma espécie de desespero. Não achava interessante o círculo social de Calcutá e, mais que as grandes festas, lhe desagradavam as pequenas, em que ela se sentia aprisionada por uma sociabilidade compulsória.

Lata tomou um cálice pequeno de xerez. A Sra. Rupa Mehra tomou uma limonada.

Hanif, parecendo muito elegante em seu uniforme branco engomado, circulava oferecendo uma bandeja de canapés: quadradinhos de pão com pedaços de salaminho, queijo e aspargos. Se os convidados não fossem tão obviamente *sahibs* do escritório, ele talvez tivesse deixado mais evidente a insatisfação com o estado de coisas em sua cozinha. Nas condições atuais, porém, ele foi o mais prestativo possível.

Arun tinha começado a dissertar com sua habitual sofisticação e seu ar encantador sobre vários assuntos: peças recentes em Londres, livros de lançamento recente que eram considerados significativos, a crise do petróleo no Golfo Pérsico, o conflito coreano. Na opinião de Arun, os vermelhos estavam sendo repelidos, e já estava na hora, ainda que os americanos, é claro, idiotas como eram, provavelmente não fossem usar sua vantagem tática. Mas também nessa questão, como em muitas outras, o que se poderia fazer?

Esse Arun — afável, cordial, cativante e culto, até modesto (em algumas ocasiões) — era uma criatura muito diferente do tirano doméstico e fanfarrão de meia hora atrás. Basil Cox estava encantado. Arun era competente no trabalho, mas o chefe não imaginava que ele fosse tão letrado, que fosse mais versado que a maioria dos ingleses que ele, Cox, conhecia.

Patricia Cox conversava com Meenakshi sobre os brinquinhos em formato de gota da anfitriã:

— Muito bonitos — aprovou. — Onde você mandou fazê-los?

Meenakshi revelou e prometeu levá-la à loja. Lançou um olhar em direção à sogra, mas para seu alívio percebeu que ela estava ouvindo em êxtase a conversa entre Arun e Basil Cox. Mais cedo, em seu quarto, Meenakshi tivera instantes de dúvida antes de usá-los, mas depois dissera consigo: "Bom, cedo ou tarde *ma* vai ter que se habituar aos fatos da vida. Não posso ficar pisando em ovos por causa dos sentimentos dela."

O jantar transcorreu harmoniosamente. A refeição constou de quatro pratos: sopa, peixe defumado, frango assado e suflê de limão. Basil Cox tentou fazer Lata e a Sra. Rupa Mehra participarem da conversa, mas elas só falavam quando alguém se dirigia a elas. A mente de Lata estava distante. Ela retornou à conversa com um susto quando ouviu a cunhada descrever o modo de defumar o peixe.

— É uma receita maravilhosa e antiga, que está há muito tempo em nossa família. O peixe é defumado num cesto colocado em cima de um braseiro, depois que as espinhas foram cuidadosamente removidas. Esse peixe, especificamente, dá um trabalho infernal para tirar as espinhas.

— Está delicioso, minha querida — elogiou o convidado.

— O verdadeiro segredo... — continuou Meenakshi com sabedoria (embora só naquela tarde ela tivesse descoberto como era feito, e ainda assim porque o cozinheiro mongol tinha insistido em que lhe fornecessem os ingredientes corretos) — ... O verdadeiro segredo está no braseiro. Nós jogamos pipoca de arroz em cima das brasas, além de açúcar mascavo, aquilo que nós chamamos de "gur".

Enquanto ela tagarelava, Lata a olhava assombrada.

— Evidentemente, toda moça de nossa família aprende essas coisas desde muito cedo.

Pela primeira vez, Patricia Cox pareceu menos que totalmente entediada. Mas, quando o suflê foi servido, ela já havia recaído na passividade.

Depois do jantar, do café e do licor, Arun trouxe os charutos. Ele e Basil Cox falaram um pouco de assuntos do trabalho. Arun não teria abordado assuntos do escritório, mas Basil, tendo decidido que o subordinado era um perfeito cavalheiro, quis saber sua opinião sobre um colega.

— Entre nós, e você sabe, estritamente entre nós, eu comecei a duvidar de que ele era confiável — disse Basil. Arun passou o dedo pela borda do cálice de licor, deu um leve suspiro e confirmou a opinião do chefe, acrescentando algumas razões de sua própria autoria. — Humm, bom, sim, é interessante que você também pense nisso — continuou Basil Cox.

Arun olhava satisfeito e contemplativo a bruma cinzenta e reconfortante que os envolvia.

De repente, as notas desafinadas e mal-articuladas da canção "Two intoxicating eyes" foram seguidas pelo ruído de alguém tentando desajeitadamente colocar a chave na fechadura da porta da frente. Varun tinha voltado ao aprisco, fortificado pelo shamshu, a bebida alcoólica chinesa barata, mas eficaz, a qual ele e os amigos podiam bancar.

Arun se alarmou como se estivesse diante do fantasma de Banquo em *MacBeth*. Levantou-se com a firme intenção de empurrar o irmão para fora de casa antes que este entrasse na sala de estar. Tarde demais.

Varun, um pouco cambaleante e numa demonstração excepcional de autoconfiança, cumprimentou a todos. Os vapores da bebida encheram o recinto. Ele beijou a mãe, que se retraiu. Tremeu um pouco ao ver a cunhada, cuja beleza parecia ainda mais deslumbrante agora que ela estava tão horrorizada. Ele cumprimentou os convidados:

— Olá, Sr. Box, Sra. Box... ahn... Sra. Box, Sr. Box — corrigiu-se ele. Fez uma reverência e ficou brincando com a casa do botão que tinha caído. Muito abaixo da bainha da túnica apareciam as pontas do cordão do cós da calça que ele usava.

— Acho que ainda não fomos apresentados — disse Basil Cox, parecendo perturbado.

— Ah — disse Arun, vermelho como beterraba de tanta fúria e constrangimento —, este é... ele é, bom, meu irmão Varun. Está um pouco... ahn... poderia nos dar licença um minuto?

Com violência levemente suprimida conduziu o irmão em direção à porta e depois para o quarto.

— Nem uma palavra! — silvou, furioso, olhando diretamente nos olhos espantados de Varun. — Nem uma palavra ou eu te estrangulo com minhas próprias mãos.

Arun trancou a porta do quarto de Varun pelo lado de fora.

Quando voltou à sala de estar já era de novo o anfitrião encantador.

— Bom, como eu estava dizendo, ele é um pouco... incontrolável às vezes. Tenho certeza de que você entende: ovelha negra e coisa e tal. Perfeitamente razoável, não é violento nem nada assim, mas...

— Parece que ele andou bebendo muito — disse Patricia Cox, recobrando subitamente a animação.

— ... foi enviado para nos servir de provação, eu acho — continuou Arun. — Meu pai morreu cedo demais. Toda família tem um tipo assim. Ele tem suas manias: insiste em usar essas roupas ridículas.

— Seja o que for, é muito forte. Pelo cheiro dá para sentir — disse Patricia. — E é diferente. Eu gostaria de experimentar. Você sabe o que é?

— Acho que é conhecido como shamshu.

— Shamshu? — disse a Sra. Cox, com o mais vivo interesse, experimentando dizer a palavra três ou quatro vezes. — Shamshu. Você sabe o que é isso, Basil? — Ela parecia ter ressuscitado. Toda a sua insipidez havia desaparecido.

— Acho que não, minha querida — disse o marido.

— Acredito que seja feito de arroz — explicou Arun. — É uma receita chinesa.

— Será que vendem na Shaw Brothers? — especulou Patricia Cox.

— Duvido muito; deve estar à venda no Bairro Chinês — informou Arun.

Realmente, Varun e seus amigos compravam-na no bairro chinês, num botequim minúsculo, por meia rupia o copo.

— Seja lá o que for, deve ser uma bebida potente. Peixe defumado e shamshu... que maravilha aprender duas coisas inteiramente diferentes num jantar. Isso nunca acontece, sabe — confidenciou Patrícia. — Normalmente fico entediada como um peixe.

Entediada como um peixe?, pensou Arun. Mas àquela altura Varun tinha começado a cantar dentro do quarto.

— Que rapaz interessante! — continuou Patricia Cox. — E ele é seu irmão. O que está cantando? Por que ele não veio jantar conosco? Em breve, num momento qualquer, nós devemos convidar vocês todos, não, querido?

Basil Cox parecia duvidar seriamente. A mulher resolveu entender isso como um sim.

— Desde os tempos da Royal Academy of Dramatic Arts eu não me divertia tanto. E você pode trazer uma garrafa de shamshu.

Deus me livre, pensou Basil Cox.

Deus me livre, pensou Arun.

7.7

OS convivas estavam prestes a chegar à casa do senhor juiz Chatterji em Ballygunge. Esta era uma das três ou quatro grandes festas que ele se incumbia de dar, quase sem aviso, no decorrer do ano. Havia uma mistura singular de convidados por duas razões. Primeiro por causa do próprio juiz Chatterji, cuja rede de amigos e conhecidos era muito variada (ele era um homem distraído, que fazia amigos a torto e a direito). Em segundo lugar, qualquer festa dessa natureza era invariavelmente tratada por todos os Chatterji como uma oportunidade de convidar todos os amigos de cada membro da família. A Sra. Chatterji convidava alguns dos dela, e os filhos também faziam o mesmo; só Tapan, que havia voltado para casa em férias escolares, era considerado jovem demais para agregar sua lista de convidados a uma festa em que seriam consumidas bebidas alcoólicas.

O senhor juiz Chatterji não era organizado, mas tinha produzido cinco filhos com estrita alternância de sexo: Amit, Meenakshi (que era casada com Arun Mehra), Dipankar, Kakoli e Tapan. Nenhum deles trabalhava, mas cada um tinha sua ocupação. Amit escrevia poemas, Meenakshi jogava canastra, Dipankar buscava o Sentido da Vida, Kakoli mantinha o telefone ocupado e Tapan, que aos 12 ou 13 anos era o mais jovem, estudava no prestigiado internato Jheel.

Amit, o poeta, havia estudado jurisprudência em Oxford, mas depois de diplomar-se não terminou, para exasperação paterna, o que lhe teria sido bastante fácil completar: os estudos para o ingresso à Ordem dos Advogados em Lincoln's Inn, a velha sociedade londrina de estudos jurídicos a que pertencera o pai. Ele havia comparecido a quase todos os jantares da instituição e tinha até sido aprovado em uma ou duas provas, mas depois perdeu o interesse pela advocacia. Em vez dela, fortalecido por um par de prêmios universitários de poesia, alguns contos publicados aqui e ali em revistas literárias e um livro de poemas que lhe havia garantido um prêmio na Inglaterra (e, portanto, adulação em Calcutá), ele estava vivendo confortavelmente na casa do pai, sem fazer nada que contasse como um verdadeiro trabalho.

Naquele momento estava conversando com uma das duas irmãs e com Lata.

— Quantos convidados você está esperando? — perguntou Amit.

— Não sei — respondeu Kakoli. — Uns cinquenta?

Amit fez um ar divertido.

— Cinquenta correspondem a praticamente metade de seus amigos, Kuku. Eu diria uns 150.

— Eu não suporto essas festas grandes — disse Meenakshi, na maior empolgação.

— Eu também não — disse Kakoli, olhando-se no espelho alto do vestíbulo.

— Imagino que a lista de convivas conste inteiramente de pessoas convidadas por *ma*, por Tapan e por mim — disse Amit, citando os três membros menos sociáveis da família.

— Muuuuito engraçaaaaado — disse, ou melhor, cantou Kakoli, cujo nome lembrava o pássaro canoro que ela era.

— Você deveria subir para seu quarto, Amit, e se instalar num sofá com Jane Austen — disse Meenakshi. — Nós o avisaremos quando servirem o jantar. Ou, melhor ainda, eu mandarei subir o seu, pois assim você poderá evitar todas as suas admiradoras.

— Ele é muito esquisito — disse Kakoli a Lata. — Jane Austen é a única mulher na vida dele.

— Mas metade da *bhadralok* de Calcutá quer casá-lo com suas filhas — acrescentou Meenakshi. — Eles acreditam que ele tenha cérebro.

— Amit Chatterji, que bom partido!/ É muito adequado para marido — recitou Kakoli

— Por que ainda não terá se casado?/ Está sempre bancando o supervalorizado — completou Meenakshi.

— Dizem que é um poeta famoso./ Com todo mundo é amistoso — continuou Kakoli. Ela deu uma risadinha.

— Por que você as deixa escapar impunes? — perguntou Lata a Amit.

— Você quer dizer por causa dos versos malfeitos?

— Quero dizer por causa da gozação.

— Ah, eu não me importo. Isso não me atinge.

Lata pareceu surpresa, mas Kakoli disse:

— Ele está dando uma de Biswas para cima de você.

— Biswas?

— Biswas *Babu*, o velho secretário de meu pai. Ele ainda aparece por aqui duas vezes por semana para ajudar com uma coisa e outra e dá conselhos sobre a vida. Ele aconselhou Meenakshi a não se casar com seu irmão — disse Kakoli.

De fato, a oposição ao imprevisto namoro e casamento de Meenakshi tinha sido profunda e abrangente. Os pais dela não haviam se importado com o fato de a filha se casar com alguém de fora da comunidade. Arun Mehra não era um bramoísta, nem era um brâmane, nem sequer bengalês. Sua família estava lutando com dificuldades financeiras. Os Chatterji, honra seja feita, mesmo tendo sido extremamente prósperos há algumas gerações, não deram grande importância a tal fato. Só se preocuparam (em relação a essa objeção) com a possibilidade de a filha talvez não conseguir custear o conforto com o qual tinha sido criada. Mas, por outro lado, tampouco haviam enchido de presentes a filha casada. Mesmo sem ter uma afinidade instintiva com o genro, o senhor juiz Chatterji não achava essa atitude justa.

— O que tem a ver o Biswas *Babu* com o fato de isso não atingi-lo? — perguntou Lata, que achava a família de Meenakshi divertida, porém confusa.

— Ora, é apenas uma das expressões dele. Acho que não é amável da parte de Amit não explicar às pessoas de fora da família nossas referências.

— Ela não é de fora da família — disse Amit. — Ou não deveria ser. Na verdade, todos nós gostamos muito de Biswas *Babu*, e ele gosta muito de nós. Originalmente foi secretário do meu avô.

— Mas para profundo desgosto de Amit não será seu secretário — disse Meenakshi. — Ele ficou ainda mais transtornado que nosso pai pelo fato de Amit ter desertado da advocacia.

— Se eu quiser, ainda posso exercer — retrucou ele. — Em Calcutá o diploma universitário é suficiente.

— Ah, mas você não será admitido à Biblioteca da Ordem.

— E quem se importa com isso? De fato eu ficaria satisfeito em editar um pequeno jornal e escrever alguns bons poemas, e uns romances, e passar suavemente à senilidade e à posteridade. Posso lhe oferecer uma bebida? Um xerez?

— Eu aceito um xerez — disse Kakoli.

— Você não, Kuku, você pode se servir sozinha. Eu estava oferecendo uma bebida a Lata.

— Puxa, essa doeu — disse Kakoli. Olhou para o sári de algodão azul-claro de Lata, com seu delicado bordado. — Sabe, o cor-de-rosa combina melhor com você.

— Prefiro não beber nada tão perigoso quanto xerez — disse Lata. — Será que eu podia tomar... ora, por que não? Um xerez pequeno, por favor.

Amit foi para o bar com um sorriso.

— Você poderia me dar duas taças de xerez?

— Seco, médio ou doce, senhor? — perguntou Tapan.

Tapan era o mais jovem da família, amado e mimado por todos, e a quem permitiam até um golinho ocasional de xerez. Nesta noite ele estava ajudando no bar.

— Um doce e um seco, por favor — pediu Amit. — Onde está Dipankar? — perguntou a Tapan.

— Acho que está no quarto dele, Amit *Da*. — respondeu Tapan. — Devo pedir a ele que desça?

— Não, você está ajudando no bar — disse Amit, dando um tapinha no ombro do irmão. — Está realizando um ótimo trabalho. Vou ver o que ele está fazendo.

Dipankar, o irmão do meio, era um sonhador. Tinha estudado ciências econômicas, mas passava a maior parte do tempo lendo sobre o poeta e patriota Sri Aurobindo, por cuja flácida poesia mística ele andava fascinado no momento (para aversão de Amit). Dipankar era indeciso por natureza. Amit sabia que o melhor era ir buscá-lo pessoalmente e trazê-lo para o andar de baixo. Deixado por conta própria, ele tratava cada decisão como uma crise espiritual. Tomar o chá com uma colher de açúcar ou com duas? Descer agora ou daqui a 15 minutos? Desfrutar a boa vida de Ballygunge ou adotar o caminho de renúncia de Sri Aurobindo? Todas essas decisões lhe causavam infinita agonia. Uma série de mulheres fortes tinha passado por sua vida e tomado por ele a maior parte das decisões antes de perderem a paciência com sua hesitação ("Será que ela é mesmo a mulher certa para mim?") e irem embora. As opiniões dele se moldavam às daquelas mulheres enquanto elas permaneciam em sua vida, depois recomeçavam a flutuar livremente.

Dipankar gostava de fazer comentários do tipo "tudo é o Vazio" durante a refeição matinal, lançando assim uma aura mística sobre os ovos mexidos.

Amit subiu ao quarto do irmão e o encontrou sentado no tapete de oração, junto ao harmônio, cantando em voz desafinada uma canção de Rabindranath Tagore.

— É melhor você descer logo — recomendou Amit em bengalês. — Os convidados já começaram a chegar.

— Já estou indo, já estou indo — disse Dipankar. — Vou só terminar essa canção e depois eu... eu vou descer. Vou mesmo.

— Eu espero aqui — disse Amit.

— Você pode descer, *dada*. Não se incomode. Por favor.

— Não é incômodo nenhum — retrucou Amit. Depois que Dipankar acabou de cantar, sem se constranger com sua falta de afinação, pois diante do Vazio todos os tons eram indubitavelmente iguais, Amit o escoltou e desceram a escadaria de mármore com corrimão de madeira de teca.

7.8

— ONDE está Cuddles? — perguntou Amit quando chegaram à metade da escada.

— Ah, sei lá — respondeu Dipankar vagamente.

— Ele pode morder alguém.

— Pode mesmo — concordou Dipankar, não muito preocupado com aquela ideia.

Cuddles não era um cão hospitaleiro. Nos mais de dez anos em que estava na família Chatterji ele havia mordido Biswas *Babu*, diversos estudantes (amigos que tinham vindo brincar), uma série de advogados (que tinham visitado o gabinete do senhor juiz Chatterji para confabular durante os anos em que este exerceu a advocacia), um executivo de médio escalão, um médico em atendimento domiciliar e uma série de carteiros e eletricistas.

A vítima mais recente de Cuddles tinha sido o homem que chegara à porta deles para fazer o recenseamento decenal.

A única das criaturas que o cachorro tratava com respeito era o gato do pai do senhor juiz Chatterji, Pillow, que vivia na casa ao lado e era um bicho tão bravio que o prendiam numa guia para levá-lo para passear.

— Você devia tê-lo preso — disse Amit.

Dipankar franziu a testa. Seus pensamentos estavam com Sri Aurobindo.

— Acho que o prendi — disse ele.

— Só por segurança, acho bom irmos verificar.

Ainda bem que verificaram, pois Cuddles raramente rosnava para dar a conhecer sua posição, e eles não se lembravam de onde o haviam deixado. O cachorro talvez ainda estivesse rondando o jardim, a fim de atacar algum convidado que se aventurasse a sair na varanda.

Encontraram Cuddles no quarto de dormir que fora reservado aos convivas para guardar bolsas e outros aparatos. Ele estava agachado tranquilamente perto de uma mesa de cabeceira e os observava com seus olhinhos negros e brilhantes. Era um cachorro pequeno, de pelo negro com manchas brancas no peito e nas patas. Quando a família o comprou, foi informada de que sua raça era Apso, mas o animal acabou se revelando um vira-lata com grande dose de terrier tibetano.

Para evitar problemas na festa, tinham-no prendido com a guia a um dos pés da cama. Dipankar não se lembrava de ter feito isso, logo devia ter sido alguma outra pessoa. Ele e Amit se aproximaram de Cuddles. Normalmente ele amava aquela família, mas hoje estava extremamente nervoso.

Cuddles os inspecionou atentamente sem rosnar, e quando julgou oportuno o momento atirou-se deliberada e violentamente na direção deles, até que a repentina contenção da guia o freou com um tranco. Ele forçava a correia, mas não conseguia avançar o suficiente para morder. Todos os Chatterji sabiam recuar depressa quando o instinto lhes dizia que Cuddles estava prestes a atacar. Mas talvez os convidados não fossem reagir com tanta rapidez.

— Acho que deveríamos tirá-lo daqui — disse Amit. Estritamente falando, Cuddles era o cachorro de Dipankar, e portanto responsabilidade dele, mas agora pertencia à família inteira. Ou melhor, foi aceito como um deles, como o sexto ângulo de um hexágono regular.

— Ele parece muito satisfeito aqui — disse Dipankar. — Como também é um ser vivo, naturalmente fica nervoso com todo esse rebuliço dentro da casa.

— Acredite em mim — disse Amit —, ele vai acabar mordendo alguém.

— Humm... será que deveríamos colocar na porta um aviso de "Cuidado: cão feroz"? — perguntou Dipankar.

— Não, acho que você deveria tirá-lo daqui. Tranque-o em seu quarto.

— Não posso fazer isso. Ele detesta ficar isolado lá em cima quando todo mundo está aqui embaixo. Afinal, ele é uma espécie de cão de estimação.

Amit refletiu que Cuddles era o cão de estimação mais psicótico que já conhecera. Também atribuía seu mau gênio ao fluxo constante de visitantes na casa. Ultimamente, os amigos de Kakoli tinham inundado a mansão Chatterji. Agora, por acaso, ela própria entrou no quarto com uma amiga.

— Ah, você está aí, Dipankar *Da*, nós já estávamos querendo saber o que teria acontecido. Vocês já conhecem Neera? Neera, estes são meus irmãos Amit e Dipankar. Ah, sim, pode deixar aí em cima da cama, vai ficar muito seguro. E o banheiro é por aqui. — Cuddles preparou-se para atacar. — Cuidado com o cachorro; é inofensivo, mas às vezes fica de mau humor. Nós ficamos de mau humor, não é, Cuddlezinho? Tadinho dele, deixado aqui sozinho no banheiro... O pobre Cuddles não pode fazer nada/ Quando a casa inteira está alvoroçada! — cantou ela, e depois desapareceu.

— É melhor nós o levarmos lá para cima — disse Amit. — Vamos levá-lo.

Dipankar consentiu. Cuddles rosnou. Eles o acalmaram e levaram-no para cima. Então, para reconfortá-lo, Dipankar tocou uns acordes no harmônio e depois os irmãos voltaram para o térreo.

Agora muitos convidados haviam chegado, e a festa estava em plena animação. Na majestosa sala de estar, com seu piano de cauda e o imenso lustre de pingentes de cristal, circulavam muitos convidados em seus melhores trajes noturnos de verão, as mulheres esvoaçando e se adulando e se avaliando mutuamente, os homens se empenhando numa tagarelice mais presunçosa. Ingleses e indianos, bengaleses e não bengaleses; velhos, pessoas de meia-idade e jovens; sáris cintilantes e joias ofuscantes; engomados *dhotis* de Shantipuri, debruados com uma delicada linha dourada e pregueados à mão com perfeição; túnicas de seda crua cor de marfim e botões dourados; sáris de chifon de variados matizes de cores pastel, sáris de algodão branco com bordas vermelhas, sáris de Dhakai de fundo branco e uma padronagem na trama, ou (ainda mais elegante) de fundo cinza com desenhos em branco; smokings brancos com calça preta e gravata-borboleta preta e sapatos sociais de verniz preto (cada um carregando um pequeno lustre de cristal refletido); vestidos longos de popelina chintz e estampa floral, e de algodão branco com delicados poás, e até alguns vestidos de ombros nus da seda mais leve e adequada ao verão: brilhantes eram as roupas e cintilantes eram as pessoas que as vestiam.

Arun, que considerava o clima demasiado quente para vestir paletó, havia optado por usar na cintura uma elegante faixa pregueada cor de vinho, com um padrão brilhante na trama, e uma gravata-borboleta combinando. Muito compenetrado, ele estava conversando com Jock Mackay, um animado solteirão de 40 e tantos anos, que era um dos diretores da agência administrativa McKibbin & Ross.

Meenakshi usava um deslumbrante sári de chifon francês laranja e um corpete frente única azul vibrante, amarrado no pescoço e na cintura com estreitas faixas de tecido. Sua cintura estava gloriosamente exposta, e o pescoço longo e perfumado exibia uma gargantilha de Jaipur esmaltada de azul e laranja, que combinava com as pulseiras de ambos os braços; a estatura era acentuada pelos sapatos de salto agulha e por um coque alto. Brincos enormes balançavam-se deliciosamente de suas orelhas e chegavam abaixo do queixo, e o *tika* cor de laranja em sua testa era tão grande quanto seus olhos. O mais deslumbrante e ornamental de tudo era seu sorriso devastador.

Ela avançava em direção a Amit exalando o perfume Shocking, de Schiaparelli. Mas antes que ele pudesse falar com a irmã foi abordado por uma acusadora mulher de meia-idade, de grandes olhos saltados, a qual ele não conseguiu reconhecer.

— Adorei seu último livro, mas não posso dizer que o entendi — disse ela.

Ficou aguardando uma resposta.

— Ah, muito obrigado — agradeceu Amit.

— Com certeza isso não é tudo o que vai dizer, certo? — perguntou a mulher, decepcionada. — Eu achava que os poetas fossem mais articulados. Sou uma velha amiga de sua mãe, embora não nos encontremos há anos — acrescentou ela de maneira irrelevante. — Nós nos conhecemos desde Shantiniketan.

— Entendo — disse Amit. Embora a mulher não lhe interessasse muito, ele não se afastou; sentiu que deveria dizer alguma coisa. — Bom, neste momento eu não estou me dedicando à poesia. Estou escrevendo um romance.

— Mas isso não é nenhuma desculpa — disse a mulher. Depois acrescentou: — Conte-me de que trata o romance. Ou é um segredo profissional do famoso Amit Chatterji?

— Não, na verdade não é — disse Amit, que detestava falar de seu trabalho atual. — É sobre um agiota na época da fome em Bengala. Como a senhora sabe, a família de minha mãe vem de Bengala Oriental...

— Que maravilha você querer escrever sobre seu próprio país — disse a mulher. — Principalmente depois de ter ganhado todos aqueles prêmios no estrangeiro. Diga-me, você fica muito tempo na Índia?

Amit reparou que suas duas irmãs estavam paradas ali perto, atentas à conversa.

— Ah, sim, agora que retornei fico aqui a maior parte do tempo. Mas estou sempre entrando e saindo...

— Entrando e saindo — repetiu a mulher, intrigada.

— Indo e voltando — disse Meenakshi prestativa.

— Dentro e fora — disse Kakoli, incapaz de se conter.

A mulher amarrou a cara.

— De cá para lá — disse Meenakshi.

— Aqui e acolá — disse Kakoli.

As duas deram risadinhas. Depois acenaram para alguém no lado oposto do enorme salão e desapareceram instantaneamente.

Amit sorriu com ar apologético. Mas, furiosa, a mulher o encarava. Os jovens Chatterji estariam tentando fazer graça às suas custas?

— Estou cansada de ler a seu respeito — disse ela a Amit.

— Hum, pois é — retrucou ele pacificamente.

— E de ouvir falar de você.

— Se eu não fosse eu, também ficaria cansado de ouvir a meu respeito.

A mulher franziu a testa. Depois, recuperando-se, comentou:

— Acho que minha bebida acabou. — Viu o marido circulando por ali e entregou a ele o copo vazio, que tinha na borda manchas de batom vermelho-escuro. — Mas diga-me, como você escreve?

— A senhora quer dizer... — começou Amit.

— Eu quero dizer... é por inspiração? Ou é trabalho árduo?

— Bom, sem inspiração a gente não pode...

— Eu sabia, eu sabia que era por inspiração. Mas, sem ser casado, como escreveu aquele poema sobre a jovem noiva?

Ela parecia ter um ar reprovador.

Amit a olhou pensativo.

— Eu só...

— E diga-me uma coisa: pensar num livro leva muito tempo? Estou doida para ler seu novo livro.

— Eu também — disse Amin.

— Tenho algumas boas ideias para livros — disse a mulher. — Quando estava em Shantiniketan, a influência de Gurudev sobre mim era muito profunda... Você sabe... Nosso próprio Rabindranath...

— Ah — disse Amit.

— Para você não deve levar muito tempo, eu sei... Mas a escrita propriamente deve ser tão difícil! Eu jamais poderia ser uma escritora. Não tenho o dom. É um dom que se recebe de Deus.

— Sim, parece vir...

— Uma vez escrevi poesia — cortou a mulher. — Em inglês, como você. Embora eu tenha uma tia que escreve poesias em bengalês. Ela foi uma verdadeira discípula de Robi *Babu*. Sua poesia tem rima?

— Sim.

— A minha não rimava. Era poesia moderna. Eu era jovem, em Darjeeling. Escrevi sobre a natureza, e não sobre o amor. Na ocasião eu não conhecia Mihir, meu marido, sabe? Depois eu datilografei os poemas. Mostrei-os a Mihir. Uma vez passei uma noite num hospital, mordida por mosquitos. E um poema surgiu subitamente. Mas ele disse: "Isso não rima."

Ela olhou com ar de condenação para o marido, que estava zanzando por ali como um copeiro após ter reabastecido o copo de bebida dela.

— Seu marido disse isso? — perguntou Amin.

— Disse. E então nunca mais senti o impulso. Não sei por quê.

— Você matou uma poetisa — disse Amit ao marido dela, que parecia um sujeito bastante decente. — Venha comigo. — Ele dirigiu-se a Lata, que estivera escutando a última parte da conversa. — Vou apresentá-la a algumas pessoas, conforme prometi. Vocês me dão a licença por um minuto?

Amit não fizera tal promessa, mas aquilo lhe permitiu escapar.

7.9

— E AÍ, quem você deseja conhecer? — perguntou Amit a Lata.

— Ninguém.

— Ninguém? — Ele pareceu achar graça.

— Qualquer um. Que tal aquela mulher que está ali de sári de algodão vermelho e branco?

— A de cabelos curtos grisalhos, que parece estar falando com autoridade com Dipankar e meu avô?

— Sim.

— Esta é Ila Chattopadhyay. Dra. Ila Chattopadhyay. Ela é parente nossa. Tem opiniões firmes e diretas. Você vai gostar dela.

Embora não tivesse certeza do valor de opiniões firmes e diretas, Lata gostou da aparência da mulher. A Dra. Ila Chattopadhyay apontava o dedo para Dipankar e dizia a ele alguma coisa com vigor intenso e visivelmente carinhoso. Usava um sári bastante amassado.

— Posso interromper? — perguntou Amit.

— Claro que sim, Amit, deixe de bobagem — disse a Dra. Ila Chattopadhyay.

— Esta é Lata, a irmã de Arun.

— Muito bem — disse a mulher, avaliando a moça por um segundo. — Tenho certeza de que ela é mais simpática que o pretensioso do irmão. Eu estava dizendo a Dipankar que economia é uma disciplina supérflua. Teria sido muito melhor para ele estudar matemática. Você não concorda?

— Claro que sim — disse Amit.

— Eu nunca dou a mínima atenção a Amit: ele sempre concorda comigo — disse a Dra. Ila Chattopadhyay a Lata.

— Ila *Kaki* nunca dá a mínima atenção a ninguém — corrigiu Amit.

— Não dou, e você sabe por quê? Por causa de seu avô.

— Por minha causa? — perguntou o velho.

— Sim — explicou ela —, há muitos anos o senhor me disse que até ter completado 40 anos estava muito preocupado com o que os outros pensavam a seu respeito. Então, em vez disso, resolveu se preocupar com o que o senhor pensava dos outros.

— Eu disse isso? — perguntou surpreso o velho Sr. Chatterji.

— Disse, sim, quer lembre ou não. Eu também costumava me atormentar, preocupada com a opinião alheia; portanto decidi adotar sua filosofia imediatamente, embora na ocasião não tivesse chegado aos 40, nem mesmo aos 30. O senhor realmente não se lembra dessa observação? Eu estava em dúvida sobre se deveria abandonar minha carreira e me encontrava sob muita pressão da família de meu marido. Minha conversa com o senhor fez toda a diferença.

— Hoje em dia eu me lembro de algumas coisas, de outras não — disse o velho Sr. Chatterji. — Mas me alegro com o fato de meu comentário ter causado tão... tão... forte impressão em você. Quer saber, outro dia eu esqueci o nome do meu penúltimo gato. Tentei me lembrar, mas não consegui.

— Era Biblop — disse Amit.

— Sim, claro, e eu acabei por me lembrar depois. Dei a ele esse nome porque eu era amigo de Subhas Bose... bom, digamos que eu conhecia a família. E, naturalmente, em minha posição de juiz, um nome como este teria que ser... ãhnn...

Amit esperou por um momento enquanto o velho tentava encontrar a palavra, mas logo o ajudou:

— Irônico?

— Não, eu não estava procurando essa palavra, Amit, eu estava... é, "irônico" também serve. Claro que aqueles eram outros tempos. Sabe, eu agora não consigo nem traçar o mapa da Índia. Parece impossível de imaginar. E a legislação muda todo dia. A gente lê o tempo todo sobre petições escritas levadas ao Tribunal Superior. Ora, no meu tempo nós ficávamos satisfeitos com os processos normais. Mas eu sou um velho, as coisas devem avançar e eu devo ficar para trás. Agora moças como Ila e jovens como vocês — fez um gesto em direção a Amit e Lata — devem levar o mundo adiante.

— Eu dificilmente poderia ser uma moça — protestou a Dra. Ila Chattopadhyay. — Minha filha tem 25 anos agora.

— Para mim, querida Ila, você sempre será uma moça — disse o velho Sr. Chatterji.

A Dra. Ila Chattopadhyay manifestou impaciência.

— Seja como for, meus alunos não me tratam como uma moça. Outro dia eu estava discutindo um capítulo de um dos meus livros antigos com um dos meus colegas mais novos, um rapaz muito sério, e ele disse: "Minha senhora, na qualidade de mais jovem e também na de alguém que avalia o livro no contexto da época em que foi escrito, e apesar do fato de não restarem muitos anos de vida à senhora, está longe de mim a pretensão de sugerir que..." Aquilo me deixou encantada. Comentários desse teor me rejuvenescem.

— Que livro era esse? — perguntou Lata.

— Era um livro sobre Donne — disse a Dra. Ila Chattopadhyay. — *Causalidade Metafísica*. É um livro muito idiota.

— Ah, então a senhora ensina inglês — concluiu Lata surpresa. — Pensei que fosse médica, quer dizer, doutora em medicina.

— Que diabo você andou dizendo a ela? — perguntou a Dra. Chattopadhyay a Amit.

— Nada; de fato, não tive a chance de apresentá-las devidamente uma à outra. Você estava dizendo tão energicamente a Dipankar que ele devia ter abandonado a economia que eu não me atrevi a interromper.

— Estava mesmo. E ele devia ter abandonado. Mas para onde ele foi?

Amit esquadrinhou superficialmente o salão e avistou o irmão ao lado de Kakoli e sua turma de amigos tagarelas. Dipankar, apesar das tendências místicas e religiosas, gostava de moças ainda mais tolas.

— Devo trazê-lo de volta? — perguntou Amit.

— Não, discutir com ele só me deixa irritada, é como brigar com um manjar... todas as ideias sentimentais que tem sobre as raízes espirituais da Índia e a genialidade de Bengala... Ora, se ele fosse um verdadeiro bengalês, mudaria de nome para Chattopadhyay. E você também, em vez de continuar a satisfazer as línguas e os cérebros impotentes dos ingleses... Onde você está estudando?

Ainda levemente abalada pela energia enfática da Dra. Ila Chattopadhyay, Lata respondeu:

— Em Brahmpur.

— Ah, Brahmpur é um lugar impossível. Certa vez estive... Não, não vou dizer isso, é cruel demais, e você é uma moça amável.

— Ora, prossiga, Ila *Kaki*, — disse Amin —, eu adoro crueldade e tenho certeza de que Lata pode suportar tudo o que você tem a dizer.

— Pois bem, Brahmpur! — prosseguiu a Dra. Ila Chattopadhyay, sem se fazer de rogada. — Brahmpur! Há dez anos fui obrigada a ir lá por um dia, para comparecer a um congresso ou algo do gênero no Departamento de Inglês; eu tinha ouvido falar tanto sobre Brahmpur e o Barsaat Mahal e etc. que fiquei por lá mais uns dois dias. Quase me deixou nauseada. Toda aquela cultura cortesã com seus "sim, *huzoor*" e "não, *huzoor*", sem nada de coerente que a justifique. "Como está você?" "Ah, bom, eu estou vivo." Eu simplesmente não podia suportar. "Sim, eu aceito dois bocadinhos de arroz e uma colherzinha de *daal*..."... Toda aquela sutileza e boas maneiras e reverências e mesuras e gazais e *kathak*! Quando eu vi aquelas gordas rodando que nem piões, me deu vontade de dizer: "Corram! Corram! Não dancem, corram!"

— Ainda bem que você não disse, Ila *Kaki*, pois teria sido estrangulada.

— É, mas pelo menos teria acabado com meus sofrimentos. Na noite seguinte fui obrigada a suportar um pouco mais da cultura de Brahmpur. Fomos ouvir uma dessas cantoras de gazais. Horrorosa, eu nunca vou esquecer! Uma dessas mulheres sentimentais, Saeeda-qualquer-coisa; não era possível sequer enxergá-la, tantas joias ela usava. Era como olhar para o sol. Nem atada a cavalos bravos alguém consegue me arrastar para lá novamente... e todos aqueles homens desmiolados, naquele traje idiota do norte, aquela calça tipo pijama, dando a impressão de que acabaram de se levantar da cama, rolando em êxtase, ou em agonia, e gemendo "wah!, wah!" por causa de versos insípidos que abordam a mais abjeta autocomiseração. Ou pelo menos foi o que me pareceu há um ano, quando meus amigos os traduziram... Você gosta desse tipo de música?

— Eu gosto mesmo é de música clássica — começou Lata hesitante, esperando que a Dra. Ila Chattopadhyay a declarasse totalmente mal-instruída. — As apresentações de ragas de Darbari feitas por *ustad* Majeed Khan, por exemplo...

Sem deixar a moça terminar a frase, Amit se intrometeu depressa para atrair a crítica da Dra. Ila Chattopadhyay.

— Eu também, eu também — disse ele. — Sempre me pareceu que a interpretação de um raga lembra um romance, ou pelo menos o tipo de romance que estou tentando escrever. Sabe — continuou, improvisando à medida que discorria —, primeiro você pega uma nota e prolonga-a por um tempo, depois explora outra para descobrir suas possibilidades, e depois talvez chegue à nota dominante, e então há uma pausa. Só gradualmente as frases começam a se formar, e a tabla se reúne ao conjunto com a percussão... e logo começam as improvisações e digressões mais brilhantes, com o tema principal retornando de vez em quando... finalmente tudo se acelera, e a excitação aumenta até atingir o clímax.

A Dra. Ila Chattopadhyay estava olhando assustada para ele.

— Que tremenda tolice! — disse a Amit. — Você está ficando tão inconsequente quanto Dipankar. Não dê atenção a ele, Lata — continuou a autora de *Causalidade metafísica*. — Ele é só um escritor, não sabe absolutamente nada de literatura. A tolice sempre me deixa com fome, preciso ir comer agora mesmo. Pelo menos a família serve o jantar num horário sensato. "Dois bocadinhos de arroz", realmente!

E, sacudindo enfaticamente os cachos grisalhos, ela rumou para a mesa do bufê.

Amit se ofereceu para trazer ao avô um prato de comida, e o idoso aceitou. Ele sentou-se numa poltrona confortável, e os dois jovens dirigiram-se ao bufê. Na metade do caminho, uma moça bonita se destacou do grupo de Kakoli, que estava às risadas e fazendo fofoca, e se aproximou de Amit.

— Não se lembra de mim? — perguntou ela. — Nós nos conhecemos na casa dos Sarkars.

Tentando se lembrar de quando teriam se conhecido e de qual integrante da família se tratava, Amit franziu a testa e sorriu simultaneamente.

A moça lhe deu um olhar de reprovação e esclareceu:

— Nós tivemos uma longa conversa.

— Ah...

— Sobre a atitude de Bankim *Babu* em relação aos ingleses e como isso afetou a forma da escrita dele, mas não o conteúdo.

Ai meu Deus!, pensou ele. Em voz alta, disse:

— Sim... Sim...

Mesmo sentindo pena de Amit e da moça, Lata teve que sorrir. Alegrou-se de ter vindo à festa, afinal de contas.

— Você não se lembra? — insistiu a garota.

De repente Amit se tornou volúvel.

— Eu sou tão esquecido... e esquecível — acrescentou depressa — que às vezes até me pergunto se algum dia eu terei existido. Nada do que fiz parece ter de fato acontecido...

A garota assentiu.

— Sei exatamente o que você quer dizer. — Mas em seguida ela se afastou, um pouco entristecida.

Amit franziu a testa.

Lata, ao ver que ele estava se sentindo mal por ter feito a garota se sentir mal, disse:

— Pelo visto sua responsabilidade não termina no ato de escrever o livro.

— O quê? — perguntou ele, como se reparasse nela pela primeira vez. — Ah, sim, isso com certeza é verdade. Tome aqui, pegue este prato.

7.10

EMBORA não fosse muito meticuloso com seus deveres gerais de anfitrião, Amit tentou cuidar para que Lata, pelo menos, não fosse deixada sozinha durante a noite. Varun (que normalmente a teria acompanhado) não tinha vindo à festa; preferiu sair com seus amigos de shamshu. Meenakshi (que gostava de Lata e normalmente teria circulado com ela pela festa) estava conversando com os pais durante um breve intervalo dos deveres deles de anfitriões e descrevia os acontecimentos em sua cozinha na tarde do dia anterior, com o cozinheiro mongol, e em sua sala de visitas na noite anterior, com o casal Cox. Ela também os havia convidado para essa noite porque achava que seria bom para Arun.

— Mas ela é uma coisinha insossa — disse Meenakshi. — As roupas dela parecem de segunda mão.

— Ela não me pareceu tão insossa quando se apresentou — disse o pai.

O olhar de Meenakshi percorreu casualmente o recinto, e ela levou um ligeiro susto. Patricia Cox estava usando um lindo vestido de seda verde e um colar de pérolas. Seu cabelo castanho dourado era curto e estava curiosamente radiante sob a luz do lustre de pingentes. Essa não era a insossa Patricia Cox de ontem. A expressão de Meenakshi não foi de empolgação.

— Espero que as coisas estejam bem com você, Meenakshi — disse a Sra. Chatterji, voltando por um momento a falar bengalês.

— Maravilhosamente bem, *mago* — replicou a filha em inglês. — Estou muito apaixonada.

Suas palavras trouxeram uma expressão ansiosa ao rosto da Sra. Chatterji.

— Nós estamos muito preocupados com a Kakoli — disse ela.

— Nós? — estranhou o senhor juiz Chatterji. — Ora, suponho que sim.

— Seu pai não leva as coisas suficientemente a sério. Primeiro foi aquele rapaz da Universidade de Calcutá, o... você sabe, o...

— O comuna — esclareceu o senhor juiz Chatterji, benevolente.

— Depois foi o rapaz da mão deformada e de senso de humor esquisito, como era mesmo o nome dele?

— Tapan.

— Sim, que coincidência infeliz.

A Sra. Chatterji deu uma olhada em direção ao bar, onde seu próprio filho Tapan ainda estava ocupado. Coitadinho dele. Ela precisava mandá-lo para a cama em breve. Será que ele havia tido tempo de comer alguma coisa?

— E agora? — perguntou Meenakshi, olhando para o canto em que a irmã e seus amigos estavam falando pelos cotovelos.

— Agora é um estrangeiro — continuou a mãe. — Acho que posso te contar, é aquele rapaz alemão que está ali.

— Ele é muito bonito — disse Meenakshi, que notava primeiro as coisas mais importantes. — Por que Kakoli não me contou?

— Ela anda cheia de segredos ultimamente — respondeu a mãe.

— Pelo contrário, ela anda muito acessível — disse o senhor juiz Chatterji.

— Dá na mesma — disse a Sra. Chatterji. — Ouvimos falar de tantos colegas e amigos que nunca sabemos de fato quem é amigo e quem não é. Ou se existe algum amigo especial.

— Querida, você se preocupou com o comuna e aquilo não deu em nada. — disse o senhor juiz Chatterji à esposa. — Com o rapaz da mão foi a mesma coisa. Logo, por que se preocupar? Veja só a mãe de Arun ali: está sempre sorrindo, nunca se preocupa com coisa alguma.

— *Baba*, isso simplesmente não é verdade — objetou Meenakshi. — Ela e a pessoa mais angustiada do mundo. Ela se preocupa com tudo, por mais trivial que seja.

— É mesmo? — perguntou o pai, interessado.

— De todo modo — continuou Meenakshi —, como vocês sabem que existe algum interesse romântico entre eles?

— Ele passa o tempo todo convidando Kakoli para todos esses eventos diplomáticos — disse a mãe. — É segundo-secretário do consulado geral da Alemanha. E até finge que gosta de *Rabindrasangeet*. Aí já é demais.

— Querida, você não está sendo muito justa — retrucou o senhor juiz Chatterji. — Kakoli também tem mostrado o interesse em tocar as partituras para piano das canções de Schubert. Se tivermos sorte, poderemos até ouvir hoje à noite um recital improvisado.

— Ela diz que ele tem uma linda voz de barítono, que a faz desmaiar. Vai arruinar completamente a própria reputação.

— Como ele se chama? — perguntou Meenakshi.

— Hans — disse a Sra. Chatterji.

— Só Hans?

— Hans-qualquer-coisa. Realmente é muito preocupante, Meenakshi. Se ele não for um rapaz sério, vai deixá-la de coração partido. E, se eles se casarem, ela vai embora da Índia e nunca mais vou vê-la de novo.

— Hans Sieber — adiantou o pai. — Aliás, se você se apresentar como Sra. Mehra, em vez Srta. Chatterji, provavelmente ele vai agarrar sua mão e beijá-la. Acho que a família dele é originalmente austríaca. Na Áustria, a cortesia é uma espécie de doença.

— É mesmo? — Meenakshi suspirou, intrigada.

— É, sim. Até Ila ficou encantada. Mas o encanto não funcionou com sua mãe: ela o considera uma espécie de Ravana de cara pálida que vem atrair a filha dela para regiões distantes e inexploradas.

A analogia não era adequada, mas fora do tribunal o senhor juiz Chatterji relaxava muito o rigor lógico pelo qual era famoso.

— Então o senhor acha que talvez ele beije minha mão?

— Talvez, não, vai beijar com certeza. Mas isso não é nada, comparado ao que ele fez com a minha.

— O que foi que ele fez, *baba*? — perguntou Meenakshi, fixando no pai os olhos enormes.

— Ele quase a esmagou por completo.

O pai abriu a mão direita, a qual ficou encarando por alguns segundos.

— Por que ele fez isso? — perguntou Meenakshi, dando sua risada tilintante.

— Acho que queria transmitir confiança — disse o pai. — E seu marido foi igualmente confortado minutos depois. Aliás, reparei que ele abriu ligeiramente a boca quando estava recebendo o aperto de mão.

— Ah, coitado de Arun — disse Meenakshi despreocupada. Olhou para Hans, que do outro lado da sala, com ar de adoração, contemplava Kakoli, cercada por seu círculo de falastrões. Então, para grande angústia da mãe, Meenakshi repetiu: — Ele é muito bonito. E muito alto também. Qual é o problema com ele? Nós, os bramoístas, não somos considerados muito progressistas? Por que não deveríamos casar Kuku com um estrangeiro? Seria muito chique.

— Sim, por que não? — disse o pai. — Ele parece ter braços e pernas intatos.

— Eu gostaria que você conseguisse convencer sua irmã a não agir com precipitação — pediu a Sra. Chatterji. — Eu nunca devia tê-la deixado aprender aquela língua de bárbaros com a horrorosa Srta. Hebel.

— Acho que nada do que dizemos uns aos outros surte muito efeito — retrucou Meenakshi. — A senhora também não quis que Kuku me convencesse a não me casar com Arun, há alguns anos?

— Ora, mas isso era muito diferente — defendeu-se a Sra. Chatterji. — Além disso, agora estamos acostumados com Arun. — Seu tom era pouco convincente. — Somos todos uma grande família feliz.

A conversa foi interrompida pelo Sr. Kohli, um professor roliço de física que gostava muito de beber e estava tentando, a caminho do bar, evitar esbarrar em sua esposa, que tinha sempre um ar reprovador.

— Olá, juiz. — disse ele — O que o senhor pensa da decisão do caso da Bandel Road?

— Como o senhor sabe, não posso comentar o assunto — respondeu o juiz. — Se houver apelação da sentença, o caso pode ir parar no meu tribunal. E, francamente, eu também não estive acompanhando o processo muito de perto, embora todos os meus conhecidos pareçam estar.

A Sra. Chatterji não tinha tais escrúpulos. Todos os jornais haviam publicado longas reportagens sobre o desenrolar do caso e todo mundo tinha opinião formada a respeito.

— É realmente chocante — disse ela. — Não vejo como um simples magistrado tenha o direito de...

— Um juiz seccional, minha querida — exclamou o senhor juiz Chatterji.

— Sim, tudo bem, mas não vejo como ele possa ter o direito de derrubar a sentença de um júri. Isso lá é justiça? Doze homens de bons antecedentes e idôneos, não é o que dizem? Como ele se atreve a se colocar acima deles?

— Nove homens, querida, em Calcutá são nove. Quanto aos antecedentes e à idoneidade deles...

— Tá bom. E quanto a chamar a sentença de distorcida? Não foi isso que ele disse?

— Distorcida, irracional, totalmente equivocada e contrária ao peso das provas circunstanciais — recitou o calvo Sr. Kohli, com um prazer que em geral reservava para seu uísque. Com sua boquinha meio aberta, fazia lembrar vagamente um peixe meditativo.

— Distorcida, irracionalmente equivocada e assim por diante... Ele tem direito de fazer isso? É tão... tão pouco democrático, de certa forma — continuou a Sra. Chatterji. — E, gostando ou não, vivemos em uma era democrática. E a democracia é parte do problema. É por isso que temos todos esses tumultos e todo esse derramamento de sangue, e depois temos tribunais de júri; não sei por que ainda temos esses tribunais em Calcutá, quando todos os lugares da Índia já se livraram deles. Então alguém suborna ou intimida os jurados e eles produzem essas sentenças impossíveis. Se não fossem os juízes corajosos impugnarem essas sentenças, onde estaríamos? Você não concorda, querido?

A Sra. Chatterji parecia indignada.

— Sim, querida, é claro — concordou o senhor juiz Chatterji. — Aí está, Sr. Kohli, agora já sabe o que eu penso. Mas seu copo está vazio.

— Pois é, acho que tomarei mais um — disse o Sr. Kohli, perplexo. Olhou em torno depressa para ter certeza de que a barra estava limpa.

— Por favor, diga a Tapan que ele deve ir imediatamente para a cama — disse a Sra. Chatterji. — A não ser que não tenha comido. Se ele ainda não comeu, não deve ir imediatamente para a cama: deve comer primeiro.

— Sabe, Meenakshi, que certo dia da semana passada sua mãe e eu estávamos discutindo de forma tão convincente que no dia seguinte, ao café da manhã, já havíamos nos convencido dos pontos de vista um do outro e continuávamos debatendo tão acaloradamente quanto antes?

— Sobre o que estavam discutindo? Sinto muita falta de nossos parlamentos matinais.

— Não consigo me lembrar. Você consegue? Não era alguma coisa relativa ao Biswas *Babu*?

— Era alguma coisa relativa ao Cuddles — disse a Sra. Chatterji.

— Era isso? Não tenho certeza. Pensei que fosse... seja como for, Meenakshi, você deveria vir para o café da manhã um dia desses. Sunny Park fica a uma pequena distância a pé de nossa casa.

— Eu sei — disse Meenakshi —, mas é muito difícil me afastar pela manhã. Arun gosta que as coisas sejam sempre do jeito dele, e Aparna é muito exigente e enjoada antes das 11 horas. *Mago*, seu cozinheiro realmente salvou minha vida ontem. Agora acho que vou dar um alô para Hans. E quem é aquele rapaz que está olhando furioso para Hans e Kakoli? Não está usando nem mesmo uma gravata-borboleta.

De fato, o rapaz estava virtualmente nu: vestido apenas de calça e camisa branca com uma gravata listrada comum. Era um estudante universitário.

— Não sei, querida — respondeu a Sra. Chatterji.

— Será mais um cogumelo? — perguntou Meenakshi.

O senhor juiz Chatterji, que havia cunhado a expressão quando os amigos de Kakoli começaram a brotar profusamente, confirmou:

— Tenho certeza de que sim.

Quando estava no meio do caminho até Hans, Meenakshi tropeçou em Amit e repetiu a pergunta.

— Ele se apresentou como Krishnan — esclareceu o irmão. — Parece que Kakoli o conhece muito bem.

— É mesmo? E o que ele faz?

— Não sei. Disse que é mais um de seus amigos íntimos.

— Um de seus amigos mais íntimos?

— Ah, não, ele não poderia ser um de seus amigos mais íntimos. Ela sabe os nomes desses.

— Estou indo conhecer o chucrute da Kuku — disse Meenakshi decidida. — Onde está Luts? Estava com você há poucos minutos.

— Não sei. Em algum lugar por ali. — Amit apontou na direção do piano para uma aglomeração mais densa e volúvel da multidão. — A propósito, cuidado com suas mãos quando for apresentada a Hans.

— Eu sei, papai já me avisou. Mas este é um momento seguro: ele está comendo. Com certeza não vai largar o prato para apertar minha mão.

— Nunca se sabe — disse Amit, sombrio.

— Irresistível demais para isso — retrucou Meenakshi.

7.11

ENQUANTO isso, Lata, que se encontrava no lugar mais apinhado da reunião, teve a sensação de estar nadando em um mar de idiomas. Estava muito deslumbrada com o brilho e a glória de tudo aquilo. Às vezes se erguia uma onda de inglês pouco compreensível, outras, de um bengalês incompreensível. Como tagarelas cacarejando entre bugigangas — ou descobrindo ocasionalmente pedras preciosas que elas imaginavam ser bugigangas —, os alvoroçados convivas falavam sem parar. Apesar de estarem colocando muita comida boca adentro, todos conseguiam jogar muita conversa da boca para fora.

"Não, não, não, Dipankar... você não entende: o conceito fundamental da civilização Indiana é o Quadrado. O quarto estágio da vida; os quatro objetivos da vida: amor, riqueza, dever e libertação final; e até mesmo os quatro braços de nosso antigo símbolo, a suástica, usado de forma tão equivocada ultimamente... Sim, o quadrado e somente o quadrado é o que constitui o conceito fundamental de nossa espiritualidade. Você só vai entender isso quando for uma idosa como eu..."

"Ela tem dois cozinheiros, essa é a razão, e nenhuma outra. Francamente... mas você precisa experimentar o *luchis*. Não, não, você precisa comer tudo na ordem correta, este o segredo da culinária bengalesa."

"Que *excelente* conferencista foi outro dia à Ramakrishna Mission; um rapaz muito jovem, mas *tão* cheio de espiritualidade... "Criatividade em uma era de crise". Semana que vem você realmente *tem que* ir lá: ele vai falar sobre "A busca da paz e da harmonia.""

"Todo mundo disse que, se eu fosse aos manguezais de Sundarbans, veria dezenas de tigres. Não vi nem mesmo um mosquito. Foi só água, água para todo lado, e nada mais. As pessoas contam cada mentira!"

"Eles deviam ser expulsos! O nível de dificuldade é motivo para se roubar provas de uma sala? E esses, veja bem, são estudantes de comércio exterior da Universidade de Calcutá. O que acontecerá com a ordem econômica se não houver disciplina? Se Sir Asutosh estivesse vivo, o que diria? É isso que significa a Independência?"

"Montoo está tão bonitinho. Mas Poltoo e Loltoo parecem um tanto caídos. Desde a doença do pai, naturalmente. Dizem que é... que é, você sabe... quer dizer, o fígado... de tanto beber."

"Ah, não, não, não, Dipankar... o paradigma elementar, e eu nunca deveria ter falado desse conceito, de nossa antiga civilização é naturalmente a trindade. É claro que não estou falando da trindade cristã; tudo isso parece tão tosco de certa forma... mas sim da trindade como Processo e Aspecto: criação, preservação e destruição. Sim, trindade; este é o paradigma fundamental de nossa civilização e nenhum outro..."

"Uma bobagem ridícula, naturalmente. Portanto eu convoquei os líderes do sindicato e li para eles o Riot Act. Obviamente foi preciso falar grosso com eles para se manterem na linha. Não vou dizer que não houve um pagamento para alguns dos mais resistentes entre eles, mas quem cuida de tudo isso é o Departamento de Pessoal."

"Esse perfume não é o Je Reviens, é o Quelques-fleurs, e isso faz toda a diferença. Não que meu marido seja capaz de conhecer a diferença. Ele não consegue reconhecer nem um Chanel!"

"Então eu disse a Robi *Babu*: 'O senhor é como um deus para nós; por favor, me dê um nome para meu bebê', e ele concordou. É por essa razão que ela se chama Hemangini... O nome não me agradou, mas o que eu podia fazer?"

"Se os mulás querem guerra, eles poderão ter guerra. Nosso comércio com o Paquistão Oriental está virtualmente parado. Um efeito colateral positivo é a queda do preço das mangas! Os plantadores de manga de Maldah tiveram uma grande colheita este ano, e não sabem o que fazer com a produção... naturalmente, também é um problema de transporte, exatamente como na fome em Bengala."

"Ah, não, não, não, Dipankar, você não entendeu absolutamente nada. A textura primordial da filosofia indiana é a da dualidade. Sim, dualidade. A trama e a urdidura de nosso traje ancestral, o sári, um simples pedaço de pano que, no entanto, envolve nossa feminilidade indiana. A trama e a urdidura do próprio universo, a tensão entre ser e não ser... sim, indubitavelmente, é só a dualidade que impera sobre nós aqui em nossa terra ancestral."

"Quando li o poema, me deu vontade de chorar. Eles devem estar tão orgulhosos dele. Mas tão orgulhosos!"

— Olá, Arun, onde está Meenakshi?

Lata se voltou e viu a expressão muito descontente do irmão. A pergunta fora feita pelo amigo dele, Billy Irani. Pela terceira vez alguém se dirigia a Arun com a única intenção de descobrir onde estava a esposa dele. Ele procurou no recinto o sári cor de laranja e avistou a mulher perto do séquito de Kakoli.

— Lá está ela, Billy, perto do ninho de Kuku. Se você precisar falar com ela, eu o acompanho até lá.

Lata imaginou por um segundo o que sua amiga Malati teria achado de tudo isso. Agarrou-se a Arun como a uma balsa salva-vidas e flutuou para onde Kakoli estava parada. De alguma forma, a Sra. Rupa Mehra e um idoso do Rajastão que usava *dhoti* haviam se infiltrado na multidão de gente jovem e bonita.

O idoso, inconsciente da juventude dourada que o cercava, estava dizendo a Hans muito meticulosamente:

— Desde o ano de 1933 eu venho tomando suco de melão amargo. Você conhece? É nosso famoso vegetal indiano conhecido como melão-de-são-caetano. A forma dele é assim — fez um gesto alongado — e ele é verde e tem gomos.

Hans parecia perplexo. O informante continuou:

— Toda semana meu empregado pega um *seer* de melão amargo e prepara um suco usando, note bem, só a casca. Cada *seer* rende um frasco de geleia cheio de suco. — Semicerrou os olhos, tamanha sua concentração. — O que eles fazem com o resto não me importa.

Fez um gesto desdenhoso.

— É mesmo? — disse Hans educadamente. — Isso é tão interessante!

Kakoli tinha começado a dar risadinhas. A Sra. Rupa Mehra parecia vivamente interessada. Arun surpreendeu o olhar de Meenakshi e fechou a cara. Malditos *rajastani*, pensou ele. Sempre fazem um papel ridículo diante dos estrangeiros.

Docemente desatento à recriminação de Arun, o defensor do melão amargo continuou:

— Então todo dia, na refeição matinal, ele me traz uma taça de xerez, um tanto assim, cheia do suco. Todo dia, desde 1933. Eu não tenho problema de glicose. Posso comer doce sem preocupação. Minha pele também está ótima e o funcionamento intestinal é muito satisfatório.

Para ilustrar, ele mordeu um *gulab-jamum* que estava pingando calda.

— Só a casca? — perguntou a Sra. Rupa Mehra, fascinada. Se aquilo fosse verdade, o diabetes já não precisava mais se interpor entre seu paladar e seus desejos.

— Sim — confirmou ele, detalhista. — Só a casca, como eu já disse. O resto é supérfluo. A beleza do melão amargo está só na pele.

7.12

— ESTÁ se divertindo? — perguntou Jock Mackay a Basil Cox enquanto iam para a varanda.

— Estou, e muito — disse o outro, pousando o copo de uísque precariamente sobre a balaustrada de ferro fundido pintado de branco. Sentia a cabeça leve, quase como se ele também quisesse se equilibrar no gradil. No vento que soprava pelo gramado vinha o perfume das gardênias.

— Esta é a primeira vez que eu o vejo na casa dos Chatterji. Patricia está deslumbrante.

— Muito obrigado. Ela está mesmo, não é? Nunca consigo prever quando ela vai se divertir. Sabe, quando eu tive que vir para a Índia, ela ficou muito relutante. Ela até... bom...

Passando o polegar delicadamente pelo lado inferior, Basil olhou para o jardim, onde alguns globos de luz suave iluminavam a parte inferior da copa de um enorme pé de acácia-dourada coberto de flores amarelas que lembravam cachos de uvas. Embaixo da árvore parecia haver uma espécie de cabana.

— Mas você está gostando daqui, não está?

— Acho que sim, embora seja um lugar desconcertante... mas, é claro, faz menos de um ano que eu estou aqui.

— Como assim?

— Por exemplo, que pássaro é esse que ainda agora estava cantando pu-puuuuuu-pu, pu-puuuuuu-pu cada vez mais alto. Com certeza não é um cuco, e eu bem gostaria que fosse. Inquietante. E ainda fico muito confuso com esses *lakhs* e *crores* e *annas* e *pice*. Sou obrigado a recalcular todas as cifras mentalmente. Suponho que com o tempo vou acabar me acostumando.

Pela expressão do rosto de Basil Cox, isso parecia improvável. O xelim ter 12 pences e a libra ter 20 xelins era infinitamente mais lógico que 1 *anna* ter 4 *pice* e 1 rupia ter 16 *annas*.

— De fato, trata-se de um cuco — disse Jock Mackay. — É o falcão-cuco; você não sabia? Você pode não acreditar, mas já me acostumei tanto com ele que quando volto à Inglaterra sinto sua falta. O canto dos pássaros não me incomoda, o que não consigo aturar é a música pavorosa feita pelos cantores indianos... aquela horrível coisa uivante... mas quer saber o que me deixou mais intrigado quando cheguei aqui, há uns vinte anos, e vi todas esses mulheres bonitas e elegantemente vestidas? — Jock Mackay sacudiu a cabeça num gesto jovial e confiante em direção à sala de visitas. — Como fazer sexo usando sári?

Basil Cox fez um súbito movimento, e sua bebida despencou lá do alto e caiu em cima de um canteiro. Jock Mackay pareceu levemente divertido.

— E você já descobriu? — perguntou Basil Cox muito irritado.

— Todo mundo acaba fazendo suas próprias descobertas mais cedo mais tarde — respondeu ele, enigmático. — Mas no geral é um país encantador — continuou, expansivo. — No fim do Raj eles ficaram tão ocupados cortando a garganta uns dos outros que se esqueceram das nossas. Que sorte!

Tomou um gole de sua bebida.

— Parece que não há ressentimento, pelo contrário — disse Basil Cox depois de um intervalo, examinando o canteiro de flores. — Mas eu me pergunto o que as pessoas como os Chatterji pensam realmente sobre nós... afinal, ainda somos uma presença forte em Calcutá. Ainda controlamos as coisas lá. Comercialmente falando, é claro.

— Ah, se eu fosse você, não me preocuparia. O que as pessoas pensam ou deixam de pensar nunca é muito interessante. Já os cavalos, eu me pergunto com frequência o que eles estão pensando...

— Outro dia eu jantei com o genro deles... na verdade foi ontem. Arun Mehra; ele trabalha conosco. Ah, você conhece Arun, naturalmente... De repente o irmão dele entrou cambaleando, bêbado como um gambá, cantando sem parar e fedendo a uma pavorosa aguardente shimsham. Pois é, nem em cem anos eu teria adivinhado que Arun tinha um irmão daqueles. E vestido num *kurta-pyjama* todo amassado!

— Não, isso é instigante — concordou Jock Mackay. — Conheci um velho funcionário público, indiano, mas *pukka*, que ao se aposentar renunciou a tudo, virou *sadhu* e nunca mais se soube dele. E era um homem casado e pai de dois filhos adultos.

— Foi mesmo?

— Pois foi. Mas é um povo encantador, eu diria: bajula pela frente, fala mal pelas costas, simula ter amigos famosos, gosta de bancar o sabichão, elogia a si mesmo, legisla em causa própria, cultua os poderosos, dirige mal como o diabo, escarra e cospe na rua... essa ladainha já teve mais alguns tópicos, mas eu os esqueci.

— Parece que você odeia o lugar — concluiu Basil Cox.

— Muito pelo contrário — disse Jock Mackay. — Eu não ficaria surpreso se resolvesse me aposentar aqui. Mas vamos voltar para dentro? Vejo que você perdeu sua bebida.

7.13

— NÃO pense em nada sério antes de ter feito 30 anos. — O jovem Tapan estava sendo aconselhado pelo roliço Sr. Kohli, que tinha conseguido se livrar da mulher por mais alguns minutos. Com o copo na mão, ele parecia um urso de pelúcia grande e preocupado, quase desamparado, letárgico. Sua grande abóbada craniana — uma maravilha frenológica — brilhou quando ele se debruçou sobre o bar. Tendo pronunciado uma de suas máximas, ele semicerrou os olhos de pálpebras pesadas e entreabriu a boca minúscula.

— Agora, pequeno *sahib*, *memsahib* diz que você deve ir dormir imediatamente — falou o velho empregado Bahadur com firmeza.

Tapan começou a rir.

— Diga à minha mãe que eu vou dormir quando fizer 30 anos — disse ele, despachando Bahadur.

— Sabe, as pessoas ficam estagnadas nos 17 — continuou o Sr. Kohli. — É o ponto em que elas se imaginam para sempre a partir daí: sempre com 17 anos e sempre felizes. Não que tenham sido de fato felizes quando tinham 17. Mas para você ainda faltam alguns anos até chegar lá. Quantos anos você tem?

— Treze anos... quase.

— Ótimo! Fique por aí — sugeriu o Sr. Kohli. — É o conselho que lhe dou.

— Está falando sério? — perguntou Tapan, parecendo de repente um pouco infeliz. — O senhor quer dizer que as coisas não vão melhorar?

— Ah, não leve nada tão a sério — disse o Sr. Kohli. Fez uma pausa para beber um gole. — Contudo — acrescentou —, leve mais a sério o que eu digo do que as palavras dos outros adultos.

— Tapan, vá para a cama agora mesmo — ordenou a Sra. Chatterji, vindo ao encontro deles. — O que foi que você andou dizendo a Badahur? Se ficar se comportando assim, não deixaremos que fique acordado até mais tarde. Agora sirva uma bebida ao Sr. Kohli e depois vá se deitar de uma vez.

7.14

— AH, não, não, não, Dipankar — disse a Grande Dama da Cultura, balançando devagar a cabeça idosa e benevolente em compassiva condescendência enquanto mantinha seu interlocutor preso a seu olhar cintilante —, não é absolutamente nada disso: não é a Dualidade, eu não poderia jamais ter dito Dualidade, Dipankar, ai, meu Deus, não. A essência intrínseca de nosso ser aqui na Índia é a Unidade, sim, uma Unidade do Ser, uma assimilação ecumênica de tudo que flui para dentro deste grande subcontinente que é o nosso país. — Envolveu tolerante e maternalmente o salão num gesto circular. — Aqui em nosso país ancestral, o que governa nossas almas é a Unidade.

Dipankar concordou energicamente com um gesto de cabeça, piscou rápido e engoliu seu uísque de uma vez, enquanto Kakoli lhe dirigia uma piscadela. Era isso que ela gostava nele, pensou Kakoli: o irmão era o único dos Chatterji mais jovens que era sério e, por ser uma alma gentil e conciliatória, ele representava o ouvinte cativo ideal de qualquer fornecedor de alimento intelectual de mérito duvidoso que se desgarrasse e viesse parar naquele lar irreverente. E todos na família podiam procurá-lo para pedir um conselho pertinente quando precisassem.

— Dipankar — disse Kakoli —, Hemangini quer falar com você. Ela está sofrendo sem você e precisa ir embora em dez minutos.

— Pois não, Kuku, eu agradeço — disse Dipankar com ar infeliz, e piscando mais do que de costume em consequência disso. — Tente segurá-la por aqui o máximo possível... É que estamos tendo uma discussão tão interessante! Por que você não vem participar também, Kuku? — acrescentou ele desesperado. — É sobre a Unidade como essência intrínseca de nosso ser...

— Ah, não, não, não, não, Dipankar — disse a Grande Dama, corrigindo-o com uma ponta de tristeza, mas mesmo assim, com paciência —, não é a Unidade, não é a Unidade, e sim o Zero, a Nulidade em si, o princípio orientador de nossa existência. Eu nunca poderia ter usado a expressão essência intrínseca, pois o que é uma essência, se não for intrínseca? A Índia é a terra do Zero, pois foi dos horizontes de nosso solo que o Zero se ergueu como um vasto sol para espalhar sua luz sobre o mundo do conhecimento. — Por alguns segundos ela examinou um *gulab-jamun*. — É o Zero, Dipankar, representado pelo Mandala, o círculo, a própria natureza circular do tempo, que é o princípio orientador de nossa civilização. Tudo isso... — Mais uma vez ela fez um gesto circular envolvendo todo o ambiente, abrangendo, num lento movimento do braço rechonchudo, o piano, as estantes, as flores em seus enormes vasos de vidro lapidado, os cigarros que fumegavam nas bordas dos cinzeiros, duas travessas de *gulab-jamuns*, os cintilantes convidados e o próprio Dipankar. — Tudo isso é o Não-Ser. É a nulidade das coisas, Dipankar, que você precisa aceitar, pois é no Nada que reside o segredo do Todo.

7.15

NO dia seguinte o Parlamento Chatterji (inclusive Kakoli, que sempre achava difícil acordar antes das dez) se reuniu para a refeição matinal.

Todos os vestígios da festa tinham sido removidos. Cuddles fora libertado para o mundo. Ele havia saltitado pelo jardim, deliciado, e tinha perturbado as meditações de Dipankar na pequena cabana que este construíra para si no cantinho do jardim. Também havia desenterrado algumas plantas na horta, as quais pareciam ser objeto da atenção de Dipankar. Este aceitou tudo calmamente. Provavelmente o cachorro tinha enterrado alguma coisa ali e, depois do trauma da noite anterior, queria simplesmente se assegurar de que o mundo e os objetos contidos nele estavam em seus lugares habituais.

Kakoli tinha deixado instruções para que a acordassem. Ela precisava telefonar para Hans depois que ele tivesse voltado das cavalgadas matinais. Ela não sabia como ele conseguia acordar às cinco da manhã — tal qual Dipankar — a fim de fazer todas essas atividades vigorosas sob o lombo do cavalo. Mas sentia que ele devia ter muita força de vontade.

Kakoli era muito apegada ao telefone, que ela monopolizava descaradamente, e fazia o mesmo com o carro. Com frequência ficava tagarelando por 45 minutos seguidos, e o pai às vezes não conseguia telefonar do Tribunal Superior ou do Calcutta Club para casa. Na cidade inteira haveria menos de 10 mil telefones, logo, um segundo aparelho teria sido um luxo inimaginável. Entretanto, desde que Kakoli providenciara a instalação de uma extensão em seu quarto, o inimaginável tinha começado a parecer quase razoável para o juiz.

Como todos haviam se recolhido muito tarde, o velho criado Bahadur, que normalmente realizava a difícil tarefa de acordar a recalcitrante Kuku e apaziguá-la com leite, foi autorizado a dormir até mais tarde. Amit havia, portanto, assumido o dever de despertar a irmã.

Ele bateu gentilmente à porta. Não obteve resposta. Ele a abriu. A luz se derramava pela janela sobre a cama de Kakoli. Ela estava dormindo, atravessada em diagonal na cama, com o braço protegendo os olhos. Seu rosto bonito e redondo estava coberto de lacto calamine seca, que a moça usava para embelezar a pele, juntamente com polpa de mamão.

— Acorde, Kuku, são sete da manhã — disse Amit.

Kakoli continuou a dormir profundamente.

— Acorde, Kuku.

Kakoli se mexeu ligeiramente, depois disse alguma coisa que pareceu um som queixoso.

Depois de uns cinco minutos tentando fazê-la despertar, primeiro com palavras amáveis e depois como uma amável sacudida nos ombros, e sendo recompensado com um mero murmúrio, Amit jogou-lhe na cabeça um travesseiro de forma muito pouco gentil.

Kakoli se mexeu o suficiente para dizer:

— Aprenda com Bahadur. Acorde as pessoas amavelmente.

— Não tenho prática nisso — respondeu Amit. — Provavelmente ele é obrigado a ficar perto de sua cama 10 mil vezes murmurando "Kuku *baby*, acorde; acorde jovem *memsahib*" durante vinte minutos, enquanto você responde com murmúrios queixosos.

— Umpf — disse Kakoli.

— Pelo menos abra os olhos. Ou você vai virar para o outro lado e voltar a dormir. — E acrescentou depois de uma pausa: — Kuku *baby*.

— Umpf — disse Kakoli irritada. No entanto, abriu uma fresta dos dois olhos.

— Vai querer seu ursinho de pelúcia? Seu telefone? Um copo de leite?

— Leite.

— Quantos copos?

— Um copo de leite.

— Tudo bem.

Amit foi buscar um copo de leite para a irmã.

Quando voltou, descobriu que ela estava sentada na cama, com o fone em uma das mãos e Cuddles enfiado embaixo do outro braço. Kakoli dedicava ao cachorro uma torrente de tagarelice à la Chatterji:

— Ah, seu monstrinho,— dizia ela. — Seu monstrinho monstruoso; ah, seu feioso monstrinho monstruoso. — Acariciou com o fone a cabeça do animal. — Ah, seu horroroso feioso monstrinho monstruoso.

Ela não prestava atenção a Amit.

— Cale a boca, Kuku, e beba o leite — ordenou Amit irritado. — Eu tenho mais o que fazer além de servir você.

O comentário atingiu Kakoli com renovada força. Ela tinha muita prática na arte de bancar a desprotegida quando havia pessoas protetoras por perto.

— Ou também vai querer que eu beba o leite por você? — agregou Amit gratuitamente.

— Vai lá e morde o Amit — instruiu Kakoli a Cuddles. O cachorro não se mexeu.

— Devo deixar o leite aqui, madame?

— Sim, por favor — respondeu ela, sem fazer caso da ironia.

— É só isso, madame?

— Sim.

— Sim o quê?

— Sim, muito obrigada.

— Eu ia pedir um beijo de bom-dia, mas essa lacto calamine parece tão nojenta que prefiro adiar.

Kakoli olhou o irmão severamente.

— Você é uma pessoa horrível e insensível. Não sei por que as mulheres desmaaaaiam por seus poemas.

— É porque minha poesia é muito sensível.

— Tenho pena da garota que se casar com você. Eu reeealmente tenho pena.

— E eu tenho pena do rapaz que se casar com você. Eu reeealmente tenho pena. Por falar nisso, era para meu futuro cunhado que você ia telefonar? Para o quebra-nozes?

— O quebra-nozes?

Amit esticou a mão direita como se trocasse um aperto de mão com um homem invisível. Lentamente sua boca se abriu em choque e sofrimento.

— Vá embora, Amit, você estragou completamente meu bom humor — disse Kakoli.

— O que havia para estragar?

— Você fica muito irritado quando eu digo alguma coisa sobre as mulheres que lhe interessam.

— Tipo quem? Jane Austen?

— Eu posso dar um telefonema em paz e privacidade?

— Sim, sim, Kuku *baby* — disse Amit, conseguindo ser ao mesmo tempo irônico e apaziguador. — Eu já estou indo. Nós nos veremos no café da manhã.

7.16

DURANTE o café da manhã, a família Chatterji apresentava uma cena de conflito cordial. Era uma família inteligente; nela, todos consideravam as pessoas de fora idiotas. Havia quem os achasse antipáticos porque eles pareciam gostar mais da companhia uns dos outros que da companhia de terceiros. Mas se essas pessoas tivessem visitado os Chatterji na hora do café e visto como discutiam por causa de trivialidades, provavelmente os teriam achado menos desagradáveis.

O senhor juiz Chatterji se sentava à cabeceira da mesa. Apesar da pequena estatura, da miopia e da distração, era um homem de certa dignidade. Inspirava respeito no tribunal e uma espécie de obediência em sua excêntrica família. Não gostava de falar mais que o necessário.

— Qualquer um que goste de geleia de frutas é maluco — declarou Amit.

— Você está me chamando de maluca? — interpelou-o Kakoli.

— Não, claro que não, Kuku, eu estou partindo de princípios gerais. Por gentileza, me passe a manteiga.

— Você pode pegá-la sozinho — disse Kuku.

— Não faça assim, Kuku — murmurou a Sra. Chatterji.

— Não posso pegá-la — protestou Amit. — Minha mão foi esmagada.

Tapan deu uma risada. Kakoli lançou a ele um olhar furioso, depois armou uma cara tristonha para fazer um pedido.

— *Baba*, eu preciso do carro hoje — disse ela depois de alguns segundos. — Preciso sair. Vou precisar do carro o dia inteiro.

— Mas *baba* — retrucou Tapan —, eu vou passar o dia com Pankaj.

— Eu preciso mesmo ir ao Hamilton's hoje de manhã para buscar o tinteiro de prata. — disse a Sra. Chatterji.

O senhor juiz Chatterji ergueu as sobrancelhas.

— Amit?

— Nenhum pedido.

Dipankar, que também havia dispensado o transporte, perguntou em voz alta por que Kuku parecia tão melancólica. Ela fechou a cara.

Amit e Tapan começaram prontamente a cantar uma antífona:

— Olhamos o antes e o depois, e sofremos pelo que não...

— EXISTE!

— Nosso riso mais sincero e dolorido está...

— TRISTE!

— Em doces canções e pensamentos a tristeza...

— RESISTE! — gritou Tapan eufórico, pois venerava Amit como um herói.

— Não se preocupe, querida, tudo vai dar certo no final — disse a mãe a título de consolação.

— Vocês não têm ideia do que eu estava pensando — objetou Kakoli.

— Você quer dizer em quem estava pensando — corrigiu Tapan.

— Cale a boca, sua ameba — retrucou a irmã.

— Ele parece um sujeito muito legal — arriscou Dipankar.

— Ah, não passa de um *glamdip* — contrapôs Amit.

— *Glamdip*? *Glamdip*? Será que eu perdi alguma coisa? — perguntou o pai.

A Sra. Chatterji parecia igualmente confusa.

— O que é um *glamdip*, querido? — perguntou ela a Amit.

— Um glamoroso diplomata — replicou Amit. — Muito vazio, muito encantador. O tipo de pessoa pelo qual Meenakshi costumava suspirar. E por falar nisso, um deles virá me visitar hoje de manhã. Quer conversar comigo sobre cultura e literatura.

— É sério, Amit? — perguntou ansiosa a Sra. Chatterji. — De quem se trata?

— Algum embaixador sul-americano, do Peru ou do Chile ou de algum lugar, que se interessa por artes. Recebi um telefonema de Nova Delhi há uma ou duas semanas e combinamos tudo. Ou será que era da Bolívia? Ele queria conhecer um escritor em sua visita a Calcutá. Duvido que tenha lido alguma coisa de minha autoria.

A mãe pareceu alvoroçada.

— Mas então eu preciso providenciar para que tudo esteja em ordem — observou ela. — E você disse a Biswas *Babu* que o receberia hoje de manhã.

— Eu disse, eu disse — concordou Amit. — E o receberei.

— Ele não é um *glamdip* — falou Kakoli de repente. — Você mal o conhece.

— Não, ele é um bom rapaz para nossa Kuku — zombou Tapan. — Ele é tão *"shinshero"*.

Este era um dos adjetivos altamente elogiosos de Biswas *Babu*.

Kuku sentiu que Tapan merecia levar uns tapas nas orelhas.

— Eu gosto do Hans — disse Dipankar. — Ele foi muito amável com o homem que lhe recomendou tomar suco de melão amargo. Ele tem mesmo um bom coração.

— Ó minha querida, acalme seu coração./ Sejamos inseparáveis: segure minha mão — disse baixinho Amit.

— Segure, sim, mas sem apertar demais — disse rindo Tapan.

— Parem com isso! — gritou Kuku. — Vocês são insuportáveis.

— Ele é um bom pretendente para nossa Kuku — continuou Tapan, arriscando-se a represálias.

— Bom pretendente ou um partido complacente? — perguntou Amit. Tapan sorriu encantado.

— Agora já chega, Amit — disse o senhor juiz Chatterji antes que a esposa pudesse intervir. — Nada de chacinas no café da manhã. Vamos mudar de assunto.

— Sim — concordou Kuku. — Vamos falar de como Amit ficou todo derretido pela Lata ontem à noite.

— Pela Lata? — perguntou Amit genuinamente surpreso.

— Pela Lata? — repetiu Kuku, imitando o irmão.

— Francamente, Kuku, o amor destruiu seu cérebro. Nem reparei que eu tivesse passado algum tempo com ela.

— É, eu tenho certeza de que não reparou.

— Ela é só uma moça simpática — defendeu-se Amit. — Se Meenakshi não tivesse estado tão ocupada fazendo fofoca e Arun tão ocupado fazendo contatos, eu não teria sido obrigado a assumir qualquer responsabilidade por ela.

— Então, enquanto ela estiver em Calcutá, só precisamos convidá-la para vir à nossa casa quando for inevitável — murmurou Kuku.

A Sra. Chatterji não disse nada, mas começou a parecer ansiosa.

— Eu convido à nossa casa quem eu quiser — disse Amit. — Você, Kuku, convidou cinquenta pessoas estranhas para a festa de ontem à noite.

— Cinquenta pessoas estranhas. — Tapan não pôde deixar de dizer.

Kuku virou-se para ele severamente.

— Crianças não devem interromper a conversa de adultos.

Em segurança no lado oposto da mesa, Tapan fez uma careta para ela. Certa vez a irmã tinha ficado tão irritada que o perseguiu ao redor da mesa; mas, em geral, ficava demasiado letárgica até o meio-dia.

— Pois é, Kuku, alguns deles são muito esquisitos — retomou Amit, de testa franzida. — Quem é aquele cara, Krishnan? Imagino que seja do sul da Índia, já que é moreno. Ele estava olhando muito ressentido para você e seu segundo-secretário.

— Ah, é só um amigo — disse Kuku espalhando a manteiga com excepcional concentração. — Acho que está zangado comigo.

Amit não conseguiu resistir e compôs um dístico para Kakoli:

— Afinal, quem é Krishnan? Eu já te digo:/ Apenas um cogumelo, apenas um amigo.

— Sempre ocupado comendo *dosa*/ Bebendo cerveja com a expressão gulosa.

— Tapan! — disse a mãe, engasgada. Com a mania idiota de compor rimas, Amit, Meenakshi e Kakoli, pelo jeito, haviam corrompido totalmente seu pequeno garotinho.

O senhor juiz Chatterji baixou a torrada.

— De sua parte já chega, Tapan — disse ele.

— Mas, *baba*, eu estava só fazendo uma piada — protestou Tapan, achando injusto ter sido discriminado. Só porque sou o mais novo, pensou. E ainda por cima o dístico era muito bom.

— Piada é piada, mas já chega — insistiu o pai. — E você também, Amit. Se você fizesse algo de útil teria mais direito a criticar os outros.

— Pois é isso mesmo — acrescentou Kuku satisfeita, vendo o jogo ser virado. — Faça algum trabalho sério, Amit *Da*. Procure agir como um membro útil da sociedade antes de criticar os outros.

— O que há de errado em escrever poemas e romances? — perguntou Amit. — Ou será que a paixão também deixou você analfabeta?

— É um bom passatempo, Amit — disse o senhor juiz Chatterji. — Mas não é um meio de vida. E o que há de errado com a advocacia?

— Ora, é como voltar à escola — disse Amit.

— Não consigo ver como chegou a essa conclusão — disse o pai secamente.

— A pessoa precisa se vestir adequadamente; isso é como o uniforme escolar. E em vez de dizer "senhor" diz "meritíssimo", o que é igualmente ruim, até ser elevado à categoria de juiz, quando então os outros o chamarão assim. E entra em férias e recebe vereditos bons e ruins, julgamentos a seu favor e contra, exatamente como acontece com Tapan.

— Bem, a profissão jurídica foi bastante boa para seu avô e para mim — disse o senhor juiz Chatterji, não satisfeito de todo com a analogia.

— Mas Amit tem um dom especial — interrompeu a Sra. Chatterji. — Você não se orgulha dele?

— Ele pode exercer seu dom especial nas horas vagas — respondeu o marido.

— Foi isso o que disseram a Rabindranath Tagore? — perguntou Amit.

— Com certeza você deve admitir que há uma diferença entre você e Tagore — disse o pai, olhando surpreso para o filho mais velho.

— Eu admito que há uma diferença, *baba*, mas que relevância ela tem para o argumento que estou defendendo?

A menção a Tagore, porém, tinha feito a Sra. Chatterji assumir uma posição de reverência incontestável.

— Amit, Amit — protestou ela —, como você pode pensar desse jeito em Gurudeb?

— *Mago*, eu não disse que... — começou Amit.

— Amit, Robi *Babu* é como um santo — interrompeu-o a Sra. Chatterji. — Nós bengaleses devemos tudo a ele. Quando eu estava em Shantiniketan, lembro que uma vez ele me disse...

Mas agora Kakoli uniu forças com Amit:

— Puxa, *mago*, realmente... nós já ouvimos bastante sobre Shantiniketan e como o lugar era idílico. Eu sei que se fosse obrigada a viver ali cometeria suicídio todo dia.

— A voz dele é como um grito no deserto — continuou a mãe, quase sem ouvir o que a filha dizia.

— Eu não diria isso, *ma* — discordou Amit. — Nós o idolatramos mais que os ingleses a Shakespeare.

— E por um bom motivo — retrucou a Sra. Chatterji. — As canções dele nos vêm aos lábios; os poemas dele, a nossos corações...

— Na verdade, o *Abol Tabol* é o único livro de qualidade em toda a literatura bengalesa — disse Kakoli. — "O filhote de grifo desde o nascimento/ Mostra-se avesso à exultação;/ No riso ou sorriso vê transgressão,/ e a tremer diz: "Nem em pensamento!"*

Ah, sim, e eu gosto de *Cenas satíricas de Hutom, a coruja.* E quando me dedicar à literatura escreverei minhas próprias *Cenas satíricas de Cuddles, o cão.*

— Kuku, você é mesmo impossível — gritou a Sra. Chatterji, furiosa. — Façam o favor de impedi-la de dizer essas coisas.

— É só uma opinião, querida — disse o senhor juiz Chatterji. — Não posso impedi-la de ter opiniões.

— Mas sobre Gurudeb, cujas canções ela canta... sobre Robi *Babu*...

Kakoli, que desde quase o nascimento tinha sido forçada a engolir o *Rabindrasangeet*, agora cantava desafinada a melodia da canção "Shonkochero bihvalata nijere apoman":

Robi *Babu*, R. Tagore, ah, ele é tão chato!
Robi *Babu*, R. Tagore, ah, ele é tão chato!
    Ah, ele é tão chato!
    Tão, tão chato!
    Tão, tão chato!
Ah, tão, tão, tão chato!
Robi *Babu*, R. Tagore, ah, ele é tão chato!

---

* Tradução livre. (*N. do E.*)

— Pare! Pare com isso agora mesmo! Kakoli, você está me ouvindo? — gritou horrorizada a Sra. Chatterji. — Pare com isso! Como se atreve? Sua garota estúpida, desavergonhada, fútil!

— Francamente, *ma*, ler a obra dele é como tentar nadar no melado — continuou Kakoli. — A senhora precisava ouvir o que diz Ila Chattopadhyay sobre o seu Robi *Babu*. Flores e luar e leitos nupciais...

— *Ma*, por que deixa que eles a atormentem? — perguntou Dipankar. — A senhora deveria pegar o melhor das palavras e moldá-las a seu próprio espírito. Dessa forma poderia atingir a serenidade.

A Sra. Chatterji não se deixou aplacar. A serenidade estava longe dela.

— Eu posso me levantar? Já acabei meu café — disse Tapan.

— Naturalmente, Tapan — consentiu o pai. — Vou providenciar o carro.

— Ila Chattopadhyay é uma moça muito ignorante, eu sempre pensei assim — disse num rompante a Sra. Chatterji. — Quanto aos livros dela... acho que quanto mais as pessoas escrevem, menos elas pensam. E ontem à noite ela estava usando um sári totalmente amassado.

— Ela já não é mais uma moça, querida — corrigiu o marido. — É mais uma mulher idosa... deve ter no mínimo 55 anos.

A Sra. Chatterji olhou irritada para o marido. Aos 55 anos ninguém poderia ser considerado exatamente idoso.

— E suas opiniões devem ser levadas em conta — acrescentou Amit. — Ela é muito obstinada. Ontem ela dizia a Dipankar que não há futuro na economia. Parecia saber do que estava falando.

— Ela sempre parece saber do que está falando — disse a Sra. Chatterji. — De toda forma, ela é do lado da família de seu pai — acrescentou, de maneira irrelevante. — E, se não gosta de Gurudeb, deve ter um coração de pedra.

— Não se pode condená-la — disse Amit. — Depois de uma vida tão cheia de tragédias qualquer um se tornaria mais duro.

— Que tragédias? — Quis saber a Sra. Chatterji.

— Aos 4 anos ela levou uma palmada da mãe, foi muito traumático. E depois as coisas prosseguiram nesse sentido. Aos 12 anos, tirou segundo lugar numa prova... são coisas que endurecem a pessoa.

— De onde você tirou filhos tão malucos? — perguntou ao marido a Sra. Chatterji.

— Eu não sei — replicou ele.

— Se você tivesse passado mais tempo em casa, em vez de ir ao clube todo dia, eles não teriam ficado assim — disse a Sra. Chatterji numa rara censura; mas ela estava transtornada.

O telefone tocou.

— Aposto que, com certeza, é para Kuku — disse Amit.

— Não é.

— Suponho que pelo tipo de toque você consiga saber, não é, Kuku?

— É para Kuku — gritou Tapan lá da porta.

— Quem é? — perguntou Kuku e mostrou a língua ao irmão.

— Krishnan.

— Diga a ele que não posso atender. Eu ligo depois.

— Devo dizer a ele que você está tomando banho? Ou dormindo? Ou que saiu de carro? Ou as três coisas? — perguntou Tapan, rindo.

— Por favor, Tapan, seja um bom menino e invente uma desculpa. Pode dizer que eu saí.

— Mas, Kuku, esta é uma mentira deslavada. — exclamou a Sra. Chatterji chocada.

— Eu sei, *ma*, mas ele é tão chato, o que eu posso fazer?

— É, o que se pode fazer quando se tem uma centena de melhores amigos? — resmungou Amit, assumindo uma expressão lastimosa.

— Só porque ninguém ama você — gritou Kuku, instigada a uma reação agressiva.

— Muita gente me ama. — disse Amit — Você não, Dipankar?

— Sim, *dada* — disse Dipankar, que achou melhor se ater aos fatos.

— E todos os meus fãs me amam — acrescentou Amit.

— É porque eles não o conhecem — disse Kakoli.

— Não vou contestar esse argumento. E por falar em fãs desconhecidos, acho melhor me aprontar para Sua Excelência. Com licença.

Amit se levantou para sair, e Dipankar o seguiu. O senhor juiz Chatterji determinou o uso do carro entre as duas principais pretendentes, ao mesmo tempo em que contemplou também os interesses de Tapan.

7.17

CERCA de 15 minutos depois do horário agendado para a chegada do embaixador para o encontro de uma hora, Amit foi informado por telefonema de que o visitante chegaria "um pouco atrasado". Tudo bem, disse.

Cerca de meia hora depois do horário em que o embaixador deveria chegar, Amit foi informado de que o visitante talvez fosse se atrasar um pouco mais. Isso o deixou levemente irritado, pois nesse meio-tempo ele poderia ter escrito um pouco.

— O embaixador já chegou a Calcutá? — perguntou ele ao homem ao telefone.

— Sim, chegou ontem à tarde — respondeu a voz. — Ele só está um pouco atrasado. Mas saiu para sua casa a uns dez minutos. Deverá chegar aí nos próximos cinco minutos.

Amit ficou irritado porque Biswas *Babu* deveria chegar em breve e ele não queria deixar o velho secretário da família esperando. Mas, engolindo a irritação, resmungou alguma amabilidade.

Quinze minutos depois o *señor* Bernardo Lopez chegou à porta num grande carro preto. Ele veio acompanhado de uma moça animada cujo nome era Anna-Maria. O embaixador pediu muitas desculpas e estava cheio de boa vontade cultural; sua acompanhante, por outro lado, era dinâmica e enérgica, e no momento que se sentou extraiu da bolsa um caderninho.

Enquanto despejava uma enxurrada de suas palavras ponderadas e gentis, todas elas sopesadas, deliberadas e qualificadas antes de serem ditas, o embaixador olhava para qualquer parte, menos para Amit: ele olhava para sua xícara, para seus próprios dedos flexionados ou tamborilantes, para Anna-Maria (a quem enviava reconfortantes sinais de cabeça) e para um globo que havia no recanto da sala. De vez em quando ele sorria. Pronunciava "very" com som de "b".

Acariciando nervosa e gravemente a cabeça pontuda e calva, e consciente do fato de ter chegado com um indesculpável atraso de 45 minutos, ele tentou ir direto ao assunto:

— Bem, Sr. Chatterji, Sr. Amit Chatterji, se posso me permitir tamanha ousadia, como você sabe, sou frequentemente convocado em meus deveres oficiais como embaixador, função que tenho assumido por mais ou menos um ano, pois infelizmente em meu país ela não é permanente, nem, de fato, definitiva, existe um elemento de... eu posso até dizer, ou talvez não fosse justo dizer (sim, assim está mais bem-formulado, se me permite elogiar a mim mesmo por uma locução em outra língua) que existe um elemento de arbitrariedade em nossa permanência num lugar específico, quero dizer; ao contrário de vocês escritores que... mas, de todo modo, o que eu quis dizer é que gostaria de lhe fazer uma pergunta diretamente, o que corresponde a dizer, me desculpe, mas como o senhor sabe, eu cheguei aqui com 45 minutos de atraso e tomei 45 minutos de seu bom tempo (ou de sua boa pessoa, como observo que alguns dizem aqui), em parte porque me pus a caminho muito tardiamente (e vim para cá direto da casa de um amigo aqui nessa cidade admirável, à qual eu espero retornar algum dia quando estiver com mais tempo livre, ou a Nova Delhi, quero dizer a minha própria casa, embora o senhor deva naturalmente me dizer se estou tomando excessiva liberdade), mas eu pedi a meu secretário que lhe informasse do atraso (espero que ele tenha informado, sim?), mas em parte porque nosso motorista nos levou a Hazra Road, um equívoco, segundo entendo, muito natural, porque as ruas são quase paralelas e próximas umas das outras, na qual encontramos um cavalheiro que teve a gentileza de nos redirecionar para esta bela casa; eu falo como apreciador não só da arquitetura mas também da forma como o senhor preservou a atmosfera dela, sua talvez ingenuidade, não, engenhosidade, e até virgindade; mas, como disse, eu estou (para resumir) atrasado, e na verdade 45... bom, o que eu agora devo lhe perguntar, como pergunto a outros no decorrer de meus deveres oficiais, embora isso não seja de forma alguma um dever oficial, mas um dever inteiramente prazeroso (embora eu realmente tenha uma coisa para lhe pedir, ou melhor, para lhe perguntar), eu preciso lhe perguntar o que pergunto a outros funcionários que têm agendas a cumprir, não que o senhor seja um funcionário, mas, bom, um homem ocupado: o senhor tem outro compromisso depois dessa hora que me alocou, ou nós podemos talvez exceder... Sim? Eu me expressei com clareza?

Aterrorizado de ter que encarar mais daquilo, Amit disse depressa:

— Infelizmente, vou precisar que Vossa Excelência me desculpe, mas eu tenho um compromisso urgente em 15 minutos, não, desculpe, em cinco minutos, com um velho colega de meu pai.

— Amanhã, então? — perguntou Anna-Maria.

— Não, é pena, mas amanhã eu irei para Palashnagar — disse Amit, citando a cidade fictícia onde seu romance era ambientado. Refletiu que a declaração era a pura verdade.

— Uma pena, uma pena — disse Bernardo Lopez. — Mas ainda temos cinco minutos; portanto, deixe-me perguntar apenas isso, uma longa perplexidade para mim: em que consiste isso, o "ser", e os pássaros e os barcos e o rio da vida, que nós encontramos na poesia indiana, sem exclusão do grande Tagore? Mas deixe-me dizer que com esse "nós" eu apenas quero dizer nós no Ocidente, se o Sul puder ser incluído no Ocidente; com "encontramos" eu quero dizer no sentido de que Colombo encontrou a América, que agora sabemos que não precisava ser encontrada, pois ali havia gente para a qual a "descoberta" seria mais insultante que supérflua; e, naturalmente, com "poesia indiana" quero dizer a poesia que foi tornada acessível a nós, ou seja, aquela que foi traduzida pela tradução. Sob a luz dessas definições, o senhor pode me esclarecer? Pode nos esclarecer?

— Vou tentar — prometeu Amit.

— Está vendo? — disse Bernardo Lopez levemente triunfante a Anna-Maria, que havia abaixado o caderninho. — O irrespondível não é irrespondível nas terras do Oriente. *Felix qui potuit rerum cognoscere causas*, feliz daquele que pôde conhecer as causas das coisas. E, quando isso se aplica a uma nação inteira, ainda nos deixa mais admirados. Na verdade, quando cheguei aqui há um ano, tive uma sensação...

Mas agora Bahadur entrou e informou a Amit que Biswas *Babu* estava esperando por ele no gabinete do pai.

— Vossa Excelência me desculpe — disse Amit pondo-se de pé —, mas parece que o colega de meu pai já chegou. Mas eu vou refletir honestamente sobre aquilo que o senhor disse. E estou profundamente honrado e agradecido.

— E eu, meu jovem, embora jovem aqui seja meramente para dizer que a Terra girou em torno do Sol com menos frequência desde sua iniciação, digo, concepção, do que da minha (e será que isso significa alguma coisa?), eu também vou levar em consideração o resultado desta confabulação e refletir sobre ela "com ânimo ocioso ou pensativo", como um dos "Lake Poets" preferiu expressar a questão. A intensidade da conversa, os impulsos que senti durante essa breve entrevista, a qual me fez ascender da inconsciência para a ciência... seria esse um movimento ascendente? O tempo nos dirá isso? Será que o tempo nos diz alguma coisa? Tais discussões eu guardarei no coração.

— Sim, nós estamos em dívida — disse Anna-Maria, recolhendo seu caderninho de anotações.

Enquanto o enorme carro preto os levava dali rápida e misteriosamente, já não correndo contra o tempo, Amit, postado no degrau da varanda, acenava devagar.

Embora o peludo gato branco Pillow, levado na coleira pelo criado do avô, cruzasse seu campo de visão, Amit não o acompanhou com os olhos, como normalmente fazia.

Sentia dor de cabeça e não estava disposto a falar com ninguém. Mas Biswas *Babu* tinha vindo especialmente para vê-lo, provavelmente para fazê-lo recuperar o bom-senso e se dedicar novamente à advocacia, e Amit achou que o velho secretário do pai, tratado por todos com muita afeição e respeito, não devia ser obrigado a ficar mais que o tempo necessário sentado esperando — ou melhor, sacudindo os joelhos, o que nele era um hábito.

7.18

O QUE tornou a situação ligeiramente incômoda foi que, embora o bengalês de Amit fosse bom e o inglês falado por Biswas *Babu* não o fosse, este havia insistido — desde que Amit voltara "laureado" da Inglaterra, conforme descrevia o secretário — em falar com o rapaz quase exclusivamente em inglês. Para os outros, esse privilégio só era ocasional; Amit, que sempre fora o favorito de Biswas *Babu*, merecia um esforço especial.

Embora fosse verão, Biswas *Babu* trajava paletó e *dhoti*. Trazia consigo um guarda-chuva e uma bolsa preta. Bahadur lhe havia trazido uma xícara de chá, que ele estava mexendo pensativo enquanto olhava a seu redor, examinando a sala em que tinha trabalhado por tantos anos para o pai e o avô de Amit. Quando Amit entrou, ele se levantou.

Depois de cumprimentar Biswas *Babu* respeitosamente, ele se sentou à grande mesa de mogno do pai, diante da qual estava sentado o visitante. Depois das perguntas de praxe sobre a saúde de todos e sobre em que ambos podiam ajudar um ao outro, a conversa morreu.

Então Biswas *Babu* serviu-se de um pouco de rapé. Colocou um pouquinho em cada narina e aspirou. Era óbvio que algo lhe pesava na mente, mas ele relutava em revelá-lo.

— Biswas *Babu*, eu faço ideia do que o trouxe aqui — começou Amit.

— Faz mesmo? — disse Biswas *Babu*, espantado e parecendo muito culpado.

— Mas preciso lhe avisar que acho que nem mesmo sua recomendação funcionará.

— Não? — perguntou Biswas *Babu* inclinando-se para a frente. Seus joelhos começaram a vibrar depressa, balançando-se.

— Veja bem, Biswas *Babu*, eu sei que o senhor acha que eu decepcionei a família.

— Sim?

— Pois é, o meu avô se dedicou a isso, e o meu pai também, mas eu não. E o senhor provavelmente acha isso muito estranho. Sei que está decepcionado comigo.

— Estranho, não, só atrasado. Mas, provavelmente, o senhor está aproveitando as oportunidades e jogando as sementes ao vento. Foi por isso que vim.

— Jogando as sementes ao vento? — Amit ficou intrigado.

— Mas Meenakshi deu o pontapé inicial, e agora é sua vez de continuar o jogo.

De repente Amit entendeu que Biswas *Babu* não estava falando de advocacia, e sim de casamento. Começou a rir.

— Então foi sobre isso, Biswas *Babu*, que o senhor veio conversar comigo? E o senhor está falando disso comigo, não com meu pai.

— Eu também falei com seu pai. Mas isso já faz um ano, e não houve progresso.

Apesar da dor de cabeça, Amit estava sorrindo.

Biswas *Babu* não se ofendeu.

— O homem sem companheira na vida é um deus ou um animal. Ora, o senhor pode decidir em qual dos dois se situar. A não ser que esteja acima desses pensamentos...

Amit confessou que não estava.

Pouquíssimos estavam, disse Biswas *Babu*. Talvez só as pessoas como Dipankar, com suas inclinações espirituais, eram capazes de renunciar a esses anseios. Isso tornava ainda mais imperativo para Amit dar prosseguimento à linhagem da família.

— Não acredite nisso, Biswas *Babu*. Com Dipankar, tudo se resume a uísque e ascetismo.

Mas Biswas *Babu* não se deixou desviar de seu intento.

— Três dias atrás eu estava pensando em você — disse ele. — Está tão velho, 29 anos ou mais, e ainda não tem descendentes. Como pode dar alegria a seus pais? Você deve isso a eles. Até mesmo a Sra. Biswas concorda comigo. Seus pais têm tanto orgulho do que alcançou!

— Mas Meenakshi lhes deu Aparna.

Obviamente, uma criança que não era Chatterji, como Aparna, e ainda por cima menina, não contava muito aos olhos do secretário, que fez um gesto de negação e franziu os lábios em discordância.

— Em minha opinião sincera... — começou ele, e parou, para que Amit o encorajasse a prosseguir.

— Que conselho o senhor me dá, Biswas *Babu*? — perguntou Amit gentilmente. — Quando meus pais quiseram que eu conhecesse aquela moça Shormishtha, o senhor comunicou suas objeções a meu pai, que as transmitiu a mim.

— Desculpe dizer, a reputação dela estava manchada — disse o secretário, franzindo a testa e olhando na direção da quina da mesa. A conversa estava se mostrando mais difícil do que ele tinha imaginado. — Eu não quis criar problemas. Pesquisas eram necessárias.

— E então o senhor as fez.

— Sim, Amit *Babu*. Talvez em matéria de advocacia o senhor seja mais versado; mas eu sei mais a respeito do começo da vida e da juventude. É difícil se conter, e é aí que reside o perigo.

— Não tenho certeza de estar entendendo.

Depois de uma pausa, Biswas *Babu* continuou. Parecia um pouco constrangido, mas a consciência de seu dever como conselheiro da família o animou a prosseguir.

— Naturalmente é um negócio perigoso, mas qualquer moça que coabita com mais de um homem aumenta os riscos. É apenas natural.

Amit não sabia o que dizer, pois não tinha entendido que rumo Biswas *Babu* estava tomando.

— Realmente, qualquer moça que tenha a oportunidade de ir para um segundo homem não conhecerá limites — continuou o secretário com gravidade, e até com tristeza, como se lançasse uma advertência muda a Amit. — De fato, embora nossa sociedade hindu não o admita, a moça por via de regra é mais excitada do que o homem. É por isso que não deverá haver jamais uma grande diferença entre eles. De modo que a moça possa sossegar com um homem.

Amit parecia surpreso.

— Eu me refiro, naturalmente, à diferença de idade — continuou Biswas *Babu*. — Dessa forma eles terão o mesmo viço. Caso contrário, mais adiante o homem mais velho fica frio quando sua mulher está no auge do vigor e assim há margem para má conduta.

— Má conduta — ecoou Amit. Biswas *Babu* nunca havia falado com ele sobre isso.

— Naturalmente — disse o secretário pensando alto, percorrendo com um olhar melancólico as fileiras de livros jurídicos ao seu redor — isso não se aplica a todos os casos. Mas o senhor não deve deixar essa decisão para quando tiver mais de 30. Está com dor de cabeça? — perguntou, preocupado, pois Amit parecia sentir dor.

— Uma leve dor de cabeça — disse Amit. — Nada muito sério.

— Um casamento arranjado com uma moça sóbria, eis a solução. Eu também vou pensar em uma esposa para Dipankar.

Por um momento ficaram os dois em silêncio, rompido por Amit.

— Hoje em dia, Biswas *Babu*, dizem por aí que cada um deve escolher o próprio parceiro de sua vida. Certamente, os poetas como eu dizem isso.

— O que o povo pensa, o que o povo diz e o que o povo faz são coisas diferentes — ponderou Biswas *Babu*. — Agora faz 34 anos que eu e a Sra. Biswas estamos casados e felizes. Qual é o problema de semelhante arranjo? Ninguém me perguntou nada. Um dia meu pai chegou e disse que estava decidido.

— Mas se eu encontrar alguém...

Biswas *Babu* estava disposto a conciliar uma coisa e outra:

— Ótimo, mas mesmo então é preciso haver pesquisas. Ela deve ser uma moça sóbria de...

— ... De uma boa família? — induziu Amit.

— De uma boa família.

— Bem-instruída?

— Bem-instruída. No longo prazo Saraswati traz melhores bênçãos do que Lakshimi.

— Bom, agora que ouvi o caso completo, eu me reservo o julgamento.

— Não pense nisso por muito tempo, Amit *Babu* — disse Biswas *Babu* com um sorriso ansioso, quase paternal. — Mais cedo ou mais tarde o senhor vai ser obrigado a cortar o nó górdio.

— E atá-lo?

— Atá-lo?

— Atar o nó — esclareceu Amit.

— Com certeza o senhor também deverá atar o nó — disse o secretário.

7.19

MAIS tarde, na noite do mesmo dia, naquela mesma sala, o senhor juiz Chatterji, que estava usando um conjunto de *dhoti* e túnica, em lugar do smoking da noite anterior, disse aos dois filhos mais velhos:

— Amit e Dipankar, eu os chamei aqui porque tenho algo a dizer aos dois. Resolvi conversar com vocês sozinhos porque sua mãe fica muito nervosa com as coisas, e isso realmente não ajuda nada. É sobre questões financeiras, nossos investimentos de propriedades de família e assim por diante. Até agora eu tenho administrado esses assuntos; na verdade faço isso há mais de trinta anos. Isso coloca sobre mim um peso muito grande, além do meu trabalho como juiz, e chegou o momento em que algum de vocês precisa assumir a administração... Esperem, esperem. — O senhor juiz Chatterji ergueu a mão. — Deixem-me terminar, e então todos dois terão chance de falar. O que eu não vou mudar é a decisão de passar as coisas adiante. As obrigações do meu trabalho, e isso se aplica a todos os meus irmãos juízes, aumentaram muito durante este último ano e... bom, eu não sou mais jovem. A princípio eu iria simplesmente dizer a você, Amit, que se encarregasse dos negócios. Você é o mais velho e, estritamente falando, seria sua obrigação. Mas sua mãe e eu discutimos longamente a questão e levamos em conta seus interesses literários, e agora concordamos que tudo não precisa forçosamente ficar com você. Você estudou direito, quer esteja ou não exercendo a profissão, e você, Dipankar, se formou em ciências econômicas. Para administrar as propriedades da família não há melhor qualificação... espere um segundo, Dipankar, eu ainda não terminei... e ambos são inteligentes. Portanto o que nós decidimos é isso: se você, Dipankar, tirar algum proveito de sua formação de economista em vez de se concentrar no... ora, no lado espiritual das coisas, fantástico. Caso contrário, Amit, infelizmente a tarefa caberá a você.

— Mas, *baba* — protestou Dipankar, piscando de aflição —, a formação de economista é a pior qualificação possível para alguém administrar qualquer coisa. É a disciplina mais inútil e impraticável do mundo.

— Dipankar — disse o pai, não muito satisfeito —, até agora você passou vários anos estudando economia, e deve ter aprendido alguma coisa sobre o modo como são conduzidos os assuntos econômicos. Certamente sabe mais do que eu. Mesmo sem ter tido sua formação, eu, de certo modo, consegui conduzir nossos negócios, no começo com a ajuda de Biswas *Babu*, e agora já quase sem ela. Mesmo que a formação em economia não ajude, conforme você alega, não acredito que possa realmente ser um empecilho. E para mim é novidade ouvi-lo alegar que coisas de pouca praticidade sejam inúteis.

Dipankar não disse nada. Amit tampouco.

— E então, Amit? — perguntou o senhor juiz Chatterji.

— O que eu deveria dizer, *baba*? — disse Amit. — Não quero que o senhor seja obrigado a continuar cuidando dessa tarefa. Acho que não percebi que ela toma muito de seu tempo. Mas meus interesses literários não são apenas interesses, eles são minha vocação, quase minha obsessão. Se a questão fosse meu próprio quinhão da propriedade, eu simplesmente o venderia, guardaria o dinheiro num banco e viveria dos juros. Ou, se o dinheiro não fosse suficiente, deixaria que se acabasse enquanto eu continuava trabalhando em meus romances e poemas. Mas não é esse o caso. Não podemos colocar em risco o futuro de todos: o de Tapan, o de Kuku, o de *ma* e até certo ponto também o de Meenakshi. Eu me alegro por existir ao menos a possibilidade de talvez não ter a obrigação a fazer isso. Quer dizer, se Dipankar...

— Por que nós dois não fazemos, cada um, uma parte da tarefa, *dada*? — perguntou Dipankar voltando-se para o irmão.

O pai acenou que não.

— Isso só iria causar confusão e dificuldades dentro da família. É um ou o outro.

Os dois pareceram mortificados. O senhor juiz Chatterji voltou-se para o mais novo e continuou:

— Soube que você decidiu ir ao Pul Mela, e, pelo que sei, a experiência de mergulhar no Ganges algumas vezes pode ajudá-lo a tomar uma decisão. Seja como for, estou disposto a esperar mais alguns meses, digamos, até o fim deste ano, para que reflita nas questões e tome uma decisão. Minha opinião é de que você deveria conseguir um emprego numa firma, de preferência num banco; então tudo isso provavelmente se encaixaria comodamente no tipo de trabalho que você irá fazer. Mas, conforme Amit lhe dirá, minhas opiniões nem sempre são sensatas, e, sensatas ou não, nem sempre são aceitáveis. Mas se você não concordar, então, Amit, terá que ser você. O romance que você está escrevendo vai levar pelo menos um ou dois anos para ficar pronto, e eu não posso esperar tanto tempo. Você vai precisar trabalhar em paralelo às suas atividades literárias.

Nenhum dos irmãos olhava para o outro.

— Vocês acham que estou sendo injusto? — perguntou o pai em bengalês, com um sorriso.

— Não, claro que não, *baba* — disse Amit, tentando sorrir, mas só conseguia parecer profundamente perturbado.

7.20

ARUN Mehra chegou a seu escritório em Dalhousie Square não muito depois das nove e meia. O céu estava muito nublado, e a chuva caía aos borbotões. A água lavava a vasta fachada do Writers' Building e acrescentava sua contribuição direta ao grande bolsão que havia no meio da praça.

— Malditas monções!

Arun saltou do carro, deixando a pasta e se protegendo com o jornal *Statesman*. Um serviçal, que estivera no saguão do edifício, levou um susto quando viu o carrinho azul do patrão. A chuva caía com tanta força que ele só conseguiu avistar o veículo quando este estava praticamente parado.

Nervoso, ele abriu o guarda-chuva e foi correndo proteger o *sahib*. Chegou atrasado por segundos.

— Maldito idiota!

Embora vários centímetros mais baixo que Arun Mehra, o serviçal deu um jeito de segurar o guarda-chuva acima da sagrada cabeça do chefe, enquanto Arun caminhava calmamente para dentro do edifício. Entrou no elevador e cumprimentou o ascensorista com um aceno de cabeça que demonstrava preocupação.

O criado voltou correndo ao carro para apanhar a pasta do patrão e subiu pela escada até o segundo andar do grande edifício.

O escritório central da agência de gestão empresarial Bentsen & Pryce, mais popularmente conhecida como Bentsen Pryce, ocupava o segundo andar inteiro.

Dessa localização os funcionários da empresa controlavam seu quinhão das transações comerciais da Índia. E embora Calcutá não fosse mais o que tinha sido antes de 1912 — a capital do governo da Índia —, quase quatro décadas depois, e passados praticamente quatro anos da Independência, a cidade ainda era indiscutivelmente a capital comercial. Mais da metade dos produtos de exportação do país circulava rio abaixo pelo lodoso Hooghly até o Golfo de Bengala. As agências de gestão empresarial sediadas em Bengala, tais como a Bentsen Pryce, administravam a maior parte do comércio estrangeiro da Índia; além disso, controlavam grande parte da produção de bens processados ou manufaturados no interior e serviços como seguros, que contribuíam para garantir a fácil circulação dos bens pelas rotas de comércio.

As agências gestoras normalmente detinham o controle acionário das empresas manufatureiras e as supervisionavam do escritório central de Calcutá. Quase todas essas agências ainda pertenciam a britânicos, e quase todos os executivos das agências dos arredores de Dalhousie Square — o coração comercial de Calcutá — eram brancos. O controle final era exercido pelos diretores do escritório londrino e os acionistas na Inglaterra — mas, desde que os lucros continuassem chegando, estes em geral se contentavam em deixar as coisas a cargo do escritório central em Calcutá.

A rede era ampla, e o trabalho, interessante e substancial. A própria Bentsen Pryce estava envolvida nas seguintes áreas, conforme esclarecia um de seus anúncios:

Abrasivos, refrigeração de ar, correias de transmissão, escovas, materiais de construção, cimento, produtos químicos e pigmentos, carvão, máquinas de mineração de carvão, cobre e bronze, ácido tânico, desinfetantes, drogas e remédios, tambores e recipientes, engenharia, embalagens, aquecimento industrial, seguros, engenhos de beneficiamento de juta, canos de chumbo, fiação de linho, equipamento para folhas de tabaco, óleos, incl. derivados de óleo de linhaça, tintas, papel, cordas, construção de teleféricos, teleféricos, transporte marítimo, equipamentos de pulverização, chá, madeiras, bombas de turbina vertical, cabos de aço.

Os jovens que vinham da Inglaterra aos 20 e poucos anos, a maioria de Oxford ou Cambridge, enquadravam-se facilmente no padrão de comando que era uma tradição na Bentsen Pryce, na Andrew Yule, na Bird & Company, ou em qualquer uma das numerosas firmas semelhantes que se consideravam (e eram consideradas) o suprassumo do setor mercantil de Calcutá, e, portanto, da Índia.

Eles vinham como assistentes vinculados à empresa por contrato permanente ou por contrato temporário, passível de renovação. Na Bentsen Pryce, até alguns anos antes, não havia lugar para indianos entre os cargos relacionados a questões europeias. Os indianos eram enquadrados em postos relacionados a questões locais, cujos níveis de responsabilidade e remuneração eram muito mais baixos.

Na época da Independência, sob a pressão do governo e como uma concessão à mudança dos tempos, alguns indianos foram relutantemente autorizados a entrar no frio santuário dos escritórios internos da Bentsen Pryce. Em consequência disso, em 1951, dos oitenta executivos da firma, cinco (embora até então nenhum dos chefes de departamento, e menos ainda os diretores) eram o que poderia ser chamado de brancos-marrons.

Entre todos eles, nenhum era mais extraordinariamente consciente de sua posição excepcional do que Arun Mehra. Se havia um homem fascinado pela Inglaterra e pelos ingleses, esse homem era ele. E aqui estava Arun, confraternizando com eles em termos de tolerável familiaridade.

Os ingleses sabiam como administrar as coisas, refletia ele. Eles trabalhavam com afinco e jogavam com vigor. Acreditavam no comando, e Arun também. Partiam do princípio de que se alguém é incapaz de liderar aos 25 anos não nasceu para isso. Seus jovens imberbes vinham para a Índia bem antes disso; era difícil contê-los para não começarem a comandar aos 21 anos. O defeito deste país era a falta de iniciativa. Todo indiano queria ter um emprego seguro.

Malditos inúteis, todos eles, dizia Arun consigo, passando os olhos pela abafada seção dos secretários, enquanto se encaminhava aos escritórios dos executivos, situados mais além e equipados com ar-condicionado.

Ele estava de mau humor não só por causa do clima horroroso, mas também porque só tinha resolvido um terço das palavras cruzadas do jornal *Statesman*. James Pettigrew, um amigo dele que trabalhava em outra firma e com quem trocava soluções ao telefone quase todas as manhãs, a essa altura provavelmente teria resolvido a maior parte delas. Arun Mehra gostava de explicar as coisas ele mesmo, e não de que outros as explicassem a ele. Gostava de dar aos outros a impressão de saber tudo o que valia a pena saber, e geralmente era tão bem-sucedido que dava essa impressão também a si mesmo.

7.21

A correspondência matinal era selecionada por Basil Cox, chefe do departamento de Arun, com a ajuda de dois de seus principais assistentes. Naquela manhã, dez cartas tinham sido separadas para Arun. Ele examinou uma delas, a da Persian Fine Teas Company, com especial interesse.

— Srta. Christie, a senhorita poderia anotar para mim uma carta? — perguntou ele a sua secretária, uma moça anglo-indiana excepcionalmente discreta e alegre, que havia se habituado às oscilações de humor do chefe. No começo a secretária se ressentiu com o fato de ter sido designada para um executivo indiano, em vez de um britânico, mas Arun, sedutor e paternalista, havia induzido a moça a aceitar a autoridade dele.

— Sim, Sr. Mehra, estou pronta.

— O cabeçalho habitual. "Prezado Sr. Poorzahedy, recebemos sua descrição do conteúdo do carregamento de chá..." — Veja na carta os dados específicos, Srta. Christie. — "...para Teerã." Desculpe, escreva "Khurramshahr e Teerã... para o qual o senhor deseja cobertura de seguro desde o leilão em Calcutá até a chegada, por retenção alfandegária, ao consignado em Teerã. Nossas tarifas, como antes, são de 5 *annas* por 100 rúpias para a apólice-padrão, incluindo uma cláusula contra roubo, furto e não entrega da mercadoria, e também contra greves, revoltas e perturbação da ordem. O carregamento está avaliado em seis *lakhs*, 39.970 rúpias, e o prêmio pagável será de..." Srta. Christie, poderia calcular isso, por favor? Muito obrigado. "Atenciosamente", etc., etc. Não houve um pedido de indenização da parte deles há mais ou menos um mês?

— Creio que sim, Sr. Mehra.

— Humm.

Juntando as palmas das mãos, Arun apoiou o queixo nas pontas dos dedos.

— Acho que vou ter uma conversinha com o *burra babu*.

Em vez de convocar a seu escritório o secretário-chefe do departamento, ele resolveu fazer-lhe uma visita. O *burra babu* tinha servido no departamento de seguros da empresa por 25 anos e não havia nada que não soubesse sobre o funcionamento daquele setor. Ele fazia lembrar um subtenente de regimento, e tudo que era essencial na empresa passava por suas mãos. Os executivos europeus só lidavam com ele, e com mais ninguém.

Quando Arun se dirigiu à mesa do *burra babu*, este estava examinando uma pilha de cheques e duplicatas de cartas e dizendo a seus subalternos o que fazer.

— Tridib, você se encarrega; Sarat, você providencia essa nota fiscal.

O dia estava úmido e quente, e os ventiladores de teto faziam farfalhar as enormes pilhas de papel das mesas dos secretários.

Ao ver Arun, o *burra babu* levantou-se e disse:

— Pois não, senhor.

— Sente-se — disse Arun descontraído. — Diga-me uma coisa: o que vem acontecendo ultimamente com a Persian Fine Teas? Quer dizer, na questão de indenizações.

— Binoy, diga ao secretário de indenizações que traga para mim o livro de registro.

Depois de passar vinte minutos suados, porém esclarecedores, com os secretários e os livros de registro, Arun, trajado de terno como era adequado (e inevitável) para alguém de sua posição, voltou ao santuário gelado de seu escritório e disse a Srta. Christie que suspendesse a datilografia da carta que ele havia editado.

— De toda forma, hoje é sexta-feira; a carta pode esperar até segunda, se for necessário. Nos próximos 15 minutos eu não atenderei telefonemas. Ah, sim, e também não estarei no escritório hoje à tarde. Tenho um almoço no Calcutta Club e depois vou visitar aquela maldita fábrica de juta em Puttigurh com o Sr. Cox e o Sr. Swindon.

O Sr. Swindon era do departamento de juta, e eles iam visitar uma fábrica para a qual outra empresa desejava fazer seguro contra incêndio. Arun não via sentido em visitar uma fábrica de juta específica, pois o seguro para todas essas fábricas obviamente se baseava numa tarifa-padrão que dependia de pouca coisa além do processo de fabricação empregado. Mas, ao que tudo indicava, Swindon tinha dito a Basil Cox que era importante visitar a instalação, e este havia pedido a Arun que o acompanhasse.

— É tudo desperdício de tempo, eu lhes digo.

Por tradição, a tarde de sexta-feira na Bentsen Pryce em geral significava um almoço demorado e relaxado no clube, seguido de uma rodada de golfe e possivelmente uma passagem simbólica pelo escritório, já quase no final do expediente. O trabalho da semana terminava efetivamente na quinta-feira à tarde. Mas, após refletir, Arun pensou que, com o pedido de ajuda na questão de seguro contra incêndio — quando suas tarefas normais se enquadravam em seguro marítimo —, Basil Cox talvez estivesse tentando prepará-lo para responsabilidades maiores. De fato, pensando bem, recentemente tinham sido alocados a ele vários problemas de seguros gerais. Tudo isso só podia significar que seus superiores o aprovavam, e também o trabalho que fazia.

Animado por esse pensamento, foi bater à porta de Basil Cox.

— Entre! Sim, Arun?

Basil Cox gesticulou para indicar uma cadeira e, tirando a mão que cobria o fone, continuou:

— Pois muito bem, isso é excelente. Almoço então e... sim, nós dois aguardamos sua corrida a cavalo ansiosos. Até logo. — Voltando-se para Arun, disse: — Queira me desculpar, meu caro, por tomar um pedaço de sua tarde de sexta-feira. Mas imagino se posso compensá-lo convidando você e Meenakshi para assistir, como nossos convidados, às corridas no hipódromo de Tolly, amanhã.

— Ficaremos encantados — disse Arun.

— Eu estava falando com Jock Mackay. Parece que ele vai participar de uma das corridas. Talvez seja divertido ir vê-lo montar. É claro que, se o tempo continuar assim, eles vão nadar em cima dos cavalos pela pista.

Arun se permitiu um risinho.

— Eu não sabia que ele ia montar amanhã — disse Basil Cox. — Você sabia?

— Não, não posso dizer que sabia. Mas ele monta com frequência. — Arun refletiu que Varun, viciado no turfe como era, saberia não só que Jock Mackay iria correr a cavalo, mas também o páreo em que estaria, o cavalo que montaria, com que handicap e quais seriam as probabilidades de vitória. Varun e seus amigos de shamshu em geral compravam na quarta-feira um formulário provisório de corridas, assim que eles iam para as ruas, e dali em diante praticamente só pensavam e discutiam sobre isso.

— E então? — perguntou Basil Cox a Arun.

— É sobre as tarifas para a Persian Fine Teas. Eles querem nosso seguro para outro carregamento.

— Sim, eu deleguei aquela carta para você. Puramente rotineiro, não é?

— Não tenho muita certeza.

Basil Cox acariciou o lábio inferior com o polegar e esperou que Arun prosseguisse.

— Acho que nosso histórico de indenizações com eles não é muito bom — continuou Arun.

— Bom, isso é fácil de se conferir.

— Eu já conferi.

— Entendi.

— Os pedidos de indenização compõem 152% dos prêmios nos últimos três anos. Não é uma situação favorável.

— Não, de fato não é — concordou Basil Cox, refletindo. — Não é uma situação favorável. Do que eles normalmente reclamam? Furto, acho que me lembro. Ou terá sido dano causado por temporais? E uma vez eles não reclamaram de contaminação? Transporte de couro no mesmo compartimento do chá ou coisa assim?

— Danos causados por temporais foi com outra empresa. E a contaminação nós impugnamos depois de receber o relatório do Lloyds, nosso agente de liquidação de sinistros no local. Nossos avaliadores disseram que a contaminação foi mínima, embora pelo jeito os persas julguem o chá que consomem mais pela fragrância do que pelo sabor. O furto é o que realmente vem prejudicando-os. Ou melhor, a nós. Furto habilidoso nos armazéns da alfândega em Khurramshahr. É um péssimo porto, e até onde sei as autoridades alfandegárias podem estar metidas nisso.

— Bom, qual é o prêmio hoje em dia? Cinco *annas*?

— Sim.

— Aumente para 8 *annas*.

— Não tenho certeza de que vá funcionar — objetou Arun. — Eu poderia chamar o agente deles em Calcutá e fazer isso. Mas acho que ele não vai aceitar bem. Certa vez mencionou que até nossa taxa de 5 *annas* quase não era competitiva diante do que a seguradora Commercial Union estava disposta a oferecer a eles. Muito provavelmente nós os perderíamos.

— Você tem alguma outra sugestão a fazer? — perguntou Basil Cox com um sorriso cansado. Por experiência, ele sabia que era muito provável que Arun tivesse uma alternativa a sugerir.

— Acontece que eu tenho.

— É mesmo? — disse Basil Cox, fingindo surpresa.

— Poderíamos escrever ao Lloyds e perguntar a eles que providências foram tomadas para evitar ou reduzir os furtos em armazéns aduaneiros.

Basil Cox ficou decepcionado, mas não o revelou.

— Entendi. Bom, muito obrigado, Arun.

Mas ele não tinha terminado.

— E nós podemos oferecer a eles uma diminuição no prêmio do seguro.

— Diminuição, você disse? — Basil Cox ergueu as duas sobrancelhas.

— Sim. Basta remover a cláusula contra roubo, furto e atraso na entrega. Eles poderão ter todo o restante: a apólice-padrão de incêndio, temporais, vazamento, pirataria, carga lançada ao mar, etc., além de greves, revoltas e perturbação da ordem, danos causados por água da chuva e até contaminação, o que eles quiserem. Tudo em termos muito favoráveis. Mas nada de roubo, furto e atraso na entrega. Contra isso eles podem fazer seguro com outra empresa. Obviamente, eles terão muito pouco incentivo para proteger a carga se nós pagarmos por ela todas as vezes que alguém resolver tomar o chá à custa deles.

Basil Cox sorriu.

— É uma ideia. Deixe-me pensar nela. Falaremos sobre isso no carro hoje à tarde a caminho de Puttigurh.

— E há mais uma questão, Basil.

— Isso não poderia esperar também para hoje à tarde?

— Na verdade, um de nossos amigos do Rajastão virá me ver dentro de uma hora e o assunto se refere a ele. Eu deveria ter mencionado antes, mas achei que isso podia esperar. Eu não sabia que ele estava tão ansioso em ter uma resposta rápida.

Aquele era um eufemismo convencional para um empresário da etnia marvari. Os traços gananciosos, empreendedores, astuciosos, enérgicos e principalmente pouco amigáveis daquela comunidade eram vistos com intenso desagrado pelos *sahibs* fleumáticos e cavalheirescos das agências de gestão empresarial. Uma delas podia até tomar emprestada uma grande soma a certo tipo de empresário marvari, mas o presidente dessa agência nem sonharia em convidá-lo para seu clube, ainda que fosse um desses locais que admitiam indianos.

Mas no caso presente era o empresário marvari que desejava ser financiado pela Bentsen Pryce. Em resumo, essa era a sugestão: sua empresa queria se expandir para uma nova linha de operações, e ele desejava contar com investimentos da Bentsen Pryce nessa expansão. Em troca, ele daria ao investidor o seguro dos negócios resultantes das novas operações.

Engolindo seu próprio e instintivo desagrado pela comunidade marvari e lembrando a si mesmo que negócios eram negócios, Arun expôs o assunto a Basil Cox com toda a objetividade possível. Absteve-se de mencionar que a transação não diferia em nada do que uma firma inglesa fazia por outra no decurso natural das transações comerciais. Ele sabia que o chefe tinha consciência do fato.

Basil Cox não pediu o conselho dele. Por um período embaraçosamente longo, ficou olhando para um ponto além do ombro direito de Arun.

— Não gosto da ideia: isso me parece muito marvari. — Pelo tom empregado, ele deu a entender que era uma espécie de prática duvidosa. Arun estava a ponto de falar quando o chefe acrescentou: — Não, decididamente não é para nós. E o financeiro, como você sabe, não gostaria nem um pouco disso. Vamos deixar o assunto morrer. E então nós nos encontramos às duas e meia?

— Sim — confirmou Arun.

De volta ao seu gabinete, ele se perguntava como exporia a questão ao visitante e que razões poderia acrescentar para defender sua decisão. Mas nada disso foi necessário. O Sr. Jhunjhunwala não lhe pediu explicações. Limitou-se a um gesto de cabeça e depois disse em híndi, em um tom que, segundo pareceu a Arun, era de horrível cumplicidade, uma cumplicidade de um indiano com outro:

— Sabe, esse é o problema da Bentsen Pryce: eles não aceitam nada que não cheire um pouco a inglês.

7.22

APÓS a saída do Sr. Jhunjhunwala, Arun telefonou a Meenakshi para avisar que chegaria mais tarde naquela noite, mas que, conforme planejado, eles ainda iriam ao coquetel dos Finlay por volta das sete e meia. Depois ele respondeu a mais algumas cartas e finalmente se dedicou às palavras cruzadas.

Mas o telefone tocou antes que ele pudesse resolver mais duas ou três. Era James Pettigrew.

— E então, Arun, quantas palavras?

— Infelizmente, não muitas. Comecei a olhá-las ainda há pouco.

Isso era uma tremenda mentira. Além do esforço que fizera com cada neurônio enquanto estava sentado no vaso sanitário, Arun tinha quebrado a cabeça com as palavras cruzadas durante o café da manhã e enquanto era levado de carro ao local de trabalho. Chegou a anotar sob as lacunas as letras de possíveis anagramas. Como até para ele sua caligrafia era ilegível, em geral as anotações não ajudavam muito.

— Nem vou perguntar se você resolveu "aquela maldita inconveniência".

— Puxa, obrigado, ainda bem que você me dá crédito por um QI de pelo menos 80.

— E a "rosa de Johnson"?

— Sim.

— E que tal "faca que um cavalheiro compra em Paris"?

— Essa, não; mas você obviamente está louco para me dizer. Por que não acaba com o sofrimento de nós dois?

— *Machete*.

— *Machete*?

— É, *machete*.

— Desculpe, mas não vejo muito bem como...

— Ah, Arun, algum dia você vai ter que aprender francês — disse James Pettigrew, irritantemente.

— Bom, o que você não resolveu? — perguntou Arun, mal disfarçando a irritação.

— Como sempre, pouca coisa — disse o detestável James.

— Quer dizer que você resolveu tudo, não foi?

— Ora, não exatamente tudo, umas duas palavras ainda estão me causando problemas.

— Ah, só duas?

— Bom, talvez um pouco mais.

— Por exemplo?

— "Músico que parece ganancioso", nove letras, a terceira é A, a quinta é D.

— Alaudista — disse Arun prontamente.

— Aaah, isso com certeza está certo. Mas eu sempre pensei que a palavra certa era "alaurista".

— O L lhe dá alguma ajuda na outra direção?

— Humm... vejamos... dá sim, e a palavra deve ser "fortaleza". Muito obrigado.

— De nada — disse Arun.

— A propósito, parece que eu ganhei o troféu por 3 a 2 e você me deve o almoço num dia qualquer da semana que vem.

Ele fazia alusão ao prêmio do concurso semanal de palavras cruzadas que eles disputavam de segunda a sexta. Arun resmungou sua admissão de derrota.

Enquanto se desenrolava esse diálogo, extremamente dedicado às peculiaridades das palavras e não inteiramente agradável para Arun Mehra, desenrolava-se outra conversa telefônica, também referente às peculiaridades das palavras, e que o teria desagradado ainda mais se dela tivesse tomado conhecimento.

Meenakshi: Alô.

Billy Irani: Alô!

Meenakshi: Sua voz está diferente. Há alguém aí no escritório com você?

Billy: Não, mas eu preferia que você não me telefonasse no escritório.

Meenakshi: Para mim é muito difícil telefonar em outro horário. Mas hoje de manhã por acaso todos saíram. Como você está?

Billy: Eu estou em ótimo estado.

Meenakshi: Falando assim você até parece... sei lá... um cavalo.

Billy: Você tem certeza de que não está confundindo com a palavra "costado"?

Meenakshi: Claro que não, seu bobinho!

Billy: Falando nisso, você vai às corridas de amanhã em Tolly?

Meenakshi: Na verdade, sim. Arun acabou de me telefonar do escritório, Basil Cox nos convidou. Então eu vejo vocês lá?

Billy: Não tenho certeza se irei amanhã. Mas hoje à noite vamos todos nos encontrar para uns drinques nos Finlay... e depois jantar e ir dançar em algum lugar?

Meenakshi: Mas eu não terei chance de falar com você, com Shireen de olho em você como se fosse um ovo de esmeralda; e isso sem contar Arun e minha cunhada.

Billy: Sua cunhada?

Meenakshi: Ela é muito simpática; embora precise ser encorajada a perder a timidez. Pensei em apresentá-la ao Bish e ver como eles se entendem.

Billy: E você me chamou de ovo de esmeralda?

Meenakshi: Sim, você é como um ovo de esmeralda. Isso me recorda o que eu queria propor. Arun vai passar a tarde em Puttigurh, ou coisa assim, e só volta lá pelas sete horas. O que você vai fazer hoje à tarde? E não me venha dizer que vai trabalhar, pois sei que hoje é sexta-feira.

Billy: Na verdade, eu vou almoçar primeiro, depois vou jogar golfe.

Meenakshi: Golfe? Com este tempo? Você vai ser varrido para o mar. Então vamos nos encontrar... para o chá e etc.

Billy: Humm... Não tenho certeza de que seja uma boa ideia.

Meenakshi: Vamos ao zoológico. Com a chuva torrencial não encontraremos os bons cidadãos de sempre. Encontraremos sim um cavalo, ou uma zebra, e lhe perguntaremos como vai seu costado. Eu sou mesmo muito engraçada, não sou?

Billy: Sim, você é hilariante. Bom, nos encontraremos às quatro e meia. No Fairlawn Hotel. Para o chá.

Meenakshi: Para o chá e etc.

Billy [muito relutante]: Sim, e etc.

Meenakshi: Às três horas.

Billy: Às quatro.

Meenakshi: Quatro horas. Quatro horas. Talvez quando você disse "costado" estivesse pensando em "comportado".

Billy: É, talvez estivesse.

Menakshi: Ou em "bem-dotado".

Billy: Mas isso não tem importância para a corrida de amanhã.

Menakshi: Tolinho! Mas o que é bem-dotado?

Billy: Procure no dicionário... e me conte hoje à tarde.

Menakshi: Seu safado!

Billy [com um suspiro]: Meenakshi, você é muito mais safada do que eu. Acho que tudo isso não é uma boa ideia.

Meenakshi: Às quatro horas, então. Vou pegar um táxi. Tchau.

Billy: Tchau.

Meenakshi: Eu não te amo nem um pouco.

Billy: Graças a Deus.

7.23

QUANDO Meenakshi voltou do compromisso com Billy, eram seis e meia e ela estava sorrindo satisfeita. Foi tão amável com a Sra. Rupa Mehra que a deixou desconcertada, levando-a perguntar se havia algum problema. A nora garantiu que não, não havia nenhum problema.

Lata não conseguia decidir o que usar naquela noite. Entrou na sala de estar trazendo um sári de algodão leve cor-de-rosa, parte do qual havia enrolado sobre o ombro.

— O que a senhora acha desse, *ma*?

— Muito bonito, querida — aprovou a Sra. Rupa Mehra, afastando com um movimento uma mosca da cabeça adormecida de Aparna.

— Que bobagem, *ma*, ele é absolutamente horrível — disse Meenakshi.

— Ele não é horrível — disse a sogra na defensiva. — Esta era a cor favorita de seu sogro.

— O cor-de-rosa? — perguntou Meenakshi dando risada. — Ele gostava de usar rosa?

— Gostava da cor em mim! Quando eu a usava! — A Sra. Rupa Mehra estava furiosa. Num instante a nora tinha passado de amável a repulsiva. — Se você não tem nenhum respeito por mim, pelo menos respeite meu marido. Você não tem noção de proporção. Sai para bater perna no Mercado Novo, deixando Aparna entregue aos cuidados dos criados.

— Ora, *ma*, eu tenho certeza de que o cor-de-rosa lhe assentava bem — disse Meenakshi conciliatória. — Mas é totalmente errado para o tom de pele da Luts. E para Calcutá, e para a noite, e para esse tipo de sociedade. E o tecido também não funciona. Vou ver o que ela tem e vou ajudá-la a escolher alguma coisa para torná-la mais bonita. É melhor nos apressarmos; Arun deve chegar a qualquer momento e aí nós não vamos ter tempo para mais nada. Venha, Luts.

E Lata ficou sob os cuidados da cunhada. Acabou vestindo um dos sáris de chifon azul-real de Meenakshi, que, por coincidência, combinava com uma de suas blusas (alguns centímetros mais baixa que a cunhada, Lata foi obrigada a recolher muito tecido no comprimento). Um broche que também pertencia a Meenakshi, de esmalte azul-claro, azul-real e verde, com uma figura de pavão, prendia o sári na blusa. Lata nunca tinha usado broche, e para convencê-la a cunhada teve que repreendê-la.

Meenakshi em seguida desautorizou o coque apertado em que Lata havia prendido os cabelos.

— Esse estilo parece puritano demais, Luts — opinou a mentora. — Realmente não favorece você. Você precisa deixar os cabelos mais frouxos.

— Não, não posso — protestou Lata. — Não é decente. *Ma* ia ter um ataque.

— Decente! — exclamou Meenakshi. — Pelo menos vamos soltar um pouco na frente para você não ficar parecendo uma professora severa.

Finalmente, Meenakshi colocou Lata diante da penteadeira em seu quarto e lhe acrescentou ao rosto os toques finais, com um pouco de rímel nos olhos.

— Isso dará impressão de que você tem os cílios mais longos — explicou.

Lata piscou, batendo os cílios experimentalmente.

— Você acha que os homens vão cair como moscas? — perguntou ela, rindo para Meenakshi.

— Sim, Luts, e você não deve parar de sorrir. Agora seus olhos parecem realmente sedutores.

E quando se olhou ao espelho Lata foi obrigada a admitir que sim.

— Vejamos: que perfume irá combinar com você? — disse Meenakshi consigo em voz alta. — Worth parece o correto.

Mas, antes que ela pudesse chegar a uma decisão final, a campainha da porta foi tocada com impaciência: Arun tinha voltado de Puttigurh. Durante os próximos minutos, todo mundo se dedicaria a cuidar dele.

Quando Arun ficou pronto, ficou com a expressão fechada porque a esposa estava demorando muito. Quando Meenakshi finalmente emergiu, a Sra. Rupa Mehra deteve seu olhar sobre ela, escandalizada. A nora vestia um corpete fúcsia, sem mangas e bem-decotado, que deixava as costas de fora, com um sári verde-garrafa de chifon delicadamente refinado.

— Você não pode usar isso! — disse, engasgada, a Sra. Rupa Mehra, fazendo o que na família Mehra era conhecido como grandes-grandes-olhos. O olhar da sogra oscilava do decote de Meenakshi para a cintura desta, e daí para seus braços inteiramente expostos.

— Você não pode, você... não pode. Está pior do que ontem à noite na casa de seus pais.

— É claro que eu posso, *maloos* querida, não seja tão antiquada.

— E aí, finalmente você está pronta? — perguntou Arun, olhando deliberadamente o relógio de pulso.

— Não exatamente, querido. Pode fechar para mim o fecho de minha gargantilha? — E, com um gesto lento e sensual, Meenakshi passou a mão no pescoço pouco abaixo da pesada gargantilha de ouro.

A sogra desviou os olhos.

— Como você permite que ela use isso? — perguntou ao filho. — Será que não pode usar uma blusa decente, como as outras moças indianas?

— Desculpe, *ma*, mas estamos quase atrasados — disse Arun.

— Não se pode dançar tango usando um corpete fora de moda — disse Meenakshi. — Venha, Luts.

Lata deu um beijo na mãe.

— Não se preocupe, *ma*, eu vou ficar bem.

— Tango? O que é tango? — perguntou alarmada a Sra. Rupa Mehra.

— Tchau, *ma* — despediu-se Meenakshi. — Tango é uma dança. Vamos ao Golden Slipper. Não há nada com que se preocupar. É só uma multidão, uma banda e danças.

— Danças sensuais! — A Sra. Mehra mal podia crer nos próprios ouvidos.

Mas, antes que ela pudesse dizer alguma coisa, o pequeno Austin azul-claro tinha dado a partida para a primeira etapa das festividades da noite.

7.24

OS COQUETÉIS nos Finlay eram uma algazarra de conversas. Todos circulavam falando sobre o clima de monção, que naquele ano havia começado mais cedo que de costume. As opiniões se dividiam entre considerar as fortes chuvas daquele dia o começo das monções ou a fase pré-monções. Naquela tarde foi impossível jogar golfe, e, embora as corridas raramente tenham sido canceladas no hipódromo de Tollygunge por causa do mau tempo (afinal, essa era conhecida como a temporada de corridas das monções, para distingui-la da temporada de inverno), o solo no dia seguinte ficaria completamente encharcado e as condições seriam demasiado difíceis para os cavalos correrem caso a chuva persistisse. O críquete inglês também desempenhava papel destacado nas conversas, e Lata ouviu mais do que teria desejado sobre o excelente batedor Denis Compton, as bolas giratórias lançadas com o braço esquerdo, e o fato de ele ser um excelente capitão do time de Middlesex. Ela balançava a cabeça afirmativamente quando necessário, com a mente em outro jogador de críquete.

Um terço da multidão se compunha de indianos: executivos de gestão empresarial, como Arun, e um punhado de funcionários públicos, advogados, médicos e oficiais do exército. Ao contrário de Brahmpur, local que Lata estivera visitando em pensamentos, nessa camada da sociedade de Calcutá — ainda mais obviamente que na casa dos Chatterji — os homens e as mulheres se misturavam com liberdade e desenvoltura. A anfitriã de nariz aquilino, a Sra. Finlay, foi muito cordial com ela e lhe apresentou algumas pessoas quando a viu parada ali sozinha. Mas Lata se sentia pouco à vontade. Meenakshi, por sua vez, estava em seu habitat natural, e sua risada podia ser ouvida de vez em quando acima da confusão dos ruídos sociais.

Arun e Meenakshi pareciam radiantes quando entraram no carro e dirigiram-se, com Lata, de Alipore para o Firpo's. A chuva tinha parado horas antes. Eles passaram pelo Victoria Memorial, onde vendedores de sorvete e de *jhaal-muri* atendiam os casais e as famílias que tinham vindo dar um passeio a pé no relativo frescor da noite. Não havia muitas pessoas em Chowringhee. Mesmo à noite, a frente ampla e espaçosa da rua apresentava um aspecto impressionante. À esquerda, alguns bondes noturnos transitavam ao longo da margem do parque Maidan.

Na entrada do restaurante Firpo's, encontraram Bishwanath Bhaduri: um rapaz alto e moreno, quase da idade de Arun, de queixo quadrado e cabelo perfeitamente penteado para trás. Ao ser apresentado a Lata, curvou-se e declarou que ele era Bish, e que estava encantado.

Esperaram alguns minutos por Billy Irani e Shireen Framjee.

— Eu avisei a eles que estávamos saindo da festa — disse Arun. — Por que diabos ainda não apareceram?

Talvez em resposta à impertinência de Arun, eles surgiram em segundos, e depois de terem sido apresentados a Lata — na casa dos Finlay, envolvidos no bate-papo informal, Arun e Meenakshi não tiveram tempo de fazer as apresentações necessárias —, todos seguiram juntos para o restaurante. Ali foram conduzidos à mesa que tinham reservado.

Lata achou deliciosa a comida do Firpo's e brilhantemente insípida a conversa de Bishwanath Bhaduri. Ele mencionou que por acaso se encontrava em Brahmpur na época do casamento de sua irmã Savita, ao qual havia comparecido com Arun.

— Uma noiva maravilhosa; tive vontade de arrebatá-la pessoalmente do altar. Mas não tão adorável quanto a irmã mais nova, é claro — acrescentou, galante.

Por segundos Lata ficou olhando fixamente para ele, incrédula, e depois olhou para os pãezinhos, os quais imaginou sendo transformados em bolinhas de pão.

— Suponho que a *shehnai* devia estar tocando a Marcha Nupcial. — Ela não conseguiu deixar de dizer quando ele tornou a erguer o olhar.

— O quê? Ãhn... como? — disse Bish desconcertado. Depois, olhando para uma mesa vizinha, acrescentou que naquele restaurante o que mais lhe agradava era o fato de que podiam ser vistos ali "todo mundo e suas esposas".

Lata refletiu que evidentemente o comentário dela não o havia atingido. E ao pensar na expressão começou a sorrir.

Por sua vez, Bishwanath Bhaduri achou Lata enigmática, porém atraente. Pelo menos olhava para ele quando falava. A maioria das moças de Calcutá passava metade do tempo olhando em torno para ver quem mais estava no Firpo's.

Arun tinha chegado à conclusão de que Bish era uma boa possibilidade para Lata; ele havia apresentado o amigo à irmã como um "jovem promissor".

Agora Bish estava contando à moça sobre sua passagem pela Inglaterra:

— A gente se sente desconectado e procura a própria alma... Sente saudades de casa em Aden e compra postais em Port Said... Faz certo tipo de trabalho e se acostuma com ele... De volta a Calcutá, a gente às vezes imagina que o Chowringhee é Piccadilly... Naturalmente, às vezes quando se está viajando, a gente perde as conexões... A gente desce numa estação ferroviária e descobre que não há nada de especial nela, e passa a noite com peões asiáticos roncando na plataforma... — Ele apanhou de novo o cardápio. — Não sei se eu deveria comer um doce... sabe como é, aquela vontade muito bengalesa de comer doces que a gente sente...

Lata começou a desejar que fosse promissora a perspectiva dele ir embora.

Bish tinha começado a discutir uma situação de seu local de trabalho na qual havia tido um desempenho especialmente bom.

—... E naturalmente, não é que a gente queira receber pessoalmente os créditos por isso, mas o desfecho de tudo foi que a gente conseguiu o contrato, e desde então a gente vem cuidando desse negócio. É claro que — ele sorriu suavemente para Lata — houve forte inquietação entre os concorrentes. Eles não podiam imaginar como a gente havia conseguido sucesso naquilo.

— Sério? — perguntou Lata, franzindo a testa enquanto dava uma garfada no pêssego melba. — Houve mesmo? A inquietação foi forte?

Bishwanath Bhaduri lançou a ela um rápido olhar de... não exatamente desagrado, mas inquietação.

Shireen queria ir dançar no 300 Club, mas foi voto vencido, e todos foram para o Golden Slipper, na Free School Street, que embora menos exclusivo era mais animado. A juventude dourada às vezes acreditava em se misturar com a ralé.

Talvez sentindo que Lata não se empolgara com ele, Bish deu uma desculpa e desapareceu depois do jantar.

— Em breve nos veremos. — Foram suas palavras de despedida.

Billy Irani tinha passado a noite notavelmente calado e não aparentava querer dançar — nem mesmo foxtrotes e valsas. Arun dançou uma valsa com a irmã, apesar dos protestos de Lata de que não sabia dançar.

— Que bobagem — disse Arun carinhoso. — Você sabe, só não sabe que sabe.

Ele tinha razão; ela logo pegou o jeito e também gostou da dança.

Shireen obrigou Billy a se levantar e dançar. Mais tarde, quando a orquestra tocou uma canção intimista, Meenakshi o requisitou. Quando voltaram à mesa, Billy estava intensamente ruborizado.

— Vejam como ele fica vermelho — disse Meenakshi deliciada. — Acho que gosta de ficar abraçado comigo. Ele estava me apertando tanto contra seu peito largo, com seus braços fortes de jogar golfe, que dava para sentir o coração dele batendo.

— Eu não estava não — defendeu-se Billy, indignado.

— Eu queria que estivesse. — Ela suspirou. — Billy, você sabe que eu alimento um desejo secreto por você.

Shireen começou a rir. Billy olhou furioso para Meenakshi e ficou mais vermelho ainda.

— Chega de tanto disparate — cortou Arun. — Não deixe meu amigo envergonhado... nem minha irmã mais nova.

— Eu não estou envergonhada, Arun *Bhai* — disse Lata, embora atônita pelo teor da conversa.

Porém, o tango a deixou mais atônita ainda. Por volta de uma e meia da madrugada, altura em que os dois casais estavam bastante alcoolizados, Meenakshi mandou um bilhete para o maestro da orquestra e cinco minutos depois ele começou a tocar um tango. Como pouquíssima gente sabia dançar tango, os casais na pista ficaram por ali com ar perplexo. Mas Meenakshi se dirigiu diretamente a um homem vestido de smoking que estava sentado com os amigos a uma mesa no lado oposto do salão. Ela não o conhecia, mas o reconheceu como um dançarino maravilhoso que certa vez tinha visto em ação. Os amigos dele também o incentivaram. Todos cederam a pista ao par, e sem qualquer embaraço inicial, eles davam passos e piruetas e se imobilizavam juntos em movimentos ágeis, espasmódicos e estilizados, com tamanho controle e desenvoltura erótica que o clube noturno inteiro não tardou a começar a aplaudi-los. Lata sentiu o coração bater mais rápido. Ela estava fascinada pelo atrevimento da cunhada e deslumbrada pelo jogo das luzes na gargantilha de ouro que ela usava ao pescoço. Obviamente Meenakshi tinha razão: não se pode dançar tango usando um corpete fora de moda.

Às duas e meia da madrugada eles saíram tropeçando do clube e Arun gritava:

— Vamos para Falta! A represa... um piquenique... estou com fome... *kebabs* no Nizam's.

— Está ficando muito tarde, Arun — disse Billy. — Talvez seja hora de encerrar. Vou levar Shireen para casa e...

— Nada disso... eu sou o mestre de cerimônias — insistiu Arun. — Entrem no meu carro. Vamos todos nós... não, não, aí atrás... Eu vou sentar aqui na frente com esta linda moça... não, não, não, amanhã é sábado... e vamos todos agora, imediatamente... vamos todos tomar café da manhã no aeroporto... um piquenique no aeroporto... todo mundo ao aeroporto para tomar café... ih, a porcaria do carro não quer pegar... ah, é a chave errada.

E lá se foi o carrinho pelas ruas, acelerado, com Arun na direção instável, Shireen sentada com ele na frente e Billy espremido entre as duas outras moças no banco de trás. Lata deve ter parecido muito nervosa, porque em certo momento Billy lhe deu tapinhas tranquilizadores na mão. Pouco depois ela reparou que a outra mão de Billy estava entrelaçada com a de Meenakshi. Ficou surpresa, mas, depois do tórrido tango, de nada suspeitou; partiu do princípio de que era assim que as coisas aconteciam quando alguém andava de carro nesse tipo de sociedade. Contudo, pela segurança de todos, ela esperava que o mesmo não estivesse acontecendo no banco dianteiro.

Não havia nenhuma via de acesso ampla e direta até o aeroporto, mas até mesmo as ruas mais estreitas da zona norte de Calcutá estavam desertas àquela hora, e não era intrinsecamente complicado dirigir por elas. Arun seguia veloz, e de vez em quando fazia soar bem alto a buzina. Mas de repente uma criança se precipitou de detrás de uma carroça imediatamente diante deles. Arun deu uma guinada súbita, mal conseguindo evitar o atropelamento, e parou em frente a um poste de iluminação.

Por sorte nem a criança nem o carro sofreram danos. A criança desapareceu tão depressa quanto havia surgido.

Arun saltou do carro, fora de si de tanta raiva, e começou a gritar na noite. Pendurado num poste havia um pedaço de corda fumegante para os passantes acenderem seus *biris*, e Arun começou a puxá-lo como se fosse a corda de um sino.

— Acordem! Acordem! Todos vocês, seus filhos da puta — gritava ele para o bairro inteiro.

— Arun! Arun! Por favor, não faça isso — pediu Meenakshi.

— Seus idiotas dos infernos! Não conseguem controlar os filhos... às três horas da maldita madrugada...

Uns indigentes que dormiam enrolados em trapos na calçada estreita junto a uma pilha de lixo se mexeram.

— Cale a boca, Arun — disse Billy Irani. — Vai acabar arranjando confusão.

— Está tentando assumir o comando, Billy? Não vale a pena... amigão, não aqui... — E ele voltou a atenção para o inimigo invisível, as massas prolíficas e burras: — Levantem-se, seus filhos da puta... Não estão me ouvindo?

Seguiram-se aos impropérios alguns palavrões em híndi, já que ele não sabia falar bengalês.

Meenakshi sabia que, se dissesse alguma coisa, Arun estouraria com ela.

— Arun *Bhai* — disse Lata com toda a calma possível —, estou com muito sono e *ma* vai ficar preocupada conosco. Vamos para casa agora.

— Para casa? Sim, vamos para casa — concordou Arun, sorrindo para sua brilhante irmã e espantado pela excelente sugestão.

Billy estava quase se propondo a dirigir ele próprio o carro, mas achou melhor deixar para lá.

Quando Billy e Shireen foram deixados perto do carro dele, o rapaz estava pensativo; porém, não disse nada, apenas desejou boa-noite a todos.

A Sra. Rupa Mehra estava acordada, à espera deles. Ficou tão aliviada quando ouviu o carro chegar que no começo não consegui dizer coisa alguma.

— Por que está acordada até essa hora, *ma*? — perguntou Meenakshi bocejando.

— Hoje à noite, graças ao egoísmo de vocês, eu não dormi nada — queixou-se a Sra. Rupa Mehra. — Daqui a pouco já é hora de levantar.

— Ora, *ma* — retrucou a nora —, a senhora sabe que sempre voltamos tarde quando saímos para dançar.

Nesse meio-tempo, Arun tinha ido para o quarto, e Varun, acordado às duas da madrugada pela mãe alarmada, que o forçara a ficar sentado ao lado dela, também aproveitou a oportunidade e se esgueirou para a cama.

— Vocês podem sair vagabundeando por aí sozinhos e se comportar tão levianamente quanto queiram; mas não quando estiverem com a minha filha — disse a Sra. Rupa Mehra. — Você está bem, querida? — perguntou a Lata.

— Estou, *ma*, e me diverti muito — disse Lata, também bocejando. Ela se lembrou do tango e começou a sorrir.

A mãe pareceu duvidar.

— Você tem que me contar tudo o que fez. O que comeu, o que viu, quem você conheceu, o que fez...

— Eu conto, *ma*, mas amanhã — disse Lata com outro bocejo.

— Está bem — cedeu a mãe.

7.25

ERA quase meio-dia na manhã seguinte. Lata acordou com uma dor de cabeça que não melhorou quando ela teve que fazer o relato dos acontecimentos da noite anterior. Tanto Aparna quanto a Sra. Rupa Mehra quiseram saber sobre o tango. Depois de ter absorvido os detalhes da dança, Aparna, assustadoramente precoce, queria se certificar, por alguma razão, de um aspecto específico:

— Então mamãe dançou tango e todo mundo aplaudiu?

— Sim, meu bem.

— E o papai também?

— Sim, o papai também aplaudiu.

— Você me ensina a dançar tango?

— Eu não sei dançar — disse Lata. — Mas, se eu soubesse, ensinaria.

— O tio Varun sabe dançar tango?

Lata tentou visualizar o terror de Varun se Meenakshi tivesse tentado arrancá-lo da mesa e levá-lo à pista de dança.

— Duvido que saiba. Aliás, onde ele está? — perguntou a mãe.

— Ele saiu — disse lacônica a Sra. Rupa Mehra. — Sajid e Jason vieram até aqui e eles desapareceram.

Lata só tinha encontrado uma vez esses dois amigos de bebedeira do irmão. Sajid tinha sempre um cigarro pendurado, literalmente pendurado, sem nenhum meio de sustentação visível, no lado esquerdo do lábio inferior. O que ele fazia da vida ela não sabia. Quando falava com ela, Jason fazia cara de durão. Ele era anglo-indiano e fizera parte da polícia de Calcutá antes de ser expulso, meses antes, por ter dormido com a mulher de outro subinspetor. Varun conhecia os dois de seus tempos no St. George's College. Arun estremecia ao pensar que a própria instituição educacional em que ele estudara podia ter produzido personagens tão sórdidos.

— Varun não está estudando para o concurso público? — perguntou Lata.

Um dia desses Varun estivera falando sobre fazer os exames no final do ano.

— Não — disse a mãe com um suspiro —, e não há nada que eu possa fazer. Ele já não ouve mais o que diz sua mãe. Quando lhe digo alguma coisa, limita-se a concordar comigo e aí, uma hora depois, sai para a rua com os amigos dele.

— Talvez ele não seja talhado para o serviço administrativo — arriscou Lata.

Mas a mãe não quis saber dessa conversa.

— Estudar é uma boa disciplina. É necessário dedicação. Seu pai costumava dizer que não importa a disciplina que você estuda; desde que estude com afinco, ela aprimora a mente.

Por aquele critério, o falecido Raghubir Mehra devia ter ficado orgulhoso do filho mais novo. Naquele momento, no hipódromo de Tollygunge, Varun, Sajid e Jason estavam de pé na tribuna cujo acesso custava de 2 rupias, misturados ao que Arun teria considerado a escória do sistema solar, estudando com intensa concentração a versão final do programa de páreos das seis provas da tarde. Com isso eles esperavam melhorar, se não a mente, pelo menos a própria situação financeira.

Normalmente não teriam investido os 6 *annas* que custava o programa de páreos, mas sim — com a ajuda da lista de handicaps e a informação sobre os cancelamentos — teriam simplesmente anotado a lápis as mudanças no programa provisório que tinham comprado na quarta-feira. Mas Sajid o perdera.

Uma chuva fina e quente caía sobre Calcutá, e o hipódromo estava lamacento. Em meio à garoa, os cavalos descontentes que estavam sendo levados a dar a volta no paddock eram observados intensamente de todos os lados. O Tolly não tinha provas de turfe, ao contrário do Royal Calcutta Turf Club, cuja temporada das monções começava mais de um mês depois. Isso significava que não era obrigatório ser jóquei profissional, e havia muitos amadores e uma ou duas mulheres que participavam das provas. Como os cavaleiros eram às vezes muito corpulentos, o handicap dos cavalos também começava num nível mais alto.

— Heart's Story tem 72,5 kg em cima dela — disse Jason desanimado. — Eu teria apostado nela, mas...

— E daí? — perguntou Sajid. — Ela está acostumada com Jock Mackay, e ele, montado nela, consegue ganhar de qualquer um. Vai usar boa parte desses setenta e tantos quilos, e isso é peso de verdade, não é chumbinho. Isso faz diferença.

— Não faz diferença nenhuma, peso é peso — contestou Jason.

Sua atenção foi atraída por uma europeia de meia-idade, surpreendentemente bonita, que estava conversando com Jock Mackay em voz baixa.

— Meu Deus... é a Sra. DiPiero! — disse Varun, num tom meio fascinado, meio aterrorizado. — Ela é perigosa! — acrescentou admirado.

A Sra. DiPiero era uma viúva alegre que normalmente se dava bem nas corridas garimpando dicas de fontes bem-informadas, principalmente de Jock Mackay, que diziam ser seu amante. Com frequência ela apostava milhares de rupias num mesmo páreo.

— Depressa! Atrás dela! — ordenou Jason, embora suas intenções só tenham se evidenciado quando a mulher se encaminhou aos agentes de apostas e Jason desviou sua atenção da figura dela para as marcas de giz nos quadros-negros, os quais os agentes estavam rapidamente apagando para reescrever algo. A mulher fazia suas apostas em voz tão baixa que eles não conseguiam ouvi-la. Mas as anotações dos agentes contavam sua própria história. Eles mudavam as probabilidades na esteira das altas apostas que ela fazia. Heart's Story tinha baixado de 7 para 1 para 6 para 1.

— É isso! Estou apostando nessa daí — disse Sajid langoroso.

— Não seja precipitado — recomendou Jason. — Obviamente, ele vai valorizar o próprio cavalo.

— Mas não com risco de desagradá-la. Ele deve saber que está subvalorizado nas probabilidades.

— Hum, uma coisa me preocupa — interveio Varun.

— O quê? — perguntaram Sajid e Jason em coro. Em questão de corridas, as intervenções de Varun eram geralmente acertadas. Ele era um viciado legítimo, porém cauteloso.

— É a chuva. Os cavalos de maior handicap sofrem mais quando o solo está muito molhado. E 72,5 kg é o handicap mais pesado possível. Acho que há três semanas essa égua sofreu punição porque o jóquei ficou refreando-a na reta final.

Sajid discordava. Seu cigarro subia e descia enquanto ele falava:

— A corrida é curta. O handicap não importa tanto assim numa corrida curta. De qualquer jeito, vou apostar nela. Vocês dois podem fazer o que acharem melhor.

— O que você diz, Varun? — perguntou Jason indeciso.

— Sim, tudo bem.

Os três foram comprar suas pules com um cambista, e não com os agentes, pois cada um só podia pagar dois boletos de 2 rupias. Além disso, as probabilidades dos agentes para Heart's Story tinham caído agora para 5 para 1.

Voltaram ao compartimento e ficaram olhando a pista chuvosa, num estado de excitação incontrolável.

Era um páreo curto, de apenas mil metros. O ponto de partida, no outro lado da pista, estava invisível por causa da chuva e da distância, principalmente na posição em que se encontravam, muito abaixo da tribuna dos sócios. Mas o ruído trovejante dos cascos dos cavalos e seu movimento rápido e indistinto atravessando a parede nebulosa de chuva os faziam gritar e berrar. Varun praticamente espumava de empolgação e gritava a plenos pulmões:

— Heart's Story! Vamos, Heart's Story!

No final ele só conseguia gritar:

— Heart! Heart! Heart! Heart!

Varun agarrava o ombro de Sajid num êxtase de incerteza.

Os cavalos emergiram na curva para entrar na reta final. As cores deles e de seus jóqueis se tornaram mais distintas — e ficou óbvio que o verde e o vermelho de Jock Mackay, montado na égua baia, estavam na frente, seguidos de perto por Anne Hodge, que montava Outrageous Fortune. A joqueta fez um valente esforço para incentivar o animal em uma última e vigorosa arrancada. Exaurido pela terra revolvida em torno de seus tornozelos — talvez de suas quartelas —, o cavalo entregou os pontos quando a vitória parecia certa: a apenas vinte metros da linha de chegada.

Heart's Story tinha vencido por um corpo e meio.

Ouviram-se gemidos de decepção e gritos de júbilo por toda parte em torno deles. Os três amigos ficaram enlouquecidos de entusiasmo. Na imaginação deles o dinheiro do prêmio se multiplicou, adquirindo vastas proporções. Cada um devia ter ganhado umas 15 rupias! Uma garrafa de uísque escocês — por que sequer pensariam em shamshu? — custava apenas 14 rupias.

Euforia!

Agora só precisavam aguardar até que fosse levantado o cone branco, e então iriam buscar o dinheiro do prêmio.

Em lugar do branco subiu um cone vermelho.

Desespero.

Tinha havido uma objeção.

— O número sete está contestando a chegada do número dois — disse alguém

— Como eles podem saber com essa chuva toda?

— Claro que eles podem saber.

— Ele nunca faria isso com ela. São cavalheiros.

— Anne Hodge não iria mentir sobre uma coisa dessas.

— Esse cara, Jock, é muito inescrupuloso; faria qualquer coisa para ganhar.

— Essas coisas podem acontecer também por engano.

— Por engano!

O suspense era insuportável. Três minutos se passaram. Varun estava engasgado de emoção e ansiedade, e o cigarro de Sajid tremia. Jason estava tentando parecer durão e despreocupado, mas fracassando miseravelmente na tentativa. Quando o cone vermelho foi lentamente abaixado, confirmando o resultado do páreo, eles se abraçaram como irmãos longamente separados, e foram imediatamente buscar o dinheiro do prêmio — e fazer suas apostas no páreo seguinte.

— Olá! Varun, não é? — Ela pronunciou "Veirun".

Varun voltou-se rapidamente e se deparou com Patricia Cox, vestida elegantemente num vaporoso vestido de algodão branco e carregando um guarda-chuva branco que também a protegia do sol. Não parecia nem um pouco tímida como um rato, e sim atrevida com um gato. Também tinha apostado em Heart's Story e vencido.

Os cabelos de Varun estavam revoltos, o rosto vermelho. O programa dos páreos que ele tinha na mão estava amassado; a camisa, molhada de chuva e de suor. Jason e Sajid estavam ao seu lado; os três haviam acabado de pegar o dinheiro do prêmio e davam pulos de alegria.

Milagrosamente, porém, o cigarro de Sajid não tinha sido desalojado, e estava pendurado no lábio inferior, sem nada que o mantivesse no lugar, como de costume.

— He, he — Varun riu, nervoso, olhando para um lado e para o outro.

— Que fantástico encontrá-lo novamente — disse Patricia Cox com indubitável prazer.

— Ãhn... é, he, he — fez Varun. — Humm. Ãan... — Ele não conseguia lembrar o sobrenome dela. Box? Pareceu indeciso.

— Patricia Cox. — Ela se adiantou, solícita. — Fomos apresentados naquela noite em sua casa, depois do jantar. Mas imagino que você tenha esquecido.

— Não, ãan... não, heh, heh! — Ele riu frouxamente, procurando uma escapatória.

— Imagino que estes sejam seus amigos de shamshu — continuou ela, com aprovação.

Jason e Sajid, que estavam olhando espantados, agora ficaram boquiabertos com Patricia Cox, e depois olharam para Varun com ar de indagação e ameaça.

— He, he — baliu Varun pateticamente.

— Vocês têm alguma recomendação para o próximo páreo? — perguntou Patricia Cox. — Seu irmão está aqui como nosso convidado. Você gostaria de...

— Não, não... eu preciso ir embora — Varun finalmente recuperou a voz e saiu quase fugido do saguão, sem sequer fazer uma aposta no páreo seguinte.

Quando Patricia Cox voltou à tribuna dos sócios, disse radiante a Arun:

— Você não me avisou que seu irmão estaria aqui. Não sabíamos que ele gostava de corridas de cavalo. Nós o teríamos convidado também.

Arun ficou rígido.

— Aqui?! Ah, sim, aqui. Sim, às vezes. Naturalmente. A chuva parou.

— Acho que ele não gosta muito de mim — continuou Patricia Cox com ar tristonho.

— Provavelmente ele tem medo de você — disse Meenakshi perceptivamente.

— De mim? — estranhou Patricia Cox.

Durante a corrida seguinte, Arun não conseguia se concentrar na cancha. Enquanto todos ao seu redor aplaudiam os cavalos (com algum comedimento), os olhos dele, como que por iniciativa própria, se desviaram para baixo. Um pouco além da trilha entre o paddock e a pista de corrida ficava o exclusivo (e exclusivamente europeu) Tollygunge Club; agora que a chuva tinha parado, alguns sócios estavam tomando chá no gramado e assistindo, relaxados, aos páreos. E ali, onde Arun estava sentado como convidado do casal Cox, encontrava-se o pináculo social representado pela tribuna dos sócios.

Mas entre um e outro, na tribuna de 2 rupias, estava o irmão de Arun, espremido entre dois companheiros de má reputação; e tão envolvido estava na excitação da próxima corrida que havia esquecido seu encontro traumático de minutos antes e aos saltos, com o rosto vermelho, gritava palavras que eram ininteligíveis à distância, mas que quase com certeza eram o nome de um cavalo no qual tinha depositado seu coração, se não sua aposta. Ele quase, mas apenas quase, parecia irreconhecível.

As narinas de Arun tremeram ligeiramente, e depois de alguns segundos ele desviou o olhar. Disse a si mesmo que deveria começar a ser o guardião do irmão — porque aquela fera, depois que saísse da jaula, poderia causar muitos estragos ao equilíbrio do universo.

7.26

A SRA. RUPA MEHRA e Lata continuavam sua conversa. De Varun e do concurso para o funcionalismo público elas passaram a Savita e o bebê. Embora ainda não fosse uma realidade, na imaginação da Sra. Rupa Mehra o bebê já era um professor universitário ou um juiz. Desnecessário dizer que se tratava de um menino.

— Já faz uma semana que não tenho notícia de minha filha. Estou muito preocupada com ela — disse a Sra. Rupa Mehra. Quando estava com Lata, referia-se a Savita como "minha filha", e vice-versa.

— Ela está bem, *ma* — disse Lata para tranquilizá-la. — Senão a senhora certamente já teria tido notícias.

— E estar grávida neste calor! —continuou a Sra. Rupa Mehra, deixando a entender que Savita deveria ter planejado melhor. — Você também nasceu nas monções — disse a Lata. — Foi um parto difícil — acrescentou, com os olhos brilhando de emoção.

Lata já ouvira falar umas cem vezes sobre seu próprio nascimento difícil. Às vezes, quando a mãe estava zangada com ela, atirava-lhe, acusadora, esse fato ao rosto. Outras, quando se sentia especialmente carinhosa em relação a ela, mencionava o fato como lembrete de que a filha sempre tinha sido preciosa. Lata também ouvira falar muitas vezes da firmeza com que se agarrava aos outros quando bebê.

— E o coitado do Pran. Ouvi dizer que ainda não choveu em Brahmpur — continuou a Sra. Rupa Mehra.

— Choveu, sim, *ma*, um pouquinho.

— Mas não choveu o suficiente; só umas gotinhas aqui e ali. Ainda há muita poeira, o que é terrível para a asma dele.

— *Ma*, a senhora não deveria se preocupar com Pran. Savita cuida muito bem dele, e a mãe dele também.

No entanto, ela sabia que nada disso adiantava: a Sra. Rupa Mehra se comprazia em demonstrar preocupação. Um dos maravilhosos subprodutos do casamento de Savita era uma nova família inteira com que ela poderia se preocupar.

— Mas a própria mãe dele não está bem — disse triunfante a Sra. Rupa Mehra. — E por falar nisso, ando querendo visitar meu homeopata.

Se Arun estivesse presente, teria dito à mãe que todos os homeopatas eram charlatões. Lata limitou-se a dizer:

— Mas, *ma*, esses comprimidinhos brancos lhe fazem algum bem? Eu acho que tudo isso é cura pela fé.

— E que problema tem a fé? — perguntou a mãe. — Em sua geração ninguém acredita em coisa alguma. — Lata não defendeu sua geração. — Só acredita em se divertir e ficar na rua até as quatro da manhã — acrescentou a Sra. Rupa Mehra.

Para sua própria surpresa, Lata riu.

— O que foi? Do que está rindo? — interpelou a mãe. — Anteontem você não estava rindo.

— Não é nada, *ma*, estou apenas rindo, é só. Será que não posso rir de vez em quando?

Entretanto, ao pensar de repente em Kabir, ela ficou séria.

Sem fazer caso de generalidades, a Sra. Rupa Mehra concentrou-se nos detalhes.

— Você deve estar rindo por alguma razão. Tem de haver uma razão. Pode dizer à sua mãe.

— *Ma*, não sou uma criança, tenho permissão para ter meus próprios pensamentos.

— Para mim você sempre será o meu bebê.

— Mesmo quando eu tiver 60 anos?

A Sra. Rupa Mehra olhou surpresa para a filha. Embora tivesse acabado de visualizar o filho que Savita ainda ia ter como um juiz, ela nunca havia visualizado Lata como uma sessentona. Tentou fazê-lo agora, mas o pensamento era demasiado intimidante. Felizmente, outro pensamento interveio.

— Deus terá me levado embora muito antes disso. — Ela suspirou. — E só quando eu estiver morta e desaparecer, e você olhar para minha cadeira vazia, me dará valor. Agora fica me escondendo tudo, como se não confiasse em mim.

Lata pensou, magoada, que de fato não confiava em que a mãe entendesse muitos de seus sentimentos. Pensou na carta de Kabir, transferida de dentro do livro de mitologia egípcia para um bloco de rascunho no fundo da mala dela. Onde será que ele tinha conseguido seu endereço? Com que frequência pensava nela? Lata lembrou-se novamente do tom petulante da carta e sentiu uma onda de raiva.

Embora talvez o tom não fosse exatamente petulante, disse consigo. E talvez ele tivesse razão ao afirmar que ela não lhe dera muita oportunidade de se explicar. Pensou no último encontro dos dois — parecia ter acontecido há muito tempo — e em seu próprio comportamento: tinha beirado o histérico. Mas para ela o que estava em jogo era sua vida inteira, e para ele aquele provavelmente foi apenas um agradável passeio de manhã cedinho. Evidentemente, Kabir não tinha contado com a intensidade de seu rompante. Talvez, Lata admitiu, talvez ele não pudesse prever aquilo.

Nessas circunstâncias, o coração dela sofria por ele. Em sua imaginação, tinha sido com ele e não com o irmão que Lata dançara na noite anterior. E hoje de manhã, enquanto dormia, ela havia sonhado com ele, que ele estranhamente lhe recitava sua carta, num concurso de declamação em que ela era uma das juradas.

— Então por que você está rindo? — insistiu a mãe.

— Eu estava pensando em Bishwanath Bhaduri e nos ridículos comentários dele ontem à noite no Firpo's.

— Mas ele tem um emprego estável — enfatizou a mãe.

— Ele disse que eu era mais bonita que Savita e que meu cabelo parecia um rio.

— Você é muito bonita quando resolve ser, querida — disse a mãe encorajadora. — Mas seu cabelo estava preso num coque, não estava?

Lata confirmou e bocejou. Passava do meio-dia. Raramente sentira tanto sono a essa hora do dia, exceto quando estava estudando para os exames. Meenakshi era quem normalmente bocejava — e com uma elegância incontestável, sempre que era adequado ao momento.

— Cadê Varun? — perguntou Lata. — Eu deveria dar uma olhada, junto com ele, no *Gazette*. O jornal geralmente publica detalhes do concurso para o funcionalismo público. A senhora acha que ele também foi para as corridas de cavalo?

— Lata, você está sempre dizendo coisas para me transtornar! — exclamou a Sra. Rupa Mehra com repentina indignação. — Eu já tenho muitos problemas, e aí você chega e diz coisas assim. Corridas de cavalo. Ninguém se preocupa com minhas aflições, todos estão sempre pensando nos seus próprios problemas.

— Que problemas, *ma*? — disse Lata impiedosamente. — A senhora é muito bem-cuidada e querida por todos que a conhecem.

A Sra. Rupa Mehra olhou-a severamente. Savita nunca teria feito uma pergunta tão rude. De fato, era mais um comentário que uma pergunta. Às vezes, disse ela consigo, não entendo Lata de jeito nenhum.

— Eu tenho muitos problemas — disse a Sra. Rupa Mehra de modo decidido. — Você não os conhece tão bem quanto eu. Olhe para Meenakshi e veja como ela trata a criança. E Varun e seus estudos... O que acontecerá com ele? Fumando e bebendo e apostando dinheiro em jogos e tudo isso? E você que não se casa; isso não é um problema? E Savita que está grávida. E Pran com sua doença. E o irmão do Pran, fazendo todas essas coisas e o povo falando dele por toda a cidade. E a irmã de Meenakshi; andam falando dela também. Você acha que não sou obrigada a ouvir todas essas coisas das pessoas? Ontem mesmo Purobi Ray estava falando mal de Kuku. Então, esses são os meus problemas e agora você me deixou ainda mais nervosa. E eu sou uma viúva que sofre de diabetes — acrescentou, quase como um adendo. — Isso não é um problema? — Lata admitiu que este último podia contar como um verdadeiro problema. — E Arun fica gritando, o que é muito ruim para minha hipertensão. E hoje Haniff tirou folga, então eu tenho que fazer tudo sozinha, até mesmo o chá.

— Eu o farei para a senhora, *ma* — disse Lata. — Gostaria de tomá-lo agora?

— Não, querida, você está bocejando, vá descansar — disse a Sra. Rupa Mehra, agora conciliadora. Ao se oferecer para preparar o chá, era como se Lata o tivesse preparado para ela.

— Eu não quero descansar, *ma*.

— Então por que você está bocejando, meu bem?

— Provavelmente porque dormi demais. A senhora aceita um chá?

— Se não for muito incômodo.

Lata foi para a cozinha. Tinha sido educada pela mãe "para não incomodar os outros, e sim para tomar o incômodo para si". Depois que o pai morreu, eles viveram alguns anos na casa de amigos — e, portanto, em certo sentido, tinham vivido de caridade, mesmo que graciosamente concedida;

logo era natural a Sra. Rupa Mehra ter se preocupado em não causar problemas, talvez por causa dos filhos. Era possível remontar a esses anos grande parte da personalidade dos quatro. A sensação de incerteza e a consciência da obrigação para com terceiros que não eram parentes causaram grande efeito sobre eles. Pelo jeito Savita fora a menos influenciada; mas, também, às vezes ela dava impressão de ter trazido do berço sua gentileza e doçura, e de que nenhuma circunstância simples ao seu redor poderia tê-las alterado muito.

— Savita era radiante até quando era bebê? — perguntou Lata minutos depois, quando voltou com o chá. Ela conhecia a resposta à pergunta que fizera, não só porque era parte do folclore familiar, mas porque havia muitas fotos para atestar o gênio alegre da irmã: fotos devorando ovos moles com um sorriso beatífico ou sorrindo em seu sono de bebê. Mas mesmo assim Lata perguntou, talvez na intenção de deixar a mãe bem-humorada.

— Sim, muito radiante — disse a Sra. Rupa Mehra. — Mas querida, você esqueceu meu adoçante.

7.27

POUCO depois apareceram de visita Amit e Dipankar, que vieram no carro da família Chatterji, um enorme Humber branco. Perceberam que Lata e a mãe ficaram levemente surpreendidas ao vê-los.

— Onde está Meenakshi? — perguntou Dipankar, olhando lentamente ao redor. — Que lindos estão os lírios-aranha lá fora!

— Ela saiu com Arun para as corridas de cavalo — respondeu a Sra. Rupa Mehra. — Eles estão decididos a pegar uma pneumonia. Nós estávamos tomando chá. Lata vai fazer outro bule.

— Não, realmente não é necessário — disse Amit.

— Tudo bem — disse Lata com um sorriso. — A água ainda está quente.

— Isso é a cara da Meenakshi — disse Amit, meio contrafeito, meio divertido. — Ela tinha dito que nós poderíamos aparecer por aqui hoje à tarde. Acho melhor irmos embora. Dipankar tem tarefas a fazer na biblioteca da Sociedade Asiática.

— Vocês não podem ir embora — disse hospitaleira a Sra. Rupa Mehra. — Não sem ter tomado chá.

— Mas ela sequer disse à senhora que nós viríamos?

— Ninguém nunca me diz coisa alguma — queixou-se automaticamente a Sra. Rupa Mehra.

— Sem guarda-chuva Meenee-haha saiu/ No hipódromo Tolly se distraiu — disse Amit.

A Sra. Rupa Mehra fechou a cara. Sempre tinha achado difícil manter uma conversa coerente com qualquer um dos Chatterji mais jovens.

Depois de olhar novamente em torno, Dipankar perguntou:

— Onde está Varun?

Gostava de conversar com Varun, que, mesmo quando entediado, ainda ficava nervoso demais para objetar; Dipankar interpretava o silêncio dele como sinal de interesse. Com certeza era melhor ouvinte que qualquer pessoa de sua própria família, que se impacientava quando ele falava sobre o Nada ou a Cessação do Desejo. Quando ele falou deste último tópico na mesa do desjejum, Kakoli tinha feito uma lista das sucessivas namoradas dele e afirmado que não via qualquer sinal de diminuição, muito menos de cessação do desejo na vida dele até aquele momento. Kuku não via as coisas abstratas, pensou. Ela ainda estava presa ao plano da realidade contingente.

— Varun saiu — disse Lata, voltando com o chá. — Quer que eu diga a ele que telefone para você quando voltar?

— Se for para nos encontrarmos, nós nos encontraremos — retrucou Dipankar pensativo. Depois entrou no jardim, embora ainda caísse uma chuva fina e seus sapatos fossem ficar enlameados.

Os irmãos de Meenakshi!, pensou a Sra. Rupa Mehra.

Amit estava sentado em silêncio, e a Sra. Rupa Mehra, que tinha horror ao silêncio, pediu notícias de Tapan.

— Ah, ele está muito bem — respondeu Amit. — Acabamos de deixá-lo com Cuddles na casa de um amigo. A família tem muitos cachorros e, por estranho que pareça, Cuddles se dá muito bem com eles.

"Por estranho que pareça" era a expressão certa, pensou a Sra. Rupa Mehra. No primeiro encontro que tivera com o cachorro, ele tinha voado para cima dela e tentado mordê-la. Felizmente estava amarrado ao pé do piano e permaneceu fora do alcance. Enquanto isso Kakoli continuou a tocar seu Chopin sem errar uma nota. "Não se importe com ele, tem boa intenção", dissera ela. Era uma família realmente maluca, refletiu a Sra. Rupa Mehra.

— E a querida Kakoli? — perguntou.

— Está cantando Schubert com Hans. Ou melhor: ela está tocando e ele está cantando.

A Sra. Rupa Mehra pareceu carrancuda. Devia ser o rapaz mencionado por Purobi Ray quando este falou de Kakoli. Muito inadequado.

— Na casa de vocês, é claro.

— Não, na casa de Hans. Ele veio buscá-la. Também foi bom porque do contrário Kuku teria nos derrotado na disputa pelo carro.

— E quem está com eles? — perguntou a Sra. Rupa Mehra.

— O espírito de Schubert — respondeu Amit despreocupado.

— Pelo bem de Kuku vocês *precisam* ser cuidadosos — disse a Sra. Rupa Mehra, espantada tanto com o que ele dissera quanto com o tom empregado. Ela não conseguia entender a atitude dos Chatterji diante do risco que a irmã deles estava correndo. — Por que ela não pode cantar em Ballygunge?

— Para começar, existe com frequência um conflito entre o harmônio e o piano. E eu não consigo escrever naquela balbúrdia.

— Meu marido escrevia os relatórios de inspeção das rodovias com quatro crianças gritando ao redor dele — observou a Sra. Rupa Mehra.

— *Ma*, não é a mesma coisa — disse Lata. — Amit é um poeta. Poesia é diferente.

Amit lhe dirigiu um olhar de gratidão, embora se perguntasse se o romance a que estava se dedicando — ou mesmo a poesia — diferia tanto de relatórios de inspeção quando ela imaginava.

Dipankar entrou bastante molhado, vindo do jardim. Entretanto, limpou os pés no capacho antes de entrar. Estava recitando, na verdade cantando, uma passagem do poema místico *Savitri*, de Sri Aurobindo:

> "Sereno firmamento de Luz imperecível,
> Iluminados continentes de paz violeta,
> Oceanos e rios do júbilo divino
> E países ditosos sob sóis purpúreos..."*

E voltando-se para os demais:

---

* Tradução livre. (*N. do E.*)

— Ah, sim, o chá — disse ele e ficou imaginando quanto açúcar deveria acrescentar à bebida.

Amit se voltou para Lata:

— Você entendeu isso?

Dipankar fixou no irmão mais velho um olhar de amável condescendência.

— Amit *Da* é um cético e acredita na vida e na matéria. Mas o que dizer da entidade psíquica que está por trás da mentalidade vital e física?

— Sim, o que dizer? — ecoou Amit.

— Você quer dizer que não acredita no plano supramental? — perguntou Dipankar, começando a piscar. Era como se o irmão tivesse questionado a existência do sábado, coisa que, na verdade, Amit seria capaz de fazer.

— Eu não sei se acredito ou não — disse Amit. — Não sei o que é. Mas tudo bem... não, não me diga.

— É o plano em que o Divino encontra a alma individual e transforma o indivíduo em um "ser gnóstico" — explicou Dipankar com um leve desdém.

— Que interessante — disse a Sra. Rupa Mehra, que de vez em quando se questionava em relação ao Divino. Começou a se sentir bastante receptiva em relação a Dipankar. De todos os filhos dos Chatterji, ele parecia o mais sério. Piscava muito, o que era embaraçoso, mas a Sra. Rupa Mehra estava disposta a fazer concessões.

— Sim — concordou ele, adicionando ao chá uma terceira colher de açúcar. — É inferior a Brahma e a Sat-chit-ananda, mas funciona como um canal ou condutor.

— Está doce o suficiente? — perguntou preocupada a Sra. Rupa Mehra.

— Acho que sim — disse Dipankar com ar apreciativo.

Tendo encontrado uma ouvinte, Dipankar se expandiu agora para vários assuntos que o interessavam. Seus interesses por misticismo eram muitos ramificados e incluíam o Tantra e o culto à Deusa-Mãe, além da filosofia sintética mais conceitual que tinha acabado de expor. Não tardou que ele e a Sra. Rupa Mehra estivessem conversando alegremente sobre os grandes videntes Ramakrishna e Vivekananda. Meia hora depois, o assunto era a Unidade, a Dualidade e a Trindade, temas sobre os quais Dipankar tivera recentemente um curso relâmpago. A Sra. Rupa Mehra se esforçava para acompanhar o rapaz em seu livre fluxo de ideias.

— Tudo alcança o clímax no Pul Mela em Brahmpur — disse Dipankar. — É então que as conjunções astrais estão no auge do poder. Na noite de lua cheia do mês de Jeth, a força gravitacional da lua exercerá seu máximo poder sobre todos os nossos chacras. Eu não acredito em todas as lendas, mas não se pode negar a ciência. Este ano eu irei, e nós poderemos mergulhar juntos no Ganges. Até já reservei minha passagem.

A Sra. Rupa Mehra parecia indecisa.

— Essa é uma boa ideia. Vamos ver que rumo as coisas vão tomar.

Acabava de se lembrar, com alívio, de que não estaria em Brahmpur na ocasião.

7.28

AMIT, nesse ínterim, estava conversando com Lata sobre Kakoli. Contava à moça sobre o mais recente namorado da irmã, o alemão quebra-nozes. Kuku até o fizera pintar acima da banheira dela uma diplomaticamente inadequada *Reichsadler*, a águia imperial e heráldica da Alemanha. A própria banheira tinha sido pintada por dentro e por fora com tartarugas, peixes, caranguejos e outras criaturas aquáticas pelos amigos mais artísticos de Kuku. Ela amava o mar, principalmente no delta do Ganges, os manguezais de Sundarbans. E os peixes e caranguejos lhe recordavam deliciosas iguarias bengalesas, realçando a opulência voluptuosa de seu banho.

— E seus pais não fizeram objeção? — perguntou Lata, lembrando a imponência da mansão Chatterji.

— Meus pais talvez se importem — disse ele —, mas Kuku consegue dobrar meu pai. É a favorita dele. Acho que até minha mãe tem ciúme do jeito como ele faz o que ela quer. Há alguns dias eles falaram em deixá-la ter um telefone próprio, em vez de ter só uma extensão.

Dois telefones na mesma casa pareciam a Lata o máximo da extravagância. Ela perguntou por que seriam necessários, e Amit lhe contou sobre a ligação umbilical de Kakoli ao telefone. Chegou a imitá-la em suas saudações características para os amigos dos níveis A, B e C.

— Mas o telefone exerce tamanha magia sobre Kuku que ela prontamente abandona um amigo nível A que se deu o trabalho de visitá-la para conversar durante vinte minutos com o amigo nível C que por acaso está na linha.

— Acho que ela é muito sociável. Eu nunca a vi sozinha — observou Lata.

— Ela realmente é — disse Amit.

— E tem intenção de ser?

— O que você quer dizer?

— É por vontade própria?

— Aí está uma pergunta difícil.

— Bom, ela é muito simpática, atraente e animada — disse Lata, evocando a sorridente e bem-humorada Kakoli na festa, cercada por uma grande multidão. — Não me surpreende as pessoas gostarem dela.

— Humm, ela própria não telefona para ninguém e não liga para os recados deixados para ela em sua ausência; logo, não mostra muita volição. E, no entanto, está sempre ao telefone. Quem telefonou sempre volta a ligar.

— Então ela é passivamente volitiva.

Lata pareceu muito surpresa com a expressão que acabava de cunhar.

— Bom, é passivamente volitiva... de uma forma mais vivaz — resumiu Amit, pensando que essa era uma estranha forma de descrever Kuku.

— Minha mãe está se entendendo muito bem com seu irmão — disse Lata, com um olhar na direção dos dois.

— Parece que sim — disse Amit com um sorriso.

— E de que tipo de música ela gosta? — perguntou Lata. — Kuku, quero dizer.

Depois de pensar um segundo, Amit disse:

— De música de desesperança.

Lata esperou que ele explicasse melhor sua resposta, mas Amit não o fez. Em vez disso, perguntou:

— E de que tipo de música você gosta?

— Eu?

— Sim, você.

— Gosto de todo tipo. Eu lhe disse que gostava de música clássica indiana. E não conte à sua Ila *Kaki*, mas a única vez em que fui a um concerto de gazais eu me diverti. E você?

— Todo tipo também.

— Kuku tem algum motivo para gostar de música de desesperança?

— Tenho certeza de que ela já sofreu sua parcela de decepção amorosa — disse Amit insensível. — Mas ela não teria encontrado Hans se outra pessoa não lhe tivesse partido o coração.

Lata olhou para Amit com ar curioso, quase severo.

— Mal posso acreditar que você seja um poeta — disse ela.

— É, eu também não — respondeu ele. — Você já leu alguma coisa do que escrevi?

— Não, eu tinha certeza de que haveria um exemplar de seu livro nesta casa, mas...

— Você gosta de poesia?

— Gosto muito.

Houve uma pausa. E então ele perguntou:

— O que você viu de Calcutá até agora?

— O Victoria Memorial e a ponte Howrah.

— Só isso?

— Só isso.

Agora foi a vez de Amit parecer severo.

— E o que vai fazer hoje à tarde? — perguntou ele.

— Nada — disse Lata, surpresa.

— Ótimo. Eu lhe mostrarei alguns lugares de interesse poético. Nós estamos de carro, o que é bom. E no carro temos guarda-chuvas. Assim não ficaremos molhados quando estivermos andando pelo cemitério.

Mas embora a pessoa com quem ela sairia fosse "apenas o Amit", a Sra. Rupa Mehra fez a exigência absurda de que alguém os acompanhasse. Para a mãe, Amit era meramente o irmão de Meenakshi — e não representava riscos em nenhum sentido da palavra. Mas era um homem jovem, e seria adequado que eles cumprissem as formalidades e estivessem acompanhados para não serem vistos juntos sozinhos. Por outro lado, a Sra. Rupa Mehra estava disposta a ser bastante flexível sobre quem poderia ser a companhia. Ela própria certamente não iria circular por aí com eles no meio da chuva. Mas para isso Dipankar serviria.

— Não posso acompanhá-los, *dada*, preciso ir à biblioteca — disse Dipankar.

— Pois então vou telefonar a Tapan na casa do amigo dele e ver o que tem a dizer — disse Amit.

Tapan concordou, na condição de que Cuddles pudesse acompanhá-los — preso à coleira, obviamente.

Cuddles era nominalmente o cachorro de Dipankar, e a sanção deste também foi requerida e prontamente concedida.

E assim, numa tarde quente e chuvosa de sábado, Amit, Lata, Dipankar (que seguiria com eles até a Sociedade Asiática), Tapan e Cuddles foram dar uma volta de carro e a pé, com a permissão da Sra. Rupa Mehra, que se sentiu aliviada ao ver Lata se comportar normalmente outra vez.

7.29

QUANDO as massas de ingleses foram embora da Índia, depois da Independência, deixaram para trás grande quantidade de pianos, e um deles, um Steinway tropicalizado, grande e negro, foi posto na sala de estar do apartamento de Hans Sieber em Queens Mansions. Kakoli estava sentada diante do teclado, e Hans, de pé atrás dela, cantava da mesma partitura que ela estava tocando, e se sentia extremamente feliz, embora as canções fossem extremamente melancólicas.

Hans adorava Schubert. Eles estavam interpretando *Winterreise*, um frio ciclo de canções de rejeição e depressão que termina em loucura. Lá fora, a chuva quente de Calcutá desabava torrencialmente. Ela inundava as ruas, gorgolejava nos bueiros de um precário sistema de escoamento, se despejava no rio Hooghly e finalmente escorria para o Oceano Índico. Em uma encarnação anterior poderia perfeitamente ter sido a suave nevasca alemã que girava em torvelinho ao redor do viajante acossado pelas recordações, e em uma encarnação posterior ela poderia fazer parte do regato congelado em cuja superfície ele tivesse entalhado suas iniciais e as da amada infiel. Ou possivelmente tivessem sido lágrimas ardentes que ameaçavam derreter toda a neve do inverno.

No começo, Kakoli não se empolgara com Schubert: seu gosto pessoal se inclinava mais para Chopin, que ela interpretava com forte rubato e tristeza. Mas, agora que estava tocando para que Hans cantasse, a moça tinha começado a gostar cada vez mais de Schubert.

O mesmo valia em relação a seus sentimentos por Hans, cujas maneiras elegantes e excessivas começaram por diverti-la, depois a irritaram, e agora lhe infundiam confiança. Hans, por sua vez, estava tão fascinado por Kuku quanto qualquer um dos cogumelos dela tinha estado. Mas ele achava que ela não o levava a sério, só retornando um de cada três telefonemas dele. Se Hans soubesse de sua taxa de retorno de ligações, ainda mais baixa com os outros amigos, teria percebido o quanto ela o valorizava.

Das 24 canções do ciclo, eles haviam chegado agora à penúltima, "Os sóis falsos". Hans a estava cantando com alegria e vivacidade. Kuku conduzia um andamento mais lento ao piano. Era uma queda de braço na interpretação.

— Não, não Hans — disse Kakoli quando ele se inclinou para virar a página, ao chegarem à última canção. — Você está cantando depressa demais.

— Depressa demais? — Ele estranhou. — Eu achei que o acompanhamento não estava muito vivaz. Você queria ir mais devagar, sim? *"Ach, meine Sonnen seid ihr nicht!"* — disse ele, com a voz arrastada. — Assim?

— Sim.

— Olha, Kakoli, ele está louco, você sabe.

A verdadeira razão pela qual Hans tinha cantado a canção com tanto vigor era a perfeita presença de Kuku.

— *Quase* louco — disse Kuku. — Na canção seguinte ele fica muito louco. Você poderá cantá-la com a rapidez que quiser.

— Mas essa última canção deve ser muito lenta — disse Hans. — Assim... — Ele ilustrou o que queria dizer tocando com a mão direita nas teclas mais agudas do piano. No final da primeira linha a mão dele tocou na dela por um segundo. — Naquela altura, Kakoli, ele fica resignado com seu destino.

— Então ele para de repente de ser louco? — disse Kakoli. Que bobagem, pensou.

— Talvez ele esteja louco e resignado com seu destino. As duas coisas juntas.

Kuku experimentou tocar e fez um movimento negativo com a cabeça.

— Eu ficaria com sono — disse ela.

— Então, Kakoli, você acha que "Os sóis falsos" deve ser lento e "O tocador de realejo" deve ser rápido.

— Exatamente.

Kakoli gostava quando Hans dizia o nome dela; ele pronunciava as três sílabas com o mesmo peso. Raras vezes ele a chamava de Kuku.

— E eu acho que "Os sóis falsos" deve ser rápido e "O tocador de realejo" deve ser lento — continuou ele.

— Sim — disse Kuku. Como nós somos horrivelmente incompatíveis, pensou. E tudo devia ser perfeito, simplesmente perfeito. Se não fosse perfeito, seria horroroso.

— Então cada um de nós acha que uma canção deve ser rápida e a outra lenta — resumiu Hans com uma lógica triunfante. Isso parecia provar a ele que, exceto por um ou outro ajuste, ele e Kakoli eram excepcionalmente compatíveis.

Kuku olhou para o rosto quadrado e bonito de Hans, que estava radiante de prazer.

— Sabe? Na maioria das vezes que eu ouço, as duas canções são cantadas com andamento lento – disse Hans.

— Lento nas duas? Isso nunca vai funcionar.

— É, não vai mesmo — concordou Hans. — Que tal começarmos de novo a partir dali, com um ritmo mais lento, conforme você sugeriu?

— Sim, mas que raio significa isso? Quero dizer, a canção.

— Há três sóis — explicou Hans — e dois desaparecem e só resta um.

— Hans, eu acho você adorável, e a subtração que fez está corretíssima, mas você não acrescentou nada à minha compreensão.

Hans ficou vermelho.

— Acho que os dois sóis são a moça e a mãe dela, e ele próprio é o terceiro.

Kakoli ficou olhando para ele.

— A mãe dela? — perguntou incrédula. Talvez, no fim das contas, Hans tivesse uma alma demasiado prosaica.

Hans parecia hesitante.

— Ou talvez não — admitiu. — Mas que outra pessoa seria?

Ele refletiu que a mãe tinha aparecido em algum ponto do ciclo de canções, embora muito antes.

— Eu não entendo de jeito nenhum. É um mistério — disse ela. — Mas com certeza não é a mãe.

Kakoli sentiu que uma crise decisiva estava se formando. Isso era quase tão ruim quanto a aversão dele à culinária bengalesa.

— Sim? — disse Hans. — Um mistério?

— Seja como for, Hans, você canta muito bem — observou Kuku. — Gosto quando você canta sobre desilusões amorosas. Pareceu muito profissional. Precisamos fazer isso de novo na semana que vem.

Hans corou novamente e ofereceu uma bebida à moça. Embora fosse especialista em beijar as mãos das mulheres casadas, ele ainda não tinha beijado Kakoli. Achava que ela não aprovaria; mas estava enganado.

7.30

QUANDO chegaram ao cemitério de Park Street, Amit e Lata desceram do carro. Dipankar resolveu ficar esperando com Tapan, porque os outros dois demorariam só uns minutos, e, além disso, só havia dois guarda-chuvas.

Entraram por um portão de ferro fundido. O cemitério era constituído de uma série de avenidas estreitas entre aglomerados de túmulos. Aqui e ali, reunidas em moitas, havia algumas palmeiras encharcadas, e o crocitar dos corvos se mesclava à trovoada e ao barulho da chuva. Era um lugar melancólico. Fundado em 1767, o local rapidamente se enchera de mortos europeus. Jovens e velhos igualmente — a maioria vitimada pelo clima propício a febres — jaziam enterrados aqui, compactados sob grandes lajes e pirâmides, mausoléus e cenotáfios, urnas e colunas, tudo agora desintegrado e acinzentado por dez gerações de calor e chuva de Calcutá. Os túmulos eram tão densamente agrupados que em alguns lugares ficava difícil passar entre eles. A grama luxuriante alimentada pelas chuvas crescia entre os túmulos, e a chuva caía incessante sobre tudo. Em comparação com Brahmpur ou Benares, com Allahabad ou Agra, com Lucknow ou Nova Delhi, dificilmente se poderia considerar Calcutá uma cidade com história, mas o clima havia conferido um sentido de lenta decadência, desolado e pouco romântico, a seu caráter relativamente recente.

— Por que você me trouxe aqui? — perguntou Lata.

— Você conhece Landor?

— Landor? Não.

— Nunca ouviu falar de Walter Savage Landor? — perguntou Amit, decepcionado.

— Ah, sim, Walter Savage Landor; é claro que sim. "Rose Aylmer, cujos olhos atentos."*

— Despertos. Pois é, ela está enterrada aqui. Como também estão o pai de Thackeray e um dos filhos de Dickens, e o original de Byron para *Don Juan* — informou Amit, com o devido orgulho de cidadão de Calcutá.

— É mesmo? — disse Lata. — Aqui? Aqui em Calcutá? — Era como se de repente lhe dissessem que Hamlet era o príncipe de Nova Delhi. — "Ah, o que favorece a estirpe poderosa!"

— "Ah, que modos divinos!" — continuou Amit.

— "Ah, quanta virtude, elegância abastosa!" — gritou Lata com repentino entusiasmo.

— "Rose Aylmer, tudo isso é seu destino."

O ruído do trovão pontuou as duas estrofes.

— "Rose Aylmer, cujos olhos atentos..." — continuou Lata.

— "Despertos."

— Desculpe, despertos. "Rose Aylmer, cujos olhos despertos..."

— "Podem chorar, mas nunca ver" — disse Amit, brandindo o guarda-chuva.

— "uma noite de lembranças e suspiros incertos"

— "que eu consagro a você."

Amit fez uma pausa:

— Ah, que lindo poema, que lindo — disse, olhando para Lata com satisfação. Fez nova pausa e acrescentou: — Na verdade é "uma noite de lembranças e de suspiros incertos".

— Não foi isso que eu falei? — perguntou Lata pensando nas noites, ou em parte delas, que ela própria havia passado daquele jeito recentemente.

— Não, você deixou de fora o segundo "de".

— Uma noite de lembranças e suspiros. De lembranças e de suspiros. Entendo o que você quer dizer. Mas será que faz tanta diferença assim?

---

* Os trechos do poema de Walter Savage Landor citados neste livro foram traduzidos livremente. (*N. do E.*)

— Sim, isso faz diferença. Não é uma diferença enorme, mas mesmo assim é uma diferença. Um simples "de", convencionalmente autorizado a rimar com "você". Mas ela está no túmulo, e quanta diferença isso representa para ele.

Continuaram a andar. Não era possível caminhar lado a lado e entre os monumentos apinhados, e os guarda-chuvas dos dois complicavam ainda mais a locomoção. Não que a tumba dela estivesse tão distante — ficava na primeira encruzilhada — mas Amit tinha escolhido um trajeto tortuoso.

Era uma tumba pequena, encimada por um pilar em forma de cone com linhas espiraladas; o poema de Landor estava inscrito em uma placa na lateral, abaixo do nome e da idade dela e de algumas linhas de versos corriqueiros:

> Que destino foi o dela? Muito antes de sua hora,
> A morte chamou-lhe a alma, roubou-lhe a dita
> Das primeiras flores, dos brotos jubilosos;
> As poucas folhas indenes, nossa mortal sina,
> Neste clima tirano da vida humana.

Lata olhou para o túmulo e depois para Amit, que parecia mergulhado em pensamentos. Ela pensou consigo: o rosto dele parece reconfortante.

— Então ela estava com 20 anos quando morreu? — perguntou Lata.

— Sim, mais ou menos a sua idade. Eles se encontraram na Swansea Circulating Library, a biblioteca itinerante. E então os pais dela a levaram para a Índia. Pobre Landor, nobre selvagem. Vai, adorável Rose.

— Do que ela morreu? Da tristeza da separação?

— Da gula por abacaxi.

Lata pareceu chocada.

— Vejo que você não acredita em mim, mas é verdade — disse Amit. — É melhor nós voltarmos. Eles não vão esperar por nós... e quem pode se admirar? Você está encharcada.

— E você também.

— O túmulo dela — continuou Amit — faz lembrar um sorvete de casquinha virado para baixo.

Lata não disse nada; estava muito irritada com ele.

Depois que Dipankar tinha sido deixado na Sociedade Asiática, Amit pediu ao motorista que os levasse pelo Chowringhee ao Presidency Hospital. Ao passarem diante do Victoria Memorial, ele disse:

— Então o Victoria Memorial e a ponte Howrah são tudo que você conhece e tudo que precisa conhecer de Calcutá?

— Não tudo que eu preciso conhecer — disse Lata. — Tudo que calhou de eu conhecer. Além do Firpo's e o Golden Slipper. E o mercado novo.

Tapan festejou essas notícias com um dístico à moda Kakoli:

— Cuddles, Cuddles, animal de ânimo suave,/ Em Sir Stuart Hogg seus dentes crave.

Lata pareceu perplexa. Como nem Tapan nem Amit explicaram a referência, ela prosseguiu:

— Mas Arun disse que nós iremos fazer um piquenique no Jardim Botânico.

— Embaixo da esparramada figueira-de-bengala — disse Amit.

— É a maior do mundo — completou Tapan com um chauvinismo calcutaense equiparável ao do irmão.

— E vocês irão até lá com as chuvas?

— Se não formos agora, então no Natal.

— Então você vai voltar no Natal? — perguntou Amit, satisfeito.

— Acho que sim.

— Muito bom. No inverno há muitos concertos de música clássica indiana. E Calcutá é muito agradável. Eu vou lhe mostrar a cidade. Vou remover sua ignorância. Vou expandir sua mente. Vou lhe ensinar bengalês!

Lata riu.

— Estou ansiosa por isso — disse ela.

Cuddles deu um rosnado aterrorizante.

— O que está havendo com você? — perguntou Tapan. — Pode segurar isto por um segundo? — perguntou a Lata, entregando-lhe a correia do cachorro.

Cuddles se calou.

Tapan inclinou-se e examinou com cuidado a orelha do cachorro.

— Ele ainda não deu sua caminhada — disse o garoto. — E eu ainda não tomei meu milk-shake.

— Você está certo — disse Amit. — A chuva está passando; vamos só dar uma olhada na segunda relíquia poética relevante e depois iremos ao parque Maidan, onde vocês dois poderão ficar tão enlameados quanto queiram. E na volta vamos dar uma parada no Keventers. — Dirigindo-se a Lata, ele continuou: — Eu estava pensando em levar você à casa de Rabindranath Tagore, na zona norte de Calcutá, mas fica muito longe e há muita lama; podemos deixar para outro dia. Mas você não me disse se há alguma coisa específica que gostaria de ver.

— Algum dia eu gostaria de ver a área da universidade. College Street e coisas assim. Mas, na verdade, é só. Tem certeza de que pode dispor desse tempo?

— Tenho. E aqui chegamos: foi naquele pequeno edifício que Sir Ronald Ross descobriu a causa da malária. — Apontou para uma placa afixada ao portão. — E ele escreveu um poema para celebrar a descoberta.

Dessa vez todos desceram do carro, embora Tapan e Cuddles não tivessem se interessado pela placa. Lata leu o texto com muita curiosidade. Não estava acostumada a textos compreensíveis escritos por cientistas e não sabia o que esperar.

> Hoje o abençoado Deus
> Pôs-me ao alcance da mão
> um prodígio. Mui louvado seja Deus.
> Sob sua ordem e possessão,
> buscando seus atos secretos,
> com lágrimas e muita avaliação
> Encontrei as sementes solertes
> da morte que matou um milhão.
> Muitas vidas humanas salvará
> Essa pequena descoberta;
> Ó morte, seu ferrão onde está,
> E onde está a vitória, ó tumba aberta?*

Lata voltou a ler o poema.

---

* Tradução livre. (*N. da T.*)

— O que você achou? — perguntou Amit.

— Não gostei muito.

— É mesmo? Por quê?

— Não tenho certeza, só não gostei. Tem excesso de aliterações: "sementes solertes", "morte que matou um milhão". E por que "Deus" pode ser rimado com "Deus"? Você gosta disso?

— Sim, de certa forma, sim — disse Amit. — Eu realmente gosto. Mas ao mesmo tempo não consigo defender esta posição. Talvez eu ache comovente um médico militar escrever com tanto fervor e com tal força religiosa sobre uma coisa que fez. O quiasmo raro do final me encanta. Puxa, acabo de criar um pentâmetro — constatou satisfeito.

Lata, de cenho franzido, ainda examinava a placa, e Amit percebeu que ela não estava convencida.

— Você é muito severa em seu julgamento — disse ele com um sorriso.

— Imagino o que diria de meus poemas.

— Talvez algum dia eu os leia. Não consigo imaginar o tipo de poesia que escreve. Você parece tão divertido e cínico.

— Eu certamente sou cínico — admitiu ele.

— Você declama seus poemas?

— Quase nunca.

— Nunca lhe pedem que o faça?

— Sim, o tempo todo. Mas você já ouviu poetas lerem suas próprias obras? Normalmente é horrível.

Lata pensou na Sociedade Poética de Brahmpur e abriu um sorriso. Depois pensou novamente em Kabir. Sentiu-se confusa e triste.

Amit viu a súbita mudança de expressão no rosto dela. Hesitou por alguns segundos, com vontade de perguntar o que provocara aquilo, mas antes que pudesse fazê-lo ela perguntou, apontando para a placa:

— Como ele descobriu a causa da malária?

— Mandou um empregado buscar alguns mosquitos e os deixou picá-lo... ao empregado. Quando este pouco depois contraiu malária, Ross constatou que os causadores tinham sido os mosquitos. Ó morte que matou um milhão.

— Quase um milhão e um.

— Entendi o que você quer dizer. Mas as pessoas sempre trataram os empregados de forma estranha. Certa vez o Landor das lembranças e suspiros atirou o cozinheiro pela janela.

— Não sei se gosto dos poetas de Calcutá — admitiu Lata.

7.31

DEPOIS do parque Maidan e do milk-shake, Amit perguntou a Lata se eles tinham tempo de tomar um chá na casa dele antes de voltar à dela. A moça disse que sim. Gostava da agitação fértil daquela casa, do piano, dos livros, da varanda, do espaçoso jardim. Quando Amit pediu que o chá para dois fosse enviado ao seu quarto, o criado Bahadur, que tinha pelo rapaz o interesse típico de um proprietário, perguntou-lhe se haveria alguém para tomá-lo com ele.

— Ah, não, vou tomar eu mesmo as duas xícaras — disse Amit. Depois que o criado olhou apreciativo para Lata ao pousar a bandeja do chá, ele aconselhou: — Não se importe com ele. Acha que estou planejando me casar com todo mundo com que tomo chá. Uma ou duas?

— Duas, obrigada — disse Lata. E continuou com ar travesso, pois a pergunta era inócua: — E você está?

— Até agora não, mas ele não acredita. Nossos criados não desistiram de tentar conduzir nossas vidas. E Bahadur às vezes me vê olhar para a lua em horas inesperadas, e deseja me curar me casando no prazo de um ano. Dipankar tem sonhado em cercar sua cabana de mamoeiros e bananeiras, e o jardineiro lhe deu uma palestra sobre bordaduras herbáceas de canteiros. O cozinheiro mongol quase se demitiu porque Tapan, ao voltar do internato, insistiu em passar uma semana inteira comendo costeletas e tomando sorvete de manga no café da manhã.

— E Kuku?

— Kuku enlouquece o motorista.

— Que família maluca você tem!

— Ao contrário: nós somos um manancial de saúde mental.

7.32

QUANDO Lata voltou para casa no começo da noite, a Sra. Rupa Mehra não lhe cobrou um relato detalhado de onde estivera e do que tinha visto. Estava nervosa demais para fazê-lo. Arun e Varun haviam tido uma discussão explosiva, e o cheiro de queimado ainda estava muito forte no ar.

Varun tinha voltado para casa com o dinheiro do prêmio no bolso. Ainda não estava embriagado, mas era evidente para onde iriam os frutos de sua inesperada sorte. Arun o chamara de irresponsável; o prêmio deveria contribuir com o orçamento da família, e ele nunca mais deveria voltar ao hipódromo. Estava desperdiçando sua vida, não sabia o que significava sacrifício e trabalho dedicado. Varun, que sabia que o próprio Arun tinha estado nas corridas, disse ao irmão o que fazer com o conselho dado. Roxo de raiva, Arun lhe ordenara que saísse de casa. A Sra. Rupa Mehra tinha chorado e implorado e reagido como uma mediadora incendiária. Dizendo-se incapaz de viver numa família tão barulhenta, Meenakshi ameaçou voltar para a casa dos pais. Declarou-se aliviada por aquele ser o dia da folga de Hanif. Aparna tinha começado a chorar aos berros e nem mesmo a babá conseguiu acalmá-la.

O choro de Aparna tinha acalmado a todos, talvez até os tivesse feito sentir um pouco de vergonha. Agora Meenakshi e Arun haviam saído para ir a uma festa, e Varun estava sentado em sua pequena alcova, resmungando sozinho.

— Quem me dera que Savita estivesse aqui — disse a Sra. Rupa Mehra. — Só ela consegue controlar Arun quando ele está de mau humor.

— Ainda bem que ela não está aqui, *ma* — retrucou Lata. — De toda forma, é com o Varun que estou mais preocupada. Vou ver como ele está.

Sentia que tinha sido inútil o conselho que lhe dera em Brahmpur.

Quando bateu à porta dele e entrou, encontrou-o esparramado na cama com o jornal *Gazette of India* aberto à sua frente.

— Decidi me aperfeiçoar — disse Varun nervoso, olhando para os lados. — Estou lendo as normas para as provas do concurso do funcionalismo público. Elas serão realizadas no próximo mês de setembro e eu nem comecei a estudar. Arun *Bhai* me considera irresponsável, e ele tem razão. Sou terrivelmente irresponsável. Estou desperdiçando minha vida. Papai teria se envergonhado de mim. Olhe para mim, Luts, olhe para mim. O que eu sou? — Ele estava ficando cada vez mais agitado. — Sou um idiota completo — concluiu, com a condenação e o tom de desprezo típicos de Arun. — Um idiota completo! — repetiu, como se reforçasse a declaração. — Você não concorda? — perguntou esperançoso à irmã.

— Posso fazer um chá para você? — perguntou Lata, estranhando que ele a chamasse de "Luts", como Meenakshi. Varun era muito influenciável.

O rapaz olhou deprimido para as tabelas de remuneração, as listas de provas opcionais e obrigatórias, o conteúdo programático dos exames, e até a lista de castas registradas.

— Pode, sim, se você acha melhor — disse ele por fim.

Quando Lata voltou com o chá, encontrou o irmão mergulhado em renovado desespero. Tinha acabado de ler o parágrafo sobre a prova oral:

> O candidato será entrevistado por uma banca que terá diante de si um registro da carreira dele. Perguntas sobre questões de interesse geral lhe serão feitas. O objetivo da entrevista é avaliar sua adequação ao serviço para o qual ingressará, e os entrevistadores, ao formularem sua avaliação, atribuirão especial importância à inteligência e à agilidade intelectual do candidato, sua vitalidade e força de caráter e qualidades potenciais de liderança.

— Leia isso! — disse Varun. — Leia só isso aqui.

Lata apanhou o jornal, que começou a ler, interessada.

— Eu não tenho a menor chance — continuou Varun. — Não tenho muita personalidade... Não causo impressão alguma. E a entrevista vale quatrocentos pontos. Não, é melhor eu me conformar: não sirvo para funcionário público. Eles querem gente com qualidades de liderança, e não um maldito idiota como eu.

— Tome um pouco de chá, Varun *Bhai* — disse Lata.

Varun aceitou com lágrimas nos olhos.

— Mas, que mais eu posso fazer? — perguntou à irmã. — Não posso ensinar, não posso entrar para uma administradora, todas as firmas comerciais e indianas são negócios de família, eu não tenho coragem de abrir meu próprio negócio, nem tenho dinheiro para isso. E Arun fica berrando comigo o tempo todo. Eu estive lendo o livro *Como fazer amigos e influenciar pessoas* — confidenciou. — Para melhorar minha personalidade.

— Está funcionando? — perguntou Lata.

— Não sei, não consigo nem mesmo avaliar isso.

— Varun *Bhai*, por que você não ouviu o que lhe recomendei naquele dia no zoológico?

— Mas eu ouvi. Estou saindo com amigos agora. E veja aonde isso me levou!

Fizeram uma pausa. Juntos no quartinho, eles tomavam chá em silêncio. Naquele momento Lata, que estivera passando os olhos pelo jornal, empertigou-se no assento com súbita indignação.

— Mas escuta isso — disse ela. — "Para o serviço civil indiano e o serviço policial indiano o governo da Índia não pode selecionar uma candidata que seja casada, e pode exigir a renúncia da mulher ao serviço caso ela se case posteriormente."

— Qual é o problema? — perguntou Varun, que não tinha certeza do que estaria errado naquilo. Jason era policial, ou tinha sido, e Varun se perguntava se uma mulher, casada ou não, devia ser autorizada a fazer esse tipo de trabalho brutal.

— E a coisa fica pior ainda — continuou Lata. — "Para o serviço diplomático indiano, uma candidata só é elegível se for solteira ou viúva sem impedimentos. Se for selecionada, tal candidata só será nomeada para um cargo na condição expressa de renunciar forçosamente ao serviço caso venha a se casar ou voltar a casar."

— Sem impedimentos? — perguntou Varun.

— Imagino que signifique filhos. Supostamente, um homem pode ser viúvo com dependentes e dar conta da vida familiar e do trabalho. Mas quando se tratar de uma viúva, não... Desculpe, eu acabei me apossando do jornal.

— Ah, não, continue lendo. De repente me lembrei de que preciso sair. Eu prometi.

— Prometeu a quem? A Sajid e Jason?

— Não, não exatamente — disse Varun evasivo. — De qualquer forma, promessa é dívida e sempre deve ser cumprida.

Ele riu frouxamente; estava citando um dos ditados maternos.

— Mas vou dizer a eles que não posso vê-los mais. Estou muito ocupado estudando. Você fica conversando com *ma* um pouquinho?

— Enquanto você sai de fininho? — perguntou Lata. — Não tenha medo.

— Por favor, Luts, o que posso dizer a ela? Com certeza vai perguntar para onde estou indo.

— Diga a ela que você vai ficar asquerosamente embriagado de shamshu.

— Hoje não vai ser shamshu — disse ele, animando-se.

Depois que Varun saiu, Lata foi para o quarto com o jornal. Kabir tinha dito que, terminada a graduação, queria fazer concurso para o serviço diplomático. Ela estava certa de que ele se sairia muito bem na entrevista se chegasse a essa etapa. Com certeza tinha qualidades de liderança e vitalidade. Já podia imaginar a boa impressão que causaria aos entrevistadores. Conseguia visualizar sua agilidade intelectual, seu sorriso franco, a prontidão com que admitiria não saber alguma coisa.

Ela reviu as normas, imaginando os temas optativos que ele talvez escolhesse. Um deles estava descrito simplesmente como: "História Mundial. 1789 a 1939".

Mais uma vez ela se perguntou se deveria responder à carta dele, e mais uma vez se perguntou o que poderia dizer. Foi percorrendo, despreocupada, a lista de opcionais, até que seu olhar, algumas linhas adiante, incidiu sobre um tópico. No começo achou o tema desconcertante, depois lhe pareceu engraçado, e acabou por ajudá-la relativamente a recuperar o equilíbrio. O tópico era o seguinte:

> Filosofia. O tema cobre a história e teoria da ética, oriental e ocidental, e inclui padrões morais e sua aplicação, os problemas de ordem moral e progresso da Sociedade e do Estado, e teorias da punição. Também inclui a história da filosofia ocidental, e deve ser estudado com especial referência aos problemas de espaço, tempo e causalidade, a evolução e o valor e a natureza de Deus.

— Brincadeira de criança — disse Lata consigo, e resolveu ir conversar com a mãe, que estava sentada sozinha na sala contígua. De repente começou a se sentir muito tonta.

7.33

MEU querido desertor, meu queridíssimo desertor,

Sonhei com você a noite passada. Por duas vezes eu acordei, e ambas foram logo depois de sonhar com você. Não sei por que você insiste em entrar na minha mente com tanta frequência e me infligir lembranças e suspiros. Depois de nosso último encontro eu tinha decidido não pensar mais em você, e sua carta ainda me deixa irritada. Como consegue escrever com tanta frieza quando sabe o que significa para mim e o que eu acho que signifio para você?

Eu estava numa sala — no princípio era uma sala às escuras e sem saída. Depois de um momento apareceu uma janela, através da qual avistei um relógio de sol. Então, de algum jeito o recinto se iluminou e nele havia móveis — e, antes que eu me desse conta, era a sala da casa de Hastings Road, 20, com o Sr. Nowrojee e Shrimati Supriya Joshi e o Sr. Makhijani. Contudo, o estranho é que não havia porta em parte alguma; daí eu supus que eles deviam ter entrado pela janela. E como eu havia entrado? De qualquer forma, antes que pudesse adivinhar tudo isso, uma porta apareceu exatamente onde ela deveria estar, e alguém bateu — casualmente, mas com impaciência. Eu sabia que era você — embora nunca o tenha ouvido bater a uma porta; de fato, nós só nos encontramos ao ar livre, com exceção daquela vez — e, claro, também no concerto de *ustad* Majeed Khan. Convenci-me de que era você, e meu coração começou a bater tão depressa que eu mal aguentava. Estava muito ansiosa para vê-lo, mas acabou sendo outra pessoa, e eu suspirei aliviada.

Querido Kabir, como eu não vou enviar esta carta, você não precisa se preocupar com que eu sinta um afeto extremado por você e perturbe todos os seus planos para o serviço diplomático indiano, e Cambridge, e tudo mais. Se você acha que eu fui pouco razoável, bom, talvez eu tenha sido, mas nunca havia me apaixonado antes, e este também é, sem dúvida, um sentimento irracional — sentimento que não quero jamais sentir de novo por você ou por qualquer outro.

Li sua carta sentada entre os lírios-aranha, mas só conseguia pensar nas flores do flamboyant a meus pés e em você me dizendo que dentro de cinco anos eu teria esquecido todos os meus problemas. Ah, sim, e em mim mesma chorando, sacudindo dos cabelos as flores de murta.

O segundo sonho — ora, já que o relato não vai alcançar seus olhos, por que não contar logo? Nós estávamos deitados juntos, sozinhos, num barco distante das duas margens e você estava me beijando e... ah, era a perfeita felicidade. E depois você se levantou dizendo: "Agora preciso nadar quatro vezes de um lado a outro; se eu fizer isso, nosso time ganha a partida; se não, ele perde." E então você me deixou sozinha no barco. Senti meu coração afundar, mas você estava muito decidido a ir embora. Felizmente o barco não afundou, e eu remei sozinha até a margem. Acho que finalmente me livrei de você. Ou pelo menos espero ter me livrado. Resolvi continuar a ser uma mulher solteira sem impedimentos e dedicar meu tempo a pensar sobre o espaço, o tempo, a causalidade, a evolução e o valor e a natureza de Deus.

Portanto, vá com Deus, querido príncipe, querido príncipe-desertor, e que você possa emergir perto da escadaria dos lavadores de roupas a salvo, mas desgrenhado, e ter muito sucesso na vida.

Com todo o meu amor também, meu querido Kabir,
Lata.

Lata dobrou a carta que colocou num envelope, escrevendo sobre ele o nome de Kabir. Então, em vez de escrever o endereço do rapaz, escreveu o nome dele em pontos esparsos do envelope, e, de quebra, mais algumas vezes. Depois desenhou um selo no canto e o marcou como "porte a pagar". Finalmente rasgou tudo aquilo em pedacinhos e começou a chorar.

Se eu não conseguir mais nada na vida, pelo menos terei me transformado em uma das Grandes Neuróticas do Mundo, pensou.

7.34

AMIT convidou Lata para o almoço e o chá no dia seguinte na casa de sua família.

— Pensei em convidá-la a nossa casa para que possa nos ver, a nós, os bramoístas, em nosso melhor comportamento dentro do clã — justificou.

— Ila Chattopadhyay, que você conheceu outro dia, estará presente, assim como uma tia e um tio por parte de minha mãe e todos os filhos deles. E agora você naturalmente faz parte do clã por via matrimonial.

Portanto, no dia seguinte, na casa de Amit, sentaram-se todos à mesa para uma tradicional refeição bengalesa, com um cardápio diferente das iguarias da festa na semana anterior. Amit supunha que Lata já tivesse provado antes aquele tipo de comida. Mas quando ela viu à sua frente uma pequena porção de melão-de-são-caetano com arroz — e nada mais — fez tal cara de surpresa que ele foi obrigado a lhe dizer que havia outros pratos a caminho.

Que estranho ela não os conhecer, pensou Amit. Embora ele próprio estivesse na Inglaterra na ocasião, sabia que os Mehra tinham sido convidados uma ou duas vezes à casa dos Chatterji antes do casamento de Arun e Meenakshi. Mas talvez não para esse tipo de refeição.

O almoço tinha começado um pouco tarde. Aguardaram a chegada da Dra. Ila Chattopadhyay, mas por fim decidiram começar a comer, pois as crianças estavam com fome. O tio de Amit, o Sr. Ganguly, era um homem extremamente taciturno cujas energias estavam inteiramente dirigidas ao ato de comer. Suas mandíbulas trabalhavam vigorosas, rápidas, quase duas vezes por segundo, e só paravam de vez em quando, ao passo que seus olhos brandos, benignos e bovinos observavam os anfitriões e companheiros de mesa que estavam conversando. A esposa era uma mulher gorda e extremamente temperamental, que usava grandes quantidades de *sindoor* no cabelo e tinha no meio da testa um enorme *bindi* no mesmo tom de vermelho-escuro. Era terrivelmente fofoqueira e, nos intervalos em que extraía finas espinhas de peixe da boca tingida pelos *paans*, ela apunhalava a reputação de todos os vizinhos e de quaisquer parentes que não estivessem presentes. Desfalques, alcoolismo, formação de quadrilha, incesto: tudo que podia ser afirmado era afirmado, e tudo que não podia ser afirmado era insinuado. A Sra. Chatterji, que estava chocada, fingia-se ainda mais chocada, e gostou imensamente da companhia dela. Sua única preocupação era o que diria a Sra. Ganguly sobre a família, principalmente Kuku, quando fosse embora.

Pois, encorajada por Tapan e Amit, Kuku estava se comportando com a liberdade habitual. Em breve apareceu a Dra. Ila Chattopadhyay ("Eu sou uma idiota, sempre esqueço o horário do almoço. Cheguei atrasada? Ai, mas que pergunta boba. Olá! Olá! como vai? Ah, você de novo? Lalita? Lata? Nunca me lembro dos nomes") e as coisas ficaram ainda mais turbulentas.

Bahadur anunciou que havia alguém ao telefone para Kakoli.

— Seja quem for, diga que Kuku vai atender depois do almoço — disse o pai.

— Ah, *baba*! — Kuku dirigiu um olhar suave ao pai.

— Quem é? — perguntou o juiz ao criado.

— Aquele *sahib* alemão.

Os olhinhos espertos e porcinos da Sra. Ganguly saltavam de um rosto para outro.

— Ah, *baba*, é Hans. Eu preciso atender.

O "Hans" foi suplicantemente alongado.

O pai aquiesceu com um leve aceno, e de um salto Kuku saiu correndo para o telefone.

Quando Kakoli voltou à mesa, todos, exceto as crianças, se voltaram para ela. As crianças estavam consumindo grandes quantidades de chutney de tomate e a mãe sequer as censurava, de tão interessada estava em ouvir o que a moça ia dizer.

Mas Kuku tinha se voltado do amor para a comida.

— Ah! *Gulab-jamun*... e o *chum chum*! E *mixti doi*. Ah! Xó a lembranxa já fax excorrerem meus xucos xalivares! — exclamou ela, imitando a maneira de falar de Biswas *Babu*.

— Kuku — ralhou o pai, seriamente desagradado.

— Desculpe, *baba*. Desculpe, desculpe. Deixem-me participar das fofocas: do que vocês estavam falando na minha ausência?

— Prove uma *sandesh*, Kuku — disse a mãe.

— E então, Dipankar, — perguntou a Dra. Ila Chattopadhyay — Você já mudou de curso?

— Eu não posso, Ila *Kaki*.

— Por que não? Quanto mais depressa mudar, melhor. Não conheço um único ser humano decente que seja economista. Por que você não pode mudar?

— Porque eu já me graduei.

— Ora essa! — A Dra. Ila Chattopadhyay pareceu momentaneamente derrotada. — E o que você vai fazer da vida?

— Vou decidir dentro de uma semana ou duas. Refletirei sobre as coisas quando estiver no Pul Mela. Vai ser um tempo para autoavaliação no contexto espiritual e intelectual.

Partindo ao meio uma *sandesh*, a Dra. Ila Chattopadhyay comentou:

— Francamente, Lata, você já ouviu uma prevaricação mais inconvincente? Eu nunca entendi o que significa "o contexto espiritual". As questões espirituais são um tremendo desperdício de tempo. Prefiro passar meu tempo ouvindo o tipo de fofoca de sua tia e que sua mãe finge que não suporta a comparecer a algo como o Pul Mela. Não é muita sujeira, todos aqueles milhões de peregrinos apinhados ao longo de uma faixa de areia junto ao forte Brahmpur?— perguntou, dirigindo-se a Dipankar. — E fazendo... fazendo tudo ali mesmo?

— Eu não sei, nunca estive lá — disse o rapaz. — Mas supostamente é muito bem-organizado. Eles até alocaram especialmente um corregedor distrital para o grande Pul Mela a cada 6 anos. Este é um sexto ano, portanto o banho é especialmente auspicioso.

— O Ganges é um rio absolutamente imundo — disse a Dra. Ila Chattopadhyay. — Espero que você não se proponha a tomar banho nele... Pare de piscar, Dipankar, que você atrapalha minha concentração.

— Se eu me banhar no Ganges, lavarei não só meus próprios pecados como ainda os de seis gerações antes de mim. Isso pode incluir até você, Ila *Kaki*.

— Deus me livre! — disse a Dra. Ila Chattopadhyay.

Voltando-se para Lata, Dipankar observou:

— Lata, você também deveria vir. Afinal de contas, você é de Brahmpur.

— Na verdade, não sou de Brahmpur — disse Lata, dirigindo um olhar a Dra. Ila Chattopadhyay.

— Então, de onde você é? — perguntou Dipankar.

— Agora sou de lugar nenhum.

— De qualquer jeito, acho que convenci sua mãe a ir — continuou ele solenemente.

— Disso eu duvido. — Lata sorriu ao pensar na Sra. Rupa Mehra e em Dipankar conduzindo um ao outro por entre as multidões do Pul Mela e pelos labirintos do tempo e da causalidade. — Na época do festival ela não estará em Brahmpur. Mas onde você vai ficar em Brahmpur?

— Nas areias... Acharei lugar na barraca de alguém — disse ele otimista.

— Você não conhece ninguém em Brahmpur?

— Não. Quer dizer, conheço Savita, naturalmente. E existe um velho Sr. Maitra, que tem certo parentesco conosco e que eu encontrei uma vez na infância.

— Procure Savita e o marido dela quanto chegar lá. Vou escrever a Pran para avisar que você está indo. Se o espaço na areia acabar, você sempre poderá ficar com eles. De todo modo, numa cidade desconhecida é muito útil ter um endereço e um número de telefone.

— Muito obrigado — disse Dipankar. — Ah, hoje à noite há uma palestra na Ramakrishna Mission sobre religião popular e suas dimensões filosóficas. Por que vocês não vêm? Possivelmente falará sobre o Pul Mela.

— Francamente, Dipankar, você é mais idiota do que eu pensei — disse a Dra. Ila Chattopadhyay ao sobrinho. — Por que fico perdendo tempo com você? Não perca você também seu tempo com ele — aconselhou a Lata. — Vou conversar com Amit. Por onde ele anda?

Amit estava no jardim; tinha sido obrigado pelas crianças a ir lhes mostrar a desova das rãs no tanque dos lírios.

7.35

O auditório estava quase lotado. Devia haver umas duzentas pessoas, embora Lata reparasse na presença de apenas cinco mulheres. A palestra, proferida em inglês, começou pontualmente às sete da noite. O professor Dutta-Ray (que tinha uma tosse persistente) apresentou o conferencista, informando ao público a biografia e as credenciais do jovem luminar e especulando por alguns minutos sobre o que este iria dizer.

O jovem palestrante se levantou. Não parecia em nada alguém que tivesse sido um *sadhu* durante 5 anos, conforme afirmara o professor. Seu rosto era redondo e ansioso. O rapaz vestia um conjunto bem-passado de túnica e *dhoti*, com duas canetas no bolso da túnica. Não falou sobre religião popular e suas dimensões filosóficas, embora tivesse mencionado uma vez o Pul Mela, de forma elíptica, como "essa grande multidão que se reunirá nas margens do Ganges para se lavar à luz da lua cheia". Na maior parte do pronunciamento a plateia foi contemplada com um discurso de excepcional banalidade. O palestrante voava alto e fazia desvios bruscos, abrangendo um imenso território, e supunha que suas guinadas formariam um padrão inteligível.

De tantas em tantas frases ele abria os braços num gesto amplo e abrangente, como se fosse um pássaro abrindo as asas.

Dipankar parecia embevecido; Amit, entediado; e Lata, perplexa.

Agora o palestrante estava em pleno voo:

— A humanidade deve ser obrigada a encarnar o presente... a espatifar os horizontes da mente... o desafio é interior... o nascimento é algo notável... o pássaro sente a vasta palpitação da folha... certa relação de sacralidade pode ser mantida entre o popular e o filosófico... uma mente aberta através da qual a vida possa fluir, através da qual se possa ouvir o cantar dos pássaros, o impulso do espaço-tempo.

Finalmente, uma hora mais tarde, ele chegou à Grande Pergunta:

— Pode a humanidade ao menos dizer de onde irá emergir uma nova inspiração? Podemos penetrar nas grandes trevas de nosso âmago onde nascem os símbolos? Eu afirmo que nossos ritos, podem chamá-los populares, se quiserem, realmente penetram essa escuridão. A alternativa é a morte da mente, e não a "remorte" ou *punarmrityu*, que é a primeira referência a "renascimento" em nossas escrituras. É a morte suprema, a morte da ignorância. Deixem-me então enfatizar para todos vocês — aqui ele estendeu os braços em direção ao público — que, deixem os oponentes dizerem o que quiserem; é somente pela preservação das formas ancestrais de sacralidade, por mais perversas, por mais supersticiosas que pareçam ao olhar filosófico, que nós podemos manter nossa elementaridade, nosso ethos, nossa evolução, nossa essência genuína.

O palestrante se sentou.

— Nossas cascas de ovo — disse Amit a Lata.

O público aplaudiu moderadamente.

Mas agora o venerável professor Dutta-Ray, que no começo havia apresentado tão paternalmente o palestrante, levantou-se e lhe atirou olhares de indisfarçada hostilidade, passando a demolir as teorias que o outro acabara de propor (era evidente que o professor se considerava um dos "oponentes" referidos no discurso). Mas haveria alguma teoria na palestra? Decerto havia uma tendência, mas era difícil demoli-la. De toda forma, o professor tentou fazê-lo, e sua voz, moderada no começo, ergueu-se até virar um grito rouco de guerra:

— Não nos enganemos! Pois ainda que, com frequência, as hipóteses sejam intrinsecamente plausíveis, elas são ao mesmo tempo impossíveis de serem comprovadas ou refutadas com mais do que evidências ilustrativas. De fato, fica difícil saber se na prática elas se inserem na órbita de referência da pergunta principal, a qual, embora talvez consiga lançar luzes sobre a tendência, mal consegue nos dizer se uma resposta pode ser formulada convincentemente em termos do que, grosso modo, poderia ser chamado de padrões evolutivos. Nessa perspectiva, então, embora a teoria possa parecer, à visão do ignorante, bem-fundamentada, ela não é irrefutável quando se analisa a dificuldade básica, que remonta a considerações que devemos desvendar; para ser muito específico, seu fracasso em explicá-las deve fazer esta visão parecer irrelevante, mesmo que ela não seja, de fato, refutada; mas estipular isso é remover os suportes da estrutura analítica inteira, e os argumentos mais pertinentes e persuasivos deverão ser abandonados.

Olhou o palestrante com triunfo e malevolência antes de prosseguir:

— Como uma vaga generalização, podemos, portanto, arriscar experimentalmente um palpite, o de que, em condições normais, não devem ser feitas generalizações específicas quando especificações gerais estejam igualmente disponíveis. E disponíveis para efeitos muito menos ociosos.

Dipankar estava parecendo chocado; Amit, entediado; e Lata, confusa.

Vários espectadores quiseram fazer perguntas, mas Amit estava farto. Lata e Dipankar foram arrastados para fora do auditório — ela de bom grado e ele a contragosto. A moça se sentia ligeiramente tonta, e não só por causa das abstrações rarefeitas que acabara de respirar: o recinto estava quente e abafado.

Por alguns minutos nenhum deles falou. Lata, que tinha percebido o enfado de Amit, esperava que ele mostrasse irritação, e que Dipankar protestasse. Em vez disso, Amit limitou-se a dizer:

— Quando encaro esse tipo de coisa, se por acaso estiver sem lápis e papel, eu me divirto pegando qualquer palavra usada pelo palestrante, como "pássaro", ou "tecido" ou "central" ou "azul", e tento imaginar diversas variantes dela.

— Até palavras como "central"? — perguntou Lata, que achou graça na ideia.

— Até essas — disse Amit. — A maioria das palavras é fértil.

Ele apalpou o bolso procurando uma moeda de 1 *anna* e comprou de um vendedor uma perfumada guirlanda de flores brancas recém-colhidas.

— Para você — disse, entregando-a à moça.

Esta agradeceu encantada, e depois de inalar o perfume com um sorriso de satisfação colocou as flores nos cabelos sem perceber.

Havia alguma coisa tão prazerosa, natural e despretensiosa no gesto dela que Amit se surpreendeu pensando: ela pode ser mais inteligente que minhas irmãs, mas me alegra ver que não é tão sofisticada. É a garota mais agradável que conheci em muito tempo.

Lata, por sua vez, estava pensando no quanto lhe agradava a família de Meenakshi. Eles a faziam sair de si e de sua tola e voluntária aflição. Na companhia deles era possível desfrutar, de certo modo, até mesmo uma palestra como a que acabara de assistir.

7.36

O SENHOR Juiz Chatterji estava sentado em seu gabinete. Diante dele encontrava-se um julgamento semiconcluído. Sobre a escrivaninha havia uma foto dos pais em preto e branco e outra dele próprio, a esposa e os cinco filhos, que tinha sido tirada muitos anos antes num elegante estúdio fotográfico de Calcutá. Kakoli, criança voluntariosa, tinha insistido em incluir seu urso de pelúcia; na época, Tapan era pequeno demais para exprimir qualquer desejo de forma articulada.

O processo envolvia a confirmação da pena capital de seis membros de uma quadrilha de assaltantes. Esses casos traziam muito sofrimento ao juiz. Ele detestava processos penais e esperava ansioso o momento de ser realocado a casos de direito civil, que eram intelectualmente mais estimulantes e menos angustiantes. Incontestavelmente os seis homens tinham sido considerados culpados perante a lei, e a sentença emitida pelo juiz seccional não era absurda nem distorcida. Assim, o juiz sabia que não a anularia. Talvez nem todos os seis houvessem tido a intenção específica de causar a morte das vítimas, mas pelo código penal indiano, em caso de latrocínio, cada um dos réus era responsável pelo ato.

Este não era um caso para o Supremo Tribunal; o Tribunal Superior de Calcutá era o derradeiro recurso. Ele assinaria o julgamento, que também seria assinado por outro juiz, seu confrade, e aquilo representaria o fim para aqueles homens. Em certa manhã, dentro de algumas semanas, eles seriam enforcados na prisão de Alipore.

O senhor juiz Chatterji ficou olhando por minutos a foto da família, e depois olhou em torno. Três das paredes estavam tomadas por livros jurídicos encadernados com meia lombada de couro amarelo-ocre ou capa azul-marinho: o *Indian Law Reports*, o *All Indian Reporter*, o *Income Tax Reports*, o *Halsbury Laws*, alguns manuais e livros de jurisprudência geral, a Constituição da Índia (com apenas 1 ano de idade) e os variados códigos e estatutos com os respectivos comentários. Embora a biblioteca dos juízes no Tribunal Superior lhe oferecesse agora todos os livros de que pudesse precisar, ele ainda continuava a assinar os periódicos que sempre havia recebido. Não desejava interromper as assinaturas, em parte porque de vez em quando gostava de levar seus julgamentos para casa, e em parte porque continuava a esperar que o filho Amit seguisse seus passos, exatamente como ele havia seguido os passos do pai, a ponto de ter escolhido para si mesmo e, posteriormente, para o próprio filho, a mesma instituição jurídica pela qual se qualificar.

Não foi por distração que naquela tarde o juiz se evadiu dos deveres de anfitrião, nem por causa dos mexericos grosseiros, nem do barulho feito pelas crianças, das quais ele, na verdade, gostava muito. Foi por causa do marido da fofoqueira, o Sr. Ganguly, que tinha começado de repente — depois do prolongado silêncio mantido durante todo o almoço — a falar de seu grande ídolo: Hitler, morto havia seis anos, ainda venerado por ele como um deus. Em sua voz monótona, mastigando os pensamentos como se os ruminasse, o homem havia começado o tipo de monólogo que o juiz já ouvira em duas ocasiões: que Napoleão (outro grande herói bengalês) não tinha chegado ao padrão hitleriano, que Hitler havia ajudado Netaji Subhas Chandra Bose a combater os detestáveis britânicos, que era atávica e admirável a força do vínculo indo-germânico e terrível o fato de alemães e ingleses encerrarem oficialmente, dentro de um mês, o estado de guerra existente entre eles desde 1939. (O juiz achou que para tanto já passava da hora, mas se calou; recusava-se a se deixar arrastar para o que era, essencialmente, um monólogo).

Agora, após a menção ao *sahib* alemão de Kakoli, o homem tinha expressado sua satisfação ante a possibilidade de que o "vínculo indo-germânico" pudesse se tornar manifesto até em sua própria família. O senhor juiz Chatterji o escutou por algum tempo com amável repugnância; depois, dando uma desculpa educada, levantou-se e não voltou mais.

O senhor juiz Chatterji não tinha nada contra Hans. Gostava do que sabia a respeito do rapaz, mesmo que fosse pouco. Hans era bonito, bem-vestido, apresentável em todos os sentidos e se comportava como uma polidez divertida, ainda que agressiva. Kakoli gostava muito dele. Com o tempo ele talvez até aprendesse a não mutilar as mãos dos outros. O que o juiz não podia suportar, entretanto, era a síndrome que acabava de ser exemplificada pelos parentes da esposa, uma combinação bastante comum em Bengala: a louca deificação do patriota Subhas Bose, que tinha fugido para a Alemanha e o Japão e depois estabelecido o Exército Nacional Indiano para combater os ingleses; os elogios a Hitler, ao fascismo e à violência; a difamação de tudo que fosse britânico ou manchado pelo "liberalismo pseudobritânico" e o ressentimento, o quase-desprezo, em relação ao poltrão e solerte Gandhi, que havia espoliado Bose da presidência do Partido do Congresso, conquistada por este em eleição realizada muitos anos antes. Netaji Subhas Chandra Bose era bengalês, e o senhor juiz Chatterji sem dúvida se orgulhava da própria condição de bengalês e igualmente da condição de indiano, mas — a exemplo do pai, o "velho senhor Chatterji" — sentia-se imensamente aliviado por indivíduos como Subhas Bose jamais terem conseguido chegar ao governo do país. O pai do juiz havia preferido o mais discreto e igualmente patriótico Sarat, irmão de Subhas Bose, que também era advogado e que ele havia conhecido e, de certa forma, admirado.

Se o sujeito não fosse parente de minha mulher, seria a última pessoa com quem eu estragaria minha tarde de domingo, pensou o juiz. As famílias englobam uma faixa excessivamente ampla de temperamentos, e os parentes, ao contrário dos conhecidos, não podem ser descartados. E nós continuaremos a ser parentes até que um de nós caia morto.

Mais que a ele próprio, pensou o juiz, esse pensamento sobre a morte e essa visão geral sobre a vida eram adequadas ao pai dele, que tinha quase 80 anos. Mas o ancião parecia tão contente com seu gato e com a descontraída leitura dos clássicos em sânscrito (literários, e não religiosos) que pelo jeito não pensava muito na mortalidade ou na passagem do tempo. A mulher dele tinha morrido quando estavam casados há dez anos, e desde então ele raramente a mencionava. Será que pensaria nela com mais frequência nos dias de hoje? "Gosto de ler essas peças antigas", confessara ele ao filho alguns dias antes. "Rei, princesa, criada — tudo o que pensaram na época ainda está valendo hoje. Nascimento, consciência, amor, ambição, ódio, morte: tudo igual. Tudo igual."

Com um susto, o senhor juiz Chatterji percebeu que ele próprio não pensava com frequência na esposa. Os dois tinham se conhecido em um desses... como se chamavam mesmo aqueles festivais especiais para jovens, realizados pelo movimento Brahmo Samaj, nos quais os adolescentes podiam se conhecer melhor? Jubok Juboti Dibosh. O pai dele tinha aprovado a moça e os dois se casaram. Relacionavam-se bem; a casa era bem-administrada; os filhos, por mais excêntricos que fossem, não eram dos piores. O juiz passava o começo da noite no clube. A mulher dificilmente se queixava disso; de fato, ele achava que ela não se importava em ter aquele tempo para si e para os filhos.

Ela estava presente na vida dele, e estivera ali há trinta anos; caso contrário, ele sem dúvida teria sentido falta dela. Mas o juiz passava mais tempo pensando nos filhos — principalmente em Amit e Kakoli, pois ambos o preocupavam — do que na mulher. E provavelmente o mesmo valia para ela. As conversas do casal, inclusive aquela recente que resultara no ultimato dado por ele a Amit e Dipankar, se referiam principalmente à prole:

— Kuku passa o tempo todo no telefone, e eu nunca sei com quem está conversando. E agora costuma sair a qualquer hora e evitar minhas perguntas.

— Ora, deixa para lá; ela sabe o que está fazendo.

— Bom, você sabe o que aconteceu com aquela moça Lahiri...

E assim começava. Sua esposa, além de participar do comitê de uma escola para crianças pobres, também estava envolvida em outras causas sociais caras às mulheres. Contudo, a maioria de suas aspirações se centrava no bem-estar dos filhos. O que ela desejava acima de tudo era que eles se casassem e se estabelecessem.

No começo, tinha ficado muito abalada com o casamento de Meenakshi com Arun Mehra. Como era de prever, o nascimento de Aparna fez com que ela mudasse de opinião. Mas o próprio senhor juiz Chatterji, mesmo se comportando com elegância e decoro na questão, vinha se sentindo cada vez mais inquieto em relação ao casamento da filha. Para começar, havia a mãe de Arun, que na opinião dele era uma mulher esquisita: excessivamente sentimental e propensa a armar tempestade em copo d'água (ele havia pensado que ela não fosse fonte de preocupações, mas Meenakshi o havia inteirado de sua versão da história das medalhas). Em segundo lugar havia Meenakshi, que às vezes demonstrava lampejos de egoísmo frio, diante dos quais, mesmo como pai, ele não podia fechar inteiramente os olhos. Sentia saudades dela, mas quando ela vivia na casa da família os parlamentos da hora do café eram mais ásperos do que agora.

E finalmente havia o próprio Arun. O senhor juiz Chatterji respeitava seu dinamismo e sua inteligência, mas isso era quase tudo. Ao juiz ele dava a impressão de ser desnecessariamente agressivo, além de esnobe em termos de hierarquia social. De vez em quando se encontravam no Calcutta Club, mas nunca tinham muito a dizer. Cada um se movia em direção a seu grupo específico no clube, adequado à faixa etária e profissão. O grupo de Arun lhe parecia gratuitamente impetuoso, ligeiramente incompatível com as palmeiras e os lambris de madeira do local. Mas talvez fosse apenas a intolerância típica da idade, pensou o senhor juiz Chatterji. Os tempos estavam mudando a olhos vistos, e ele reagia exatamente como todos — rei, princesa, criada — haviam reagido na mesma situação.

Mas quem teria pensado que as coisas mudariam tanto e tão depressa! Havia menos de dez anos que Hitler tivera a Inglaterra à sua mercê, que o Japão tinha bombardeado Pearl Harbour, que Gandhi fizera greve de fome na prisão enquanto Churchill perguntava impaciente por que ele ainda não estava morto e que Tagore tinha acabado de morrer. Amit, envolvido em política estudantil, correra o risco de ser levado à prisão pelos ingleses. Tapan, aos 3 anos, quase morrera de nefrite. Mas no Tribunal Superior as coisas iam bem. O trabalho dele como advogado se tornava cada vez mais interessante, e ele lutava com processos que tinham por base as leis contra o enriquecimento ilícito com a guerra e os ganhos excessivos. Sua acuidade não tinha diminuído, e o excelente sistema de arquivamento de Biswas *Babu* mantinha sua mente relapsa sob controle.

No primeiro ano depois da Independência lhe ofereceram um cargo de juiz, fato que empolgou mais ao pai dele e a seu secretário do que a ele mesmo. Embora Biswas *Babu* soubesse que seria obrigado a procurar um novo emprego, o orgulho que sentia pela família e seu sentimento da adequação linear das coisas o levaram a se alegrar com o fato de que agora seu empregador, tal como outrora o pai deste, seria seguido a toda parte por um criado de turbante e libré vermelha, branca e dourada. O que o secretário lamentava era que Amit *Babu* não estivesse pronto para assumir o escritório de advocacia do pai; mas certamente, pensou, isso não poderia tardar mais do que alguns anos.

7.37

O cargo para o qual o senhor juiz Chatterji foi nomeado, entretanto, era muito diverso daquele para o qual, alguns anos antes, ele imaginara que poderia ser indicado. Erguendo-se da grande escrivaninha de mogno, ele foi até a estante que guardava os volumes mais recentes do *All India Reporter* em suas encadernações em ocre, vermelho, preto e dourado. Apanhou dois volumes — *Calcutta 1947* e *Calcutta 1948* — e começou a comparar as primeiras páginas de cada um. Enquanto as comparava sentiu uma grande tristeza pelo que acontecera ao país que conhecia desde a infância e ao seu próprio círculo de amigos, principalmente os ingleses e os muçulmanos.

Sem nenhuma razão aparente, lembrou-se de repente de um médico, seu amigo, um inglês extremamente reservado, que (como ele) fugia das festas dadas em sua própria casa. O médico, alegando uma súbita emergência — talvez um paciente moribundo —, desaparecia e ia se meter no Bengal Club, onde se sentava num banco alto e ficava tomando a maior quantidade de uísques de que era capaz. A mulher do médico, que promovia essas festas enormes, era também muito excêntrica. Circulava de bicicleta usando um chapéu imenso, debaixo do qual podia ver tudo que acontecia no mundo sem ser reconhecida — ou assim ela imaginava. Sobre ela, contava-se que certa vez veio jantar no restaurante Firpo's com os ombros envoltos numa peça íntima de renda preta. Evidentemente, por ser tão distraída, tinha pensado que se tratava de uma echarpe.

O senhor juiz Chatterji não pôde deixar de sorrir, mas o sorriso desapareceu quando ele olhou as duas páginas que tinha aberto para fazer uma comparação. Elas refletiam em microcosmo a transição de um império e o nascimento de dois países a partir do conceito — trágico e ignorante — de que pessoas de diferentes religiões não poderiam viver pacificamente em um mesmo país.

Com o lápis vermelho que usava para fazer anotações nos textos jurídicos, o juiz foi marcando um pequeno "x" junto aos nomes do volume de 1947 que não apareciam em 1948, apenas um ano depois. Ao terminar, eis como se apresentava a lista:

TRIBUNAL SUPERIOR DE CALCUTÁ
1947

DESEMBARGADORES

	Sua Excelência	Sir	Arthur Trevor Harries, Kt., advogado.
	"	"	Roopendra Kumar Mitter, Kt., M.Sc., M.L. (Actg.).

JUÍZES ORDINÁRIOS

x	Sua Excelência	Sir	Nurul Azeem Khundkar, Kt., B.A, (Cantab.), LL.B., advogado.
x	"	"	Norman George Armstrong Edgley, Kt., M.A., I.C.S.. advogado.
	"	Dr.	Bijan Kumar Mukherjee, M.A., D.L.
	"	Sr.	Charu Chandra Biswas, C.I.E.,M.A., B.L.
x	"	"	Ronald Francis Lodge. B.A. (Cantab.), ICS
x	"	"	Frederick William Gentle, advogado.
	"	"	Amarendra Nath Sen, advogado.
	"	"	Thomas James Young Roxburgh, C.I.E., B.A., I.C.S., advogado.
x	"	"	Abu Saleh Mohamed Akram, B.L.
	"	"	Abraham Lewis Blank. M.A., I.C.S., advogado.
	"	"	Sudhi Ranjan Das, B.A., LL.B. (Lond.), advogado.

x	"	"	Ernest Charles Ormond, advogado.
	"	"	William Mccornick Sharpe, D.S.O., B.A., I.C.S.
	"	"	Phani Bhusan Chakravartti, M.A., B.L.
	"	"	John Alfred Clough, advogado.
x	"	"	Thomas Hobart Ellis, M.A. (Oxon.), I.C.S.
	"	"	Jogendra Narayan Mazumdar, C.I.E., M.A., B.L., advogado.
x	Sua Excelência	Sr.	Amit-Ud-din Ahmad, M.B.E., M.A., B.L.
x	"	"	Amin Ahmad, advogado.
	"	"	Kamal Chunder Chunder, B.A. (Cantab.), I.C.S., advogado.
	"	"	Gopendra Nath Das, M.A., B.L.

Havia mais alguns nomes no final da lista de 1948, inclusive o dele próprio. Porém, metade dos juízes ingleses e todos os juízes muçulmanos tinham desaparecido. No Tribunal Superior de Calcutá não havia um só juiz muçulmano em 1948.

Para um homem que considerava a religião e a nacionalidade de seus amigos e conhecidos fatores tanto significativos quanto irrelevantes, a composição alterada do Tribunal Superior era motivo de tristeza. Naturalmente, as fileiras britânicas não tardaram em ficar ainda mais desfalcadas. Agora só restavam Trevor Harries (ainda presidente do Supremo) e Roxburgh.

A nomeação de juízes sempre tinha sido uma questão de extrema importância para os britânicos, e de fato (com exceção de alguns escândalos, tais como o do Tribunal Superior de Lahore, na década de 1940) a Justiça sob o domínio inglês tinha sido honesta e razoavelmente ágil (desnecessário dizer que havia muitas leis repressoras, mas essa era outra questão, ainda que relacionada). Se o presidente do Tribunal Superior considerasse alguém um bom candidato à magistratura, ele o sondava de forma direta ou indireta, e, em caso de interesse por parte do candidato, seu nome era proposto ao governo.

Ocasionalmente, o governo manifestava objeções políticas, mas em geral um político não seria sondado nem se apressaria a aceitar o cargo caso a sondagem partisse do presidente do Tribunal Superior. Um político não desejaria ser tolhido ao expressar suas opiniões. Além disso, se houvesse outra comoção para exigir a saída dos ingleses, ele poderia se ver obrigado a proferir algumas sentenças que, em sua opinião, seriam inconscienciosas. Por exemplo, os ingleses não teriam oferecido um posto de juiz a Sarat Bose, e, se o tivessem feito, ele não teria aceitado.

Após a saída dos ingleses, as coisas não mudaram muito, principalmente em Calcutá, que continuou a ter um inglês na alta magistratura. O senhor juiz Chatterji considerava Sir Arthur Trevor Harries um bom homem e um bom presidente do Supremo. Ele agora recordava sua própria "entrevista" com ele quando, na qualidade de um dos principais advogados de Calcutá, tinha sido convidado a visitá-lo em seu gabinete.

No momento em que os dois se sentaram, Trevor Harries logo dissera:

— Caso o senhor me permita, Dr. Chatterji, irei direto ao assunto. Gostaria de recomendar seu nome ao governo para a magistratura. Isso seria aceitável para o senhor?

— Senhor presidente, sinto-me honrado, mas infelizmente preciso declinar — respondera o Sr. Chatterji.

Trevor Harries tinha ficado atônito.

— Eu poderia perguntar por quê?

— Espero que não se importe se eu for igualmente direto. — Tinha sido a resposta do Sr. Chatterji. — Há dois anos foi indicado um advogado mais jovem que eu, e sua competência comparada à minha não pode ter sido a razão para tal.

— Um inglês?

— Na realidade, sim. Não estou especulando sobre a razão.

Trevor Harries assentiu.

— Creio que sei a quem o senhor está se referindo. Mas isso foi feito por outro presidente do Supremo, e acho que o homem era seu amigo.

— Amigo ele é, e não estou falando sobre amizade. Mas aqui se trata de uma questão de princípio.

Depois de uma pausa, Trevor Harries prosseguiu:

— Como o senhor, não vou especular sobre a correção de semelhante decisão. Mas ele era um homem doente, e o tempo dele estava acabando.

— Mesmo assim.

Trevor Harries havia sorrido.

— Seu pai foi um excelente juiz, Sr. Chatterji. Ainda outro dia tive oportunidade de citar uma sentença proferida por ele em 1933 sobre a questão da preclusão.

— Direi isso a ele; ficará muito satisfeito.

Houve uma pausa. O Sr. Chatterji estivera a ponto de se levantar quando o presidente do Supremo, com um levíssimo suspiro, disse:

— Sr. Chatterji, eu o respeito demais para, bom, tentar mudar seu julgamento nessa questão. Mas não me importo de confessar minha decepção diante de seu desejo de declinar. Atrevo-me a dizer que o senhor entende que para mim é difícil compensar a perda de tantos bons juízes em tão curto prazo. Tanto o Paquistão quanto a Inglaterra requisitaram diversos juízes deste tribunal. Nossa carga de trabalho está aumentando constantemente, e com todo o trabalho constitucional que em breve nos caberá fazer vamos precisar dos melhores juízes que possamos conseguir. É sob essa ótica que lhe pedi que se juntasse a nós, e é sob ela que eu gostaria de lhe pedir para reconsiderar sua decisão. — Fez uma pausa antes de prosseguir. — Posso tomar a liberdade, ao final da semana que vem, de lhe perguntar se sua opinião continua inalterada? Se continuar assim, minha consideração continuará inalterada, mas eu não voltarei a perturbá-lo com esse assunto.

O Sr. Chatterji tinha ido para casa sem intenção de mudar de opinião nem de consultar alguém sobre o assunto. Mas, enquanto conversava com o pai, ele casualmente mencionou o que o presidente do Supremo tinha dito sobre a sentença de 1933.

— Por que ele queria falar com você? — perguntou o pai. E a história veio à tona. O pai então citara uma frase do sânscrito que dizia que o melhor ornamento da sabedoria era a humildade. Não tinha dito nada sobre o dever.

A Sra. Chatterji tomou conhecimento da história porque o marido, antes de dormir, deixou descuidadamente ao lado da cama uma tirinha de papel onde havia anotado: "PS sex 4:45 (?) ref magistr". Ao acordar na manhã seguinte, ele encontrou a mulher muito intrigada. Novamente os fatos vieram à tona. E ela lhe disse:

— Vai ser muito melhor para sua saúde. Nada mais de reuniões à noite com os subordinados. Uma vida muito mais equilibrada.

— Minha saúde está ótima, querida. Eu gosto muito do trabalho. E a firma Orr, Dignams tem uma noção muito boa da quantidade de processos que deve alocar a mim.

— Gosto da ideia de você usar toga vermelha e peruca.

— Temo que só usemos toga vermelha quando julgamos processos penais na petição inicial. E não usamos perucas. Pois é, hoje em dia há muito menos esplendor na indumentária.

— Senhor juiz Chatterji. Parece perfeito.

— Pelo visto eu vou me transformar no meu pai.

— Poderia ser pior.

Como Biswas *Babu* soube do assunto foi um completo mistério. Mas a questão é que ele ficou sabendo. Uma noite, em seu gabinete, o Sr. Chatterji estava ditando um parecer ao secretário quando este inconscientemente se dirigiu a ele como "Vossa Excelência". O Sr. Chatterji endireitou o corpo na cadeira e pensou que o secretário devia ter recuado momentaneamente ao passado e o confundido com o pai. Mas o outro pareceu tão assustado e tão culpado com a gafe que acabou se entregando. E depois de se entregar acrescentou apressado, balançando os joelhos:

— Fico exultante, embora antecipadamente, em administrar ao senhor minhas felicit...

— Eu não as aceito, Biswas *Babu* — disse o advogado de forma áspera e em bengalês.

O secretário ficou tão chocado que se esqueceu de sua posição.

— Senhor, por que não? — A resposta foi também em bengalês. — O senhor não deseja fazer justiça?

Chateado, o Sr. Chatterji se recompôs e continuou a ditar o parecer. Mas as palavras do secretário tiveram sobre ele um efeito lento, porém penetrante. Biswas *Babu* não tinha dito: "O senhor não deseja ser juiz?"

O que um advogado fazia era usar toda a inteligência e experiência que era capaz de reunir para lutar por seu cliente, estando ele certo ou errado. O que o juiz podia fazer era pesar as questões com equidade para decidir o que era certo. Ele tinha o poder de fazer justiça, e este era um poder nobre. Quando se encontrou com o presidente do Supremo no final da semana, o Sr. Chatterji lhe disse que ficaria honrado com que seu nome fosse submetido ao governo. Alguns meses depois, foi empossado.

*

Embora não se misturasse muito com seus pares, ele gostava do trabalho. Tinha um vasto círculo de amigos e conhecidos dos quais não se distanciou, como alguns juízes faziam. Não tinha ambição de se tornar desembargador nem de chegar ao Supremo Tribunal em Nova Delhi (o Tribunal Federal tinha deixado de existir, e também o recurso ao Conselho Privado).

Além disso, ele gostava demasiado de Calcutá para sair dali. Considerava seu serviçal de uniforme e turbante incômodo e ligeiramente ridículo, ao contrário de outro juiz, seu confrade, que teimava em ser acompanhado pelo criado até quando ia comprar peixe no mercado. Mas o Sr. Chatterji não se importava de ser chamado de Vossa Excelência ou mesmo, por certos advogados, de "Vossincelença".

Porém, ele gostava principalmente do que Biswas *Babu*, com todo seu amor à pompa e à exibição, havia apontado como cerne de sua satisfação: fazer justiça dentro da lei. Dois casos que ele havia julgado recentemente ilustravam a questão. Um foi o processo sobre a lei de detenção preventiva de 1950, no qual um sindicalista muçulmano havia sido preso sem que lhe informassem os motivos, apenas em termos gerais. Uma das diversas alegações é de que ele seria agente do Paquistão, embora nenhuma prova tenha sido apresentada. Outra afirmativa sem fundamento e abrangente, impossível de se refutar, era a de que ele estava fomentando agitação pública. O caráter vago e a incerteza das alegações induziram o senhor juiz Chatterji e seu colega magistrado a desprezar a ordem com base no artigo 22, cláusula 5, da Constituição.

Em outro caso recente, quando um recurso impetrado contra a condenação de um acusado de conspiração foi bem-sucedido, mas outro réu com a mesma sentença não havia sequer recorrido, possivelmente por causa da pobreza, o senhor juiz Chatterji e um confrade emitiram pessoalmente uma determinação ao Estado para que mostrasse a razão pela qual não foram também descartadas a condenação e a sentença do coacusado. Essa decisão judicial de iniciativa própria tinha provocado muitas disputas, mas finalmente o tribunal decidiu que estava dentro de sua jurisdição aprovar uma ordem própria quando estivesse sendo perpetrada uma injustiça manifesta.

Mesmo no caso que tinha diante de si no momento ele sentia que estava fazendo o que era justo, embora confirmar sentenças de morte não lhe trouxesse nenhuma satisfação. Seu julgamento foi claramente ponderado e definido com firmeza. Mas ele ficou bastante preocupado com o fato de que na primeira minuta de sua sentença ele tivesse citado cinco bandidos, deixando de fora o sexto. Era exatamente o tipo de desastre potencial de que a cuidadosa organização do secretário Biswas *Babu* sempre o estava salvando em seus dias de advogado.

Por um momento, sua mente se voltou para Biswas *Babu*. Imaginou como ele se encontraria e o que estaria fazendo. O som de Kuku ao piano entrou pela porta aberta de seu gabinete. Recordou o que ela tinha dito no almoço sobre os "xucos xalivares". Na ocasião ele ficara irritado, mas agora achava engraçado. O inglês jurídico que o secretário redigia podia ser áspero e econômico (a não ser pela ocasional colocação incorreta de um artigo), mas seu inglês geral era um objeto de beleza tortuosa. E não se podia esperar da espirituosa Kuku que não estivesse atenta às possibilidades expressivas dele.

7.38

NAQUELE exato momento, por mera casualidade, Biswas *Babu* estava com o amigo e colega secretário, o *burra babu* do departamento de seguros da Bentsen Pryce. Havia mais de vinte anos que eram amigos, e o convívio entre os dois fora aos poucos cimentando a relação (quando Arun se casou com Meenakshi, foi quase como se as famílias deles tivessem subitamente formado uma aliança). Quase toda noite o *burra babu* visitava a casa de Biswas *Babu*; ali se reuniam alguns velhos companheiros para conversar sobre o mundo ou só para se sentar, tomar chá e ler jornais, tecendo um ou outro comentário. Naquele dia alguns deles estavam cogitando ir ao teatro.

— Então quer dizer que o edifício do Tribunal Superior foi atingido por um raio — arriscou um dos homens.

— Não houve danos — disse Biswas *Babu*. — O maior problema é que os refugiados de Bengala Oriental começaram a acampar nos corredores.

Ninguém se referiu à região como Paquistão Oriental.

— Os hindus que moram lá estão sofrendo ameaças e sendo expulsos. Todo dia no *Hindustan Standard* a gente lê sobre moças hindus sendo sequestradas...

— *Ma*, diga à sua mãe para mandar mais chá. — Isso foi dirigido à neta mais nova de Biswas *Babu*, uma menina de 6 anos.

— Uma guerra rápida, e Bengala se reunirá outra vez.

A observação foi considerada tão idiota que ninguém respondeu.

Por alguns minutos reinou um silêncio de satisfação.

— Você leu aquele artigo que contesta a morte de Netaji em um desastre de avião? Foi publicado dois dias atrás...

— Mas se ele estiver vivo, não está fazendo muito para prová-lo.

— Naturalmente ele precisa ficar escondido.

— Por quê? Os ingleses já foram embora.

— É, mas ele tem inimigos ainda piores.

— Quem?

— Nehru... e todos os outros — concluiu o proponente, em tom sombrio, ainda que pouco convincente.

— Imagino que você também ache que Hitler está vivo!

A observação provocou risadas gerais.

— Quando seu Amit *Babu* vai se casar? — perguntou alguém ao secretário depois de uma pausa. — Calcutá inteira está esperando.

— Pois então, que Calcutá fique esperando — disse Biswas *Babu* e voltou a seu jornal.

— É responsabilidade sua fazer alguma coisa, "por cima de tudo e de todos", como dizem por aí.

— Eu já fiz bastante — disse Biswas *Babu*, cansado. — Ele é um bom rapaz, mas é um sonhador.

— Um bom rapaz... mas é um sonhador! Ah, vamos ouvir de novo aquela anedota do genro — disse alguém a Biswas *Babu* e ao *burra babu*.

— Não, não — disseram os dois, relutando. Mas foram prontamente convencidos pelos demais a representar a anedota. Eles gostavam disso, e o esquete tinha só algumas frases. Já o haviam representado uma dúzia de vezes anteriormente, e para o mesmo público; normalmente apático, o grupo de amigos era dado a uma esporádica teatralidade.

O *burra babu* andou pelo recinto, examinando os artigos de um mercado de peixe. De repente avistou seu velho amigo e exclamou alegremente:

— Ah, puxa, Biswas *Babu*!

— Pois é, *burra babu*, faz mesmo muito tempo — disse Biswas *Babu* sacudindo o guarda-chuva.

— Parabéns pelo noivado de sua filha. O noivo é um bom rapaz?

Biswas *Babu* gesticulou uma vigorosa aprovação.

— Ele é um bom rapaz. Muito decente. Quer dizer, come cebola de vez em quando, mas é só isso.

O *burra babu*, obviamente chocado, exclamou:

— O quê? Ele come cebola todo dia?

— Ah, não! Não todo dia, longe disso! Só quando ele já bebeu algumas...

— Mas... beber? Certamente ele não bebe com frequência...

— Ah, não! — disse Biswas *Babu*. — De jeito nenhum. Só quando está com as mulheres da noite...

— Mas mulheres...?! E isso acontece com frequência?

— Não mesmo! — exclamou Biswas *Babu*. — Ele não pode de se dar ao luxo de visitar prostitutas com frequência. O pai é um cafetão aposentado e sem dinheiro, e o rapaz só consegue explorá-lo de vez em quando.

O grupo de amigos saudou essa representação com aplausos e risadas. O esquete havia aguçado o apetite deles pela peça a que assistiriam naquela noite num teatro da zona norte de Calcutá, o Star Theatre. O chá não demorou e veio acompanhado de deliciosas *lobongo lotikas* e outros doces preparados pela nora do anfitrião, e por alguns minutos todos ficaram em um silêncio aprovador, interrompido só pelo estalar de línguas e comentários de satisfação.

7.39

DIPANKAR, sentado com Cuddles ao colo sobre o tapetinho de seu quarto, distribuía conselhos a seus problemáticos irmãos.

Ninguém ousava interromper Amit quando ele estava escrevendo, talvez por medo de ele estar trabalhando em sua obra imortal de prosa ou verso. No entanto, em relação ao tempo e à energia de Dipankar, a temporada de caça estava aberta.

Eles vinham em busca de conselhos específicos, ou às vezes só para conversar. Havia no rapaz uma característica agradável e comicamente séria que era muito reconfortante.

Embora fosse extremamente indeciso em relação à própria vida — ou talvez por isso mesmo — Dipankar era muito bom em dar conselhos úteis para os outros.

A primeira a entrar foi Meenakshi, cuja dúvida era se seria possível amar "extremamente, desesperadamente e verdadeiramente" mais de uma pessoa. Dipankar discutiu o assunto com ela em termos estritamente inespecíficos, e chegou à conclusão de que sim, com certeza era possível. O ideal, naturalmente, era amar igualmente a todos no universo, disse ele. Meenakshi não ficou muito convencida daquilo, mas se sentiu muito melhor por ter discutido o assunto.

Logo depois veio Kuku, trazendo um problema: o que deveria fazer com Hans? Ele não suportava a culinária bengalesa, era ainda mais burguês que Arun e se recusava a comer cabeça de peixe — e até mesmo as partes mais deliciosas, os olhos. Hans não se acostumava com folhas de *neem* fritas (achava amargas demais, imaginem só, dizia Kuku), e ela não sabia se conseguiria amar um homem que não gostasse de folhas de *neem*. E o mais importante: ele realmente a amava? Apesar de todo o Schubert e Schmerz, talvez fosse preciso descartá-lo.

Dipankar assegurou à irmã que sim, que ela conseguiria, e que sim, Hans a amava. Mencionou que gosto não se discute e que, se ela se lembrasse bem, a Sra. Rupa Mehra certa vez tinha considerado a própria Kuku uma pessoa pouco civilizada, porque ela havia falado com desprezo da manga *dussehri*. Quanto a Hans, Dipankar tinha a impressão de que ele poderia passar por um processo de reeducação. Em breve o chucrute seria substituído pelas flores de bananeira, e o *stollen* e a *sachertorte* seriam trocados pelas *lobongo lotikas* e pelas *pantuas*. Hans teria de se adaptar, e aceitar, e apreciar, se quisesse permanecer como o cogumelo favorito de Kakoli, pois, se no aperto firme das mãos dele todos os demais eram como argila, nas mãos dela ele também deveria sê-lo.

— E onde vou morar? — perguntou Kuku, começando a chorar. — Naquele país congelado e bombardeado? — Olhou em torno, examinando o quarto do irmão. — Quer saber, o que está faltando naquela parede é uma imagem de Sundarbans. Vou pintar um para você... Ouvi dizer que na Alemanha chove o tempo todo, e as pessoas passam a vida batendo os dentes de frio. E, se Hans e eu brigarmos, não poderei fazer o que a Meenakshi faz: vir andando até nossa casa.

Kakoli espirrou. Cuddles latiu. Dipankar piscou e prosseguiu:

— Kuku, se eu fosse você...

— Você não disse "saúde" — protestou Kakoli.

— Ah desculpe, Kuku, saúde.

— Cuddles, Cuddles, Cuddles, ninguém nos ama, ninguém mesmo, nem Dipankar — lamentou-se Kuku. — Ninguém se importa se pegarmos uma pneumonia e morrermos.

Bahadur entrou e anunciou:

— Telefonema para pequena *memsahib*.

— Puxa, tenho de sair voando — disse ela.

— Mas você estava discutindo o rumo de sua vida — protestou brandamente Dipankar. — Você nem sabe quem está telefonando; não pode ser tão importante assim.

— Mas é o telefone — alegou Kuku e depois de expressar essa explicação completa e irrefutável saiu mesmo voando.

Em seguida veio a mãe de Dipankar, não para pedir conselho, mas para dá-lo.

— *Ki korghho tumi*, Dipankar?... — começou ela e passou a repreendê-lo em voz baixa, enquanto o rapaz continuava a sorrir pacificamente. — Seu pai está muito preocupado... e eu também gostaria de ver você bem-estabelecido... negócios de família... afinal, não vamos viver para sempre... responsabilidade... seu pai está ficando velho... veja só seu irmão: ele só quer saber de escrever poesia, e agora esses romances, está se achando outro Saratchandra... você é a nossa única esperança... só então seu pai e eu poderemos descansar em paz.

— Mas, *mago*, ainda temos algum tempo para resolver essa questão — disse Dipankar, que sempre adiava tudo que podia e deixava o restante sem decidir.

A Sra. Chatterji pareceu indecisa. Quando Dipankar era criança, sempre que Bahadur perguntava a ele o que queria comer no café da manhã, o menino olhava para cima e balançava a cabeça numa direção ou na outra, e o criado, entendendo intuitivamente o que era solicitado, voltava com um ovo frito ou uma omelete ou qualquer outra coisa, e o garoto comia satisfeito. A família ficava assombrada. Talvez, pensava a mãe agora, nenhuma mensagem mental tivesse sido transmitida entre eles; Bahadur apenas representava o

Destino, fazendo suas ofertas a um Dipankar que não decidia nada, mas aceitava tudo.

— E até mesmo entre as moças, você não decide — continuou a Sra. Chatterji. — Tem a Hemangini, e a Chitra, e... ela é tão ruim quanto a Kuku — concluiu com tristeza.

Dipankar tinha traços bem-definidos, diferentes das feições mais suaves e arredondadas e dos olhos grandes de Amit, que correspondia ao ideal bengalês de boa aparência da Sra. Chatterji. Ela sempre pensara no segundo filho como uma espécie de patinho feio; estava furiosamente disposta a defendê-lo das acusações de ser anguloso e ossudo e se espantava com as mulheres dessa geração mais nova, todas essas Chitras e Hemanginis, que ficavam dizendo, embevecidas, o quanto ele era lindo.

— Nenhuma delas é a ideal, *mago* — disse Dipankar. — Preciso continuar minha busca pelo Ideal. E pela Unidade.

— E agora você está indo ao Pul Mela em Brahmpur. Não é adequado um bramoísta ficar rezando para o Ganges e mergulhando no rio.

— Não, *ma*, não é bem assim — discordou ele, sério. — Até Keshub Chunder Sen se ungiu com óleo e mergulhou três vezes no tanque da praça Dalhousie.

— Não é possível ele ter feito isso! — disse a mãe, chocada com a apostasia do filho.

Os bramoístas, que acreditavam, ou deveriam acreditar, num monoteísmo abstrato e elevado, não andavam por aí fazendo esse tipo de coisa.

— Mas fez, sim, *mago*. Não tenho certeza se foi na praça Dalhousie — concedeu Dipankar. — Mas, por outro lado, acho que foram quatro mergulhos, e não três. E o Ganges é muito mais sagrado do que um tanque de água estagnada. E, a respeito do Ganges, o próprio Rabindranath Tagore dizia...

— Ah, Robi *Babu*! — exclamou a Sra. Chatterji, com o rosto transfigurado pelo êxtase mudo.

A quarta pessoa a visitar a clínica de Dipankar foi Tapan.

Na mesma hora Cuddles saltou do colo do dono para o do recém-chegado. Sempre que o baú de Tapan era arrumado para a volta do caçula ao internato, o cachorro, quase desesperado, se sentava em cima dele para evitar sua remoção, e por toda a semana seguinte ficava desconsoladamente feroz.

Tapan acariciava a cabeça de Cuddles e olhava para o triângulo brilhante e negro formado pelos olhos e o focinho do animal.

— Nós nunca vamos machucar você, Cuddles — prometeu ele. — Seus olhos não têm nenhum pedacinho branco.

Cuddles agitava a cauda peluda em calorosa aprovação.

Tapan parecia um pouco perturbado e desejoso de conversar sobre alguma coisa, mas não articulava muito bem o que queria dizer. Dipankar deixou que divagasse um pouco. Depois de um intervalo, o caçula reparou num livro sobre batalhas célebres que estava na prateleira mais alta da estante do irmão e o pediu emprestado. Dipankar olhou atônito o livro empoeirado — remanescente de seus dias não iluminados — e o apanhou.

— Fique com ele — disse ao irmão.

— Tem certeza, Dipankar *Da*? — perguntou Tapan agradecido.

— Certeza? — perguntou Dipankar, começando a duvidar se de fato seria bom o irmão ficar com tal livro. — Ahn... não tenho muita certeza. Depois que tiver lido, traga-o de volta e nós decidiremos o que fazer com ele na ocasião... ou mais tarde.

Finalmente, quando Dipankar estava a ponto de começar sua meditação, Amit apareceu e entrou no quarto. Tinha passado o dia escrevendo e parecia cansado.

— Você tem certeza de que não estou incomodando? — perguntou ele.

— Não, *dada*, de jeito nenhum.

— Tem plena certeza?

— Tenho.

— Porque eu quero discutir uma coisa com você, um assunto impossível de ser discutido com Meenakshi ou Kuku.

— Eu sei, *dada*, ela é muito encantadora.

— Dipankar!

— Sim, não é afetada — continuou Dipankar, parecendo um árbitro expulsando um batedor. — É inteligente — continuou, como Churchill fazendo o "V" da vitória. — É atraente — prosseguiu, agora representando o tridente de Shiva. — Compatível com os Chatterji — disse baixinho, como a Grande Dama enfatizando os quatro objetivos da vida. — E malévola com Bish — acrescentou por fim, assumindo a postura de um Buda benevolente.

— Malévola com Bish? — estranhou Amit.

— Foi o que Meenakshi me contou ainda há pouco. Obviamente, Arun ficou irritado e se recusa a apresentá-la a qualquer outro rapaz. A mãe dele está preocupada, Lata está secretamente eufórica, e... ah, sim, Meenakshi, que considera não haver nada de errado com Bish exceto o fato de ele ser intragável, tomou o partido de Lata. E coincidentemente, *dada*, o Biswas *Babu*, que ouviu falar dela, acha que ela faz exatamente o meu tipo! Você falou com ele sobre ela? — perguntou Dipankar sem piscar.

— Não, não falei — disse Amit, franzindo as sobrancelhas. — Talvez Kuku, aquela tagarela, tenha falado. Como você é fofoqueiro, Dipankar; nunca faz nada? Gostaria que você fizesse o que *baba* aconselhou: conseguir um trabalho adequado e cuidar das malditas finanças da família. Se eu fosse obrigado a fazê-lo, isso mataria a mim e ao meu romance. De qualquer jeito, ela não é absolutamente seu tipo, e você sabe disso. Vá procurar seu próprio Ideal.

— Qualquer coisa por você, *dada* — disse Dipankar com suavidade e baixou a mão direita numa delicada bênção.

7.40

NUMA tarde chegaram mangas de Brahmpur para a Sra. Rupa Mehra, e os olhos dela brilharam. Já estava cansada das mangas *langra* de Calcutá, que embora fossem aceitáveis não lhe recordavam a infância. Sentia saudades das mangas *dussehri*, delicadas e deliciosas, mas achava que a safra delas já tivesse acabado. Dias antes Savita havia mandado uma dúzia delas para a mãe por encomenda postal, mas quando o pacote chegou, exceto pelas três mangas esmagadas colocadas no topo, só havia pedras por baixo. Evidentemente alguém nos correios tinha interceptado as frutas. A Sra. Rupa Mehra ficou tão aflita com a iniquidade humana quanto com seu próprio sentimento de expropriação. Tinha abandonado a esperança de comer *dussehris* nessa temporada. E quem sabe se estaria viva no ano seguinte?, pensou ela, dramática e um tanto injustificadamente, já que ainda lhe faltavam alguns anos para completar os 50. Mas agora havia chegado outro pacote com duas dúzias de mangas — maduras, mas não em excesso, e até mesmo frias ao toque.

— Quem trouxe foi o carteiro? — perguntou a Sra. Rupa Mehra a Hanif.

— Não, *memsahib*, foi um homem.

— Como ele era? De onde vinha?

— Ah, *memsahib*, era um homem qualquer. Mas me deu esta carta para entregar à senhora.

A Sra. Rupa Mehra olhou o empregado com ar severo.

— Você devia ter me entregado logo. Mas tudo bem. Traga para mim um prato e uma faca amolada e lave duas mangas.

A Sra. Rupa Mehra apertou e cheirou algumas das frutas e selecionou duas.

— Essas duas aqui.

— Pois não, *memsahib*.

— E diga a Lata que saia do jardim e venha imediatamente comer uma manga comigo.

Lata estivera sentada no jardim; embora houvesse uma leve brisa, não chovia. Quando ela entrou, a Sra. Rupa Mehra leu inteira e em voz alta a carta de Savita que veio com o pacote.

... mas eu disse que podia imaginar como a senhora estaria decepcionada, *ma* querida, e mesmo nós ficamos muito tristes porque tínhamos escolhido as mangas com muito cuidado e carinho, avaliando cada uma para garantir que estaria madura dentro de seis dias. Mas foi então que um senhor bengalês que trabalha na secretaria nos disse como contornar o problema. Ele conhece um atendente que trabalha no vagão refrigerado do malote Brahmpur-Calcutá. Demos a ele 10 rupias para levar as mangas à senhora, e esperamos que elas tenham chegado frias, seguras e intactas. Por favor, me avise se chegaram a tempo. Neste caso, poderemos conseguir enviar outras antes do fim da safra, pois não precisaremos escolher frutas que ainda não estão maduras, como fizemos no pacote que foi pelo correio. Mas a senhora, *ma*, também deve tratar de não comê-las em excesso por causa de sua glicose. Arun também deve ler esta carta e monitorar seu consumo...

Enquanto a Sra. Rupa Mehra lia a carta para a filha mais nova, seus olhos se encheram de lágrimas. Depois ela comeu uma manga com muita disposição e insistiu que a filha também comesse uma.

— Agora vamos dividir uma entre nós duas — propôs a Sra. Rupa Mehra.

— *Ma*, cuidado com a glicose...

— Uma manga não vai fazer diferença.

— Claro que vai, *ma*, assim como a próxima, e a que vier depois. E a senhora não quer fazê-las durar até a chegada do próximo pacote?

A discussão foi interrompida pela chegada de Amit e Kuku.

— Onde está Meenakshi? — perguntou Amit.

— Ela saiu — disse a Sra. Rupa Mehra.

— Mas de novo? — estranhou Amit. — Eu esperava encontrá-la. Quando soube que ela tinha aparecido para ver Dipankar, ela já tinha ido embora. Por favor, digam-lhe que eu estive aqui. Para onde foi?

— Foi ao Shady Ladies — informou a Sra. Rupa Mehra, franzindo a testa em desaprovação.

— É uma pena — disse. — Mas foi bom ver vocês duas. — Ele voltou-se para Lata. — Kuku está indo agora mesmo ao Presidency College encontrar um velho amigo, e eu pensei que talvez nós pudéssemos acompanhá-la. Lembro que você queria visitar aquela área.

— Sim! — disse Lata, feliz por ele ter se lembrado. — Eu posso ir, *ma*, ou a senhora precisa de mim para alguma coisa hoje à tarde?

— Por mim tudo bem — disse a Sra. Rupa Mehra, sentindo-se liberal.

— Mas vocês devem comer umas mangas antes de ir — continuou, hospitaleira, dirigindo-se a Amit. — Estas acabaram de chegar de Brahmpur, mandadas pela Savita. E pelo Pran... Ah, é tão bom quando a filha da gente se casa com uma pessoa tão atenciosa! E vocês também devem levar para casa algumas delas — acrescentou.

Quando Amit, Kuku e Lata saíram, a Sra. Rupa Mehra resolveu cortar mais uma manga. Quando Aparna acordou da sesta, ganhou da avó um pedaço. Quando Meenakshi voltou das Shady Ladies após ter jogado algumas partidas bem-sucedidas de *mah-jong*, a sogra leu a carta de Savita para ela e a convidou para comer uma manga.

— Não, *ma*, eu realmente não posso; não é bom para a minha forma física. E vai manchar meu batom. Olá, querida Aparna... não, não beije ainda a mamãe, você está com os lábios todos grudentos.

A Sra. Rupa Mehra viu confirmada sua opinião de que a nora era mesmo muito esquisita: recusar mangas mostrava um grau de frieza quase desumano.

— Amit e Kuku gostaram muito delas.

— Puxa, uma pena que não encontrei os dois.

O tom de Meenakshi denotava alívio.

— Amit veio especialmente visitar você. Já veio diversas vezes, e você está sempre fora.

— Eu duvido.

— O que você quer dizer? — perguntou a Sra. Rupa Mehra, que não gostava de ser contrariada, menos ainda pela nora.

— Duvido que ele tenha vindo me ver. Antes de vocês virem para Brahmpur ele raramente nos visitava. Ele se satisfaz em viver em seu próprio mundo onírico de personagens.

A Sra. Rupa Mehra fechou a cara, mas permaneceu calada.

— Ah, *ma*, a senhora demora tanto para entender — continuou Meenakshi. — Evidentemente é na Luts que ele está interessado. Antes eu nunca o vi se comportar com o menor grau de consideração em relação a uma moça. Mas isso tampouco é ruim.

— Isso tampouco é ruim — repetiu Aparna, testando a frase.

— Fique quieta, Aparna — disse asperamente a avó. Espantada demais por ter sido censurada pela avó sempre amorosa, Aparna calou-se, mas continuou a ouvir atentamente. — Isso não é verdade, simplesmente não é verdade. E não fique dando ideias a nenhum dos dois — advertiu a Sra. Rupa Mehra, com o dedo em riste diante da nora.

— Não vou dar a eles nenhuma ideia que já não tenham. — Foi a fria resposta.

— Você só causa problemas, Meenakshi. Não vou aceitar isso.

— Minha querida *ma* — disse a nora, divertindo-se —, não perca as estribeiras. Isso não é um problema, nem é obra minha. Só devo aceitar as coisas como são.

— Não tenho intenção de aceitar as coisas como são — protestou a Sra. Rupa Mehra, rubra de indignação ante a desagradável visão de sacrificar mais um dos filhos no altar dos Chatterji. — Vou levá-la imediatamente de volta a Brahmpur. — Ela se interrompeu. — Não, a Brahmpur não, a outro lugar.

— E Luts vai se arrastar obedientemente atrás da senhora? — perguntou Meenakshi, esticando o longo pescoço.

— Lata é uma moça sensata e boa, e fará o que eu determinar. Ela não é voluntariosa e desobediente, como as moças que se acham muito modernas. Ela foi muito bem-educada.

Pendendo a cabeça para trás preguiçosamente, Meenakshi primeiro examinou as unhas e depois olhou o relógio de pulso.

— Uhn, eu tenho que estar em outro lugar em dez minutos. *Ma*, a senhora cuida da Aparna?

A Sra. Rupa Mehra comunicou em silêncio seu melindrado assentimento. Meenakshi sabia muito bem que a sogra ficaria encantada em cuidar da única neta.

— Estou voltando lá pelas seis e meia. Arun avisou que hoje vai chegar do trabalho um pouco tarde.

Mas, irritada, a Sra. Rupa Mehra não respondeu. E por trás da irritação, um vagaroso pânico estava começando a surgir e a se apoderar dela.

7.41

AMIT e Lata estavam olhando livros entre as inúmeras bancas da College Street (Kuku tinha ido ao café da faculdade se encontrar com Krishnan, que, segundo ela declarou, precisava ser "apaziguado", embora para sua irritação o irmão não tenha perguntado o que ela queria dizer com aquilo).

— A gente se sente tão perdida no meio de todos esses milhões de livros — disse Lata, surpresa com o fato de algumas centenas de metros quadrados da cidade serem inteiramente dedicadas a nada mais que livros; livros nas calçadas, livros em prateleiras improvisadas na rua, livros na biblioteca e em Presidency College, livros de primeira, segunda, terceira, décima mão, livros de toda espécie, desde monografias técnicas sobre galvanização até o mais recente romance de Agatha Christie.

— Eu me sinto perdida no meio de todos esses milhões de livros, você quer dizer.

— Não, sou eu que me sinto — corrigiu Lata.

— O que eu quis dizer foi "eu" em vez de "a gente"— explicou Amit. — Se você quisesse usar um pronome impessoal, "a gente" serviria; mas o que quis dizer foi "eu". Muita gente usa o impessoal quando na verdade quer falar na primeira pessoa. Na Inglaterra descobri que eles fazem isso o tempo todo, e o costume vai sobreviver aqui muito depois de os ingleses terem abandonado essa estupidez.

Lata ficou vermelha, mas não disse nada. Bish, recordou, tinha usado "a gente" para se referir exclusiva e incessantemente a si mesmo.

— É como usar uma expressão arcaica.

— Entendi — disse Lata.

— Imagine só que eu lhe dissesse, "a gente ama você" — prosseguiu Amit. — Ou pior ainda: "a gente ama a gente". Isso não pareceria absurdo?

— Sim — admitiu Lata de cara amarrada. Sentiu que ele estava parecendo um pouco profissional demais. E a palavra "ama" levou-a a se lembrar de Kabir sem necessidade.

— Foi só isso que eu quis dizer.

— Entendi — disse Lata. — Ou melhor, a gente entendeu.

— Eu entendi que a gente entendeu.

— Qual é a sensação de escrever um romance? — perguntou Lata depois de uma pausa. — Você não é obrigado a esquecer o "eu" ou o "a gente"...?

— Não sei exatamente. Esse é meu primeiro romance e estou no processo de descoberta. Agora a sensação faz lembrar uma figueira-de-bengala.

— Ah, entendi — disse Lata, embora não tivesse entendido.

— O que eu quero dizer é que ela lança brotos, cresce e se espalha, e seus ramos se expandem para baixo e se transformam em troncos ou se entrelaçam com outros ramos. Às vezes eles morrem. Outras, é o tronco principal que morre, e a estrutura é sustentada pelos ramos auxiliares. Quando você for ao Jardim Botânico vai ver o que eu quero dizer. Ela tem vida própria, assim como também o têm as serpentes, os pássaros, as abelhas, os lagartos e os cupins que vivem nela, e em cima dela, e às custas dela. Ela também lembra o Ganges, com seus cursos alto, médio e baixo, inclusive a foz, é claro.

— É claro — concordou Lata.

— Fiquei com a impressão de que você está rindo de mim.

— Até agora, quanto você já avançou na escrita?

— Já escrevi um terço do texto.

— E eu não estou desperdiçando seu tempo?

— Não.

— É sobre a fome em Bengala, não é?

— É.

— Você tem alguma recordação pessoal da fome?

— Tenho sim, eu me lembro muito bem. Foi somente há oito anos. — Ele fez uma pausa. — Na época eu era ativo no movimento estudantil. Mas na verdade nós tínhamos um cachorro naquela ocasião e o alimentávamos bem.

Ele pareceu perturbado.

— O escritor precisa sentir intensamente aquilo sobre o que está escrevendo?

— Não tenho a menor ideia — disse Amit. — Às vezes escrevo melhor sobre as coisas que me interessam menos. Mas mesmo isso não é uma norma constante.

— Logo você fica só alimentando esperanças?

— Não, não é exatamente assim.

Sentindo que Amit, que um minuto antes tinha chegado a ser expansivo, agora resistia às perguntas feitas por ela, Lata não insistiu.

— Algum dia eu vou mandar para você um livro com meus poemas — prometeu Amit —, e você poderá formar sua própria opinião sobre o quanto eu sinto, se muito ou se pouco.

— E por que não agora? — perguntou ela.

— Preciso ter tempo para pensar numa dedicatória adequada — disse Amit. — Olha, aí vem a Kuku.

7.42

KUKU tinha cumprido sua missão pacificadora. Agora queria voltar para casa assim que possível. Infelizmente recomeçara a chover, e em breve a chuva quente estava tamborilando no teto do Humber. Riachos de água enlameada começaram a correr pelas laterais da pista. Um pouco adiante a rua já havia desaparecido, dando lugar a uma espécie de canal raso, em que o trânsito proveniente da direção oposta formava ondas que balançavam o chassi do carro. Dez minutos depois o veículo ficou preso na enxurrada. O motorista dirigia muito devagar, tentando se manter no meio da via, onde a curva de elevação da pista criava um nível ligeiramente mais alto. Foi então que o motor morreu.

Conversando com Amit e Kuku dentro do carro, Lata não se afligiu. No entanto, fazia muito calor, e gotas de suor se formaram em sua testa. Amit lhe contou algumas coisas sobre os tempos de faculdade e sobre como ele tinha começado a escrever poemas.

— A maioria era muito ruim, e eu queimei — confessou.

— Como você pôde fazer isso? — espantou-se Lata, surpresa com o fato de alguém ser capaz de queimar o que devia ter sido escrito com tanto sentimento. Mas pelo menos ele havia queimados poemas, em vez de apenas rasgá-los, ato que teria parecido demasiado prosaico. A ideia de uma fogueira no clima de Calcutá também era estranha. Não havia lareira na casa de Ballygunge.

— Onde você queimou os poemas?

— Na pia do banheiro! — exclamou Kuku. — Ele quase botou fogo na casa também.

— Era poesia de má qualidade — justificou Amit. — Constrangedoramente ruim, hedonista, desonesta.

— Nas chamas vou imolar/ A poesia que não desejar — disse Kuku.

— Minhas lágrimas e meu padecer/ São cinzas pelo ralo a descer — continuou Amit.

— Não existem Chatterji que não componham dísticos irreverentes? — perguntou Lata, extremamente irritada. Será que eles nunca falavam sério? Como podiam gracejar com coisas tão dolorosas?

— *Ma* e *baba* não fazem isso — respondeu Kuku. — É porque nunca tiveram um irmão mais velho como Amit. E Dipankar não tem o mesmo talento que nós. Em nosso caso isso vem naturalmente, como cantar um raga que você já ouviu muitas vezes. As pessoas se espantam com essa nossa habilidade, mas nós nos espantamos com o fato de elas não conseguirem fazer isso. Ou só conseguirem uma vez por mês, quando têm uma espécie de ciclo poético... "Rimando com exatidão/ dísticos, em borbotão" — disse ela, que os produzia com tão assustadora frequência que eles agora eram chamados dísticos-Kakoli, embora Amit fosse o fundador dessa tendência.

A essa altura o tráfego tinha parado completamente. Alguns riquixás ainda se moviam; seus condutores encontravam-se mergulhados na enxurrada até a cintura, e os passageiros, carregados de pacotes, observavam com uma espécie de satisfação alarmada o mundo aquático e marrom que os cercava.

No devido tempo a água começou a baixar. O motorista olhou o motor, examinou o cabo de ignição, que estava molhado, secou-o com um pedaço de pano. O carro ainda não pegava. Então o homem examinou o carburador, mexeu um pouco aqui e ali, e murmurou os nomes de suas deusas favoritas, na sequência exata. O carro começou a andar.

Quando por fim chegaram a Sunny Park já estava escuro.

— Vocês não tiveram a menor pressa — disse asperamente a mãe de Lata. Olhou enfurecida para Amit.

Amit e Lata ficaram surpresos pela hostilidade da recepção que tiveram.

— Até Meenakshi voltou antes de você — continuou a Sra. Rupa Mehra. Olhando para Amit, ela pensou: poeta, vadio! Em toda sua vida, ele jamais ganhou 1 rupia com honestidade. Não quero que todos os meus netos falem bengalês!

De repente ela se recordou de que na última vez que ele trouxera Lata até em casa ela usava flores no cabelo.

Olhando para a filha, mas supostamente se dirigindo aos dois — ou talvez aos três, Kuku inclusive —, ela continuou:

— Vocês fizeram minha pressão subir, e minha glicose também.

— Não, *ma* — disse Lata, olhando para as cascas frescas de manga no prato. — Se sua glicose subiu, é por causa de todas as mangas que a senhora comeu. Agora faça o favor de não comer mais de uma por dia ou no máximo duas.

— Você está querendo me ensinar a comer mangas? — perguntou a Sra. Rupa Mehra com um olhar furioso.

Amit deu um sorriso.

— A culpa foi minha, *ma*. As ruas nos arredores da universidade encheram por causa da chuva, e nós fomos apanhados pela inundação.

A Sra. Rupa Mehra não estava disposta a ser amistosa. Por que ele estava sorrindo?

— Sua glicose está muito alta? — perguntou depressa Kakoli.

— Muito alta — disse a Sra. Rupa Mehra com aflição e orgulho. — Tenho tomado suco de melão-de-são-caetano, mas não fez efeito.

— Então a senhora deve ir ao meu homeopata — recomendou Kakoli.

Desviada de seu ataque a Sra. Rupa Mehra disse:

— Eu já tenho um homeopata.

Mas Kakoli insistiu em que o médico dela, o Dr. Nuruddin, era melhor que qualquer outro.

— Um maometano? — perguntou hesitante a Sra. Rupa Mehra.

— Sim; foi na Caxemira, quando estávamos de férias.

— Eu não irei à Caxemira — disse, resoluta, a viúva.

— Não, ele me curou aqui. O consultório dele é aqui em Calcutá. Ele cura as pessoas de qualquer coisa: diabetes, gota, problemas de pele. Um amigo meu tinha um cisto na pálpebra. O médico deu a ele um remédio chamado tuia, e o cisto desapareceu.

— Sim — confirmou Amit entusiasmado —, e eu o indiquei também a uma amiga minha, e o tumor cerebral dela desapareceu, a perna quebrada ficou boa, e embora ela fosse estéril, três meses depois teve gêmeos.

Kuku e a Sra. Rupa Mehra dirigiram a ele olhares furiosos. Lata o observou com um sorriso misto de recriminação e aprovação.

— Amit sempre faz piada com coisas que ele não entende — disse a irmã dele. — Ele põe no mesmo grupo a homeopatia e a astrologia. Mas até nosso médico de família se convenceu aos poucos da eficácia da homeopatia. E desde o meu terrível problema na Caxemira eu me converti por completo. Eu acredito em resultados — continuou Kuku. — Quando uma coisa funciona, eu acredito nela.

— Que problema você teve? — perguntou ansiosa a Sra. Rupa Mehra.

— Foi o sorvete que eu comi no hotel em Gulmarg.

— Puxa! — Sorvete também era uma das fraquezas da Sra. Rupa Mehra.

— O hotel fazia seu próprio sorvete. No entusiasmo do momento eu comi duas casquinhas.

— E então?

— Então... então foi terrível. — A voz de Kuku refletia seu trauma. — Tive uma tremenda dor de garganta. O médico local me deu medicação alopática, que suprimiu os sintomas por um dia, mas depois eles voltaram. Eu não conseguia comer, não conseguia cantar, mal conseguia falar, não podia engolir. Parecia que tinha espinhas na garganta. Antes de resolver falar alguma coisa eu era obrigada a pensar.

A Sra. Rupa Mehra demonstrou compaixão.

— E meu nariz ficou completamente bloqueado. — Kuku fez uma pausa e depois prosseguiu: — Então eu tomei outra dose do remédio. E de novo ele suprimiu os sintomas, mas depois voltou tudo outra vez. Tiveram que me mandar para Nova Delhi e voltar de avião para Calcutá. Depois da terceira dose minha garganta estava inflamada, os seios paranasais e o nariz estavam infeccionados, fiquei num estado terrível. Minha tia, a Sra. Ganguly, me recomendou o Dr. Nuruddin. "Experimente para ver", ela disse a minha mãe. "Que mal fará?"

O suspense era insuportável para a Sra. Rupa Mehra. Histórias que envolvessem sofrimento eram tão fascinantes para ela quanto livros policiais ou românticos.

— Ele anotou meu histórico e me fez umas perguntas esquisitas. Depois disse: "Tome duas doses de pulsatila e volte aqui." Eu disse: "Duas doses? Só duas doses? E vai ser suficiente? Não é para tomar regularmente?" E ele respondeu: "*Inshallah*, duas doses devem ser suficientes." E foram. Eu fiquei curada. A inflamação desapareceu. A sinusite acabou por completo e nunca mais apareceu. O tratamento alopático teria exigido uma punção e a drenagem dos seios paranasais para aliviar um problema endêmico, e eu teria feito tudo isso se não tivesse ido ao Dr. Nuruddin. Agora, Amit, você pode parar de rir.

A Sra. Rupa Mehra ficou convencida.

— Irei vê-lo com você.

— Mas a senhora não deve se importar com as perguntas estranhas que ele faz — advertiu Kakoli.

— Eu sei lidar com todo o tipo de situação — disse a viúva.

Quando os visitantes saíram, a Sra. Rupa Mehra disse à filha sem rodeios:

— Estou muito cansada de Calcutá, querida, e ficar aqui não é bom para minha saúde. Vamos para Nova Delhi.

— Para quê, *ma*? Eu estou começando a me divertir aqui. E por que tão de repente? — A viúva olhou com atenção para a filha. — E nós ainda temos todas aquelas mangas para comer — continuou Lata, sorrindo. — E precisamos cuidar de que Varun estude um pouco.

A mãe fez um ar severo.

— Diga-me... — começou a Sra. Rupa Mehra, depois parou. Com certeza Lata não podia estar fingindo a inocência que transparecia claramente em seu rosto. E se ela não estava fingindo, por que lhe colocar ideias na cabeça?

— Sim, *ma*?

— Conte-me o que você fez hoje.

O pedido condizia mais com o interrogatório diário da Sra. Rupa Mehra, e a filha viu com alívio a mãe se comportar mais de acordo com o habitual. Lata não tinha intenção de ser arrancada de Calcutá e dos Chatterji. Quando se lembrava do quanto estava infeliz quando chegou à cidade, sentia-se grata àquela família — e principalmente a Amit, que era tranquilo, cético e solícito — pela forma como a haviam acolhido em seu clã. Quase como uma terceira irmã, pensou.

Enquanto isso a Sra. Rupa Mehra também estava pensando nos Chatterji, só que em termos menos caridosos. Os comentários de Meenakshi haviam-na deixado em pânico.

Se for preciso, vou sozinha para Nova Delhi, ela estava pensando. Kalpana Gaur vai ter que me ajudar a achar um rapaz adequado imediatamente. Aí eu vou chamar Lata. Arun é totalmente inútil. Desde que se casou, ele perdeu todo sentimento em relação à sua própria família. Ele apresentou Lata àquele rapaz, o Bishwanath, e de lá para cá não fez mais nada. Não tem o menor senso de responsabilidade pela irmã. Agora estou completamente sozinha neste mundo. Só minha Aparna me ama.

Meenakshi estava dormindo, e Aparna estava com a Bruxa Desdentada. A Sra. Rupa Mehra imediatamente transferiu a neta para os próprios braços.

7.43

A CHUVA também fez com que Arun se atrasasse. Quando chegou em casa, ele estava de péssimo humor.

Ele cumprimentou a mãe, a irmã e a filha com nada mais do que um grunhido e foi direto para o quarto.

— Malditos suínos, todos eles, e o motorista também — praguejou.

Meenakshi o observava da cama. Ela disse num bocejo:

— Arun, meu querido, por que está tão nervoso?/ Coma um chocolate Flury's, é tão gostoso!

— Pare já com essa besteirada dos Besterolji — berrou Arun, pondo a pasta no chão e colocando no braço da cadeira o paletó molhado. — Você, que é minha mulher, podia ao menos fingir solidariedade.

— O que houve, querido? — perguntou Meenakshi, assumindo uma expressão própria para a emoção solicitada. — Seu dia no escritório foi ruim?

Arun fechou os olhos. Sentou-se à beira da cama.

— Conte para mim — pediu Meenakshi, afrouxando a gravata dele com seus dedos longos e elegantes, as unhas pintadas de vermelho.

Arun deu um suspiro.

— O condutor do riquixá me cobrou 3 rúpias para me levar até meu carro na calçada em frente. Do outro lado da rua! — reiterou ele, balançando a cabeça indignado e descrente.

Os dedos de Meenakshi se detiveram.

— Não diga! — exclamou ela, genuinamente chocada. — Espero que você não tenha concordado em pagar.

— O que eu podia fazer? — perguntou Arun. — Não ia me meter na enxurrada com água até os joelhos para chegar a meu carro ou me arriscar a uma pane no motor cruzando o trecho inundado da rua. O sujeito percebeu e ficou rindo com a satisfação de quem tem um *sahib* nas mãos. "O senhor é que decide", ele disse. "Três rupias". Três rupias! Quando normalmente seriam no máximo 2 *annas*. Um *anna* teria sido um preço mais razoável; eram talvez uns vinte passos. Mas ele viu que era o único triciclo e que eu estava me molhando. Maldito porco ganancioso!

Da cama, Meenakshi olhou para o espelho e pensou um pouco.

— Diga uma coisa: o que a Bentsen Pryce faz quando há uma temporária escassez de, digamos, juta no mercado mundial e os preços sobem? A empresa não sobe o preço ao nível que o mercado suporta? Ou essa prática é exclusiva dos negociantes da etnia marvari? Sei que os joalheiros que trabalham com ouro e prata agem assim. E os verdureiros. Imagino que tenha sido isso que o condutor do riquixá fez também. Talvez eu não devesse ficar tão escandalizada. Ou você.

Ela havia esquecido a intenção de ser solidária. O marido olhou para a esposa magoado, mas viu, malgrado seu, a lógica desagradavelmente poderosa das palavras dela.

— Você gostaria de fazer meu trabalho? — inquiriu ele.

— Ah, não, querido — disse Meenakshi, recusando-se a se sentir ofendida. — Eu não suportaria usar paletó e gravata. E não saberia ditar cartas para sua encantadora Srta. Christie... A propósito, chegaram hoje de Brahmpur umas mangas. E uma carta da Savita.

— É mesmo?

— E *ma*, sendo quem é, está se fartando com elas sem pensar no diabetes.

Arun balançou a cabeça. Como se ele já não tivesse problemas suficientes. A mãe era incorrigível. Amanhã ela se queixaria de não estar se sentindo bem, e ele seria obrigado a levá-la ao médico. Mãe, irmã, filha, mulher: de repente ele se sentiu preso em uma armadilha — um lar todo composto de mulheres. E ainda por cima o covarde do Varun.

— Onde está Varun?

— Não sei. Não voltou e não telefonou. Pelo menos acho que não; eu estava fazendo a sesta.

Arun suspirou.

— Eu estava sonhando com você — mentiu Meenakshi.

— Estava mesmo? — perguntou Arun, amolecendo. — Que tal a gente...

— Ah, mais tarde, não acha, querido? — disse ela friamente. — Nós temos que sair hoje à noite.

— Não haverá uma droga de noite em que a gente não tenha que sair?

Meenakshi deu de ombros, dando a entender que a maioria dos compromissos não era obra sua.

— Quem me dera que eu fosse solteiro de novo... — disse Arun, sem intenção.

Os olhos de Meenakshi flamejaram.

— Se você quer ser desagradável... — começou ela.

— Não, não, eu não quis dizer isso. É só esse estresse todo. E minhas costas estão me incomodando de novo.

— Não acho tão admirável assim a vida de solteiro de Varun — retrucou Meenakshi.

Arun tampouco a achava. Balançou de novo a cabeça e deu um suspiro. Parecia exausto.

Coitado de Arun, pensou Meenakshi.

— Você quer chá, querido... ou um drinque?

— Chá, eu quero chá. Uma boa xícara de chá. O drinque pode esperar.

7.44

VARUN ainda não tinha voltado porque estava ocupado apostando dinheiro no jogo e fumando na casa de Sajid em Park Lane, um beco ainda mais degradado do que a própria denominação de "beco" sugere. Sajid, Jason, Varun e alguns outros amigos estavam sentados na enorme cama do anfitrião no primeiro andar jogando pôquer: começando de 1 *anna* por *blind*, 2 *annas* no jogo aberto. Hoje, como em algumas das outras ocasiões, os dois inquilinos de Sajid que viviam no térreo, Paul e a irmã, Hortense, se juntaram a eles. Hortense (à qual Sajid e seus amigos se referiam entre eles como "Rabo Quente") estava sentada no colo do namorado (um intendente naval) e jogando por ele naquela posição. As apostas foram elevadas para 4 *annas* por *blind* e 8 annas no jogo aberto — o máximo que eles já haviam se permitido. Todos pareciam nervosos, comprando cartas à esquerda e à direita. No final ficaram apenas Varun, que estava extremamente nervoso, e Rabo Quente, que estava extremamente calma.

— Só Varun e Hortense, sozinhos e juntos — disse Sajid. — Agora a coisa vai esquentar mesmo.

Varun ficou fortemente ruborizado e quase deixou as cartas caírem. Era do conhecimento de todos os amigos (mas não do namorado de Hortense, o intendente) que Paul, desempregado, fazia papel de cafetão da irmã quando o namorado dela estava fora da cidade. Só Deus sabe onde ele ia buscar seus clientes, mas às vezes voltava para casa tarde da noite com um empresário num táxi e ficava no pé da escada ou do lado de fora, no degrau da entrada, fumando tabaco Rhodes Navy Cut enquanto esperava a irmã cuidar do cliente.

— Um royal flush — observou Jason, referindo-se ao rubor de Varun.

O rapaz, tremendo de tensão nervosa e conferindo as cartas para se certificar, disse baixinho "estou dentro". Colocou uma moeda de 8 *annas* no pote, que agora continha quase 5 rupias.

Rabo Quente, sem olhar as cartas dela ou as dos demais e com a expressão mais inexpressiva que conseguia apresentar, colocou em silêncio mais 8 *annas* no pote. O namorado movia o dedo sobre as saboneteiras dela, e a moça inclinou-se para trás.

Varun, nervoso, passando a língua sobre os lábios e com os olhos vidrados de excitação apostou mais 8 *annas*. Rabo Quente, dessa vez encarando o oponente e fixando-se no olhar assustado e fascinado do rapaz, disse com a voz mais rouca possível:

— Que menino ganancioso! Você quer se aproveitar de mim. Ora, vou lhe dar o que deseja.

E ela colocou mais 8 *annas* no pote.

Varun não conseguiu suportar por mais tempo. Tomado pelo suspense e aterrorizado com o que a mão dela poderia revelar, pediu para ver o jogo. Rabo Quente tinha um rei, uma dama e um valete de espadas. Varun quase desmaiou de alívio: tinha um ás, um rei e uma dama de ouros.

Mas ele parecia tão devastado quanto se tivesse perdido. Pediu aos amigos que o desculpassem e que o deixassem ir para casa.

— Mas nem pensar! — disse Sajid. — Você não pode ganhar tanta grana e desaparecer: precisa lutar para conservá-la.

E Varun prontamente perdeu tudo o que ganhara (e mais ainda) durante os próximos jogos. Tudo que eu faço não dá certo, pensou ele consigo mesmo enquanto voltava para casa de bonde. Eu sou um inútil — inútil — e uma desgraça para a família. Pensando no jeito como Rabo Quente o olhou, começou de novo a ficar nervoso e imaginava se mais problemas não estariam à sua espera caso continuasse a andar com seus amigos de shamshu.

7.45

NA manhã em que a Sra. Rupa Mehra deveria viajar a Nova Delhi, a família Mehra estava sentada à mesa do café da manhã. Como sempre, Arun estava resolvendo palavras cruzadas. Depois de um momento ele olhou algumas das outras páginas.

— Você poderia pelo menos falar comigo — reclamou a mãe. — Estou indo embora hoje e você fica se escondendo atrás do jornal.

Arun ergueu os olhos.

— Escute só isso, *ma*. É exatamente o que a senhora precisa.

E passou a ler um anúncio do jornal em voz sarcástica:

Diabetes curado em sete dias. Grave ou crônico, o diabetes pode ser completamente curado por VENUS CHARM, a mais recente descoberta científica. Alguns dos principais sintomas dessa doença são sede e fome anormais, excesso de glicose na urina, coceira, etc. Em sua forma mais grave ela causa abscessos, bolhas, catarata e outras complicações. Milhares escaparam ao jugo da morte usando VENUS CHARM. No dia seguinte ao uso ela erradica o açúcar e diminui a gravidade. Em dois ou três dias você vai se sentir quase curado. Sem restrições de dieta. Preço por frasco de 50 comprimidos: 6 rupias 12 *annas*. Frete grátis. À venda no Venus Research Laboratory (N. H.) Caixa Postal 587. Calcutá.

A Sra. Rupa Mehra tinha começado a chorar baixinho.
— Espero que você nunca tenha diabetes — disse ela ao filho mais velho.
— Pode me ridicularizar o quanto quiser, mas...
— Mas quando a senhora estiver morta... a pira de cremação... a cadeira vazia... sim, o resto nós já sabemos — continuou Arun grosseiramente.

Tivera dor na coluna na noite anterior, e a esposa não havia ficado satisfeita com o desempenho dele.
— Cale a boca, Arun *Bhai*! — disse Varun, com o rosto pálido contraído de raiva. Dirigiu-se à mãe e colocou o braço ao redor dela.
— Não fale comigo desse jeito — retrucou Arun, levantando-se e avançando ameaçador em direção ao irmão. — "Cale a boca"? Você me mandou calar a boca? Fora daqui agora mesmo. Fora daqui! — Ele estava em pleno ataque de fúria. — Fora daqui! — bradou mais uma vez.

Não ficou claro se ele queria que Varun saísse da sala, da casa ou da vida dele.
— Arun *Bhai*, francamente... — protestou Lata indignada.
Varun se encolheu e se retirou para o lado oposto da mesa.
— Ora, sentem-se vocês dois — disse Meenakshi. — Vamos tomar café sossegados.

Os dois se sentaram. Arun olhava com ódio para Varun, Varun olhava com ódio para o ovo à sua frente.
— E ele nem mesmo me oferece um carro para ir à estação — continuou a Sra. Rupa Mehra, remexendo a bolsa preta para apanhar um lenço. — Sou obrigada a depender da caridade de estranhos.
— Francamente, *ma* — disse Lata, passando o braço em torno da mãe. Deu um beijo nela. — Amit não é um estranho.

Os ombros da Sra. Rupa Mehra ficaram tensos.

— Até você! — disse ela à filha. — Você não tem consideração por meus sentimentos.

— Mãe! — protestou a filha.

— Vai ficar à toa por aí toda contente. Só minha querida Aparna vai ficar triste em me ver partir.

— *Ma*, seja sensata. Varun e eu iremos com a senhora ao homeopata e depois à estação. E Amit vai chegar com o carro em 15 minutos. A senhora quer que ele a veja em prantos?

— Não me importo que ele veja ou não — disse a Sra. Rupa Mehra com um tom de impertinência na voz.

Amit chegou pontualmente. A Sra. Rupa Mehra tinha lavado o rosto, mas o nariz ainda estava vermelho. Quando se despediu de Aparna, as duas começaram a chorar. Felizmente Arun já havia saído para o trabalho e não pôde fazer comentários inúteis e indiretos.

O Dr. Nuruddin, homeopata, era um homem de meia-idade que tinha o rosto longo, maneiras joviais e fala arrastada. Ele cumprimentou calorosamente a Sra. Rupa Mehra, tomou nota de suas particularidades e seu histórico médico, examinou os exames de glicose no sangue e falou alguns minutos sobre Kakoli Chatterji. Depois se levantou, sentou-se de novo e dedicou-se a uma desconcertante linha de investigação.

— A senhora já chegou à menopausa?

— Já. Mas por que...

— Sim? — perguntou o Dr. Nuruddin, como se falasse com uma criança rebelde.

— Nada, não — disse humildemente a Sra. Rupa Mehra.

— A senhora costuma ficar irritável, transtornada, com facilidade?

— Todo mundo não fica?

O Dr. Nuruddin sorriu.

— Muita gente sim. A senhora também?

— Sim. Hoje de manhã, na hora do café...

— Lágrimas?

— Sim.

— Às vezes a senhora sente tristeza extrema? Desespero abjeto, melancolia irreconciliável?

Ele mencionou tais sentimentos como teria mencionado sintomas clínicos, como pruridos ou dores intestinais. A Sra. Rupa Mehra olhou para ele perplexa.

— Extrema? Extrema como? — gaguejou ela.

— Qualquer resposta que a senhora dê será útil.

A Sra. Rupa Mehra pensou antes de responder:

— Às vezes eu me sinto muito desesperada. Sempre que penso em meu finado marido.

— A senhora está pensando nele agora?

— Estou.

— E está desesperada?

— Não neste momento — confessou a Sra. Rupa Mehra.

— O que a senhora está sentindo agora?

— Que estranho, tudo isso.

Traduzida, a frase queria dizer: "O senhor é maluco! E eu também sou, por estar aturando essas perguntas."

O Dr. Nuruddin tocou a ponta do nariz com a borracha do lápis, antes de perguntar:

— Sra. Mehra, a senhora acha que minhas perguntas não são pertinentes? Que elas são impertinentes?

— Bom...

— Eu lhe garanto que são muito pertinentes para entender sua condição. Na homeopatia nós tentamos lidar com todo o organismo, não nos restringimos ao lado físico. Agora me diga: a senhora sofre de perda de memória?

— Não. Eu sempre lembro os nomes e a data de aniversário dos amigos, e outras coisas importantes.

O Dr. Nuruddin anotou alguma coisa num bloquinho.

— Muito bem, muito bem — disse ele. — E sonhos?

— Sonhos?

— Sim, sonhos.

— O que tem eles? — perguntou ela, confusa.

— Que sonhos a senhora tem, Sra. Mehra?

— Eu não me lembro deles.

— Não se lembra? — perguntou ele com ceticismo afável.

— Não — respondeu a paciente, rangendo os dentes.

— A senhora range os dentes quando dorme?

— Como vou saber? Estou dormindo! E o que isso tem a ver com meu diabetes?

O Dr. Nuruddin continuou jovialmente:

— A senhora acorda com sede durante a noite?

Com um franzir de testa, ela respondeu:

— Acordo sim, com muita frequência. Até deixo uma jarra de água ao lado da cama.

— A senhora sente mais cansaço de manhã ou à noite?

— Acho que de manhã. Isso até fazer minha recitação do *Gita*; depois eu me sinto mais forte.

— A senhora gosta de manga?

A Sra. Rupa Mehra olhou fixo para o médico do outro lado da mesa.

— Como o senhor sabe disso? — interpelou-o.

— Foi apenas uma pergunta, Sra. Mehra. Sua urina tem cheiro de violeta?

— Como se atreve? — gritou a paciente escandalizada.

— Sra. Mehra, eu estou tentando ajudá-la — disse o médico, pousando o lápis. — A senhora vai responder minhas perguntas?

— Eu não vou responder a esse tipo de pergunta. Em menos de uma hora meu trem vai sair da estação Howrah. Preciso ir embora.

O Dr. Nuruddin pegou seu exemplar do *Materia Medica*, que abriu em uma página relevante.

— Veja bem, Sra. Mehra, eu não estou conjurando esses sintomas da minha imaginação. Mas até a intensidade de sua resistência às minhas perguntas me ajudou a fazer o diagnóstico. Agora eu só tenho mais uma pergunta.

A Sra. Rupa Mehra ficou tensa e perguntou:

— Pois não?

— A senhora sente coceira nas pontas dos dedos?

— Não — disse ela e deu um suspiro fundo.

Durante um minuto o Dr. Nuruddin alisou a ponte do nariz com os dois dedos indicadores; depois escreveu uma receita e a entregou a seu assistente, que começou a moer vários materiais até convertê-los em um pó branco. Ele o distribuiu em 21 pacotinhos de papel.

— A senhora não vai comer cebola, nem gengibre, nem alho, e vai tomar um pacotinho do pó antes de cada refeição. Pelo menos meia hora antes — disse o homeopata.

— E isso vai melhorar meu diabetes?

— *Inshallah*.

— Mas eu achei que o senhor fosse me dar aqueles comprimidinhos — protestou a paciente.

— Eu prefiro pós — disse o Dr. Nuruddin. — Volte aqui em sete dias e nós veremos...

— Estou indo embora de Calcutá. Só voltarei dentro de uns meses.

O Dr. Nurudun disse, já não muito jovialmente:

— Por que a senhora não me disse?

— O senhor não me perguntou. Desculpe, doutor.

— E para onde a senhora está indo?

— Para Nova Delhi, e depois para Brahmpur. Minha filha Savita está esperando um bebê — confidenciou a Sra. Rupa Mehra.

— Quando estará em Brahmpur?

— Em uma ou duas semanas.

— Não gosto de dar receitas por períodos longos, mas parece que não terei escolha. — Ele falou algo com o assistente antes de prosseguir: — Vou lhe dar remédios para duas semanas. A senhora deve me escrever neste endereço depois de cinco dias para me dizer como está se sentindo. E, em Brahmpur, deve visitar o Dr. Baldev Singh; aqui está o endereço dele. Mais tarde escreverei um bilhete para ele. Por gentileza, pague e apanhe seus remédios na sala da frente. Até mais, Sra. Mehra.

— Muito obrigada, doutor — disse ela.

— O próximo! — chamou alegremente o Dr. Nuruddin.

7.46

A CAMINHO da estação a Sra. Rupa Mehra estava excepcionalmente calada. Quando os filhos lhe perguntaram como tinha sido a consulta com o médico, ela respondeu:

— Foi esquisita; podem dizer isso a Kuku.

— A senhora vai seguir o tratamento que ele propôs?

— Vou; não fui educada para desperdiçar dinheiro. — A Sra. Rupa Mehra parecia irritada com a presença deles.

Ao longo do extenso engarrafamento na ponte Howrah, enquanto preciosos minutos se passavam e o automóvel avançava lentamente através de uma multidão rouca e ensurdecedora que buzinava e gritava, multidão formada por ônibus, bondes, táxis, carros, motocicletas, carroças, triciclos, bicicletas e, principalmente, pedestres, a Sra. Rupa Mehra, que normalmente estaria se agarrando às pulseiras num pânico desesperado, mal parecia ter consciência de que o trem partiria em menos de 15 minutos.

A viúva deixou suas emoções naturais se reafirmarem apenas depois de o trânsito ter começado milagrosamente a andar, de estar confortavelmente instalada com as malas em sua cabine e de ter tido uma boa oportunidade de examinar os outros passageiros. Beijando Lata com lágrimas nos olhos, disse a esta que ela teria que tomar conta de Varun. Beijando Varun com lágrimas nos olhos, disse a este que ele teria que tomar conta de Lata. Amit se afastou um pouco. A estação Howrah, com sua multidão, sua fumaça, a agitação, o langor e o predominante cheiro de peixe podre, não era seu lugar favorito neste mundo.

— Foi realmente muita gentileza de sua parte, Amit, nos emprestar o carro — disse a Sra. Rupa Mehra tentando parecer benevolente.

— Por nada, *ma*; o carro estava disponível. Por algum milagre Kuku não o havia reservado.

— Sim, Kuku — disse a Sra. Rupa Mehra, subitamente agitada. Embora tivesse o hábito de dizer a todos que era invariavelmente chamada de *ma* e que gostava disso, não ficou feliz naquele momento ao ouvir Amit se dirigir a ela assim. Olhou alarmada para a filha. Pensou em Lata quando tinha a idade de Aparna. Quem poderia ter previsto que ela se tornaria adulta tão depressa? — Dê minhas lembranças carinhosas à sua família — pediu a Amit em um tom de voz que transmitia pouquíssima convicção.

Amit estava confuso pelo que parecia ser um fluxo de disfarçada hostilidade, mas talvez fosse apenas imaginação dele. O que teria acontecido no consultório médico, perguntava-se ele, para deixar a mãe de Lata tão transtornada? Ou será que ela estaria zangada com ele?

No caminho de volta a casa, todos concordaram que o humor da Sra. Rupa Mehra estivera muito estranho.

— Acho que alguma coisa que eu fiz irritou sua mãe — disse Amit. — Naquela noite eu devia ter trazido você para casa na hora certa.

— Não foi você, fui eu — replicou Lata. — Ela queria que eu a acompanhasse a Nova Delhi, e eu não quis.

— Foi por minha causa — contestou Varun. — Eu sei que foi. Ela parecia tão infeliz comigo. Não suportava me ver jogar minha vida fora. Eu preciso virar a página. Não posso decepcioná-la de novo. E você, Luts, quando perceber que estou voltando ao meu jeito antigo, você tem que ficar zangada comigo. Mas muito zangada mesmo. Gritar comigo. Dizer que eu sou um maldito idiota e que não tenho qualidades de liderança. Nem uma só!

Lata prometeu que faria assim.

Este livro foi composto na tipologia Adobe Caslon Pro,
em corpo 11/15,1, impresso em papel off-white
no Sistema Cameron da Divisão Gráfica
da Distribuidora Record.